金陵全書

甲編·方志類·府志

首都志（二）

（民國）葉楚傖 柳詒徵 主編
（民國）王焕鑣 編纂

南京出版傳媒集團
南京出版社

圖書在版編目（CIP）數據

首都志 / 葉楚傖，柳詒徵主編；王焕鑣編纂.—南京：南京出版社，2013.9
（金陵全書）
ISBN 978-7-5533-0351-2

Ⅰ.①首… Ⅱ.①葉… ②柳… ③王… Ⅲ.①南京市—地方志—民國 Ⅳ.①K295.31

中國版本圖書館CIP數據核字（2013）第210063號

書　名　【金陵全書】（甲編·方志類·府志）
首都志
編著者　（民國）葉楚傖　柳詒徵　主編　（民國）王焕鑣　編纂
出版發行　南京出版傳媒集團
南　京　出　版　社
社址：南京市老虎橋18-1號　郵編：210018
網址：http://www.njcbs.com　淘寶網店：http://njpress.taobao.com
電子信箱：njcbs1988@163.com
聯系電話：025-83283871、83283864（營銷）　025-83283883（編務）

出版人　朱同芳
責任編輯　徐　智　楊傳兵
裝幀設計　楊曉崗
責任印製　楊福彬

製　版　南京新華豐製版有限公司
印　刷　南京凱德印刷有限公司
開　本　889毫米×1194毫米　1/16
印　張　102.25　插頁10
版　次　2013年9月第1版
印　次　2013年9月第1次印刷
書　號　ISBN 978-7-5533-0351-2
定　價　2600.00元（全二册）

首都志卷八

教育下

清季及民國學校

清代之所謂學校。即科舉之初基。皆就已有之人才而甄拔之。未嘗就未成之人才而教成之也。逮其末造。外患日深。人才不足以應世變。有識之士。咸痛心于時文小楷之害。

【李鴻章復郭筠僊星使書】人才風氣之固結不解。積重難返。鄙論由于崇尚時文小楷誤之。世重科目時文小楷。卽其根本。來示萬事皆無其本。卽傾國考求西法。亦無裨益。洵破的之論。而中國上下果眞傾國考求。未必遂無轉機。但考求者僅執事與雨生鴻章三數人。庸有濟耶。〔光緒三年〕

清廷亦漸悟舊制之不適．于光緒二十四年．廢八股取士舊制．諭立學堂譯新書．

【光緒政要】光緒二十四年四月詔定國是． 數年以來．中外臣工．講求時務．多主變法自強．邇者詔書數下．如開特科．裁冗兵．改武科．創立大小學堂．皆經再三審度．籌之至熟．始定議施行．惟是風氣尚未大開．論說莫衷一是．或狃於老成憂國．以爲舊章應行墨守．新法必當擯除．衆喙嘵嘵．空言無補．至今日時局如此．國勢如此．若仍以不練之兵．有限之餉．士無實學．工無良師．強弱相形．貧富懸絕．豈眞能制梃以撻堅甲利兵乎．朕惟國是不定．則號令不行．極其流弊．必至門戶紛爭．互相水火．徒蹈宋明積習．于實政毫無裨益．卽以中國大經大法而論．五帝三王．不相沿襲．譬之冬裘夏葛．勢不兩存．用是明白宣示．爾中外大小諸臣．自王公以及士庶．各宜努力向上．憤然爲雄．佩聖賢義理之學．植其根本．又須博采西學之切於時務者．實力講求．以救空疏迂謬之弊． 五月詔改八股取士舊制． 總理衙門會同軍機處奏籌辦京師大學堂事宜． 諭各省府廳州縣設立學校．

未幾爲守舊者所沮．咸復其舊．

【光緒政要】光緒二十四年八月諭復一切舊制.

南京於時已有學校.〔見後〕

旋遭庚子拳匪之亂.八國聯軍入京.皇室西遁.國勢岌岌.兩江總督劉坤一等.乃上變法之摺.首以立學爲事.學校自此興矣.

【光緒政要】二十七年五月兩江總督劉坤一湖廣總督張之洞第一次會奏變法事宜疏.中國不貧於財而貧於人才.不弱於兵而弱於志氣.人才之貧由於見聞不廣.學問不實.志氣之弱.由於苟安者無履危救亡之遠謀.自足者無發憤好學之果力.保邦致治.非人無由.謹先就育才興學之大端.參考古今.會通文武.籌議四條.一曰設文武學堂.二曰酌改文科.三曰停罷武科.四曰獎勵游學.敬爲聖主陳之.(一)設文武學堂.取士之法.自漢至隋爲一類.自唐至明爲一類.無論或用選舉.或憑考試.立法雖有短長.而大意實不相遠也.要之皆就已有之人才而甄拔之.未嘗就未成之人才而教成之.故家塾則有課程.官學但憑考校.此皆與三代學校之制不合.現行科舉章程.本是沿襲前明舊制.承平之世.其人才尚足以佐治安民.今日國蹙患深.才乏文敝.若非改弦易轍.何以拯此

艱危。考周官司徒之職。小戴禮學記之文。大率皆以德行道藝。兼教並學。學成而後用之。此外見於經傳者。鄉國之學。皆兼六藝。大夫之職。必備九能。書禮干戈。司成並教。寄象鞮譯。王制分官。海外圖經。伯益所傳。潤色專對。論語所重。又按三代之制。庠序之稱曰士。卒伍之稱亦曰士。實爲文武合一文武並重之明徵。若孔子兼通文武。學於四夷。尤聖人躬行垂教之彰彰者。今泰西各國學校之法。猶有三代遺意。禮失求野。或尚非誣。臣等謹參酌中外情形。酌擬今日設學堂辦法。擬令州縣設小學校。童子八歲以上入蒙學。習識字。正語音。讀蒙學歌訣諸書。除四書必讀外。五經可擇讀一二部。家塾義塾悉聽其便。由紳董自辦。官勸導而稽其數。每年報聞上司可也。十二歲以上入小學校。習普通學。兼習五經。先講解。後記誦。但解經書淺顯義理。兼看中外簡略地圖。學粗淺算法。至開立方止。學粗淺繪圖法。至畫出地面平形止。習中國歷代史事大略。本朝制度大略。習柔軟體操。三年而畢業。紳董司之。官考察之。十五歲以上入高等小學校。解經書較深之義理。學行文法。學策論詞章。看中外詳細地圖。學較深算法。至代數幾何止。學較深繪圖法。至畫出地上平剖面立剖面水底平剖面止。習中國歷史大事外國政治學術大略。習器具體操。兼習外國一國語言文字之較淺者。此學必設兵隊操場。三年而畢業。官司之。紳董佐之。府設中學校。十八歲高等小學畢業者入中學校。

習普通學。此學溫習經史地理。仍兼習策論詞章。並習公牘書記文字。學精深算法。至弧三角航海駛船法止。學精深繪圖法。至測算經緯度行軍圖目揣遠近斜度止。習中國歷史兵事。習外國歷史法律格致等學。外國政治條約卽附於律法之內。並講明農工商等學之大略。習兵式體操。兼及外國一國語言文字之較深者。詞章一門。亦設教習。學生願習與否。均聽其便。此學亦必設兵隊操場。三年而畢業。學政考之。給予憑照。送入省城高等學校。省城應設高等學校一區。大省容二三百人。中小省容百餘人。屋舍不便者。分設兩三處亦可。但教法必須一律。非由中學校普通學畢業者。不能收入。擬參酌中西學制。分爲七專門。一經學。中國經學文學皆屬焉。二史學。中外史學中外地理學皆屬焉。三格致學。中外天文學外國物理學化學電學力學光學皆屬焉。四政治學。中外政治學。外國律法學財政學交涉學皆屬焉。五兵學。外國戰法學軍械學經理學軍醫學皆屬焉。六農學。七工學。凡測算學繪圖學道路河渠營壘製造軍械火藥等事皆屬焉。共七門。各認習一門。惟人人皆須兼習一國語言文字。此學亦必設兵隊操場。至醫學一門。以衛生爲義。本爲養民强國之一大端。然西醫不習風土。中醫又鮮眞傳。止可從緩。惟軍醫必不可緩。故附於兵學之內。並另設農工商礦四專門學校各一區。專以考驗實事爲主。機器藥料試驗所皆備。亦三年而畢業。其普通學成。願入此四學者。聽入此四學者。中國政學文學皆令溫習。無論何學皆有兵隊操場。其習武者專設一武備學校。擇普通畢業之廩生。願習武者送入。四書義中國歷史策論人人兼習。其餘悉依外國教課之法。並專習一國語言文字。或仿日本。並設一砲工學校。專學製造鎗砲之法。均三年而畢業。文學生高等學校畢業後。除農工商礦專門四學。另爲章程外。此七門學生學律法者。派入交涉局學習實事。名曰練習學生。其餘六門學生。均隨其所願。派入農工商礦等局。兼習實事。名曰兼習學生。均以實在局在營一年爲度。農工商鑛四專門學生。三年畢業後。農學派赴本省各縣山鄉水縣考驗農業。工學派赴本省外省華洋工廠考驗製造。商學派赴南北繁盛口岸考驗商務。鑛學派赴本省外省開礦之山煉礦之廠考驗采煉。均名曰練習學生。亦均以實在出外遊歷練習一年爲度。其武學生武備學校畢業後。令入營學習操練。一年半年充兵。半年充弁。以實在營一年爲度。合計在學肄業及出外練習文武各門。均四年學成。先由督撫學政考之。再由主考考之。取中者除送入京師大學校外。或卽授以官職。令其效用。大學校學業又益加精。門目與省城所設高等專門學校同。三年學成。會試總裁考之。取中者授以官。此大中小學教法門目等級年限之大略也。(一)酌改文科。擬卽照光緒二十四年臣張之洞奏變通科舉奉旨允准之案酌辦。大約係三場先後互易分場發榜．各有去取．以期場場核實．頭場取博學．二場取通才．三場歸純正．以期由粗入精．頭場試中國政治史書．二場試各國政治地理武備農工算法之類．三場試四書五經經義．經義即論說考辨之類也．頭場十倍中額．原奏經禮部通行陝西有案可查．惟聲光化電等學場內不能試驗．擬請删去．此係原本朱子救弊須兼他科目取人之意．歐陽修隨意去留鄙惡乖誕以次先去之法．而又略仿現行府縣覆試童生學政會考優貢之章．似乎有益無弊簡要易行．（一）停罷武科．武科硬弓刀石之拙固無益於戰征．弧矢之利亦遠遜於火器．至於默寫武經．大率皆係代倩．文字且不知．何論韜略．以故軍興以來．以武科立功者．概乎其未有聞．凡武生武舉武進士之流．不過恃符豪霸．健訟佐鬭．抗官擾民．既於國家無益．實於治理有害．近年自故督臣沈葆楨以後．中外大臣言武科改章者甚多．蓋人已共知其弊．臣等揆之今日時勢．武科無益有損．擬請宸斷．奮然徑將武科小考鄉會試等場一切停罷．此誠自強講武之一大關鍵也．（一）獎勵遊學．查外國學堂．法整肅而不苦．教知要而有序．爲教師者類皆實有專長．其教人亦有專書定法．教法尤以日本爲最善．文字較近．課程較速．其盼望學生成就之心至爲懇切．傳習易．經費省．回華速．較之學于歐洲各國者．其經費可省三分之二．其學成及往返日期可速一倍．江鄂等省學生在日本學堂者多．故臣等知之甚確．此時宜令各省分遣學生出洋遊學．文武兩途及農工商學專門之學均須分門認習．尤須擇其志定文通者．乃可派往．學成後得有憑照回華加以覆試．如學業與憑照相符．卽按其等第作爲進士舉貢．以輔各省學堂之不足．最爲善策．此時日本人才已多．然現在歐洲學堂附學者尙數百人．此舉之有益可知．並宜專派若干人．入其師範學堂專習師範．以備回華充小學中學普通教習．尤爲要著．再官籌學費．究屬有限．擬請明諭各省士人．如有自備資斧出洋遊學．得有優等憑照者．回華後覆試相符．亦按其等第作爲進士舉貢．如此則遊學者衆．而經費不必盡由官籌．蓋遊學外國者．但籌給經費．而可省無數之心力．得無數之人才．可謂善策矣．若自備資斧遊學者．准給憑照錄用．則經費並不必多籌．尤善之善者矣．此四條爲求才圖治之首務．其間事理皆互相貫通補益．故先以此四條上陳．

茲次清季迄于今茲．南京各學校于後．

(一)高等教育

高等學堂

【兩江總督劉坤一奏辦理江南省學堂情形摺】江南舊有儲材學堂．分設交涉農政工藝商務四大綱．學生以一百二十名爲止．現在所學僅英法德日四國語言文字．擬將儲材學堂改爲江南學堂．

【金陵通紀】光緒二十四年創辦高等學堂．以儲材學堂改爲之．在陸師學堂側．

【續金陵通紀】光緒二十五年高等學堂罷．改爲格致書院．

【柳詒徵江南高等學堂同學錄序】江南高等學堂．肇基於癸卯．輟講於辛亥．凡爲學九年．主之者不恆其人．學焉者亦新故相嬗．厥時襲日制．大學中學之介有高等．京師置大學．比古辟雍．府爲中學．視郡庠．直省則立高等．隸大府．繩以今制．省各有大學．宜若相等．稽其學術風尚．無多讓也．校址故鍾山書院．十許年來．易爲第四師範．爲南京中學．尋往昔之履綦．幾若不可蹤跡．江陰繆先生荃孫首𠞰斯堂．歸道山十年矣．

三江師範學堂

【金陵通紀】光緒二十九年開三江師範學堂於江寧府署．

【金陵通紀】光緒二十九年移三江師範學堂于北極閣。

【張之洞江南省創建三江師範學堂摺】查各國中小學堂教員咸取材於師範學堂。是師範學堂爲教育造端之地。關係尤爲重要。兩江總督兼轄江蘇安徽江西三省。此三省各府州縣應設中小學堂。爲數浩繁。需用教員何可勝計。若未經肄業師範學堂。延訪外國良師。研究教育之理。講求教授之法。及管理之法。遽任以中小學堂教員。必致疏漏淩躐。枝節補救。徒勞鮮功。且詳略參差。各學堂學派學程。終難畫一。經臣督同司道詳加籌度。惟有專力大舉。先辦一大師範學堂。以爲學務全局之綱領。則目前之致力甚約。而日後之發生甚廣。茲於江寧省城北極閣前勘定地址。創建三江師範一所。凡江蘇安徽江西三省士人。皆得入堂受學。查直隸督臣袁世凱奏建師範學堂。定全省學額爲八百名。延聘日本師範教習十二人。茲爲三省豫儲師範學額。自宜酌量從寬。現擬江蘇省蘇屬寧屬定額各二百五十名。安徽省定額二百名。江西省定額二百名。共定額爲九百名。其附屬小學堂一所。定學額爲二百名。所有師範生及附屬小學生。均由地方官出具印結。取具本生族鄰甘結。保送考選入學。開學第一年。先招師範生六百名。三年後再行續招足額。前三年教小學堂之師範生。約分三級。爲一年最速成科。二年速成科。三年本科。以便陸續派赴各州縣充小學堂教員。

第四年卽添置高等師範本科精研教育學理以教中學之師範生備各屬中學堂教員之選現已延聘日本高等師範教習十二人專司教育學及理化學圖畫學各科並選派舉貢廩增出身之中學教習五十人分授修身歷史地理文學算學體操各科學堂未造成以前暫借公所地方於本年先行開辦練習教員之法令東教習就華教習學中國語文及中國經學華教習就東教習學日本語文及理化學圖畫學彼此名爲學友東教習不得視華教習爲弟子在日本語此法名爲互換知識俟一年後學堂造成中國教習於東文東語理化圖畫等學通知大略東教習亦能參用華語以教授諸生於問答無虞扞格再行考選師範生入堂開學則不必盡借繙譯傳達可免虛費時刻誤會語氣諸弊收效尤速其購地建堂經費已據江寧藩司籌撥應用其常年學堂經費如華洋教習各學生飯食冬夏講堂及操場衣冠鞾帶臥具紙筆燈火獎賞監督提調監學庶務各委員司事人役薪工及一切雜用之屬每年需款甚鉅已議定由江蘇藩司於本年先協撥銀一萬兩以後每年協籌銀四萬餘兩擬令安徽江西兩省各按學生額數每名每年協助龍洋一百元不過稍資津貼不敷尚多所有全堂三省學生學費自應專籌的款濟用查江寧銀元局鑄造銅元最爲便民要政行銷頗暢甚有盈餘現已由該司請添購新機增建廠屋大加擴充卽以歲獲盈餘專供該學堂經

費之用．此舉爲三省學堂根本教員得人起見．雖江南財力支絀．不敢不設法籌措．勉爲其難．至學堂建造規模及一切課程辦法．經臣專調曾赴日本考察學校熟悉教育情形之湖北師範學堂堂長來寧精繪圖式．詳定章程．總期學制悉臻完備合法．並於省城設立兩江學務處一所．派委司道等員會同綜理．加意講求．督催興辦．以副聖朝興教勸學造就人材之至意．〔光緒二十九年二月〕

【魏光燾江南創建三江師範學堂建堂經費摺】現今會商學務處以原定三省學額九百名可分三班招集入堂．則建造房屋亦可次第增添．擬先就分班學生人數擇必不可少房屋分別起造．酌用洋式．核實估計．共需工料曹平銀九萬八千五百餘兩．擬於江寧籌餉捐輸款內解存司庫銀五萬八千餘兩儘數動撥．其不敷銀兩由司設法另籌．請先奏明立案．

【調查三江師範學堂條議】全堂共分三科．曰本科．三年畢業．曰速成科．二年畢業．曰最速成科．一年畢業．又加法制理財農業英文諸項．爲隨意科．〔南洋官報光緒三十一年六月初十日第十三册〕

兩江師範學堂

【江蘇紳士公議江南省學校學額學務】三江師範學堂應請釐正名稱爲兩江師範學堂。（南洋官報光緒三十一年十一月二十日第二十九册）

【江督周奏縷陳江南近年辦理學務情形摺】原有三江師範學堂易名兩江。（南洋官報光緒三十二年第五十九册）

【李瑞清兩江師範同學錄敍】南皮張相國于江南建兩江師範學校。中國師範學校之立以兩江爲最早。聘日本教師十一人。綜合中西。其學科頗采取日本。稱完美焉。

高等師範

【江蘇十一年份政治年鑑】民國三年八月。江蘇巡按使韓國鈞委任校長江謙。就前兩江師範學堂校舍。察勘籌備開校。四年八月一日始舉行入學試驗。先招文理化兩部預科各一級。國文專修科一級。五年四月十四日舉行體育專修科入學試驗。七月六日至八日舉行工藝專修科及國文部理化部預科新生入學試驗。六年七月九日舉行農業工業商業英文各專修科新生入學試驗。本學期內（八年春）國文部改爲文史地部。理化部改爲數理化部。九年四月九日開校務會議。由校長處議陳請教育部改本校爲東南大學案全體贊成遂組織委員會討論進行事宜九月二十五日張謇蔡元培江謙王正廷袁希濤穆湘玥蔣夢麟沈恩孚黃炎培會同郭校長擬具改辦大學計畫書預算書由郭校長偕蔣黃二君赴京與教育部接洽十一月教育部復張謇等議以高等師範之教育農工商四專修科改歸大學高師仍留各本科賡續辦理十一年十二月九日依據新學制呈請教育部將南京高等師範學校歸併東南大學

國立東南大學

【東南大學概況】本校略史　民國以來教育部嘗建增設大學之議南京實已居其一草預算矣徒以絀於經濟未克實行迄九年四月九日南京高等師範開校務會議校長提出籌備國立大學議案出席者一致贊成遂擬具大要計畫由校長郭君秉文與張季直蔡子民王儒堂蔣夢麟穆耦初沈信卿黃任之江易園袁觀瀾諸先生再加討論旋經諸先生向教育部爲正式之陳請時値范靜生先生長教部其就職宣言有以推廣高等教育爲己任語郭君卽於九月杪偕黃任之蔣夢麟兩先生入京約同蔡孑民先生往見范總長總長既極贊同部中要人僉無異議然教育部雖已通

過。而財政部尚未同意。十一月南京高等師範奉教育部公文。略謂財部以今年預算增加太大。礙難照准。杳復。於是郭君再進京以建設大學之重要。一一向執政諸公言之。遂得於國務會議通過。并定名爲國立東南大學。十二月六日奉教育部令。派郭秉文爲東南大學籌備員。十五日就南京高等師範學校內正式組織籌備處。分股凡八。各股既設。分途籌備。并擬就組織大綱及校董會簡章。推舉校董十七人。於十年三月二十四日呈請教育部核准函聘。三月二十八日奉教育部指令照准。六月六日籌備處函請各校董齊集上海。開成立會。商推一切。七月十三日奉教育部指令核准籌備處所擬組織大綱。十四日設商科大學籌備處於上海法租界霞飛路。先是籌備處議決本大學除文理教育農工四科。設在南京外。商科大學設於上海。詳情見後。八月二十三日至二十四日舉行大學預科新生考試。九月五日校董會奉教育部復文。准以南京高等師範學校校長郭秉文兼國立東南大學校長。二十七日又奉教育部指令二件。一批准擬訂大學簡章。一批准上海商科大學簡章也。於是國立東南大學經數年之醞釀。年餘之籌備。而始底於成。十二年秋南京高等師範實行合併。校內組織與行政及校董會職權。復略有改定。具如下述。大略椎輪。規模粗具。經營擴展。期諸異日。

【東南大學概況】教務組織　(一)科與系　本校暫設五科．二十九系．其分配如下．　甲科別．文理科教育科農科工科設南京．商科單科大學．於上海名上海商科大學．　乙系別　中文系外國語文系歷史系地學系哲學系政治經濟系數學系化學系物理系心理系教育系體育系生物系農藝系園藝系畜牧系病蟲害系蠶桑系農業化學系機械工程系土木工程系電機工程系普通商業系會計系工商管理系銀行理財系國際貿易系交通運輸系保險系．　上列各科系所授課程約共三百餘種．現采用學分制．以每學生每週上課及自修合三小時．歷半年者爲一學分．每半年以學習十六學分爲標準．若遇特別情形可減少至十二學分．增多至二十學分．滿一百六十學分者畢業．但各科認爲有增加學分之必要時．得酌量增加．　(二)文理科　文理科由從前南京高等師範之國文史地數理化學英文諸部擴充而成．十年大學成立時．各科皆以系爲單位．而統之於科．於是本科纔有國文英語哲學歷史地學數學物理化學等系．是年又增設政法經濟系．及西洋文學系．同時以農科之生物系教育科之心理系與本科合辦．本年政法經濟系以一時未得教授法律人材．故法律門暫缺．改名爲政治經濟系．現又定自十三年度起合併西洋文學系英語系及德文法文日文各學程改組外國語文系．　本科現共有教授四十一人．(內一人爲美國人．曾任芝加哥大學教授．又三十五人皆留學歐美．得有博士或碩士等學位者．又五人則國學專修有素．歷任大學及高等學校教師者）助教十六人．助理八人．（大都國內大學及高等專門畢業者）此外並設書記兼編輯一人．總計本科教職員凡六十六人．（三）教育科　教育科原于從前之南京高等師範本科．宗旨有三（1）養成教員視察員及教育行政人材．（2）實行及發展教育學心理學及體育學之研究（3）推廣新教育思想及方法．以促進教育之發達．本科共有教授十五人．助教十三人．助理五人．共三十三人．本科現有三系．卽教育學心理學及體育學等系是也．共授課程一百零二種．凡學生學滿一百六十學分者．得領學士學位．凡滿一百三十學分者．學得領員證．（四）農科　農科發源於南京高等師範之農業專修科．自六年九月爲成立之始．卽以造就專門人才發展改良農業爲宗旨．初訂修業年限爲三年．嗣因農科教育之重要．農業人材及博物教師之缺乏．於九年改訂修業年限爲四年．添聘專家．增加儀器設備．並增加農業及博物中之精深科目．採用選科制度．迨本大學成立．本科遂爲其各分科之一．而宗旨則繼續進行．且益注重研究．以期東南數省農業上之最重要問題．逐漸解決．一方面根據本國情形及在本國試驗所得之方法．施諸教育．一方面採取歐美先進良法．以定事業之範圍．本科現包統七系．卽農藝園藝畜牧生物病蟲害蠶桑及農業化學等系是也。所授課目共一百八十九種。現有教授二十二人。助教助理等共五十五人。本科有農業試驗場四。其面積如下。中央試驗場共一千八百畝。第一試驗分場（在本校東面）共一百二十畝。第二試驗分場（近明陵）共一百零六畝。第三試驗分場（在太平門外）共二百四十畝。此外江蘇河南湖北直隸等處棉植試驗場六處。共一千五百餘畝。均歸入本科辦理。故本科共有試驗之地面約三千八百餘畝。（五）工科　工科以造就工業專門人材研究發達中國工業之方法與原理爲宗旨。始於南京高等師範之工藝專修科。時爲民國五年七月。當時國內之教育界深感於吾國職業教育之缺乏。故僅以工藝爲限。成立未久。覺發達中國工業舍培養專門人材外無他途。於是舍原定職業教育之計劃。而從事專門機械工程之教育。建設工廠。購辦儀器。添聘歐美工學專家。爲高深工學之訓練及研究。故本科在高師雖以工藝專修科名。實際則爲修業三年之機械工程科。至民國九年冬國立東南大學成立。即以高師之工藝科爲大學工科之基礎。初僅設機械工程系。十二年。感於國內電機及建築人材之需要。添設電機工程系及土木工程系。一方添置機械儀器爲電機及材料之實驗。一方增購專門書報爲參考及研究之預備。其進行計劃。悉根據歐美各工程大學之經驗。參酌本國之實業現狀．經各專家之考慮．擬訂之現定事業範圍如下表．

工科事業
- 研究
  - 研究工程學之理論
  - 改良工業原料方法器械
  - 解決工程及工業問題
  - 研究國內公用事業之建設
- 教授
  - 機械工程系
  - 土木工程系
  - 電機工程系
- 調查及推廣
  - 編輯工程書報
  - 交通事業
  - 製造事業
  - 工業經濟
  - 工程教育現狀

本科現有教授七人．（均得有美國大學博士或碩士等學位者）助教及助理六人．共十三人．設備分圖書．（約五百四十餘種）工廠（分鑄冶鍛鐵機械及模型四種）機力廠（兼管本校電燈）工藝試驗室（分電機試料及水力三種）及測量器具等。　(六)分設之上海商科大學。　國立南京高等師範學校於民國六年秋設立商業專修科。九年十年畢業兩次。九年冬議設國立東南大學時。決定將高師商科擴充改組爲商科大學。以人材與環境之關係。分設上海。迨十年夏。東南大學成立。適暨南學校亦在上海設立商業專科之計劃。爰由中南協會建議兩校合辦。藉以集中人材節省經費。定名爲東南大學暨南學校合立上海商科大學。一面組織上海商科大學委員會。公推聶雲臺張公權黃奕任簡照南錢新之穆藕初陳光甫史量才黃任之趙厚生郭秉文柯箴心朱進之張子高高踐四諸先生爲委員。郭秉文先生爲校長。籌備進行。暫借尚賢堂房屋爲校舍。於十年八月十五日舉行第一次入學試驗。九月二十八日開校。國內有商科大學自本校始。至十一年三月暨南學校自辦大學。議將商科大學歸東南大學獨力專辦。旋經東南大學校董會議決認可。即定名爲國立東南大學分設上海商科大學。改推方椒伯史量才田時霖朱成章任嗣達李清泉孫梅堂郭標張公權談丹崖趙晉卿韓无悶簡照南嚴直方嚴敬輿諸先生爲委員。呈准教育部備案。此上海商科大學創立之經過情形也。　本科現設七系。即普通商業會計工商管理銀行理財國際貿易交通運輸及保險等系是也。所授課目凡七十九種。有教授助教及助理共二十一人。職員十二人．事務員五人．本科校址暫設於霞飛路二百九十號．現正在上海大西路一帶購地五百畝．將來商科之新校舍．即建於是焉．

國立中央大學

【全國文化機關一覽】民國十年九月．當局就南京高等師範學校址成立東南大學．十二年秋南高與東大實行合併．十六年七月河海工程大學上海商科大學江蘇法政大學江蘇醫科大學南京工業專門學校蘇州工業專門學校上海商業專門學校南京農業專門學校等八校併入．改組為第四中山大學．設文醫工商農等九學院．十七年三月改稱江蘇大學．五月改為國立中央大學．二十一年八月商醫兩學院獨立．改組為國立上海商學院與國立上海醫學院．

【國立中央大學概況】(民國十八年)中央大學．不僅一大學已也．自國府奠都南京之後．頒令施行大學區制．設中央大學區．以江蘇省為範圍．故中央大學區包括區內各級學校及各教育機關．中央大學校長綜理區內一切學術與教育行政．是以知的機關而兼為行的機關．嗣是自小學而中學而大學而研究院．互相銜接．學校與教育行政．聯為一氣．此所謂行政學術化．中央大學區設

中央大學　（陸地測量局製）

評議會．爲本區審議機關．設研究院．〔在籌備中〕爲本區研究專門學術之最高機關．其行政方面設高等教育處管理本部各學院．並監督區內私立大學與私立專門學校．及留學事項．設普通教育處管理本區直轄中小學校．地方教育及監督區內私立中小學校．設擴充教育處管理區內民衆教育勞動教育及社會教育．設祕書處輔助校長辦理本區行政上一切事務．此外設督學若干人．以大學本部教授副教授充任．負指導視察區內一切中小學校及屬於擴充教育處之一切機關．設視學若干人．則於區內負視察之責．設會計師審核本區各教育機關之預算決算．及一切帳目．合上述管理行政事務各部份之組織．綜名曰中央大學區教育行政院．現有職員七十五人．高等教育之主要事業．即大學本部．都八學院．曰理學院．文學院．法學院．教育學院．醫學院．農學院．工學院．商學院．理文法教育工五學院．及教育行政院．設於南京北極閣下．工學院之一部．設於蘇州．農學院設於南京三牌樓．商學院設於上海．醫學院設於吳淞．理學院分六系．曰算術系．物理系．化學系．地學系．生物學系．心理學系．文學院分五系．曰中國文學系．外國語文系．哲學系．史學系．社會學系．法學院分三系．曰法律學系．政治學系．經濟學系．教育學院分一系三科．曰教育學系．師資科．藝術專修科．體育專修科．醫學院分六科．曰醫學基本科．內科．外科．小兒科．婦產科．專科．附設機關凡四．曰醫院．藥學校．護病學校．產婦學校．農學院分三科．曰植物．農藝科．動物農藝科．農產製造科．附設機關有水產學校一所．設於吳淞．工學院分七科．曰機械工程科．電機工程科．土木工程科．化學工程科．建築科．鑛冶科．染織科．商學院分四科．曰銀行科．會計科．工商管理科．國際貿易科．凡同性質之科目．在學術上能構成系統者．爲系．合適當之科目．在應用上能構成課程者．爲科．全校各系各科．以學術獨立．平均發展．教課錯綜．互相調劑．爲原則．行政方面．設註冊文書會計事務出版五組．圖書方面．設圖書館一所．國學圖書館一所．合上述組織．謂之大學本部．

現合京滬淞蘇四處各學院及各館各組各附設學校共有專任教員一百八十九人。兼任教員六十六人。職員兼任教員二百十一人。職員一百十四人。學生二千零六十八人。其物質的設備。則理文法教育工五學院及教育行政院與圖書館佔地共五千三百餘畝。醫學院佔地二十八畝。水產學校佔地九十八畝有零。(商學院係租賃民房不計)國學圖書館佔地七畝有零。校舍京滬淞蘇四處。共建築七十餘座。現因學生衆多。講室及宿舍頗感不敷。正擬逐步添建。一部分已在興築中。工塲機器值十五萬元。儀器標本值十九萬元。圖書值十二萬元。國學圖書館書值五十萬元。

【國立中央大學概況】大學區經費。向係獨立。由江蘇教育經費管理處徵收發放。其畫定之教育專款爲屠宰稅牙稅漕附稅之一部。及田賦正稅之一百八十萬元。計大學本部一百七十五萬元。

【兩年來之中央大學】整理課程　我國大學課程往往名目繁多。缺少有機體之組織。本校各院系爰分別重定教育方針。將課程亦重新組織。使必修選修課目均有明確規定。不欲因人因事而變更課程之核心既能形成。則教學之意義自可明瞭。此項工作幸賴各院長系主任及教授之努力與協助。經長期討論。届一年方大體完成。

【兩年來之中央大學】增加建築及設備

(甲)建築　(1)加建圖書館　因本校原有圖書館閱覽室及書庫容量均太小。新圖書館內大閱覽室凡二。計容五百六十人。分院閱覽室五。約容二百人。合閱報室現有分圖書室總共約容一千人以上。較前容量約大四倍。書庫容量較前大一倍有半。(2)新建音樂教室　此係就梅庵改建為藝術科音樂組之用。(3)新建農學院種子室。農學院搜集各類品種多至數萬。非有專門建築儲藏無法研究。(4)新建農學院溫室(連設備)　農藝園藝等系研究事業所必需。(5)新建農學院新教室(即昆蟲研究室)　(6)新建農學院農業化學系森林系蠶桑系農產製造所應用房舍及各農場場屋　(7)新建校門　國民會議時舊校門拆毀。因全校觀瞻所繫、不能不改建。(8)新建實驗學校理科新教室

(乙)圖書儀器設備　總設圖書儀器兩項除已定未付者不計外。實支數已達三十八萬九千二百八十元零。合計建築及圖書儀器設備費共八十三萬八千七百四十二元。

【兩年來之中央大學】擴大校產面積　兩學年來校產面積有重大之增加。承江蘇省政府之盛意。議決將近郊烏龍幕府兩山林場撥贈本校。計烏龍山面積七千七百餘畝。幕府山面積六千餘畝。合計一萬三千七百餘畝。又在崑山江浦購地。擴充農場共一百一十八畝。並在校本部附近增

購教職員第六宿舍一所．計費一萬一千八百零四元．（此係二十一年底所購．爲時尚在決定建設新校址以前．）此增置校產之大概情形也．

中央政治學校

【全國文化機關一覽】

地址　南京建鄴路一七四號　附設地政學院（南京四象橋）　計政學院（南京上乘庵）

沿革　本校直隸中央執行委員會．爲黨立最高教育機關．亦卽中央設以造成實行黨治的政治建設人才之學校．溯其校史．始於民國十六年中央黨務學校之創辦．該校係就建鄴路前江蘇法政大學爲校址．自第一期學生畢業後．於十八年六月改組爲中央政治學校．

組織　校長一人．教育長一人．其下設教務處總務處．各設正副主任各一人．總務處又分文書科會計科庶務科衞生部及印刷所．設科長部主任或管理員一人．此外系主任教授講師助教各若干人．

學制　設行政財政法律外交社會經濟教育六系．行政系分普通行政市政農村行政地政四組．

財政系分財務行政金融會計三組.法律系設法律組.外交系設外交組.社會經濟系分工商行政公用統計三組.教育系分教育行政.鄉村教育二組.本校於大學部外.並附設地政學院計政學院蒙藏學校及華僑班.

畢業年限　定爲四年.

職員　校長蔣中正.教育長丁惟汾.教育主任程天放.教職員共一四四人.

經費　大學部經費每月三萬元.由中央執行委員會撥付.

金陵大學

【金陵大學章程彙錄】金陵大學內容之組織　金陵大學校係在南京北美以美基督北長老三公會二十二年前各會所設之學堂.於一九一〇年二月間合併者也.維時本校分設文科大學高等學及中學三級.於一九一一年美國紐約邦紐約大學校董承認并發給承認文書.自一九一〇年以後.本校添設四科.其他四公會亦與本校歸併.而謀學科之一部份之發達焉.四公會爲南美以美會南長老會南浸禮會.以上三會組織醫科.北浸禮會則組織本校高等大學以外各科.本校

金陵大學　(陸地測量局製)

添設之四科。爲師範科華言科醫科農林科。

當一九一二年九月間本校添設師科範。附設有模範小學及手工科。一九一二年十二月間華言科開始。該科原名華言學堂。當辛亥之季本設於上海。係二十七公會所組織而成。民國成立後。改設於南京本校內。當一九一四年一月間醫科合併於本校而爲其一科。一九一〇年七公會開設東方醫科大學於南京。至一九一二年與本校聯合。至一九一四年始正式歸併。　農林科係一九一四年秋間所開設之農科及一九一五年春間所開設之林科共同組織而成者。一九一一年本校教員裴義理承辦以工代賑事宜。繼而發起添設農科。故今之農林科不啻導源於斐君之賑務也。農林科開設後。荷蒙北京農商部及江蘇安徽山東四川貴州等省巡按使之贊助。該科將來之希望正多也。玆將本校已有之各科列下。 一大學文科。二醫科。三師範科。四農林科。五華言科。六高等學。七中學。 組織之法 本校財產操於美國業董部員之手。〔該部人員係各公會所舉爲代表者〕內三人爲開始合並三公會之代表。二人爲浸禮會歸併本校高級科之代表。一人爲其他三會歸併本醫科之代表。該財產本操諸公會之手。今移交諸業董部員之手矣。至在南京每會各舉三人合爲董事部。爲美國業董部之代表。籌畫本校一切進行事宜。今已有五位名望卓著之華人爲董事部之代表。 校舍及地址 本校現有地址約在七十五英畝以上。該址即前乾河沿匯文書院與鼓樓基督書院之間。 高等學大學文科華言科醫科及農林科均設於乾河沿前匯文書院地址之內。在其地另一地址約八畝爲師範科及模範小學地點。至中學及本校醫院仍設於鼓樓左右。今已另築校舍於鼓樓西。本校地址上竣工後。大學文科醫科及農林科諸生遷移該處。至中學現佔毗連醫院之校舍及地址。將改爲醫科之地點。 本校共有課室及試驗室五座。寄宿舍三座。禮堂一座。醫院一所。內有新式剖症房一所。西教員住宅十七所。中教員住宅八所。

【中國經濟志】金陵大學成立於民元前二年（宣統二年）由匯文宏育兩書院合併而成。民國三年東方醫科大學復併入該校。十七年七月核准立案。十七年九月經大學院復准立案。分設文理農三院。

【全國文化機關一覽】金陵大學民國十六年校董會改組。以大多數華人爲校董。於是本校行政完全由華人主持。

河海工程專門學校

【江蘇十一年政治年鑑】本校直轄於全國水利局。前農商總長兼全國水利局總裁張謇呈准大總統規立民國四年三月開辦正特科各一班。以後每年招收正科一班。民國十一年爲湖北省設鄂專班。

金陵女子文理學院

【全國文化機關一覽】本校爲八公會所創設。於民國四年九月正式成立。原名金陵女子大學。十四年冬中國女青年所辦之女子體育師範學校併入。十九年十二月經教育部核准立案。改稱金

金陵女子文理學院　(陸地測量局製)

陵女子文理學院.

法政學堂

【江督端奏開辦法政學堂情形摺】江寧省城.舊有仕學館一所.科學既欠完全.辦法亦未周妥.前經奴才督飭江寧藩學兩司悉心籌畫.改為兩江法政學堂.並遴派調寧差委候選道吳炤為該學堂督.妥籌辦法.茲據詳情具奏立案前來. 兩江法政學堂辦法.謹就江南地方情形.參照學部直隸兩處奏定章程.略事變通.期臻完善.其大綱分為正科別科兩層.略與憲政編查館考驗外官章程所稱速成長期之

辦法用意相同。正科以造就完全法政人才爲宗旨。先習預備學科二年。接習專門學科三年。共計五年畢業。其學生官紳並取。須有中學根柢。即可考驗錄入。本年開辦招取百名。嗣後每一學年招考一次。均以百名爲定額。五年以後。每年有完全法政畢業生一百人。招考之時。仿照兩江師範學堂成案。寧蘇皖贛一律兼收。庶制較閎。而法政教育可以收普及之效。擬定蘇屬二十名。皖贛各十名。寧屬六十名。由各該省藩司按照定額。每名每年補助學費一百元。畢業之後。發還各省任使。其別科係爲寧屬造就佐理新政人才。專收寧屬三十六縣舉貢生員及寧屬候補人員。考驗取入。二年畢業。此爲速成辦法。蘇皖贛各有速成法政學堂。自應毋庸錄取。以省繁複。而示區別。仍由奴才督飭經營。剋期開學。責成管理員教員。認眞經理。盡心課授。以期仰副朝廷作育人才。實事求是之意。　光緒三十四年四月初五日奉硃批學部知道欽此。

法政學堂講習科

【寧藩司樊牌示在省候補各員報告考試文】牌示事。奉督憲張札開。據兩江法政學堂詳稱。竊照職堂詳奉憲台批准開辦講習科。定額百名。先儘本省候補人員收取。年半畢業。係專爲造就速成法政人才。以備任用起見。伏查憲政編查館奏定考驗外官章程內載。凡捐納保舉兩項之道府同通州縣以及佐雜各員。除正途出身及本係高等以上學堂畢業學生外。無論月選分發到省。一律俱入法政學堂。先考以文字。其文理不通及不能執筆者。即令回籍。毋庸入學外。餘各按其文理淺深。分爲長期速成兩班。限年學習。期滿卒業。由督撫督同司道。按照法政課程。切實考驗。必須執有卒業文憑。方准赴任差委。又載各省應將省候補人員。認眞通行考試一次。嚴定去留。除正途出身及高等以上卒業學生。及歷任重要差使各員。無庸考試。統歸考驗辦法。餘均由督撫率同司道。嚴行考試一次。分別五等。其考列一二等者。分別差委。三四等者。令入法政學堂。分別速成長期兩班肄習。俟得有卒業文憑。再予差使。其不列等者。即飭令回籍。等因。職堂明正班爲期已近。擬請迅賜札飭江藩司飭月選分發到省人員。及先經在省候未經考試各員。務於年內赴藩司衙門報名。彙册呈候考驗。札發來堂。以便如期上課。〔宣統二年〕

法政講習所

【南洋官報】〔光緒三十三年〕開學紀盛　江南法政講習所前由陶君保晉王君光燮鍾君福慶

徐君蔭階夏君仁沂陸君維李盧君重慶等創議於去冬。本年三月間鄭蘇龕京卿以事來寧。力爲提倡。復蒙督午帥撥給娃娃橋官房一所。以爲講習之地嗣又經張季直殿撰宗子岱于森圃傅苕生匡策吾諸觀察之贊成。並各協助開辦費若干。於是講習所成立。十五日〔四月〕開學。

兩江法政學堂附設監獄專修科及中學經濟科

【寧學司勞奉督憲札准法部咨復法政學堂附設監獄專修科准立案文　兩江督院張咨學部兩江法政學堂中學一班改辦經濟科備案文】〔並見宣統三年南洋官報〕

南洋方言學堂

【江督端奏創設南洋方言學堂辦理情形摺】奏爲創設南洋方言學堂。謹將辦理情形恭摺具陳。仰祈聖鑒事。竊查奏定學堂章程內稱譯學爲今日要需等語。兩江爲江海要衝。儲養辦交涉教譯學之人材。較他省爲尤亟。上年八月間經奴才飭署江寧提學使於省城創設南洋方言學堂一所。先招德文法文兩班學生各六十名。以年齡在十六歲以上二十歲以下。國文通暢口音清利。品行端正者爲合格。考其程度稍優者。作爲甲班。五年畢業。其餘學生。分作乙班。每一學期大考。准其推升。至於不任推升者。畢業時再定年限。令其補習。其普通學之目九。曰人倫道德。曰中國文學。曰歷史。曰地理。曰算學。曰博物。曰物理及化學。曰圖畫。曰體操。專門學之目三。曰交涉學。曰理財學。曰教育學。所有分年學科程度。悉遵奏定章程辦理。其英文一科。因習者已多。俄文一科。因行用不廣。俟財力稍裕。再行增設。以期完備。（南洋官報光緒三十四年）

實業學堂

【江蘇諮議局第二年度報】張督部堂劄復據寧學司詳江南實業學堂正名高等並農工分辦案應俟有的款再行照辦文　查實業學堂。係由格致書院改設。名江南農工格致學堂。後該堂詳請前督憲魏奏咨改稱今名。查上年該堂呈送按年籌備事宜表內。曾聲明擬劃分礦電應用化學三科。改爲高等工業學堂。劃分農科及農事試驗場爲高等農業學堂。並以蠶桑學堂附入職道以爲農工合辦本末非法。若遽行分辦。非籌有鉅款。必至兩種均成敷衍。不如該堂仍暫行照辦。一俟籌有擴充農工兩科的款。再行詳立預算表。增加科目。分爲兩校。

【續金陵通紀】光緒三十年改格致書院爲農工商礦實業學堂。

商務學堂

【續金陵通紀】光緒三十二年移商務局於復成橋內設商務學堂。（按商務學堂初爲江南中等商業學堂後設江南高等商業學堂復合併爲江南高中兩等商業學堂）

蠶桑學堂

【江督周奏辦學情形摺】前設之商蠶公所去年歸併商業學堂。現改名江南蠶桑學堂。續招新生六十名。定期開辦。

（二）中等教育

同文館

儲材學堂

【金陵通紀】光緒二十二年。設儲才館。以舊同文館擴充之。

【兩江總督劉奏辦理江南省學堂情形摺】江南舊有儲材學堂。原議分設交涉農政工藝商務四大綱。學額以一百二十名爲止。又以學生未解西書。不得不以語言文字爲塗徑。現在所學。僅英法德日四國語言文字。

江寧府學堂及縣學堂

【金陵通紀】光緒二十八年十二月開府學堂於文正書院。縣學堂於惜陰書院。

師範學堂

【金陵通紀】光緒二十七年。開師範學堂於昆盧寺。

寧屬初級師範

【金陵通紀】光緒三十二年改傳習所爲師範學堂。於北極山下。

【江督周奏縷陳江南近年辦理學務情形摺】原有算繪學堂科學未能完備。學額止四十名。本年已另築校舍。改爲寧屬初級師範學堂。以去年新設之師範傳習所歸併其內。

師範傳習所

【南洋官報】南京省城三大書院。自科舉改章後。已將鍾山書院改爲高等學堂。文正書院改爲府中學堂。惟尊經書院僅改名尊經校士館。按月課試。悉仍其舊。茲奉督憲周制軍諭飭以現在廣開學堂。亟應講求師範。校士館每月考課一次。於學界無大裨益。應將尊經校士館。改爲師範傳習所。該校士館於本月考課後。卽行停止。准於明年春正開辦師範傳習所。

【金陵通紀】光緒三十一年設師範傳習所於貢院。

暨南學堂

【金陵通紀】光緒三十三年爪哇國有遺子弟來學者。設暨南學堂於妙庵以教之。

【全國文化機關一覽】本校於前清光緒三十二年在南京創設。定名暨南學堂。翌年改辦中學。辛亥革命中停止。七年春恢復。十二年遷入眞茹新校舍。

【江督端奏設暨南學堂片】再前因爪島僑民請派學生來寧就學。業經附片具陳在案。茲據南洋各島視學員。學部專門司行走舉人董鴻禕等。護送爪哇華僑學生二十一人到寧。查該學生等流寓遠方。不忘中土。情殷內渡。志極可嘉。惟該生等初回內地。語言驟難合一。應選派教習補習國文國語及各項科學一年。再行考驗程度。查詢志願。分送各學堂肄業。且聞內嚮方殷。來者日衆。非爲特設一校。不足以敷教育而繫僑情。當飭署江寧提學使陳伯陶。奏調直隸候補道王崇烈。照料一切。並籌撥經費。擇度校舍。延訂教習。分科教授。派員管理。統合畫一。名曰暨南學堂。所有常年支用各款。現飭由江海關籌撥撙節動用。將來實用若干。再行造報作正開銷。〔南洋官報光緒三十三年〕

【暨南學堂總理懇請改辦完全中學堂情形稟】去歲經營創始。本擬俟諸生補習一年期滿。即行考驗程度。分送各學肄業。此時體察情形。辦法尚未能悉臻完密。緣諸生歸國。雖屆一年。而語言未盡諳練。聽受亦尚艱難。而其程度又極不齊。其優者有中學第二年程度。其次亦與高等小學第一二年程度相當。此時江寧實無適合之學級。可以分送。即如商業陸軍小學水師實業各學堂學生中有及格之人。而其志願或不在此。又不及格而志偏在此者。未便強分入堂。以致學無所得。 職道再四思維。惟有仰懇憲恩。將暨南改設一完全中學。附設兩等小學。 其課程以讀經歷史地理國文為重。博物物理化學法制亦從本年講起。以期詳密。英文一科。為華僑子弟不可少之科學。亦認真教授。至其第二三年。再增商學一科。使諸生畢業後。有完全普通知識。惟諸生讀經一科。尚未十分熟習。現擬從論語講起。〔南洋官報光緒三十四年〕〔并批〕督帥批。據稟已悉。華僑子弟遠道來學。管理教授。自應求一合宜之規。以期日起有功。所請改設為完全中學附設兩等小學辦法。應准照辦.

江蘇省立第四師範

【江蘇省立第四師範十周紀念特刊】本校元年剏立之概況　本校於民國元年二月奉令籌設是校.是時南京政府初立.地方秩序未寧.初擬沿用寧屬師範校址.乃軍隊盤踞.不允遷讓.繼改用高等學堂校址.而廣軍與憲兵司令均駐校內.亦不允卽讓.往復陳說.備極艱困.遷延兼旬.始獲以應接室一間爲本校辦公之所.繼爲設法覓地.廣軍漸次移出.而又將於本校開辦陸軍講武堂.復經面謁司令.陳述教育大義.幸獲諒解.而憲兵司令部直至五月初旬.始完全遷出.至是收囘校舍全部.惟器具搬移殆盡.同人駐校所獲保存者.僅前高等學堂儀器數百件.圖書數千卷耳.　按於民國十六年併入南京中學.

江蘇省立第一中學

【九年度一覽】本校係文正書院故址.光緒二十九年改爲江寧府中學堂.由督糧道統轄.另委監督主任其事.民國元年五月南京府成立.改稱江寧府學堂.未幾南京府取銷.又改稱江寧中學堂.

至二年七月始改歸省立。定名爲江蘇省立第一中學校。校址位於南京中正街八府塘。　按於民國十六年倂入南京中學。

江蘇省立南京中學校

【江蘇省立南京中學概覽】民國十六年國民政府奠都南京。江蘇爲試行大學區制省份。國立第四中山大學行政院以前江蘇省立第四師範學校及江蘇省立第一中學合倂改組。並以前省立工業專門學校及省立第一農業學校之中學部倂入。定名爲第四中山大學區立南京中學。聘任邰爽秋爲校長。先組織籌備委員會着手進行。分別接收。時校內皆駐有軍隊。圖書儀器散失甚鉅。而校舍亦多毀損。幾經交涉。始肯遷讓。繼乃組織檢查委員會。詳加整理。並呈請大學行政院派員蒞校。督同點收。于是積極修理。于九月二十日開學。十月三日上課。惟自改組迄今。校名數易。校長亦屢更。首由邰爽秋接辦。十七年一月沈履繼任。十八年秋大學區制取消。始改稱今名。以前第四師範校舍爲高中部。稱第一院。以前第一中學校舍爲初中部。稱第二院。改委章桐爲校長。二十一年一月汪懋祖繼任。二十一年七月江蘇省政府乃委張海澄爲校長。本校學制自十六年改組後。

高中部原分普通科師範科商科．至二十二年度師範科及商科奉令停招新生．自二十三年度起高中部遂改爲完全普通中學．並奉令於江寧縣板橋鎮之京華山建立校舍．試辦初級生活教育．先設一級．三年完成．稱第三院．

江蘇省立第一工業

民國元年設立．至十六年春停辦．

江蘇省立第一農業

民國元年設立．十六年春停辦．

東南大學附屬中學

【東南大學概況】附屬中學成立於民國六年秋季．初設農工商三科．後改行分科選科制．

中央大學附屬實驗學校中學部

按即前校改名．

市立第一中學

【新南京】原爲市立中區實驗學校中學部。二十二年度第一學期改稱今名。

鍾英中學

【南洋官報】江寧商人曹君家麟。前在鎮江創設承志學堂。頗著成效。茲又來省議辦鍾英中學堂。與寧紳蔣姓合力擔任。定於明正開學。額定本科六十名。預科六十名。擇於花牌樓地方建築校舍。先假蔣氏別業招生開學。俟房屋工竣。再行遷入本校。　按後移南捕廳。

達材中學

【經理養正學堂高淳縣訓導等上兩江學務處稟】竊卑職等蒙憲處派委經理養正學堂。開辦至今。僅一年有半。爲三箇學期。各處聞風來學。實有不能不增加之勢。又年歲有逾弱冠者。亦與小學堂資格不符。年長求學。徬徨無所附入。卑職等查本學堂隙地尙多。尙可再闢一堂。此項附設講堂。即在原定之十三公祠內。擬名爲養正學堂增設之達材中學堂。其學生以四十名爲限。爲此稟請先行立案。〔南洋官報光緒三十一年〕〔併批〕據稟已悉。應准如稟立案。

私立金陵大學附屬中學

【新南京】創辦於前清宣統二年二月。校址在乾河沿。初爲金陵中學。於民國十七年六月立案。時改稱今名。現分初中高中二部。高中部僅設有普通科。

青年會中學

【新南京】於民國元年二月由南京青年會所創辦。初名青年會求實中學。民國十五年改稱今名。十七年二月立案。現分初中高中二部。高中僅設有普通科。

成美中學

【新南京】校址大香爐。創辦於民國三年。校長周季高。十七年呈准立案。現分初中高中二部。高中僅設有普通科。

東方中學

【新南京】校址大倉園。創辦於民國十年。初名東方公學。十八年立案時。改稱今名。現有初中高中二部。

安徽中學

【新南京】該校係民國十二年九月陶知行等私人所創設．初名安徽公學．十七年四月立案時始改今名．分初中高中二部．高中僅設有普通科．

鍾南中學

【新南京】創辦於民國十三年．二十年完成立案手續．現有初中高中二部．高中僅設有普通科．

五卅中學

【新南京】民國十四年創辦．初名五卅公學．十八年立案時．改稱今名．現有初中高中二部．

三民中學

【新南京】創辦於民國十八年九月．二十一年完成立案手續．現有初中高中二部．高中僅設普通科．

育羣中學

【新南京】係由美教會創設之愛羣中學與明育女子中學二校合併而成．十八年成立．原爲初級中學．二十二年七月呈准添辦高中．改稱今名．男女分校教授．

樂育中學

【新南京】民國十九年創設。按現已停辦。

冶城初級中學

【新南京】民國二十年七月創辦。二十三年三月教育部核准立案。

兩廣中學

【新南京】民國二十一年七月創辦。二十二年十二月教育部核准立案。

華南初級中學

【新南京】民國二十年一月創辦。二十三年五月教育部核准立案。

現代初級中學

【新南京】民國二十年四月創辦。原名中央中學。二十年八月改稱今名。二十三年六月教育部核准立案。

行健初級中學

【新南京】民國二十一年七月創辦．二十三年八月教育部核准立案．

學藝初級中學

【新南京】民國二十一年七月創辦．二十三年八月教育部核准立案．

京華初級中學

【新南京】民國二十年六月創辦．二十三年五月教育部核准立案．

省立南京中學鄉村師範學校．

【江蘇省教育統計表】十六年八月設立．校址南京棲霞山．

遺族學校

【陵園小志】十七年十月中央執行委員會經蔣委員中正之提議．通過設立國民革命軍遺族學校．推舉蔡元培何應欽葉楚傖孫宋慶齡蔣宋美齡廖何香凝何王文湘馮李德全劉紀文江恆源傅煥光爲籌備委員．是年十一月開始籌備．時以草創伊始．千頭萬緒．幾經規劃．乃擇定總理陵園界內四方城前之地爲校址．建築校舍．推舉孫宋慶齡先生爲校長．議定以隴海鐵路東段附捐爲經費。擬訂各項法規以資進行。十八年四月開始招生。因新校舍建築需時。歷經困難。始借得大倉園公屋爲臨時校舍。成立小學部。正式開學。十八年九月第一部校舍竣工。遂遷入新屋。於是四方城畔始聞弦歌之聲。是年陸續招生。成立中學部。學校經費改由財政部按月撥付。並繼續建築校舍。十九年十二月以擴充學額。將女生另設女校於羊皮巷。直至二十年終。全部校舍落成。從此規模既具。學生日增。

中華女子中學

【新南京】前清光緒二十二年美教士賴瑛所創設。初名基督女書院。光緒二十六年改組。更名基督女子中學。民國十六年改稱今名。現有初中高中二部。

滙文女子中學

【新南京】民國紀元前二十五年〔光緒二十二年〕五月美女教士沙德納所創設。初僅辦小學。越十二年〔光緒三十三年〕添辦中學。民國十九年立案。現有初中高中二部。

旅寧第一第二學堂

毓秀女學堂

【金陵通紀】光緒三十二年是年女學堂有旅寧第一第二毓秀等名。

【江督周奏縷陳江南近年辦理學務情形摺】旅寧第一女學堂本由官紳集貲創設。旋由司局月貼經費專延女師教導。踵設者復有惠寧毓秀兩校。亦皆整飭有法。〔南洋官報光緒三十二年〕

惠寧第三女學

粹敏女學。

【南洋官報】南京惠寧第三女學。前經督憲批准補助經費在案。現因該堂人數甚少。年齡參差。各中文教習教授講解均不合法。又查粹敏女學辦理尚屬完善。且與該堂僅隔一牆。兼管最便。遂札飭將惠寧第三女學歸併粹敏女學。由彭令方傳一手經理。以收整齊劃一之效。〔光緒三十四年學務要聞〕

八旗第一女學

【南洋官報】江寧駐防戴君茀亭創辦江寧八旗第一女學。稟准督憲。每年籌款六千金。業已部署一切.

女子師範學堂

【女子師範學堂十周紀念刊】本校於民國元年五月開辦.蘇省之官立中等女校以本校爲先河焉.當有清季世學校初興.寧垣尙無國人自建之女校.乃有粵紳沈鳳樓湘紳張通典楊金龍閩紳沈茀慶等於光緒三十年發起組織女學.由楊君金龍主持.借用寧垣科巷之湖南公產蔭餘善堂爲校舍.定名曰旅寧第一女學堂.設初高兩等小學及師範班.是爲寧垣有中國自辦女子教育之嚆矢.嗣經兩江總督端方視察稱善.歲給官款九百元.易名曰官立粹敏第一女學.以應城彭方傳爲監督.自是學者愈衆.規模漸宏.籌畫擴張.不遺餘力.於是社會曉然於女學之成績.寧垣女學亦相繼興起.張昭漢先後呈請增給常費數千元.附設女子中學.以提高女子程度.學子益盛.並請減支俸金.捐助校中教育用品.旋以預備赴美留學.堅請辭職.繼任者取銷中學.而將師範與私立江南女子公學合倂.改歸省立.易名曰寧垣屬女子師範學堂.由提學使署委呂惠如爲校長.遷校於大全福巷.甫半年而光復軍興.師生雲散.校舍亦被軍政府改作陸軍監獄.舉六年來辛苦經營之

校具儀器數百學子之成績品．蕩然無存．迨民國既建．有司仍委呂惠如籌備恢復．乃暫賃中正街民屋設校．名曰江蘇省立第一女子師範學校．遵照教育部定章．辦理本科第一部及預科．同時並設附屬小學校．均於元年五月二十六日開學．學生來者漸多．遂改賃考棚西巷為校舍．並請得前清方言學堂舊屋為附屬小學校校舍．翌秋寧垣戰事又起．停學半載．復於三年一月．整理劫餘．招收新舊學生．繼續授業．旋請得馬府街官屋一所為校舍．於是年五月遷入．秋間添招講習科一級．翌秋以費絀裁撤．自是每年均於秋季招收預科一次．六年冬添賃馬府街民屋一所．開辦附設保姆傳習所．七年三月開辦附屬蒙養園．至八年夏呂校長辭職．教育廳先後令委省視學鄒楫暨本校教務主任張永熙代理校務．九年一月三日校中教員聚餐室電燈線漏火．燃燒教育準備室園藝室辦事室成績室預科教室房屋三進．會張昭漢自歐美考察女子教育事竣歸國．四月初省當局遂委任為本校校長．於五月底到校．當即竭力恢復被燬房屋．翻蓋樓房三進．秋間又增設中學科．訂定新學則．改辦選科．十年春．翻蓋大會堂及學校大門．並添賃中正街民房一所．將保姆傳習所遷入．而以原賃馬府街之所舍為師範中學生之第二宿舍．秋間又力請臨時費．拆卸舊教室二座．翻蓋樓房．本年〔十一年〕春復就官廳撥給本校之細柳巷基地．建築幼稚師範學校．預訂秋間竣工。再招第三屆保姆新生肄業。

省立南京女子中學

【江蘇省教育統計】十六年由女子師範學堂改設。有初中部高中部。高中部分普通科師範科幼稚師範科三部。

首都女子法政講習所

【新南京】民國十八年三月成立。初名中央女子法政學校。十八年五月立案。時教育部以該所設備與私立專門學校相去太遠。且係講習性質。令改今名。

金陵女子文理學院附屬中學

【新南京】二十二年六月呈准立案。

(三)小學

思益小學

【南洋官報】記思益小學　思益小學創議於癸卯夏。五諸同志慨國際杌陧。人才不興。基於童蒙教育蔽錮．冀以一身一家爲之創導．其時明詔屢下．省垣官學初有建設．而蒙小學堂未遑兼顧．乃合志協力萃其子弟．仿用日東教課．適某某諸君（柳詒徵陶遜陳義宗嘉祿等）遊學回國．辭彼中清華各校科學完備．始於辨志．終躋國民．諸君皆願當研究教員之任．然苦無憑藉之址．於是某京曹（陳三立）願以其家塾學生脩脯移就設學．又苦無廣地爲實驗場．某沆牧（章希瑗）乃借其後圃屋數廈．以爲講舍．而來學不多．事仍不集．某太史（繆荃孫）既命其子姪來學．某孝廉（茅謙）又率其子兩上舍自城南移其居．命諸孫入學．且與某太史相助籌畫．寧垣僑寓之士多力闢錮俗．命其子弟偕來．而學乃大盛．嗣又以圃屋尙陋．賃屋而遷．然總不離乎寧垣．適中之地．卽今日江南省會官長士夫所奬進之思益小學堂也．先是熱心教育諸君子．僑寓於寧．或爲閒曹．或居幕職．日有暇晷．咸排比時刻．來爲名譽教員．自名譽校長以次．多不需脯資．然賃屋家具庖湢僕役食物瑣屑．已屬不貲．斷非僅收學費所能給．其尤重者爲格致理化各學科之儀器標本圖籍．多購自外洋．厥款無著．邵陽督憲魏公（魏光燾）聞而嘉之．命某觀察（俞明震）查詢學規．某觀察亦心縈當世之務者．乃爲之詳請．魏公既得實．以朝廷之銳意興學也．江寧爲南洋都會．尤不可以無表率也．蒙學湮塞．久歷年所．猝難得完全之學校以振而起之也．欲多構學基．又不可無一切實校所示之軌範．

爲異日推廣之基也。則亟撥鉅款。俾月有所繼。而後興學之資。乃粗有所具。可以從容訓課矣。學者來益衆。大半華族子弟。氣質馴謹。資性銳敏。向困俗學。拘閡無所得。玆如獲時雨之行。苗長極驟。而本學之聲譽益雀起矣。南皮宮保張公持鄂督節蒞江南。有會議事。觀於學堂。有言思益小學之善者。則命其諸生至三江師範學堂。教習率之至。先考功課。自歷史輿地算學格致。問極稱之學生五人。皆應口答。無滯無誤。既大悅。次觀其體操。行列整肅。有逾成人。乃亟獎以筆墨儀器。啓節又以款助學堂。邵陽督部以本學堂能不負其獎進之心也。命儲憲胡公蒞堂考試。既合格。魏公大悅。命學務處長官月考其成。增撥月款。此甲辰四月事也。逾月長白端公移節撫吳。蒞白下。端公之治鄂也。武昌之學堂文武方言仕學農工鑛路保育幼稚罔不具備。其通省蒙小學堂以千計。瞻矚中外。爲強本計至勤且瘁。魏公以思益小學語之。端公曰。南皮尚書還鄂言在江南有得意事。則觀於思益小學堂之學生也。端公異日臨師範學堂。復召思益之學生往。考察既竟。曰。如此乃眞可謂國民教育矣。以筆墨等事遍賞之。又於行轅命其公子輩與小學生齒。優禮備至。聞仍將大擴其規模也。今夫吾國種族非劣下也。先聖先王列祖列宗涵濡而陶冶之者。又未始不彬彬禮樂。知尊君親上。以捍衛我國家也。特以道喪文敝。俗學乘之。惡勤耽惰。騖虛遺實。咿唔一室中。守其漫漶腐舊木板之書。日誦而不知其義。且不辨其字畫。至於輿地天算歷史律法爲我所固有者。胥一切庋置之。筋骨懈弛。不能習勞。一無知能。師生終年合各行省千百萬學人。皆成廢物。迨至外患突生。交涉事起。兵爭其間。加以機械巧變。工商並戰。我以木鈍之士。周旋其際。事事喫虧。瞠目無睹。能不悲哉。天祚聖淸。宵旰發憤。聖母聖帝。欷歔宮禁。力闢俗議。大申本謀。乃切籌於學校。詭隨之臣。妄測上意。徘徊中道。欺飾聖明。興學不實。惟我邵陽魏公。訏謨定命。先策其大。既於省會興起各學。並飭府州縣立學。於蒙學根本。尤所紓懷。不惜日月申告。防其惰佚。籌鉅款以資之。命監司以督之。方將大啓省垣各門蒙學。適會南皮長白兩公。公忠一體。爲國至計。獎藉有加。先成斯公學。江南羣吏不少錮蔽之士。觀今日數鉅公志同道合。壹意於斯。將必能日月增益。以學報國。以助魏公。成江南郅治。他日與鄂學同聲相應。推之全國。胥以學強。庶不負近日詔書令州縣歲設學堂幾處。而命督撫奏告上下一心。方隅丕變。彼向者憂國之士扼腕而嗟者。其將額手而頌也。思益小學之爲公學。其宗旨既見於教員某君之演說。茲但書諸公獎進之誼如此。所以備書彊寄諸公爵氏者。宣上德而歸於本朝廷也。諸教員管理名譽校長。概不之書。懼於代伐其功。且戒標榜也。

【柳詒徵江南高等學堂同學錄序】詒徵自癸卯春。偕張君小樓〔楫〕從繆先生之日本。諏訪學制。

繆先生歸國。與高等。諮徵則糾朋輩立思益小學。

養正學堂。

【南洋官電】江寧養正學堂。前經學務處憲奉督憲諭令。遴員接辦。茲由奉委經理該堂事務。鎮江茅紳士偕江寧府學內各祠宇重加修葺。煥然一新。將該堂移設此處。已於本月（九月）初一日開學。

四區小學

【署江督端廣省城初等小學飭學務處遵照辦理札】江寧上元兩縣官立公立之小學。寥寥無幾。揆之國民之教育之義。亦滋愧矣。今擬就省城東南西北分爲四區。每區設初等小學十所。共四十所。由官籌款建設。每所常年經費不得過三百六十兩。旗民回漢一律入學。不得少分畛域。所有校舍。卽就地方公所及寺觀等處爲之。略加葺改。少求合格。每一所開辦之費不得過三百金。

江寧小學

【金陵通紀】光緒三十年城中蒙學堂有思益幼幼養正謙益四所。又議開四十所。分爲四區。

【金陵通紀】光緒三十一年設拼音學堂（卽簡字學堂）於毘盧寺。又光緒三十三年改簡字學堂爲江寧小學。舊有元寧學堂。改爲上元小學。

崇文小學

【金陵通紀】光緒三十三年江寧府設小學堂於署傍箭道。名崇文。

上元縣立樹聲學堂

【新南京】光緒三十二年創辦。現爲盧妃巷小學。

啟悟小學

【新南京】該校爲清末私立。現爲鄧府巷小學。

上元高等小學

【新南京】光緒二十八年創辦。現爲昇平橋小學。

同仁小學

【新南京】光緒三十二年創辦。現爲新菜市小學。

津逮學堂

【盧前記津逮學堂】光緒丙午先府君（名恆通）剏宏育學堂於望鶴岡老宅生徒百十餘人其後秦伯虞先生卽鳳池書院改學校遂併宏育名曰津逮（下略）

正蒙小學（佚考）

民國二十三年度南京市立小學教育之狀況如下

【南京市政府工作報告】兩年以前（二十一年一月以前）市立小學計三十九校分設三一二級簡易小學計二十九校分設一百級現在市立小學已增至四十一校四〇七級簡小三十三校一四二級學生總數計二萬五千三百七十五名較前兩年增加八千餘人

【南京市政府工作報告】查省市劃界後江寧移交本市之教育機關已由社會局接收完竣計新市區之鄉村學校共有二十餘所現正籌劃分別增加經費逐漸擴充以重鄉村教育

【新南京】本市自建都以來戶口日繁小學教育益形需要其間學校數量雖年有增加然仍感供不應求全市學齡兒童據最近估計連新市區在內約有八萬人左右計二十年度市立小學爲三

九校。連幼稚園共三〇九級。學生一三二七二人。簡易小學四校。七級。學生二三一人。合共四三校。三一六級學生一三五〇三人。連同私立小學三一校。學生四九六二人。公立小學六校。學生一九九四人。以及國立中央大學實驗學校江蘇省立南京中學實驗小學南京女子中學實驗小學三校約一千五百人。暨未立案小學十三校。一六一九人私塾學生一萬五六千人共計二六四七五人。則失學兒童仍在四萬五千人以上。以故每屆市校招生時。各校投考學生。極爲擁擠。額滿見遺者。不可勝數。致使多數應有受教育機會之兒童失學。殊爲市政上一極大問題。二十一年四月石市長蒞任後。有見及此。爰除增設完全小學。增加原有各校學級外。並飭市社會局自民國二十一年度上學期起開辦義務小學多處。完全不收學費。並酌量供給課業用品。四年畢業。其程度相當於普通小學之初級班。畢業後仍得投考普通小學高級肄業。開辦時均採用半日制。學生每日上課三小時或四小時。卽分每級學生爲二班。上下午輪流上課。以期多容學生。嗣改稱簡易小學。逐漸改行全日制。每校設校長兼正教員一人。副教員一人或二人。均由市教育行政當局就考試及格者分別委充。各校教學時數。雖較普通小學爲少。而教學效率實未稍減。開辦以來。就學者極爲踴躍。計二十一年度市立小學連幼稚園共增至三三〇級。學生一三八四六人。簡易小學增至二九校。一〇〇級學生四二七〇人。合共六八校。四三〇級。學生一八一一六八人。二十二年度。市立小學。增至四〇校。連同幼稚園共增至三八三級。學生一八一三四人。簡易小學增至三一校。一三一級。學生六一八六人。合共七一校。五一四級。學生二四三二〇人。二十三年度市立小學增至四一校。連同幼稚園。共增至四三四級。學生二〇六三九人。簡易小學增至三〇校。一六三級。學生七一六四人。又省市劃界交割事權後。市府接收新市區內原有鄉村小學二七校。旋卽擴充至四十校。增至九十七級。學生五一四一人。現全市共有市立小學一一五校。六九四級。學生三二九四四人。連同私立公立未立案小學及私塾學生計已達五九四一九人。較之二十年度失學兒童約已減少十分之五。茲將近三年來本市市立小學發展情形。列表比較於下。並將市立小學。市立小學附設幼稚園。市立簡易小學。市立鄉區小學。鄉區簡易小學。公立小學。已立案私立小學。未立案私立小學。私立幼稚園。分別列表于下。

最近三年來南京市市立小學發展情形比較表

項別	類別	二十年度	二十一年度	二十二年度	二十三年度
校數	市立小學校	三九	三九	四〇	四一
	簡易小學	四	二九	三一	三四
	鄉區小學				四〇
	共計	四三	六八	七一	一一五
經費數	市立小學	三九三、五七六	四二七、八三六	四七五、〇五三	五七七、五九六
	簡易小學	四、八六六	五七、一八〇	七八、五八二	一一四、〇七二
	鄉區小學				四九、四〇四
	共計	三九八、四四二	四八五、〇一六	五五三、六三五	七四一、〇七二
學	市立小學	二九二	三一三	三六七	四一八

級數				學生數					每生
市立幼稚園	簡易小學	鄉區小學	共計	市立小學	市立幼稚園	簡易小學	鄉區小學	共計	市立小學
一七	七		三一六	一二、四六七	八〇五	二三一		一三、五〇七	二九·七
一七	一〇〇		四三〇	一二、九四四	八五二	四、二七〇		一八、一一六	三〇·九
一六	一三一		五一四	一七、一四九	九八五	六、一八六		二四、三二〇	二六·二
一六	一六三	九七	六九四	一九、六四六	九九三	七、一六四	五、一四一	三二、九四四	二八

歲估經費數　簡易小學	二一・一	一三・四	一二・七	一六
歲估經費數　鄉區小學				九・六
歲估經費數　共計	二九・五	二六・八	二二	二二・五
平均每班學生數	四二・八	四二・一	四七・三	四七・五

備注

（一）石市長于二十年度下期蒞任（二十一年四月）故本表自二十年度起計算

（二）簡易小學二十年度仍稱鄉村小學二十一年度改辦義務小學至二十三年度始稱簡易小學

（三）幼稚園附屬于市立小學就表內經費數每生歲估經費數各欄均併入市立小學內計算

（四）鄉區小學係二十三年九月省市劃界後江寧縣所移交包括鄉區簡易小學在內

南京市市立小學一覽表

校名	校址	備注
逸仙橋小學	中山路逸仙橋西	民國成立後所創辦
大行宮小學	中山路大行宮	源于光緒二十八年之江寧第四模範小學

鄧府巷小學	鄧府巷	源于清末私立啓悟小學校
大中橋小學	大光路	最近所創辦
盧妃巷小學	曾公祠	源于光緒三十二年之上元縣立樹聲學堂
遊府西街小學	蔡家花園	最近所創辦
三條巷小學	三條巷	最近所創辦
香鋪營小學	香鋪營	最近所迅辦
武定門小學	小心橋	源于光緒三十年所創辦之第二模範學校
馬道街小學	馬道街合肥會館	源于光緒三十二年之江寧振淑實業女學
新廊小學	長樂路	
小西湖小學	小西湖	源于清末之義學

荷花塘小學	門西荷花塘	民國成立後所創辦
集慶路小學	門西倉頂	民國成立後所創辦舊名倉頂小學
船板巷小學	船板巷	民國成立後所創辦
雨花路小學	中華門外雨花路	舊名米行街小學
府西街小學	府西街	源于清季地方紳士所創辦之崇文中學
淮清橋小學	建康路丁公祠	最近所創辦
砂硃巷小學	大砂硃巷	民國成立後所創辦
昇平橋小學	昇平橋	源于光緒二十八年之上元高等小學
夫子廟小學	夫子廟	源于清末之江寧公學
督糧廳小學	許家巷	民國成立後所創辦

考棚小學	下江考棚	源于光緒三十一年之初等小學
評事街小學	評事街	民國成立後所創辦
倉巷小學	大丁家巷	民國成立後所創辦
漢西門小學	漢西門牌樓街	民國成立後所創辦
高井小學	豐富路	民國成立後所創辦
登隆巷小學	登隆巷	民國成立後所創辦
崔八巷小學	崔八巷	源于光緒三十二年之第二模範小學
徐家巷小學	徐家巷	最近所創辦
蓮花橋小學	蓮花橋	源于宣統二年之江寧縣立第四高等學校
新菜市小學	湖北路	源于光緒三十二年之同仁小學

南京市市立小學附設幼稚園一覽表

三牌樓小學	清涼古道	民國成立後所創辦
興中門小學	興中門外	源于光緒二十八年之北區第十二小學
下關小學	下關虹門口	民國成立後所創辦
浦口小學	浦口鐵路街	最近所創辦
綠筠花圃小學	綠筠花圃	最近所創辦
鼓樓小學	中山北路	民國成立後所創辦
五台山小學	五台山	最近所創辦
山西路小學	山西路	最近所創辦
漢口路小學	鬭雞閘	最近所創辦

校名	園址	備注
逸仙橋小學幼稚園	中山路逸仙橋	
盧妃巷小學幼稚園	盧妃巷曾公祠	
武定門小學幼稚園	武定門小心橋	
馬道街小學幼稚園	馬道街	
集慶路小學幼稚園	倉頂	舊名倉頂小學幼稚園
府西街小學幼稚園	府西街	
砂硃巷小學幼稚園	大砂硃巷	
昇平橋小學幼稚園	昇平橋	
夫子廟小學幼稚園	夫子廟	

督糧廳小學幼稚園	許家巷	
評事街小學幼稚園	評事街	
倉巷小學幼稚園	倉巷大丁家巷	
崔八巷小學幼稚園	崔八巷	
蓮花橋小學幼稚園	蓮花橋	
三牌樓小學幼稚園	三牌樓清涼古道	
興中門小學幼稚園	興中門外	

南京市市立簡易小學一覽表

校名	校址	備注
中正街簡易小學	中正街	

朝天宮簡易小學	朝天宮內	全日制
程善坊簡易小學	程善坊	全日制
承恩寺簡易小學		全日制　按最近已改爲承恩寺小學
老府橋簡易小學	老府橋	
仙鶴街簡易小學	仙鶴街	
于家巷簡易小學	于家巷	
二條巷簡易小學	二條巷	按最近已改爲二條巷小學
鈔庫街簡易小學	鈔庫街	
龍江橋簡易小學	下關鄧府巷	
信府河簡易小學	信府河	

宮後山簡易小學	宮後山	
窰灣簡易小學	中華門外	
通浦路簡易小學	浦口通浦路	
莫愁湖簡易小學	莫愁湖	
邊營簡易小學	邊營	
光華門簡易小學	光華門	
剪子巷簡易小學	剪子巷	
秣陵路簡易小學	秣陵路	
豐富路簡易小學	豐富路	
太平門簡易小學	太平門外	

蓮子營簡易小學	蓮子營	
高岡里簡易小學	高岡里	
銅坊苑簡易小學	銅坊苑	
紅板橋簡易小學	老虎橋	
龍蟠里簡易小學	龍蟠里節孝祠	
中山門簡易小學	中山門外	全日制
九龍橋簡易小學	九龍橋	
江東門簡易小學	江東門	
午朝門簡易小學	午朝門	
岔路口簡易小學	岔路口	

挹江門簡易小學	挹江門姜家園	
漢中路簡易小學	漢中路	
昆明簡易小學	五洲公園美洲	

南京市市立鄉區小學及鄉區簡易小學一覽表

校名	校址	
上新河鄉區小學	上新河	
堯化門鄉區小學	堯化門	
燕子磯鄉區小學	燕子磯	
馬羣鄉區小學	馬羣鎮	
孝陵衛鄉區小學	孝陵衛	

仙鶴門鄉區小學	仙鶴門		
西善橋鄉區小學	西善橋		
三叉河鄉區簡易小學	三叉河		
笆斗山鄉區簡易小學	笆斗山		
東嶽廟鄉區簡易小學	東嶽廟		
滄波門鄉區簡易小學	滄波門		
牌樓上鄉區簡易小學	牌樓上		
伍旗村鄉區簡易小學	伍旗村		
紀家莊鄉區簡易小學	紀家莊		
棉花隄鄉區簡易小學	棉花隄		

蔣王廟鄉區簡易小學	蔣王廟	
邁皋橋鄉區簡易小學	邁皋橋	
吉祥村鄉區簡易小學	吉祥村	
興衛街鄉區簡易小學	興衛街	
伏家橋鄉區簡易小學	伏家橋	
方家園鄉區簡易小學	方家園	
柵欄門鄉區簡易小學	柵欄門	
花神廟鄉區簡易小學	花神廟	
頭關鄉區簡易小學	頭關	
上方門鄉區簡易小學	上方門	

雙閘鎮鄉區簡易小學	雙閘鎮	
中方村鄉區簡易小學	中方村	
鐵心橋鄉區簡易小學	鐵心橋	
渡師石鄉區簡易小學	渡師石	
七里洲鄉區簡易小學	七里洲	
七橋甕鄉區簡易小學	七橋甕	
濱江鄉區簡易小學	濱江	
安德門鄉區簡易小學	安德門	
小行鄉區簡易小學	小行	
趙家圍鄉區簡易小學	趙家圍	

所街鄉區簡易小學	所街	
大勝關鄉區簡易小學	大勝關	
黃馬鄉區簡易小學	黃馬	
中村鄉區簡易小學	中村	
佘婆鄉區簡易小學	佘婆	

南京市公立小學一覽表

校名	校址	備注
首都第一交通職工子女小學	下關天保里	交通部設立
首都第二交通職工女子小學	琵琶巷	同上
浦口扶輪小學	浦口東後河沿	鐵道部設立

南京扶輪小學	下關東站龍頭房西首	同上
金陵兵工廠工人子弟學校	中華門外老君廟	軍政部設立
首都警察廳子弟學校	四象橋慧圓街	首都警察廳設立
南京中學實驗小學校	門帘橋	江蘇省立　十六年七月剏辦
南京女子中學實驗小學校	中正街	江蘇省立　元年五月剏辦

南京市已立案私立小學一覽表

校名	校址	備注
東方中學附屬小學	國府路	
佛教會小學	公園路	
湖南旅京小學	二郎廟	

益智小學	戶部街	
誠本小學	胭脂巷	受社會局補助
育羣小學	中華路二段	
孝孺初級小學	雨花台方公祠	
普善小學	雨花台	
興育小學	箍桶巷	
經緯代用小學	中華門外	受社會局補助
務本小學	小王府	同上
崇穆小學	漢西門大禮拜寺巷	
安徽中學附屬小學	登隆巷	

崇文小學	興中門外	
吉兆營清眞小學	吉兆營	
崇穆小學第二院	三牌樓	
儉德小學	下關天保路	
定淮第一農村小學	晚市租燈巷	
龍江小學	下關綏遠路	
中華女中附屬小學	保泰街	
鍾阜小學	小北門	
佘兒崗農村小學	曉莊口	
鼓樓小學	鼓樓南街	

新民小學	薩家灣	
豐潤鄉小學	高樓門百子亭	受社會局補助
清源小學	雞鵝巷	
清涼村第一小學	古林寺	
清涼村第二小學	清涼山	
崇淑代用小學	大全福巷	受社會局補助
明德女子小學	漢西門四根桿子	

南京市尚未完成立案手續私立小學一覽表

校名	校址	備注
睿智第二小學	雙樂園	

義興小學	白鷺洲興善堂	
草橋穆敦小學	草橋	
華南初級中學附屬小學	大石橋周必由巷	
東台庵小學	下關熱河路南首	
滙文附設畬清女學	估衣廊	
儀鳳區農村小學	挹江門內龍池庵街	
國難小學	韓家巷	
下關清眞小學	下關綏遠路清眞寺	
匯文女中附設小學	富民坊	
智德小學	建鄴路	

道勝小學	挹江門外	
景風義務小學	下關中華聖公會	

南京市私立各校幼稚園一覽表

園名／項別	園址	保姆數	兒童數 男	兒童數 女	兒童數 共	備注
新民小學幼稚園	薩家灣	二	二四	一九	四三	附設新民小學內已立案
佘兒崗小學幼稚園	佘兒崗	一	一八	一一	二九	附設佘兒崗小學內已立案
鼓樓幼稚園	鼓樓頭條巷	三	四六	二六	七二	係單獨設立並已立案
畬清小學幼稚園	估衣廊	二	三四	一九	五三	附設畬清小學內尚未立案
道勝小學幼稚園	挹江門外	二	二五	二一	四六	附設道勝小學內尚未立案
共計	五校	一〇	一四七	九六	二四三	

南京市省立幼稚園一覽表

項別／園名	園址	保姆數	兒童數 男	女	共	備注
南京中學實驗小學幼稚園	門簾橋	二	二〇	一一	三一	十七年二月剏立同時立案（見十九年統計）
南京女子中學實驗小學幼稚園	細柳巷	二	二七	一五	四二	十七年八月剏立同時立案（見書同上）

（四）社會教育

（甲）學校

啟蒙善堂

【南洋官報】宣統三年開辦。

通俗夜學校四所

【江蘇十一年政治年鑑】民國十年開辦。

民國十六年以後市辦社教學校

【新南京】京市之有社會教育設施．始于十六年度．推行至今．時有興革．

【中國經濟志】市辦社教學校．計有民衆學校二十八所．補習學校二所．盲啞學校一所．容納學生二千四百零四人．內有男生一千四百九十二人．女生九百一十二人．任用教師八十七人．年支經費四萬八千八百七十八元．統計如左表．

南京市社教學校統計表

校別	校址	級數	學生數	教師數	全年經費數	備註
盲啞學校	船板巷	一〇	六四	一二	九、六九八	盲啞各五級男四十人女二十四人
職業補習學校	建康路	六	二三四	一四	一三、九二〇	分商業女子職業速記打字三科簿記會計商業補習電業補習三班
婦女職業補習學校	夫子廟	三	一二九	八	四、八〇〇	全日制二級半日制一級
第一民衆學校	大百花巷	三	一五〇	四	二、五六八	
第二民衆學校	下關中山橋	三	一二八	四	二、四一二	
第三民衆學校	中山路上乘庵	三	一八九	四	一、六六八	
第四民衆學校	釣魚台	三	一五〇	四	一、八二四	

第五民衆學校	倉巷橋	三	一四五	四	一、八六〇
第六民衆學校	中華東門	三	一二九	四	二、四二四
第七民衆學校	生姜巷	三	一〇六	四	二、四二四
第一民衆夜校	三牌樓	三	一四〇	五	四八〇
第二民衆夜校	保泰街	一	四四	一	二四〇
第三民衆夜校	中山門	一	四〇	一	二四〇
第四民衆夜校	三條巷	一	五四	一	二四〇
第五民衆夜校	評事街	一	四六	一	二四〇
第六民衆夜校	奇望街	一	四一	一	二四〇
第七民衆夜校	中華路	一	四五	一	二四〇
第八民衆夜校	馬道街	一	四三	一	二四〇
第九民衆夜校	昇平橋	一	三七	一	二四〇
第十民衆夜校	信府河	一	四〇	一	二四〇
第十一民衆夜校	窰灣	一	四一	一	二四〇

第十二民衆夜校	吉兆營	一	五四	一	二四〇
第十三民衆夜校	鼓　樓	一	四五	一	二四〇
第十四民衆夜校	興中門外	一	四一	一	二四〇
第十五民衆夜校	船板巷	一	四九	一	二四〇
第十六民衆夜校	鄧府巷	一	三四	一	二四〇
第十七民衆夜校	府西街	一	四二	一	二四〇
第十八民衆夜校	夫子廟	一	三六	一	二四〇
第十九民衆夜校	逸仙橋	一	四〇	一	二四〇
第二十民衆夜校	糯八巷	一	三二	一	二四〇
第二十一民衆夜校	蓮花橋	一	三六	一	二四〇

(1)附設民衆學校

【新南京】附設民校．創自十七年十二月．辦理迄今．已有十三屆．每屆係六個月畢業． 全市附設民校．從二十二年度起．兼用專任教師．至二十三年度第二學期專任教師之夜校．已增至十七校．連兼任者共二十八校．

(2)專設民衆學校

【新南京】專設民校.剏始於民國二十一年十月.原稱中心民校現改稱南京市立第　民衆學校.至附設民校.則改稱爲南京市立第　民衆夜校.以示區別.專設民校.規模較附設民校爲大.教員均係專任.校舍亦係專用.除于同一教室之不同時間內分班推行文字教育外.尤重實施其他社教活動事業.專設民校.至二十三年度下學期已增至十一校.

(3)市立盲啞學校

【新南京】該校剏于民國十六年十月.開辦至今.規模粗具.爲全國僅有之公立盲啞學校.校址在城西船板巷.

(4)市立職業補習學校

【新南京】本市原有市立初級職業補習學校.及市立婦女職業補習學校.過去所設各科及其組織.不甚適合社會實際需要.自二十三年度起.市府特將兩校合併.改稱今名.將原有學科重複之處.加以整理.並視社會需要.增設學科.現共有中文打字速記縫級商業廣告會計保嬰五班.並設

會計夜班一班。校址分設於建康路夫子廟及剪子巷救濟院等三校。

(5)市立首都實驗民衆教育館

【新南京】該館成立於民國二十一年一月。其經費係由教育部與市政府分擔。館址分設于三牌樓及鼓樓。內部組織除聘請專家組織設計委員會外。按生計政治語文健康家事休閒社會七項教育目標分設各部。其附屬活動有地方自治協進會等事業。

(6)市立八卦洲農民教育館

【新南京】該館成立于二十二年度下學期。館址在八卦洲。內部分教育社會農事三組。現辦兒童班成人班各三班。並舉辦農場及衛生室等事業。

(7)市立九龍橋游泳場

【新南京】該場始剏于民國十八年八月。設備雖因陋就簡。然水源甚爲清潔。現爲改善擴充設備招商新建。二十四年春季完工。

(乙)新聞事業

【中國經濟志】以日報爲較發達。通訊社及定期刊亦風起雲湧。曾經登記之新聞紙。計一百七十八。註銷一百零三。現有日報社二十九家。通訊社四十八家。雜志社三十六家。各省市日報分銷處十四家。中西派報社二家。各種報章內容有目共賞。毋煩贅述。茲將各報名稱地址分列于後。

甲　日報二十九家之名稱地址如左

名稱	地址	名稱	地址
中央日報	新街口	新京日報	二郎廟
中國日報	明瓦廊	朝報	新街口
新中華報	貢院西街	新民報	走馬巷
南京晚報	建康路	新南京晚報	黨公巷
青白報	平江府	人民晚報	估衣廊
三民導報	中正路	救國日報	磨盤街
大風日報	三條巷	新中國報	長樂街
遠東報	平江府	曉報	端布坊
評論時報	西八府塘	南京晨報	長樂路

邊事日報	綾莊巷	黨軍日報	黄埔路
中華京報	許家巷	南京早報	建康路
民治導報	新街口	民信日報	朝天宮西街
石頭報	胡家巷	南京日報	評事街
寧報	舊王府		

乙　通訊社四十八家之名稱地址如左

名稱	地址	名稱	地址
中央通訊社	洪武路	日日新聞社	小豐富巷
正氣新社	破布營	民族通訊社	洪武路
南京通訊社	黨公巷	誠言通訊社	箍桶巷
大通新聞社	抄紙巷	遠東新聞社	平江府
光華通訊社	五馬街	時事通訊社	長樂街
中華通訊社	半邊街	新聞通訊社	白下路
多聞社	遊府西街	新西北通訊社	雞鵝巷

首都志　卷八

大公新聞社	小板巷
大中華通訊	內橋灣
時事電訊社	洪武路
嗚嗚通訊社	百子亭
國西電訊社	百子亭
中原新聞社	新街口
商業新聞社	蓮子營
國民新聞社	馬道街
新新通訊社	雞鵝巷
外交電訊社	市府路
捷新通訊社	絨莊街
亞洲新聞社	長樂路
大無畏新聞社	洪武路
長江通訊社	邀貴井

七九四

中國新聞通訊社	白下路
政聞通訊社	陸家灣
江寧通訊社	徐家巷
全球通訊社	淮海路
國光新聞社	華僑路
亞光通訊社	建康路
東南通訊社	中正路
建國新聞社	中正街
現代新聞社	信府河
民權通訊社	估衣廊
中國民立新聞社	許家巷
大同新聞社	黨公巷
華夏新聞社	富民坊
中國通訊社	漢中路

太平洋通訊社	姚家巷	東亞新聞社	吉兆營
南京邊聞電訊社	絨莊街	中國電訊社	淮海路
華僑通訊社	長樂路	時時新聞社	黨公巷

丙　雜誌社三十六家之名稱地址如左

名稱	地址	名稱	地址
社會雜誌社	龍王廟	俄羅斯研究社	傳德橋
婦女共鳴社	成賢街	時事月報社	鼓樓
政治評論社	龔家橋	華僑半月刊社	新街口
青年旬刊社	富民坊	不忘雜誌社	新街口
現代生活社	周必由巷	時代公論社	四牌樓
亞東雜誌社	羊皮巷	國民外交雜誌社	馬府街
動向週刊社	西八府塘	商聲社	新橋中市
清道週刊社	鄧府巷	電友月刊社	高家酒店
圖書評論社	國立編譯館	國際譯報社	國府路

名稱	地址	名稱	地址
國風社	蓁巷	建國月刊社	成賢街
交通雜誌社	大豐富巷	勞工月刊社	大石橋
金陵神學誌社	漢西門金陵神學院	法律評論社	月牙巷
法治週報社	洪武街	農業週報社	破布營
西北問題報社	獅子橋	每週評論社	漢西門牌樓巷
大公週報社	錢莊街	中國革命週刊社	王府園
電業季刊社	大石壩街	革命公論社	石鼓樓
司法消息週刊社	漢西門柏果樹	社會建設月刊社	獅子橋
農林新報社	金陵大學	兒童生活週刊社	太平路
蒙古前途月刊社	中央政治學校蒙藏班	新青海社	中央政治學校蒙藏班
法學叢刊社	豐富路		

丁　各省市日報十四家之名稱地址如左

名稱	地址	名稱	地址
上海申報	建康路	申報辦事處	平江府北街

上海時報	建康路
時事新報辦事處	朱雀路
上海新聞報	建康路
上海民報	姚家巷
上海大晚報	朱雀路
天津益世報	國府路雙福里四號
上海時事新報	朱雀路
時事新報下關辦事處	京滬車站前
新聞報辦事處	姚家巷
上海中國晚報	中山路鼓樓忠實里
天津大公報	建康路郵局東
北平晨報	五馬街胡宗援記報社

戊　派報社二家之名稱地址如左

名稱	地址	報別
汪宸記	永寧街永盛里四號	西報
胡宗援記	太平路五馬街	中報

(丙)學術團體

【中國經濟志】自建都以來。各種學會學社。曾經登記有案者。亦如雨後春筍。截至現在。共計凡四十八種。成立遲早各異。會員多寡不等。平時各自舉行幹事會研究會討論會。每年必各舉行大會一次。或數次或以集會決議、交請執行。或以研究結果供獻社會。亦各有其相當之成績。茲將學術團體四十八所之名稱地址列表于左。

名稱	地址	名稱	地址
學術研究會駐京事務所	大中橋	南京圖書館協會	大中橋
首都幼稚教育研究社	細柳巷	中國經濟學社	立法院經濟委員會轉
中華農學會	雙龍巷	中國天文學會南京分會	鼓樓天文研究所內
中華林學會	雙龍巷	中國算學研究會	南捕廳鍾英中學
中華兒童教育社	府西街	三五法學社	楊將軍巷女子法政講習所
全國國語教育促進會	三牌樓民教館	中國社會學社	三牌樓中央大學社會學系
中國度量衡學會	遺幣廠度量衡檢定所	中華學藝社南京分社	秣陵路學藝中學
中國礦冶工程學會	梅園新村	中國測驗學會	中央黨部
南京市書畫研究會	倉巷	中國政治學會	高樓門中英庚款會
中國科學化運動協會	四牌樓蓁巷	新中國農學會	校尉營
中國計政學會	國府歲計局轉	中國化學會	平倉巷

福建旅京學會	中大第二宿舍
新教育研究社	柏果樹
童子工學術研究會	鼓樓忠實里
中華政治經濟學會	土街口壽康里
世界佛學會	逸仙橋
中國警察協會	平江府南街
南京業餘體育會	中央模範林局轉
邊疆學會	公園路支那學院
中華市政學會	丁官營
日本研究社	將軍巷
中華職業教育社	府東街青年會
農村經濟研究社	紅廟
中國統計學社	交通部
中國醫事改進社	周必由巷
中華民國國藥學會南京分會	松濤巷
新亞細亞學會	四牌樓蓁巷
中國佛學會	中山路萬壽寺
一九學社	國府文官處轉
南京市私塾改進會	洪武路
西北文化研究會	府西街市立一中
安徽旅京學會	考試院轉
中國科學社南京分社	成賢街文德里
中國土地學會	
中華醫學會南京支會	衛生事務所轉
福建建設協進會	挹江門龍池巷
宗教哲學研究社	細柳巷

首都志

九〇〇

首都志卷九

兵備

吳大帝建號秣陵．始城石頭．栅淮塘．置烽火．以達警急．所重者在理水軍．

【三國吳志張紘傳注】引獻帝春秋．權曰．秣陵有小江百餘里．可以安大船．當移據之．

【輿地志】沿淮築隄曰橫塘．夾淮立栅曰栅塘．自石頭城南十里至查浦．又南十里至新亭．又十里至孫林．又十里至板橋．又二十里至烈洲．又云置烽火於石頭城西南．自建業至江陵五千七百里．半日而達．

其中央軍有羽林．

【吳志顧雍傳】承〔雍孫〕拜騎都尉．領羽林兵．

【吳志張昭傳】休〔昭子〕後爲侍中拜羽林都督。

無難兵左右部。

【吳志陳武傳】時有盜官物者疑無難士施明。

【吳志孫權傳注】引吳歷無難督虞欽。

【吳志孫和傳】無難督陳正。

【晉書周處傳】孫皓末爲無難督。

【吳志孫琳傳注】引江表傳孤當自出臨橋帥宿衞虎騎左右無難一時圍之。

【吳志陳武傳】遷表〔武子〕爲無難右部督。

解煩兵左右部。

【吳志胡綜傳】劉備下白帝權以見兵少使綜料諸縣得六千人立解煩兩部。〔徐〕詳領左部綜領右部督。

【吳志陳武傳】子修爲解煩督。

繞帳兵.

【吳志孫賁傳】鄰(賁子)在郡(豫章)垂二十年.召還武昌爲繞帳督.

【吳志步騭傳】闡(騭子)繼業爲西陵督.鳳皇元年召爲繞帳督.

帳下兵左右部.

【吳志陸遜傳】權納其策.以爲帳下右部督.

【吳志張溫傳】特以繞帳帳下解煩兵五千人付之.

武衞兵.

【吳志孫綝傳】武衞士施朔又告綝欲反有徵.

【吳志孫峻傳】孫權末徙武衞都尉.爲侍中.權臨薨.受遺輔政.領武衞將軍.故典宿衞.

校兵.

【吳志陳武傳】及權統事.轉督五校.

【吳志潘璋傳】合肥之役.權甚壯之.拜偏將軍.遂領百校.屯半州.(潘眉三國志考證百校當爲五

校〕

虎騎兵

【吳志孫綝傳注】引江表傳宿衛虎騎

馬閑兵左右部

【吳志呂範傳】據〔範子〕入補馬閑右部督

外部兵

【吳志孫權傳注】引吳歷茂〔馬茂〕本淮南鍾離長而爲王淩所失叛歸吳吳以爲征西將軍九江太守外部督封侯領千兵

中軍兵

【吳志孫綝傳注】引江表傳卿父〔指全尚〕作中軍都督

【吳志孫休傳】永安元年冬十月壬午詔曰其以武衛將軍恩〔孫恩〕爲御史大夫衛將軍中軍督

【吳志孫休傳】永安元年十二月己巳詔以左將軍張布討姦臣加布爲中軍督

營下兵。

【吳志朱然傳】績〔然子〕遷偏將軍營下督。領盜賊事。

太子兵左右部。

【吳志呂範傳】權〔孫權〕寢疾。以據〔範子〕爲太子右部督。

水軍。

【吳志陸遜傳】抗〔遜子〕令水軍督留慮。鎮西將軍朱琬拒〔徐〕亂。

【晉書武帝紀】太康元年二月壬戌〔王〕濬又殺〔吳〕水軍都督陸景。

【晉書王濬傳】太康元年二月乙丑尅樂鄉。獲水軍督陸景。

【吳志鍾離牧傳注】引會稽典錄。晉軍平吳。徇〔鍾離徇〕領水軍督。臨陣戰死也。

敢死兵。

【吳志韓當傳】將敢死及解煩兵萬人。討丹陽賊。破之。

車下虎士。

【吳志甘寧傳】建安二十年從攻合肥．會疫疾．軍旅皆已引出．唯車下虎士千餘人．並呂蒙蔣欽淩統及寧從權逍遙津北．

武射吏．

【吳志步騭傳】建安十五年出領鄱陽太守．歲中徙交州刺史．立武中郎將．領武射吏千人便道南行．

【吳志駱統傳】出爲建忠中郎將．領武射吏三千人．

子弟諸號．

【吳志孫亮傳】亮科兵子弟年十八已下十五已上．得三千餘人．選大將子弟年少有勇力者爲之將帥．日於苑中習焉．

【吳志孫綝傳】陛下（指孫亮）頃月以來．多所造立．取兵子弟年十八已下三千餘人．習之苑中．

晉既平吳．移揚州於秣陵．以都督統其軍事．（晉書）東遷而後．因爲都城宿衞諸軍．皆本洛京舊制．而統謂之臺軍．

【晉書職官志】左右衛驍騎游擊將軍。幷領軍護軍所領爲六軍。宋書職官志。領軍掌內軍。護軍掌外軍。

其揚州都督刺史所領。謂之州軍。

【晉書刁協傳】請免中州良民遭亂爲揚州諸郡僮客者。以備征役。於是又有奴兵。宋書武帝紀遺詔宰相帶揚州可置甲士千人若有征討悉配以臺見隊。

又別於石頭置戍。以爲鎮守。

【同治上江志】按晉宋以來。常以重臣領石頭戍事。

宋齊梁陳皆因之。有急則沿江屯防。所以講求水戰者甚備。

【晉書蔡謨傳】石虎欲浮海入掠。謨扼險置八鎮城壘十一烽火望樓三十餘處。戍卒七千餘人。東自土山西至江。乘警衞嚴密。

【宋書】元嘉二十七年魏軍聲欲渡江。太祖大具水軍爲備。劉遵考守橫江。劉興祖守白下。蕭元邕守裨洲。孟宗嗣等守新洲上。泰容守新洲下。向柳守貴洲上。接於湖下。至蔡洲。陳艦列營。周亙江畔。

【齊書】建元元年魏人入寇。乃於梁山置二軍。南置三軍。慈姥置一軍。烈洲置二軍。三山置二軍。白沙置一軍。蔡洲置五軍。長蘆置三軍。徐浦置一軍。

【陳書】天嘉十一年周侵淮南。徙徐道奴守柵口。楊寶安守白下。明年以任忠爲平南將軍督緣江軍防事。其船有青龍金翅等名。

又有養馬之政。

【同治上江志】晉職官志太僕統典牧乘黃廄驊騮廄龍馬廄等令。太僕自元帝渡江之後。或省或置。太僕省故驊騮爲門下之職。宋職官志東晉置庫曹掌廄牧。大約皆言國馬。至梁陳諸書雖有鐵騎步騎之名。亦不言其所配者何軍。惟方輿紀要云應天府北二十里有馬印洲晉元帝牧馬地也。足爲牧場之證。然年代遷變。地名乖舛。不能徵信矣。

隋立蔣州於石頭。留兵防遏。不以爲重鎮也。〔約隋書〕

唐置揚州大都督府。尋移江北。武后因徐敬業之亂。復設石頭鎮兵。〔約唐書帝紀及景定志〕

至乾元中始立江寧軍．則浙西節度使之兼任．或治昇．或治潤．不常厥所．

【唐書】乾元元年置浙江西道節度使．兼江寧軍使領昇潤宣歙等十州．呂志乃以江寧軍爲折衝府之一．是不知乾元時府兵已久廢矣．

天祐之季．昇州爲樓船所聚．置防遏使以兼領之．未幾徐溫徙鎮海軍於金陵．

南唐因以立國．其初置騎兵八軍．步兵九軍而已．〔約南唐書帝紀〕

厥後召募雖多．而實不可用．

【十國春秋】凡民產二千以上出一卒．曰義軍．分籍者又出一卒．曰新擬生軍．新置產亦出一卒．曰新擬軍．軍與後取競渡舟子蒐爲兵．曰凌波軍．又率民間傭奴贅壻．曰義勇軍．募豪民以私財招聚無賴亡命．曰自在軍．大括境內．自老弱外皆募爲卒．曰排門軍．民間自相帥拒敵．積紙爲甲．農器爲兵．曰白甲軍．凡十三等．

宋初立建康軍於江寧府．以文臣知軍府事．〔約宋史〕

中葉稍重其權．

【至正志】引慶元志。嘉祐四年江寧府就置禁軍駐泊三指揮。以威果爲額。熙寧五年以議者言。東南兵寡而多盜。又以兵三千人戍江寧府揚杭二州。景定志。大觀元年詔以江寧府爲帥府。宣和二年以方臘之亂。詔江寧府帶安撫使。又於江南東路留戍兵七千九百六十八分在江寧府等處。其軍並隸安撫司。

渡江以來。知建康府事常帶行宮留守。有急則置都督軍馬。或爲宣撫。或爲總管。〔約景定志官守武衞二志〕

於是有侍衞馬軍。

【景定志】凡六軍。乾道七年移屯建康。每軍有統制統領。號行司。共兵一萬七千人。馬四千六百匹。

有御前諸軍。

【景定志】凡六軍。紹興十二年移屯建康。每軍有統制統領官。置都統制副都統制以領之。共兵五萬人。馬五千八十七匹。呂志誤以御前侍衞爲一軍。故有乾道紹興倒置之譌。

有廂禁二軍。

元額四千人.親兵一千人.

而以制置使所轄爲尤廣.

有遊擊軍一萬二千四百一十二人.防江軍三千三百人.効用軍一千四百四十五人.破敵軍一千四十四人.精銳軍二千五百三十一人.親兵左右部一千人.策勝軍一萬人.制効軍一千三百二十六人.龍灣水軍二千九人.靖安唐灣水軍五千七百二人.義士軍一千八百七十三人.雄武軍五百八十七人.(皆景定武衞志)

最後創寧江新軍.沿江建屯.

共六千二百八十人.

其在建康者八.曰下蜀.曰馬家步.曰沙河.曰韓橋.曰王沙.曰新開河.曰下三山.曰汪蔡港.

【景定志】制使姚希得創.

戰馬舟船.彌川亙陸.巍然一巨鎭矣.

江南非產馬之地。南渡初命吳璘通馬於西。胡舜陟市駿於廣。分配諸軍。沿江制司。舊有先鋒馬軍。久而減耗。止餘八十一匹。景定中制使姚希得創買戰馬。議撥錢一百萬貫。委都統趙祥收買。越三年馬光祖踵爲制使。共買到三百七十六匹。通前共四百五十七匹。度地於建康南門之外。曰沙井者爲寨。以便牧養。後奉省劄令。每寧江軍一千人。以二百人爲騎軍。前後兩軍。共買馬一千二百五十六匹。又制置司前後修造戰船三千五百五十隻。有飛虎戰艦車頭船槳船板船飛捷船鐵頭船羅框船鐵鶴船柴舫船多棹船小富陽座船水哨馬船艫湖船輕捷多槳船諸名。（以上皆約景定武衛志。）

元置行樞密院於建康。復移益都新軍萬戶府屯其地。爲江淮之鎖鑰。

至元十二年建康歸附。名其軍爲新附軍。置宣撫司。招安諸路。十四年。能爲總管府。自是連歲出兵諸萬戶相繼鎮戍。十六年宋境平。諸萬戶移屯各處。二十二年立行樞密院。開府建康。末年裁革諸萬戶。徑隸樞密院及江浙行省。元貞元年各鎮寨設巡檢司。僉撥弓兵。專以巡防盜賊。江寧鎮秣陵鎮竹篠龍都下蜀東陽皆有之。至德元年益都新軍萬戶府。移鎮建康。達魯花赤萬戶而下軍官千戶百戶彈壓通設一百餘員。所管正軍。專以把守城池要害。龍灣有教習水軍萬戶府。係行樞密院於江北河南諸行省管下萬戶府撥軍二千餘名。前來屯戍。專以教習。隸萬戶府提調。〔以上約至正兵防志〕

明太祖下集慶路。定爲京師。初建統軍。繼改五軍都督及衛所。

【道光上元縣志】禁衛設五軍都督府。三十二衛指揮使司。有留守左衛。鎮南衛。水軍左衛。驍騎右衛。龍虎衛。龍虎左衛。英武衛。龍江右衛。瀋陽左衛。瀋陽右衛。〔隸左府〕留守右衛。虎賁右衛。水軍右衛。武德衛。廣德衛。〔隸右府〕留守中衛。神策衛。廣洋衛。應天衛。和陽衛。及牧馬千戶〔隸中府〕留守前衛。龍江左衛。龍驤衛。飛熊衛。豹韜左衛。〔隸前府〕留守後衛。橫海衛。鷹揚衛。興武衛。江陰衛。〔隸後府〕又親軍衛指揮使司十有七。金吾前衛。金吾後衛。金吾左衛。金吾右衛。羽林左衛。羽林右衛。羽林前衛。府軍衛。府軍左衛。府軍右衛。府軍後衛。虎賁左衛。錦衣衛。旗手衛。江淮衛。濟州衛。孝陵衛。與左府所屬十衛。右府所屬五衛。前府所屬七衛。後府所屬五衛。並聽中府節制。

又設操江一員。

【道光上元縣志】操江專督巡江。其下有遊兵營。駐劄新江口。自狼山至圌山。與通泰合兵巡哨。令裁歸督標。

其臨時建置者有神機營。

【明史兵志】平交趾後。京師設神機營。南京亦增設。與大小二教場同練。

振武營。

【明史兵志】嘉靖中言者奏南營耗亡之弊。二十四年詔立振武營。簡諸軍銳卒。益以淮揚趫捷者。合池河營兵各三千。領以勳臣。隆慶元年罷。

義烏營。

【籌城志】萬曆二十年倭警。在朝鮮參贊兵部尚書衷某議召募浙江義烏兵數千。屯於龍江關。其後多僱本地惡少補之。大爲民患。

南中軍標營。

【明史兵志】萬曆三十一年添設南中軍標營。設中軍參將統練。

清之駐防。

【道光上元縣志】滿洲駐防。自順治二年始設鎮撫國公二員。梅勒章京二員。三年改設昂邦章京二員。梅勒章京奉裁。九年只設昂邦章京一員。十四年復設梅勒章京二員。至十七年改昂邦章京爲總管。改梅勒章京爲副都統。十八年改總管爲將軍。又乾隆三十四年奉旨裁汰都統一員。統轄正黃鑲黃正白鑲白正紅鑲紅正藍鑲藍八旗。

【同治上江志】所屬有協領八員。佐領二十二員。防禦驍騎校各四十員。九品筆帖式三員。分管八旗。每旗有領催三十名。前鋒校二名。前鋒十六名。其上者爲馬甲。次者爲步甲。又次者爲養育兵。又次者爲礮兵。以及弓匠箭匠鐵匠礮手之屬。共四千七百七名。其額設坐馬。則將軍二十匹。副都統十五匹。協領十二匹。佐領八匹。防禦五匹。驍騎校四匹。筆帖式四匹。共官馬七百五十九匹。戰馬則領催前鋒校前鋒。皆人三匹。馬甲人一匹。共戰馬四千十五匹。

【道光上元縣志】鑲白旗世襲恩騎尉一員。馬甲二千四百七十九名。（鑲黃旗三百九名。正黃旗三百八名。鑲紅旗三百十二名。正紅鑲白正白鑲藍正藍五旗俱三百十名。）砲手六十一名。弓匠四十名。箭匠四十名。鐵匠四十名。〔以上三者各每旗五名〕步甲五百七十二名。〔鑲黃正黃正紅鑲紅正藍五旗俱七十二名。正白鑲藍二旗俱七十一名。鑲白旗七十名〕養育兵一千五十名。〔鑲黃正紅鑲紅三旗俱一百三十名。正白鑲白二旗俱一百三十三名。正黃正藍二旗俱一百三十一名。鑲藍一百三十二名。〕以上大小甲兵四千六百六十六名。

【續纂江寧府志】江寧駐防旗營在城東北隅明內城地也。咸豐癸丑之變。潰圍而出者。才八百餘人耳。經將軍蘇布通阿奏請集爲一營。隨剿江南北之賊。同治三年將軍富明阿率之由揚州大營凱徹回防。有官二十九員。甲兵歷年傷亡。僅存三百餘名。乃奏以爲江寧駐防八旗頭甲喇。並請撥滿蒙兵補防。逮至十年。調到荊州旗營官十九員。甲兵五百七十二名。小甲三百五十六名。編爲八旗二甲喇。是年將軍魁玉於荊州撥防官兵子弟內選補甲兵一百八十一名。十一年將軍穆騰阿又於二甲官兵子弟內選補甲兵一百三名。共二百八十四名。編爲鑲黃正黃正白正紅四旗三甲喇。光緒二年復調到荊州旗營官十二員。甲兵二百八十八名。編爲鑲白鑲紅鑲藍正藍四旗三甲喇。又於隨帶子弟內選補小甲三百五十六名。以足八旗三甲喇小甲額數。而旗營粗有規制矣。其官員甲兵之數。謹據光緒六年案牘臚列之如左。

協領六員．佐領二十員．防禦二十四員．驍騎校二十四員．筆帖式三員．世職官八十員．甲兵一千五百七十五名．小甲八百四十九名．

又設綠營以總督領之．

【道光上元縣志】順治二年設經略招撫內院大學士．後改總督．轄江南河南江西三省．六年改轄江南江西二省．十三年改專轄江南一省．二十一年復轄江南江西二省．

所屬有中營．（順治五年設）

【道光上元縣志】中營設副將一員．都司一員．千總一員．把總四員．外委千總二員．把總四員．額外外委六員．馬戰兵二百三十二名．步戰兵二百八十六名．守兵一百七十八名．官坐馬二十六匹．戰馬二百三十二匹．渡馬淺船六隻．外設火藥局匠六名．

左營．（順治五年設）

【道光上元縣志】左營設遊擊一員．中軍守備一員．千總二員．把總四員．外委千總一員．把總四員．馬戰兵二百一十名．步戰兵二百三十六名．守兵一百六十三名．官坐馬二十二匹．戰馬二百一十匹又渡馬淺船五隻.

城守營皆駐江寧省城

【道光上元縣志】江寧城守副將統轄七營.〔左右奇浦溧五營屬江寧府.瓜州青山營屬揚州府及鎮江府.〕

左營

【同治上江志】左營副將自領之所屬有都司一員.中軍守備一員.千總二員.把總四員.外委千總二員.把總四員.馬步守兵四十三名.官坐馬三十二匹.戰馬九十八匹.

【道光上元縣志】馬戰兵九十八名.步戰兵四十名.守兵三百六十一名.

【續纂江寧府志】城守左營中軍守備司.三汛.〔西華門　木匠營　鄧府巷〕左哨千總司四汛.〔淮清橋　教敷營　堂子巷　武定橋〕右哨千總司五汛.〔紅花地　倭緞堂　花牌樓　虹橋　新街口〕左哨頭司把總司六汛.〔大中橋　八府塘　內橋　白塔　新路　馬路街〕左哨二司把總司十二汛.〔笪橋　御史廊　太平門　小教場營　集賢菴　高樓門　小四牌樓

文廟　武廟　唱經樓　沐府西門）右哨頭司把總司八汛。（東關頭　丁官營　黃公祠　鷲峯寺　東花園　茉莉園　新廊　紅土山）右哨二司把總司城外三十三汛。（上孝陵衛　下孝陵衛　羽林　清涼庵　蔣家莊　西園墩汛　高井墩汛　仙鶴門　滄波門　中和橋墩汛　高橋門墩汛　沙子岡墩汛　上方門　靜海寺　北河口　大河西汛　小棚欄門汛　瀋陽衛　盤龍山　蔣廟　白馬羣　觀音門　上仙鄉　燕子磯　岔路口　湖熟　龍都　索墅墩汛　湻化鎮墩汛　石埠橋　攝山渡　帶子洲　東流）

右營

【道光上元縣志】都司一員。中軍守備一員。千總二員。把總四員。外委千總二員。把總四員。馬戰兵九十七名。步戰兵四十名。守兵三百六十一名。官坐馬一十六匹。戰馬九十七匹。

【同治上江志】右營設守備一員。千總二員。把總四員。外委千總二員。把總四員。馬步戰守兵四百八十二名。官坐馬十六匹。戰馬九十七匹。

【續纂江寧府志】城守右營守備司二汛。（鐵獅子街　張公橋）左哨千總司三汛。（江寧府學　板巷　陡門橋）右哨千總司八汛。（上浮橋　下浮橋　土城　王府園　五雲庵　鳳游寺

賀家門樓　小門口）左哨頭司把總司十五汛，（唱經樓　南籌市口　指月庵　館驛　獅子橋
四牌樓　斜橋　井亭　大市橋　圓通庵　北籌市口　廣洋倉　雙門樓　北小門口　晚市）
左哨二司把總司五汛。（朝天宮　笪橋市　虎賁倉　鐧銀巷　永慶寺）右哨頭司把總司十
二汛。（左所巷　錦衣倉　峨眉嶺　頭鋪　百歲坊　團瓢　虎踞關　水左岡　四衛頭　雙
橋　定淮門　朝陽庵）右哨二司把總司。城外三十四汛。（來賓橋　安德門　圓覺庵　馴象
門　接待寺　石城祠　晏公廟　養虎庵　到彼庵　夾岡門　南城岡　善司廟　眼香廟
陳柱橋　馬房橋　蟠龍廟　板橋　斷山凹　江寧鎮　牧龍亭　地藏庵　鍋巷　天妃祠
祈聖祠　水府祠　大王廟　雙橋門　陶吳鎮　殷巷　秣陵關　朱門　路口　小丹陽徐埠）
又左營城內三十八汛。每汛派兵一名。外汛共派兵九名。右營城內四十五汛。每汛派兵一名。外汛
共派兵十名。

後增設新軍五營。

【續纂江寧府志】同志八年兩江總督馬端敏以額兵之不可用。一則差使太多、而分汛皆畸零之

數，一則口糧太少，而應募皆老弱之人。於是設增餉練兵之法，挑選精壯，酌加津貼，立爲新兵左右前後中五營，均於江寧省城左近擇地駐劄。新兵左營右營中營前營後營，各分五哨，營官以中哨爲親兵。每營營官一員，幫帶官一員，哨官五員，兵丁五百名。

其江防有遊奇兩營，初轄於操江，後改總督兼銜

【同治上江志】遊兵奇兵兩營，國初爲操江所轄，至康熙元年裁操江，爲總督兼銜，以江防同知主察江津盜賊。雍正中有創立滿洲水師之議，未久而亦寢。所設防江營汛，江寧縣界則烈山白廟二汛，以遊兵營右哨把總轄之；仙人磯河口犢兒磯三山大勝關雙閘鐙淺溝上河觶灣八汛，以奇兵營左哨把總轄之；新江口草鞵夾二汛，以奇兵營左哨千總轄之；上元縣界則七里洲燕子磯傅家溝草堂寺四汛，以奇兵營左哨千總轄之；朱家觜九分塘二汛，以奇兵營右哨把總轄之；北江邊三江口柏家閘三汛，以奇營右哨千總轄之。二縣共列二十一汛，皆有巡哨各船。

同治九年改創水師，設金陵營於草鞵夾。

【續纂江寧府志】自操江職廢。而長江無水師。此粵寇之亂所爲乘流直下也。湘鄉曾文正練兵衡陽。首立水勇。東征制勝。厥功爲多。金陵既收。戰事大定。遂奏請以前募之水勇改爲經制之水兵。設立長江水師二十四營。以提督統之。其在江寧草鞋夾駐劄者曰金陵營。上自烏江。下至通江集。皆其分防汛地。幷及江浦六合之內河。而通江集以下六合江汛。則屬瓜洲營焉。金陵營參將一員。左右哨都司各一員。前後哨守備各一員。千總八員。把總九員。外委十二員。額兵四百九十名。長龍船二號。舢板船三十號。督陣舢板船一號。

要塞增設礮臺。

【金陵通紀】同治十三年建礮臺於烏龍山沙洲圩。

【讀纂江寧府志】南岸烏龍山濱江暗礮臺七座。安礮七尊。明礮臺三座。安礮四尊。　山磯頭暗礮臺四座。安礮四尊。明礮臺二座。安礮六尊。　北岸沙洲圩濱江暗礮臺五座。安礮五尊。明礮臺三座。安礮八尊。

五龍山沙洲圩礮臺工程清檔。五龍山南岸礮臺。計明臺五座。計暗臺十一座。第一座（自左首依山起〕暗臺。第二座暗臺。第三座明臺。臺高六尺七寸。第四座暗臺。第五座暗臺。第六座暗臺。第七座暗臺。第八座暗臺。第九座明臺。臺高七尺二寸。第十座明臺。計礮門二座。臺高八尺一寸。

右臺十座。左右依山逐座相連。中通走道。前面護以磡岸。壕溝後牆下俱砌滴水石漕一道。

山磯上礮臺。計明臺二座。計暗臺四座。第一座〔自左首計起〕明臺。計哨門三座。臺高七尺。第二座暗臺。第三座暗臺。第四座明臺。計礮門三座。臺高與第一座同。第五六座暗臺。在山磯下右首兩臺依山聯同一處。右臺六座。俯瞰大江。後圍牆置柵門一道。以通出入。與前十臺爲犄角之勢。

沙洲圩北岸礮臺。計明臺三座。計暗臺五座。第一座〔自右首起〕明臺。計礮門三座。臺高五尺七寸。第二座明臺。計礮門二座。臺高五尺五寸。第三座暗臺。第四五六七座暗臺。第八座明臺。計礮門三座。臺高五尺八寸。右臺八座。後圍牆均砌石漕。四圍皆砌磡岸。計高七尺餘。寬六丈六尺餘。長五十一丈有奇。

【下關礮臺工所委員章燿郇蕭煥唐楊文會稟】〔陳築造礮臺情形〕卑職等於去年〔同治十三年〕七月間奉憲台札委。在於下關經管築造礮臺工料事件等因。奉此卑職等遵照辦理。迄今四月有餘。幸無遺誤。綜計先後支應工料。經合字營築造礮臺三座。共計礮房十一所。併開花礮營及合字營分段修築營壘一週。土石木工均已完竣。惟礮門內外安裝鐵板及撑門推門等項鐵工。至今僅成礮門五所。尚欠推板未安。此外仍有六門。計其工作約在明春告成。所有下關築造礮臺情形。理合繕陳恭呈憲鑒。

【下關礮臺工所委員童燿郇上籌防局稟】本月（光緒元年二月）十三日。奉憲臺札飭。照得下關礮台工程。前於上年十一月撥該工所稱土石木工一律完竣。僅有礮門六所。機器工作約在明春告竣等情。迄今兩月有餘。未據將工程完竣撤局日期稟報到局。亟應督飭匠工迅速工作。限於二月底撤局辦理報銷等因。奉此今春正月初六日開工。其機器工匠計少工二百有奇。致工作完竣之期稍爲延遲。茲礮門機器幸蒙飭催。准在（二月）二十七日。即可一律完竣。

【江南籌防局呈報撥解下關添築明臺津貼米價由】竊照下關礮臺。本年（光緒五年）添明礮臺一座。計礮二門。業已工竣。

【江南籌防局呈報撥給本年添築下關暗臺津貼由】竊照下關礮臺詳奉憲飭於本年（光緒六年）添暗臺兩門。自二月開工。至十月工竣。

【金陵通紀】光緒七年春重修礮臺。增築下關數處。

【續纂江寧府志】南岸下關暗礮臺六座．安礮六尊．明礮臺二座．安礮二尊．

【監造獅子山等處礮臺張彪隨辦礮臺工程楊自新上籌防局驗收臺工稟】〔光緒二十一年〕標下卑職前奉札委監修獅子山鍾山幕府山三處礮臺工程．現均一律工竣．所有監修獅子山鍾山幕府山三處礮臺十五座．工程完竣．緣由理合分別開具清摺．稟請憲臺賜察．委員驗收．核銷．再奉飭安設快礮．雨花臺四尊．獅子山二尊．幕府山四尊．並本山下南首山岡安設地藏礮二尊．此項十二尊礮臺工程．現經漸次開工．一俟工竣．另行呈報．合併陳明．

鍾山　第一尊八十磅子後膛鋼礮．用洋坭築成洋式明臺一座．第二尊八十磅子後膛鋼礮．用洋坭築成洋式明臺一座．

獅子山　東首居中安一百八十磅子後膛鋼礮．用洋坭築成洋式明臺一座．

東首左邊安八十磅子後膛鋼礮．用洋坭築成洋式明臺一座．

東首右邊安八十磅子後膛鋼礮．用洋坭築成洋式明臺一座．

西首居中安一百八十磅子後膛鋼礮．用洋坭築成洋式明臺一座．

西首左邊安八十磅子後膛鋼礮．用洋坭築成洋式明臺一座．

西首右邊安八十磅子後膛鋼礮用洋坭築成洋式明臺一座。

幕府山　東山第一尊安一百八十磅子短式後膛鋼礮用洋坭築成洋式明臺一座。

東山第二尊安一百八十磅子短式後膛鋼礮用洋坭築成洋式明臺一座。

東山第三尊安一百八十磅子中式後膛鋼礮用洋坭築成洋式明臺一座。

東山第四尊安一百八十磅子中式後膛鋼礮用洋坭築成洋式明臺一座。

西山第一尊安一百八十磅子短式後膛鋼礮用洋坭築成洋式明臺一座。

西山第二尊安一百八十磅子短式後膛鋼礮用洋坭築成洋式明臺一座。

西山第三尊安八十磅子後膛鋼礮用洋坭築成洋式明臺一座。

【籌防局呈報雨花臺等處安快礮工程完竣文】爲呈報事竊查上年〔光緒二十一年〕十二月間。據監造雨花臺等處快礮臺工程委員遊擊張彪千總黃福華縣丞楊自新收支委州同周紀常等稟稱奉署督部堂張札飭以雨花臺安設快礮六尊。當卽勘估約需銀九千餘兩。復奉張署憲面諭雨花臺改設四尊。獅子山兩尊。幕府山四尊。並於幕府山南首山岡安設地藏礮兩尊等因。伏查此項建臺安礮。前經繪圖貼說。恭呈鑒核。現遵憲飭指定建築礮臺地位。所有雨花臺築臺安設四十磅子快礮四尊。並子藥房四間。礮亭四座。獅子山築臺。添安快礮兩尊。子藥房四間。暗道兩所。以上工程。均於本年三月內一律完竣。動用料共需經費湘平銀七千九百十四兩八錢七分八釐一毫五絲。理合繕具清摺。具文呈報。仰祈憲台鑒核查考。

【江南籌防局詳復督憲富貴山添安礮位文】爲詳復事。竊於光緒二十二年十一月初三日。奉憲台札開。照得金陵富貴山礮臺僅設大礮二尊。本部堂親臨察督。該臺現設礮位。不足以資控禦。應於第一尊大礮之前。添設快礮數尊。庶遠近可以堵擊。即由籌防局派員前往該臺。審察形勢。核實估計稟復核奪。應用礮位。即飭該處總臺官馮國士自赴軍械所選擇次等快礮。分別設配。以期得力。除分行外。札局遵照辦理具復等因。到局。遵即分飭總臺官馮國士及提調郭勳查辦去後。玆據提調郭勳稟復。前赴富貴山會同馮臺官勘明地址。擬於第一尊大礮之前。添設三磅子阿摩士莊快礮二尊。四十磅子後膛礮二尊。其快礮仿照馬克身快礮三座架樣式。每尊添配略小之鐵筒座架一具。四十磅子礮座礮盤。亦須仿照新式礮盤。四面旋轉。可以環擊四面。此項礮臺工程。加蓋軍裝兵房四間。需用工料估須經費銀一千八百餘兩。理合具文詳復。仰祈憲台鑒核。批示祇遵。仍俟奉到憲批後。即行分移機器製造局添製礮架。並將添築礮臺工程。由局派員經理。以期迅速而固

防守.合並聲明.〔光緒二十二年十一月二十五日呈. 憲批. 如詳辦理.〕

考試武員.

【續纂江寧府志】同治七年總督曾文正公.以官軍凱撤後.收標武員.多置閒散.仿書院考試之法.月以二十五日.派道員及提鎮十人.分五棚校閱馬步箭火鎗.第其甲乙餼之.光緒元年十月總督沈文肅公改試洋鎗.第甲乙如前.

其軍事機關.有營務處.

【續纂江寧府志】軍興以來.凡督師大帥.及統領一軍者.皆設營務處.以佐軍政.和行陣.儲異材.同治八年總督馬端敏公.簡江寧揚州綠營之兵.立新兵五營.加給月餉.以時訓練.乃設督標營務處.以道員一人掌之.其後總督曾文正公.添募老湘合字營.總督李公宗羲.籌辦海防.增募各營.幷直隸總督李伯相所撥留防江南武毅慶字等營.其徵調餉饟之政.督府均下營務處籌議轉行.十三年兼節制護軍營.督捕營.督標親兵水師營.而督捕營所獲盜犯.由營務處訊鞫詳請定讞.每月武課試畢.亦由營務處彙呈督府榜示等第.

長江水師發餉所.

【續纂江寧府志】江寧鹽巡道司長江水師下游兵餉道署.兼管庫官.以佐貳一人掌之.經收釐金.凡兩江境內水師月餉.皆由所支放.

淮揚水師支應所.

【續纂江寧府志】同治四年自蘇州移設金陵.道員一人掌之.兼司淮揚水師營務處.

軍需局.

【續纂江寧府志】同治四年總督曾文正公北征捻匪.設北征糧臺.以餽諸軍.同治　年改爲軍需局.以道員一人掌之.專濟西征老湘營一軍及江寧防軍合字六營新兵五營各軍月餉.

金陵軍械所.

【續纂江寧府志】同治四年閏五月立.以守丞以下官掌之.初名內軍械所.專儲外洋軍火.供各軍之用.別有外軍械所.以儲內地軍器.洎各軍移撤.其分儲軍械.多聚於此.海防事興.購製外洋軍器.益富且精矣.乃併內外二所爲一.凡江寧綠營及湘淮水陸征防各軍.皆取給焉.別其良窳利鈍.時

其收發月以册籍上於制府。

機器製造局存儲火藥局軍械所。

【續纂江寧府志】同治四年立。屋宇皆仿外洋之式營造。以道員一人掌之。購機器於外洋。募洋匠爲師。督諸匠製造礮位門火車輪盤架子藥箱具開花炸彈洋鎗擡鎗銅帽等項。解濟淮軍及本省留防勇營之用。同治　年於烏龍山暫設礮臺機器局。光緒四年歸併。

【金陵通紀】同治四年設機器製造局於南門外西天寺故址。又置存儲火藥局於石城門內濟生菴北。軍械所於古城隍廟旁。

製造火箭局。

【續纂江寧府志】隸機器局。

火藥局。

【續纂江寧府志】同治四年八月立。在龍蟠里。丞牧一人掌之。凡製造火藥局存儲備支放各軍之用。所儲有本藥洋藥鎗藥礮藥炸藥三稜藥石子式藥。以及硝磺各種。領分局二。曰莘場分局。曰雞鳴山分局。

報銷局。

【續纂江寧府志】初設於蘇州。同治五年二月移駐江寧。道員一人掌之。稽核留防湘淮兩軍餉需。彙其成數。以册籍上制府。達於部。

籌防局。

【續纂江寧府志】同治十三年六月立。布政使道員掌之。專理江防軍政。大江設防。自下關至吳淞口止。於濱江險要。建築礮臺。儲備鎗礮。軍火。分兵屯守。

水師船廠。

【續纂江寧府志】咸豐三年。曾文正公於湘鄉本籍。𠜂造水師戰船。設廠於衡州湘潭。造快蟹長龍舢板等船。旣肅長江。龕定東南。遂改水師爲經制之兵。奏定章程。各船每屆三年修理一次。十二年卽行更換。其風篷等件。三年亦更換一次。桿索纜繂等物。每屆修整之年。酌量添換。同治七年乃設船廠於燕子磯。掌造拖罟長龍舢板八團八槳快蟹之屬。及錨木腦索礮繩旂幟紅白油布篷等件。

以備下遊水師各營更換。其外海水師戰船修造之政。亦兼掌之。

製造火藥局。

【續纂江寧府志】江寧各營所需火藥。向由安慶火藥局撥濟。同治十一年總督何公璟。議建江寧製造局。八月立局於通濟門外。以牧令一人掌之。采硝於壽亳鉅野歸德。采松柴木於青陽嫩柳炭於鎮潭杉炭於西溪丁坑。辨其色質與性。審火齊之節。督匠確造。核各軍演放之數。以爲作輟。

【金陵通紀】同治十一年設製造火藥局於通濟門九龍橋。

試造洋藥局。

【續纂江寧府志】同治十二年五月立。十三年十二月裁撤。

金陵製造洋火藥局。

【金陵製造洋火藥總局咨籌防總局文】金陵建造火藥廠基地。勘定通濟門外七里街地方。業經稟。奉爵閣督左批准在案。所有建造局廠一切工程。亟應趕辦。現已擇吉（光緒八年）六月十八日興工。相應備文咨會。爲此咨貴局。請煩查照施行。

【寧屬清理財政局詳督憲議決歸併之洋火藥局等四處.請分飭卽日移交併辦文】（宣統二年）查度支部元電.原分減併裁三項.其歸併項下.所指洋火藥局歸併餉械局.省一萬餘兩.均於七月初二日公同議決歸併.擬請憲台迅賜分飭各該局堂.卽日移交併辦.

儲存火藥局.

（一）清江火藥局.

【金陵通紀】同治九年設清江火藥局於草場.製造火箭局於神木庵.

（二）棉花火藥局. 光緒七年建.

（三）雞鳴山火藥局.

【金陵通紀】同治十三年設火藥局於雞鳴山陰.

（四）長江水師火藥局.

（五）馬鞍山火藥局. 光緒二十年建.

【統辦金陵內外軍械所咨籌防局文】本年（光緒二十年）六月間.經貴局會同敝所.暨金陵防

營支應局請金陵城內古林庵後馬鞍山地方建造庫屋。卽將龍蟠里存藥及新造火藥。分別移入新庫儲存。其龍蟠里舊有房屋。擬卽改爲火藥總局委員稽核辦公之所。現在該庫已由貴局委員監造工竣。亟應各藥搬運新庫。遴員駐局。悉心經理。以專責成。

（六）劉家岡及華岩岡火藥庫。

【金陵防營支應總局咨金陵軍械所文】馬鞍山藥庫被燬後。奉飭重建劉家岡添建華岩岡藥庫兩所。遵於上年（光緒二十六年）十一月間開工建造。於本年七月間。先將劉家岡藥庫三十六間。住房十七間。大廂房六間。共五十九間。一律完工。隨卽續造華岩岡藥庫十二間。住房十一間。共二十三間。亦於九月杪一併完工。均經先後會同貴道驗收點交派員管理。

金陵內軍械所。

金陵外軍械所。

金陵製造局。

【江督端奏金陵製造局添購機器情形摺】（光緒三十四年）竊查金陵製造局添購機器。改良製造新式槍子．具詳請示．奴才以所請係因時制宜．裨益軍需起見．批准照辦．卽由該道劉體乾親赴上海．就近會商張士珩．將應添購各項機器具．嗣與德商禮和洋行議定．由該行承辦．德商侶佛廠最新式自行進子造小口徑網盂頭新毛瑟子機器二十五部．又六密里五七密里九各道口徑槍子．及較準口徑沖模樣板各一副．又格林木大小天秤兩具．共計淨價德銀十七萬五千三百三十五馬克．連關稅水脚保險等費．一併在內．當與訂立合同．加立清單．並先付定價三分之一．計德銀五萬八千四百四十五馬克．按照本年十月初四日付銀日期．上海銀行市價每一百八十三馬克．合規平銀一百兩．核算共合規平銀二萬零六百五十一兩有奇．

【寧屬清理財政局會同寧藩司江南製造局詳復遵批核議裁撤金陵製造局並派員點驗接收文】〔宣統二年〕會議詳復事．竊奉憲台批金陵機器製造局趙道有倫稟．改良製造新式槍子．酌擬減費節省辦法一案．由奉批據稟已悉．該局專造槍子．規模甚狹．本附屬於江南製造局．前經寧藩司議請裁撤．原論極爲詳確．業已如議飭裁．至該道所稱機器可惜．不爲無見．查新式機器．尙可撥歸滬局．惟舊機應設法安頓．現在裁併全案．已行清理財政局．據稟前情．仰清理財政局會同寧藩司江南製造局核議詳復奏咨．錄批備移該局知照．繳稟抄發等因．奉此．自應遵批將金陵機器局卽日裁撤。其局中現在機器物料等項。應由趙道造具淸册。送由職道士珩派員來寧點驗接收。至新式機器如何撥用。舊機如何設法安頓。及此後需用軍械如何接濟。應由本司等另行妥議辦法。詳請憲示。

又因軍事設算學局。

【續纂江寧府志】光緒二年五月立。布政使梅公啓照剏議。以丞牧一人掌之。招延生徒。講求鑄礮之法。幷測準演放諸藝。以爲江海防務之助。六年五月以無成效裁撤。

水雷局。

【續纂江寧府志】光緒三年七月立。委員招募藝童。學習洋文洋語。四年挑留八名。送赴天津教練水雷局學習。五年以洋教習期滿回國。於十二月撤回。隸機器局。名電學館。六年五月以無成效裁撤。

電學館（光緒五年十二月設立。光緒六年五月裁撤。）

【江南籌防總局呈報電學館事宜請由金陵機器局就近兼管摺】竊照江南原募藝童八名。赴天津附學水雷電報回寧當經商請貴總局（金陵機器局）騰出房屋。於上年十二月設立電學館。以資教習。

【呈報電學館遵於本年五月初一日裁撤住支摺】竊奉憲台（署督端）面諭經費支絀。各局裁減電學館自五月初一日起卽行裁撤等諭。除將教習司事藝童人等。一律裁撤。薪水發至本年四月底止住文。

清季南洋徵兵。設徵兵總局於省城。成立一鎭（卽第九鎭）兩協四標二營。

【籌議勸辦徵兵詳文】〔乙巳六月十八日〕兩江督練公所（總辦兵備處兼教練處江蘇存記道朱恩紱 總辦參謀處兼教練處江蘇特用道徐紹楨）爲詳請事。竊查改編營制一案。於光緒三十一年二月奉憲台批開卽將原駐省城之武威左右翼按照章制專練徵兵。編爲第一標等因。伏查東西各國陸軍。無不以徵兵爲編制之要素自王公子弟以至庶民視當兵若應有之天職。得之者人皆豔而羨之國之強弱恆視兵力爲轉移兵之足貴如此。我國兵民既分。當兵者大都游惰無業之民。有事則招之使來。無事則遣之使去。招之來既漫不加教。遣之去則窮無所歸。流弊所終且以滋乳無數盜賊。卽或永無遣散流亡之事。而一兵入伍。養至二三十年。向之稱爲男兒好身手者。亦無不頭童齒落。精力就衰。耗二三十年之餉。僅僅得一無用之兵。而欲望兵氣之揚。夫何可得。上年練兵處頒定軍制。首以就地徵兵爲一定之目的。復立以常備續備後備分年訓練更番退伍之法。使以少數之餉。練成多數之兵。久之自可收國民皆兵之效果。〔中略〕職道等再四討論調查。實知非急辦徵兵不可以圖強。非先定徵兵區域。則徵兵亦無從着手。就江蘇大勢而論。全省統轄八府三直隸州一直隸廳。如編立三鎮。則有步隊十二標。以一府州廳爲一標之管區。適敷分布。惟蘇垣防軍向歸撫憲主政。近聞蘇垣已編練一協。自應畫出數府州爲蘇垣之協管區。又江北新設提督。已奉旨著劉軍門專練一鎮。亦可畫出數府州爲江北之鎮管區。如此則江南先練一鎮。酌定數府。爲江南之鎮管區。未嘗不可互爲維持。本年正月間職道等稟承憲訓。將江南諸軍編立步隊八標。除第一標僅有舊軍一營。又皆本省民籍。堪以舉辦徵兵。外餘七標。悉屬湘淮舊旅。與徵兵制度實不相台。當復商同各標統帶。認眞挑選。汰弱留強。數月以來。先後遣散不下五千餘人。職道恩紱所統之第二標僅裁存二百餘人。若歸併入第三標。即可空出第二標與第一標同辦徵兵。其餘六標有尙存千餘人者。亦有僅存五六百人者。俟第一二標徵兵辦成之後。再將此六標酌量歸併。尙可空出兩標。再辦徵兵。合之前兩標即共有徵兵四標。適符一鎮之數。此外所餘歸併之四標。即可悉行留作要塞守兵。不復編立成鎮。於地方得資彈壓。於餉力亦不無節省.似屬兩便.至馬礮工輜各隊.江南現祇有馬隊礮隊各一營.工程輜重均未徵集.將來亦應按一鎮管轄之數徵足之.其兵籍卽分附於步隊之標管區內.現經職道等督同提調各員將徵兵辦法悉心籌議.立具章程三通.曰徵兵總章.曰勸辦徵兵局章程.曰勸徵章程.總章首重分區域.擬以江寧鎮江常州揚州爲第一鎮管區.徐州海州淮安通州海門爲第二鎮管區.蘇州松江太倉州爲蘇垣所練之協管區.目前江寧開辦徵兵.僅步隊兩標.應先就江寧鎮江兩府屬縣勸徵.餘均留俟將來再定.(中略)徵兵官徵兵員並帶同軍醫弁目司書等定期七月初十日起程.分往各處.其徵兵總局.卽以新購之淮軍公所辦理.

【署督憲周批】據詳已悉.第一第二兩標應徵之兵就寧鎮兩府先行試辦.定於八月初一日起程.應准照辦.

【徵兵總章】設勸辦徵兵總局於江寧省城內.直隸於督練公所.　每一標之徵兵區.設一勸辦徵兵分局.江南所辦一鎮.設分局六所.江寧府分局.卽附設總局內.(餘略)

【軍需處呈宣統三年閏六月分放款清册】第九鎮司令處六月閏六月經費暨奉准添設執法官薪水共湘平銀五千九百十三兩二錢八分.　十七協司令處六月閏六月經費湘平銀一千六百

六十九兩八分。十八協司令處六月閏六月經費湘平銀一千六百六十九兩八分。步隊三十三標閏六月小建薪餉湘平銀一萬六百八十八兩七分四厘。步隊三十四標閏六月小建薪餉湘平銀一萬七百三十二兩一錢三分二厘。步隊三十五標閏六月小建薪餉湘平銀一萬六百二十七兩九分四厘。步隊三十六標閏六月小建薪餉湘平銀一萬八百九十五兩九錢八分二厘。馬隊第九標閏六月小建薪餉湘平銀九千四百九十一兩二錢一分二厘。礮隊第九標閏六月小建薪餉湘平銀一萬二千七百六十一兩三錢六分六厘。工程第九營閏六月小建薪餉暨無線電輕氣球員弁薪工餉乾擦洗等費湘平銀三千六百三兩七錢四分八厘。輜重第九營閏六月小建薪餉湘平銀五千五十一兩二錢六分。

辛亥革命。南京光復最速。第九鎮之功也。

【中華民國開國前革命史】江南新軍自癸卯留日義勇隊成立。及蘇報案發生後。即有愛國志士。投身軍隊中宣傳革命排滿之說。士卒從而附和者頗不乏人。及乙巳東京同盟會成立。上海旋亦組織分會。益派同志多人分赴江南各地從事軍界之運動。新軍將弁如趙聲倪映典林述慶柏文蔚冷遹楊希說諸人。均先後入黨。在江南軍界佔有一部份勢力。趙任管帶時。日在珍珠橋營部高談革命。軍學兩界同志恆假其地爲宣傳機關。及擢任標統。從者益衆。事爲滿將舒淸阿等所知。乃嗾使江督端方將趙等一一撤差查究。趙倪失職後。赴粵供職。復被端方電告粵中防範。卒致不安於位。柏文蔚則以東走滿洲得免。蓋江南新軍革黨將領之見疑。其大原在於丙午中山派喬義生偕法國武官巡遊長江各省調查軍隊勢力一事。喬等至南京時。嘗訪問軍警界同志。接洽一切。以是爲督署密探所悉。故端方得以從容防範。使革黨在江南數年不能有所措施。

【中國革命史】南京爲長江天塹之險要。扼鄂皖蘇之交通。是爲革命軍所必爭之地。淸廷於無事之日。亦駐重兵於其間。總督張人駿。自武昌起事後。卽陸續調集江防營。分紮要隘。又以各省新軍多附革命。遂疑及第九鎭之新軍。旣拒該軍統制徐紹楨給發子彈之請。且檄令移駐秣陵關。而以江防統領張勳扼守南京。新軍本多贊成革命。至此人心愈憤。遂於九月十八日進攻雨花台。苦戰竟日。以子彈不敷。退駐鎭江。適蘇浙滬所派會攻南京軍隊。先後抵鎭。遂組織蘇浙滬聯軍。公舉徐紹楨爲聯軍總司令。二十一日由鎭江出發。進攻南京。下之。〔餘詳大事表〕

交通

甲　陸運

一　市內道路

孫吳時自宣陽門至朱雀門六里。名爲御道。列植槐柳。吳都賦所云朱闕雙立。馳道如砥也。而劉宋之南北馳道。官柳千株。濃翠如沫。行人暑不張蓋。玉勒雕鞍。風馳電邁。一時之盛。可以想見。

【建康志】宋書大明五年。孝武初立馳道。自閶闔門至於朱雀門。爲南馳道。又自承明門至玄武湖爲北馳道。八年罷南北二馳道。景和元年復立。　宮苑記宋築馳道。爲調馬之所。

【楊廣部詩】路平如砥直如絃。官柳千株翠拂烟。玉勒金羈天下駿。急於奔電更揮鞭。

【馬野亭詩】南城來到北城隅。更北直趨玄武湖。一上雕鞍三十里。兩旁官柳數千株。六朝都邑眞如此。舊日咸秦得似無。暑月行人不張蓋。漫天自有翠屠酥。

至宋姚希得甃砌街道。時六朝規制。蕪滅久矣。

【建康志】制使姚公希得任內甃砌街道。先是東西錦繡坊及經武坊一帶街衢多有損壞缺陷去處。不便往來。景定三年三月十七日興工。至四月二十日畢。重新布砌。用磚二十餘萬。凡工物總費五萬二千一百餘緡。米六十二石七斗有奇。

明初官街可容九軌。左右繚以官廊。以蔽風雨。今估衣廊堂子街一帶。尚存遺制。年久被侵。日益湫隘。

【白下瑣言】前明都會所在。街衢洞達。洵爲壯觀。由東而西。則火星廟至三山門。大中橋至石城門。由南而北。則鎮淮橋至內橋。評事街至明瓦廊。高井至北門橋。官街極其寬廓。可容九軌。左右皆繚以官廊。以蔽風雨。今爲居民侵占者多。崇閎之地。半爲湫隘之區矣。

【白下瑣言】石城門至通濟門。長街數里。鋪石皆方整而厚。洪武間令民輸若干予一監生。謂之監石。今被車牛碾之破損。良爲可惜。

清季創築馬路。始於光緒二十年。以後續有興建。廣者不出三十英尺。僅可行東洋車輕馬車而已。

【金陵通紀】光緒二十一年。創築馬車路。自碑亭巷出儀鳳門。造鐵橋於下關。以通洋棚。徧城行東洋車。

又二十五年展馬車路。至龍王廟。

又二十七年增築馬路於貢院大功坊內橋。

又二十九年展中正街至旱西門馬車路。

【海關報告册】此路一八九四年（光緒二十年）張之洞爲兩江總督時所創築。起於江干。穿下關由儀鳳門入城。循舊石路達於鼓樓。冉繞雞籠山麓。經總督衙門。達駐防城邊。而終於通濟門。支路最早築者。爲三牌樓至陸軍學堂路。一八九九年（光緒二十五年）又築一支路至總督衙門門首。於是大行宮與西華門乃相通連。一九〇〇年（光緒二十六年）署督鹿傳霖復議增二路。一自花牌樓至貢院。一自洋務局至漢西門。適拳匪亂起。僅前者築就。一九〇一年（光緒二十七年）築昇平橋至內橋之路。於是藩臺衙門。亦與幹路相接。馬路幹路廣二十英尺。至三十英尺。支路則以路側民房不能遷移。頗形窄狹。各路均可行東洋車及轎馬車。

【海關報告册】一九二一年（民國十年）往湯山之泥路築成。長四十七里。又築一路通堯化門。通上新河之石路亦已翻築。

國府奠都後。計劃修築。迄十八年總理奉安。中山路陵園路竣工。厥後首都建設委員會。規定首都幹路系統。及次要幹路路線。交市府按年修築。迨二十三年十月。幹路已成者有中山中正太平朱雀白下漢中中華雨花山西國府玄武熱河大光等四十八線。共長十一萬九千三百公尺。用費二百三十四萬四千零四十二元。已經展寬翻築之舊路二十八線。共長一萬四千五百五十二公尺。用費二萬五千六百七十五元。又新築之路五線。共長十六萬三千二百六十二公尺。用費十二萬二千二百九十三元。又修築之舊路五線。共長度無從計算。用費一萬三千零七十八元。支分條布。稱便利矣。

南京市工務局已經築成之新路一覽表

十七年八月至二十三年十月

馬路名稱	起訖地點	路面種類	長度 公尺	寬度 車行道 公尺	寬度 人行道 公尺	面積 方公尺	附屬工程	建築費 元	完工日期	備註
中山路	下關江邊至中山門	柏油路	12001.94	40.00	各寬 5 00		橋樑二座 中山橋 逸仙橋	1070114.72	18年 5月	逸仙橋至乾河沿寬40公尺其餘均寬30公尺
環湖馬路	玄武湖	石子路	4032.00	4.57			涵洞二十座	20274.03	18年 3月	
中央黨部路	中央黨部至中山路	柏油路	334.00	10.00			涵洞二十座	9217.89	18年 4月	
中正路	新街口至白下路	柏油路	1334.00	40.00				76069.898	19年 7月	暫闢20公尺路牙待築
黃埔路	中央軍校至中山路東	柏油路	1050.00	1.65			路牙路沿涵洞	19677.73	19年 5月	十八年三月開闢現改幾七公尺寬柏油路面兩次共結算實如左數
熱河路	中山路至京滬車站	柏油路	891.80	12.00	各寬 1.50			37954.246	19年 7月	
國府路	國府東至中山路	柏油路	366.00	車行道寬 21.34				18156.846	20年 1月	
朱雀路	白下路至建康路口	柏油路	622.30	24.38	各寬 3.96			12800.125	20年 3月	
山西路	中山路至新住宅區中心廣場	碎石路	500.00	18.00	各寬 2 00		涵洞一座	59734.98	20年 5月	
太平路	白下路至中山東路	柏油路	1404.66	24.38	各寬 3.96			128667.17	20年 10月	
白下路	中正路至朱雀路口	柏油路	644.00	28.00	各寬 5.00		涵洞一座	63354.81	20年 10月	
漢中路	新街口至漢西門北城牆	碎石路	1661.00	40.00	各寬 5.00		涵洞一座	131968.67	21年 3月	
玄武路	玄武門內	柏油路	224.16	22.00	各寬 5.00			15888.70	20年 9月	人行道暫築2公尺
中華路	白下路至鎮淮橋北	柏油路	1816.20	28.00	各寬 4 00			165141.74	21年 8月	
雨花路	中華門外長干橋南至雨花台安徽大道東	柏油路	846.15	23.00	各寬 4.00			52916.56	21年 9月	
京蕪路	雨花路至安德門	彈石路	2795.00	7.30				15776.98	21年 9月	
中華門環城馬路	鎮淮橋分東西路穿城至長干橋北境	柏油路	545.30	15.00	共寬 6.00			33727.93	21年 11月	
和平門至上元門	和平門至上元門	彈石路	3630.00	4.00			涵洞二十一座	8345.90	21年 11月	
仙鶴門至棲霞街	仙鶴門至棲霞街鎮	彈石路	8491.00	4.00			涵洞二座	15571.30	21年 12月	
京麟路	遺族學校中山路口至下麒麟門	碎石路	9185.00	5.50				43143.722	21年 12月	內2公里試驗路
堯化門至姚頭上鎮	堯化門鎮至姚頭上鎮	彈石路	7208.00	4.00			涵洞六座	19691.80	21年 12月	
玄武路	玄武門外	土路	1068.00	16.00			停轉車場各一碼頭二座	11536.72	22年 1月	
大光路	大中橋至中華門	彈石路	1583.00	12.00	各寬 2 00		水泥路牙沿 867.50公尺大13號滬頭80只	12092.97	22年 7月	大中橋至旗民生計處寬12公尺生計處至中華門寬8公尺

藍家莊道路	藍家莊	石片路	657.00	3.00	各寬 0.60		涵洞溝渠	486.50	22年 3月	
石城路	漢中路至陶李王巷	石片路	187.00	12.00			溝渠	3011.20	22年 9月	
考試院道路	考試院至成賢街	柏油路	120.00	7.00	各寬 0.50			4061.50	22年 10月	
大方巷道路	五條巷至大方巷	石片路	230.00	3.50				690.90	22年 10月	
高樓門道路	高樓門至北極閣	石片路	不一	不一				1242.60	23年 2月	
米行街道路	米行街至小山頭	石片路	436.50	5.00			砌駁岸	2718.96	23年 2月	
環湖路	太平門至和平門	石片路	4180.00	2.50			轉車場 涵洞 迴車場 橋	5391.27	23年 3月	
漢口路	平倉巷至天津路	石片路				4962.00	路牙沿	1330.50	23年 3月	
工兵學校路	石門檻至工兵學校	石片路	1393.00	5.00				4441.81	23年 4月	
瞻園路	東牌樓至中華路	石片路	528.60	8.00	各寬 2.00			10481.43	23年 5月	
正學路	兵工廠至雨花路	石片路	406.00	4.00	各寬 1.00		涵洞溝渠	4287.14	23年 6月	
獅子橋道路	獅子橋至龐家橋	柏油路				17275.00		5294.91	23年 6月	
綏遠路	興中門至惠民橋	石片路				5593.00	整理路牙沿	1574.37	23年 6月	
美洲道路	五洲公園內美洲	碎石路	963.00	4.00				3347.74	23年 7月	
平兒路	太平門外佘兒崗	石片路	5744.00	2.50	各寬 1.25			12123.16	23年 7月	
觀白路	觀音門至白家邊	石片路	9886.00	2.50	各寬 1.25			37999.22	23年 8月	
麒仙路	麒麟門至仙鶴門	石片路	5405.50	2.50	各寬 1.25			13133.96	23年 8月	
馭鶴路	馬馭至仙鶴門	石片路	4700.00	2.50	各寬 1.25			17846.95	23年 8月	
中漢路	中大農學院至漢西門	石片路	6173.00	2.50	各寬 1.25			9152.05	23年 8月	
雲南路	中山路至湖北路	柏油路	148.00	12.00	各寬 5.00			8601.71	23年 9月	
江大路	江東門至大勝關	石片路	14479.00	2.50	各寬 1.25			34704.56	23年 9月	
白下路東段	朱雀路口至交通銀行	柏油路	91.00	18.00	各寬 5.00		溝渠	5849.91	23年 11月	
建康路二三段	中華路至淮清橋	柏油路	896.80	18.00	各寬 4.00		溝渠路牙沿	55838.60	23年 11月	
國府路	中山路至碑亭巷	柏油路	962.82	18.00	各寬 4.00		溝渠路牙沿	62476.35	23年 11月	

交通　　八四七

南京市工務局已經展寬翻築之舊路一覽表

二十一年四月至二十三年十月

馬路名稱	起訖地點	路面種類	長度 公尺	寬度 車行道 公尺	寬度 人行道 公尺	面積 方公尺	附屬工程	築路費	完工日期	備註
放寬名士壩馬路	虹門口至江邊車站路軌	煤屑路	494.00	5.00				無	21年11月 3日	
放寬小門口至草場門馬路	小門口至草場門	石片路	1400.00	3.00				無	1月 1日	原有路寬1.4公尺現放寬爲3公尺
翻修豐富路	新街口至紅紙廊	碎石路	1132.60	4.90				無	9月16日	
翻修紅紙廊至下街口馬路	紅紙廊口至下街口	碎石路	417.00	5.60			清溝換路牙	無	9月 4日	
翻修石城橋至江東門無綫電台路	石城橋堍至電台門口	碎石路	2791.00	4.00				無	9月 2日	
翻修綏遠路	興中門至熱河路	碎石路	415.80	9.30			路牙路沿	無	11月 日	
翻修下關江邊路	海軍碼頭至鹽盤街口	碎石路	394.[illegible]	2.00			裝橫溝五道	無	11月29日	
翻修陶谷村馬路	平倉巷至金陵大學門前	石片路	377.00	2.50				無	5月31日	
翻修白下路東段馬路	朱雀路口至太平里	碎石路	819.00	5.00				無	7月 3日	
加鋪太平路南段柏油	楊公井至白下路	柏油路	780.00	11.10				無	6月12日	
翻修熱河路及中山北路並加鋪柏油	挹江門至中山橋中山路至正豐里	柏油路	515.00	10.00				無	6月25日	
放寬高樓門交叉處路面		碎石路	150.00	4.00			埋溝管砌路牙	無	6月20日	
加高浮橋路面	浮橋至大倉園口	柏油路	128.00	5.00			清溝砌橋欄	無	8月19日	

翻修第一公園內道路	第一公園內	碎石路 舊沙路						無	22年 2月 4日	
翻修太平路交叉路	浮橋至大倉園口	彈石路	347.00				明溝	無	5月23日	
翻修大中橋至九龍橋道路	大中橋至九龍橋	彈石路	365.00	5.86			明溝暗溝陰溝	無	6月 8日	
第一公園馬路		碎石路	不一	不一				1988.30	2月 日	
太平路慢車道		石片路				7323.80		879.46	9月 日	
常府街		碎石路	不一	不一				900.00	10月 日	
國府東箭道馬路	國府至行政院	柏油路	348.2	8.00	各2.00		溝渠	5933.88	23年 1月 日	
建鄴路	紅紙廊至下街口	碎石路				1800.00	溝管添濬眼整理路沿牙	3116.52	1月 日	
金銀街	陰陽營至金銀街	石片路	178.00	.50			溝渠	4489.48	1月 日	
中央黨部馬路	中央黨部至紫竹林	碎石路	1308.00	3.00				1930.80	2月 日	
光石路	光華門至石門檻	石片路	560.0	5.00				1572.11	2月 日	
許家巷		碎石路				3631.30	清溝	1850.54	2月 日	
平民住宅道路	和平門至新民門武定門三處	煤屑路	不一	不一				1374.98	4月 日	
成賢街	成賢街至大石橋	柏油路				029.00		2038.50	6月 日	
國府西街		柏油路	不一	不一				411.40	6月 日	

南京市工務局正在興築之新路一覽表　二十三年一月至二十四年五月

路名	起訖地點	路面	長度 公尺	寬度 車行道 公尺	寬度 人行道 公尺	面積 方公尺	附屬工程	建築費	完工日期	備註
太平門外道路		石片	258.00	15.0				500.50	23年12月	
建康路四段	淮清橋至國貨商場門口	柏油	690.00	18.00	各4.00		溝渠路牙沿	40054.09	24年 1月	
衡山路	峨眉路至天山路	石片	153.20	6.00	各1.00		溝渠路牙沿	854.40	4年 1月	
	昇州至漢中路	柏油	151[illegible].50	22.00			溝渠路牙沿	8[illegible]884.93	24年 5月	

南京市工務局正在修築之舊路一覽表　二十三年一月至二十三年十月

路名	起訖地點	路面	長度 公尺	寬度 車行道 公尺	寬度 人行道 公尺	面積	附屬工程	建築費	完工日期	備註
堯岙路	堯化門至岙路口	石片	不一	不一				2659.10	23年11月	因各該路係修築故長寬無從計算
三台洞道路	燕子磯至三台洞	石片	不一	不一				2265.85		
龍蟠里道路		石片	不一	不一				1138.40		
水西門外道路	青龍古道至江東門	石片	不一	不一				4015.52	24年 1月	

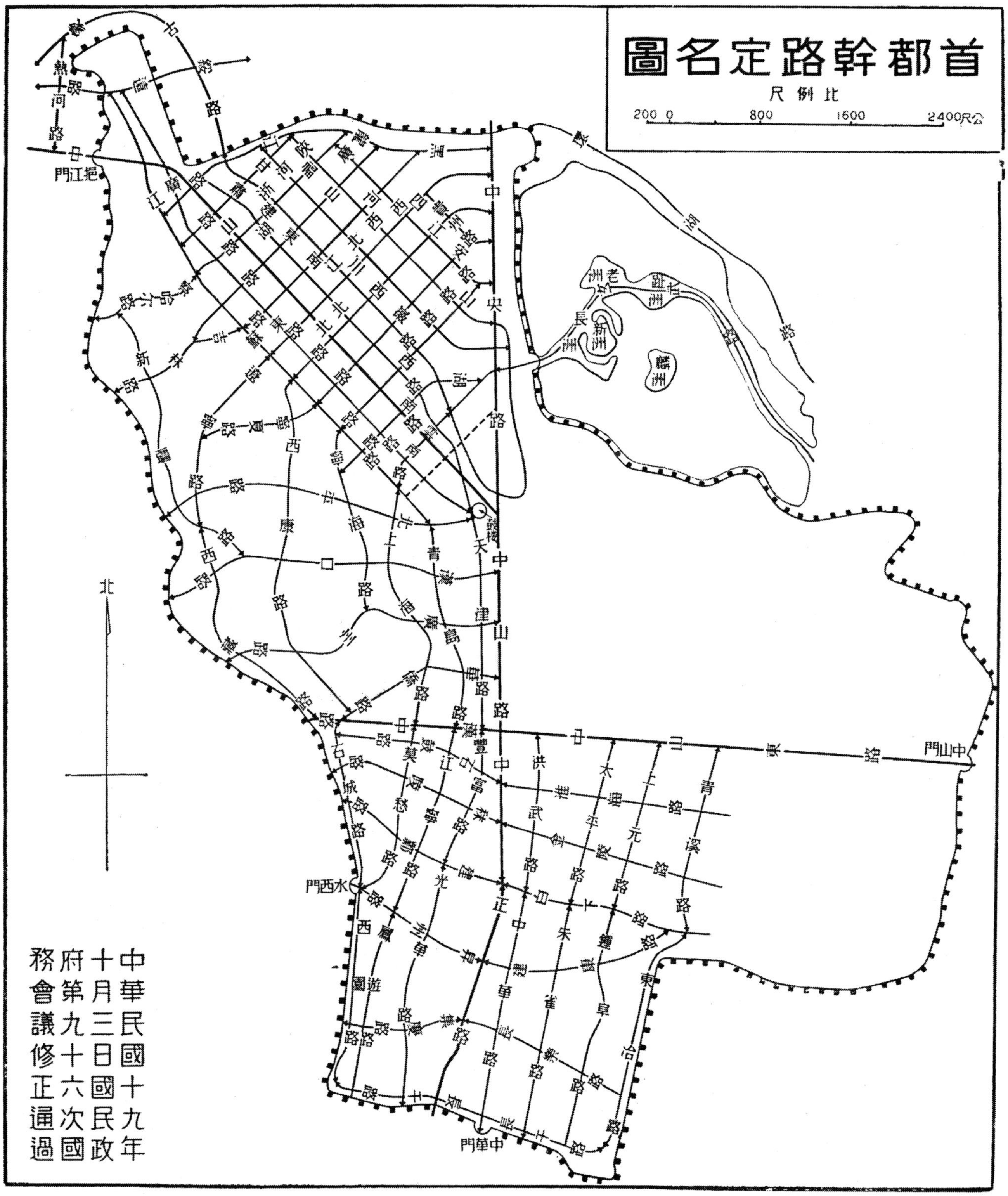

首都幹路定名圖
比例尺
200 0 800 1600 2400公尺
北
挹江門
中山門
水西門
中華門
中華民國十九年十月三日國民政府第九十六次國務會議修正通過

市鐵路創於光緒三十三年.至宣統元年.始通車.今自城內中正街.經國府無量庵丁家橋三牌樓下關至江口.凡七站.

【南洋官報】〔光緒三十三年一〇一册路礦郵電〕金陵城內鐵路.已經工程司勘定軌線.於十月二十日興工.計該路起點於下關.貫儀鳳門東首之金川門入城.路線入城後.即沿通行馬路之東偏.闢一軌線.近者約距馬路一二丈.遠者約距馬路五六丈.迤邐逾鐘鼓樓之東.過北極閣下.路越馬路之北.而至馬路之南.斜度兩江師範學堂之後牆.仍跳越至馬路之東北.不一二里.將至珍珠橋.遂距馬路路遠.向東直指.以抵通濟門中正街之東頭爲止.全路延長約十五六里.沿途義塚及民屋.照章給價令人遷徙.

公共汽車業始於民國十七年.由江南興華兩公司承辦.其通行路線如下.

江南公司四線

一路　起姚家巷.經貢院前.奇望街.中正街.太平巷.楊公井.文昌巷.大行宮.二郎廟.土街口.新街口.華僑路.乾河沿.薛家巷.黃泥崗.鼓樓.華僑招待所.丁家橋.將軍廟.三牌樓.鐵道部.薩家灣.海軍部.挹

江門．熱河路．興中門街．訖於下關車站．此爲江南公司第一路．配車十四輛．全票銅元七十枚．

二路　起姚家巷．經貢院前．奇望街．甲正街．太平巷．楊公井．文昌巷．大行宮．二郎廟．土街口．新街口．華僑路．乾河沿．薛家巷．黃泥崗．鼓樓．宋家巷．傅厚崗．玄武門．馬家街．藍家橋．許家橋．訖於和平門．

三路　起中華門．經中華路口．下江考棚．道署街．建康路．錦繡坊．內橋．中正街．太平巷．楊公井．文昌巷．大行宮．碑亭巷．訖於國府路．

四路　起中華門．經中華路口．道署街．建康路．錦繡坊．內橋．張府園．三元巷．破布營．新街口．華僑路．乾河沿．薛家巷．黃泥崗．鼓樓．華僑招待所．丁家橋．將軍廟．三牌樓．鐵道部．薩家灣．海軍部．挹江門．中山橋．惠民橋．大馬路．北安里．訖於澄平碼頭．

四線之外．尚有陵園遊覽車一路．起中正街．經新街口．大行宮．西華門．孝陵衛．四方城．中山墓．訖於靈谷寺．亦由江南公司行駛．

興華公司二線（近已停辦）

二路　起中華門．經青年會．三元巷．新街口．北門橋．鼓樓．丁家橋．三牌樓．薩家灣．中山橋．訖於京滬路下關車站．

三路　起夫子廟．經門帘橋．大行宮．新街口．循二路各站．訖於下關車站．

與華汽車公司．設湖北路．成立於民國十九年八月．該公司收支不敷．辦理困難．曾於二十二年三月．呈淮工務局改爲官商合辦．用資整理．現已於二十四年併於江南公司．

二　市外道路

市外道路．莫早於秦之馳道．

【建康志】秦始皇三十六年東遊．自江乘渡江．馳馬於此．

【肇域志】古志．詔役赭衣三千人開馳道．故曰丹徒．相傳自江乘往鎮江大路是也．

【史記秦始皇本紀】二十七年治馳道．

【賈山至言】秦爲馳道於天下．東窮燕齊．南極吳楚．江湖之上．濱海之觀畢至．道廣五十步．三丈而樹．厚築其外．隱以金椎．樹以青松．

其次爲小丹陽路．

【建康志】在江寧縣横山鄉金陵鎮西南十里．與太平州當塗縣接界．里俗猶呼丹陽．　晉咸康三年歷陽內史蘇峻叛。陶回謂庾亮曰。峻知石頭有重戍。不敢直下。必向小丹陽南道步來。宜設伏邀之。可一戰擒也。亮不從。峻果自小丹陽來。迷失道。夜行無復部伍。亮聞。乃悔之。

黃城大路。

【建康志】在今上元縣清風鄉黃城村。梁太清二年侯景遣軍至江乘。拒邵陵王綸。趙伯超謂綸曰。若從黃城大路。必與賊遇。不如徑指鍾山突據廣莫門。出賊不意。城圍必解。

湖頭路。

【建康志】在今玄武湖東北。　南史東昏侯永元二年。崔慧景奉江夏王內向。中領將軍王瑩都督衆軍據湖頭築壘。上帶蔣山。又王敬則舉兵。朝廷遣沈文季持節都督屯湖頭。備京口路。

白楊路。

【建康志】在城南十里石崗之橫道。　陳太建末。始興王叔陵反。麾下度小航。將趨新林。蕭摩訶追擒於白楊路。

竹里路。

【肇域志】在上元縣東北六十里。句容縣北六十里。倉頭市東有竹里橋。南邊山。北濱大江。父老云。昔時路行山間。西接東陽。繞攝山之北。由江乘羅落以至建康。宋武帝討桓玄。其路經此。今城東佘婆岡至東陽路。乃後世所開。非古路也。晉王恭舉兵。王國寶遣數百人戍竹里。帥二州之衆千七百人軍於竹里。宋書建平王景素傳。景素欲斷據竹里。以拒臺軍。

上容路。

【肇域志】在句容縣南三十五里上容鄉。梁鑿上容瀆。東過雲陽。以達吳會。西通江寧。以抵建康。故有上容路。

宋時驛路。每鋪相去十里。東路十三鋪。抵鎮江府界。南路二十五鋪。抵廣德軍界。西路九鋪。抵太平州界。北路四鋪。抵滁州界。其不通驛路處傳遞之路。每二十里設一鋪。（鋪名具見建康志）元明因之。其陸路驛遞。由北平至者。從滁陽浦口截江而抵上河。由中原而至者。其路三。從壽陽濡須截江而抵采石。一也。從靈璧盱眙而抵烏江。二也。從皖之黃口截江而抵李陽河。三也。由上江而至者。

其路二．從采石江寧鎮而抵板橋．一也．從姑孰小丹陽而抵秣陵鎮．二也．由下江而至者．其路四．從雲陽走勾曲而抵淳化鎮．一也．京口起陸．過龍潭而抵朝陽山．二也．舟至棲霞．浦走花林而抵姚坊門．三也．又從湖州廣德溧水而抵秣陵鎮．四也．〔肇域志〕

今有京滬鐵路．東南抵上海．

【中國經濟志】該路興工於民元前九年．〔光緒二十九年〕通車於民元前四年．〔光緒三十四年〕幹線自南京江邊起．至上海北站止．全線均係單軌．計車站四十九個．長三一六・四二公里．支線自上海起至吳淞止．亦係單軌．長一六・九〇公里．幹支線合計長三三三・三二公里．沿途有隧道一座．鐵橋二六四座．石橋四五座．木橋一座．涵洞四二四座．本路建築經費二〇、二六七、〇九二兩．本路運輸情形．每日上下行車一十六次．貨運方面．因與長江水運處競爭地方．大量笨重貨物．多利用輪船裝載．客運方面．以鐵路迅速正確之優點．有獨佔之勢．在初通車時．全年客運一二二、四一七人．自光緒三十四年添設四等客車．逐年增加．宣統元年達三、四九〇、一二五人．民國元年達四、七四四、三五三人．自南京建都．加以與津浦路實行聯運．本路地位更佔重要．

京滬路各站里程表

站別	距離(公里)
棲霞山	二四
龍潭	三四
下蜀	四五
高資	五七
鎮江	六九
新豐	九一
丹陽	九九
陵口	一〇九
呂城	一一九
奔牛	一二六

常州	一四四
戚墅堰	一五五
橫林	一六一
無錫	一八三
滸墅關	二一三
蘇州	二二五
崑山	二六〇
麥根路	三〇九
上海北站	三一二
吳淞貨站	三二五

津浦鐵路。北通天津。

【中國經濟志】該路由英德兩國借款修築。興工於清光緒三十三年。通車於宣統三年八月。幹線起浦口。經蚌埠徐州濟南德州至天津。全長一、〇一三・八三公里。設站八十八個。支線有良陳灤黃兗濟臨棗四線。合長九二・二六公里。全線均係單軌。惟浦鎮至浦口間三・六〇公里為雙

首都輪渡

軌。在本路未築以前。北方貨物。須由平漢路運漢轉申。現在則由鄭州轉徐州。由徐州轉浦口。由浦口或逕用汽輪轉滬。或由下關轉京滬路運滬。直捷便利多矣。故本路對於京市經濟上地位。雖不十分重要。然在全國實爲南北經濟運輸最重要之路線。每日上下行車一十二次。民國二十年客運達三、〇六七、三七九人。貨運達一、六九八、六七七公噸。二十一年客運達三、〇一一、二六四人。貨運達二、二六八、六九七公噸。客貨運輸收入二十年一六、五八八、五一九元。二十一年一六、八〇三、四八二元。

津浦路各站里程表

站別	距離
浦鎮	三六・〇〇
滁州	四九・九一
明光	一一四・一七
臨淮關	一五〇・九四
蚌埠	一七五・二一
固鎮	二一七・九一
南宿州	二六五・一一
徐州	三四〇・〇二
柳泉	三六一・一三
臨城	四〇七・一二
滕縣	四四〇・七七
兗州	五〇一・四五

泰安	五八五・六六
濟南	六五七・四五
禹城	七〇八・七〇
德州	七七五・〇六
東光	八二九・四二
滄州	八八八・六四
靜海	九六一・八四
天津總站	一〇〇九・四八

京杭公路〔二十一年完成〕達於杭州。

【新南京】京杭公路。爲蘇浙皖三省聯絡公路之一。起自南京西華門。止於杭州武林門。經江蘇之句容溧陽宜興及浙江之長興湖州。共長三二六公里，全路交通業務。南京至長興段。現由江南長途汽車公司獨家經理。長興至杭州段。則由浙省公路局通車營業。

【中國經濟志】該公司設京內西華門逸仙橋。成立於民國二十年四月。交通範圍。初辦京長長途汽車。越年乃增設陵園遊覽車。

京蕪公路訖於蕪湖。

【中國經濟志】該路爲蘇浙皖三省聯絡公路之一。又爲七省聯絡京黔幹線之首端。起自南京中華門。訖於安徽蕪湖。長九十二公里。經過京市及蘇皖二省。全路業務。由南京至慈湖一段。由江蘇建設廳長途汽車管理處辦理。由慈湖至蕪湖一段。則由皖省京蕪路西段長途汽車公司承包營業。蘇省建設廳公路管理處。設中華門外雨花路。成立於二十二年五月。

京建公路抵於建平。

【中國經濟志】該路由江蘇建設廳修築。起中華門。經安德門大定坊牛首山東善橋秣陵關令橋拓塘烏山訖於溧水。長五五·三五公里。由中華門至秣陵關一段。長二六·六五公里。現在試行通車中。由秣陵至溧水一段土方亦已築成。置有汽車二輛。每日上下行車八次。此路最終點。擬通安徽之郎溪。郎溪舊名建平。故以京建命名。因限於經費。暫僅修築至溧水一段。

乙　航運

南京水路.未興輪舟以前.由北平至者.從邗溝瓜洲溯江而抵龍潭.由上江至者.從荻港三山順流而抵大勝港.或徑抵上新河.由下江而至者.從京口溯江而抵龍江關.輪運既興之後.外江內河.夷險一矣.茲分述之.

長江通商口岸.許外輪航行.自咸豐八年天津條約始.至光緒二十一年中日馬關條約.更使外輪得侵入內港.我國遂於同治十一年創設招商局.

【江寧縣財政報告】吾國內河行輪.始於前清同治十三年.直督李鴻章發起招商局.迨光緒十年.因中法之役.兵費不貲.以銀五百二十五萬兩.將該局押與旗昌洋行.翌年贖回.壬辰乃與怡和太古諸洋行協議.定立合同.凡長江及南方航業.施行連帶運輸.招商局之根基始固.當創設之時.資本金僅百萬兩.戊戌之際.增至四百萬兩.其共積雖在怡和太古諸行之下.而碼頭行棧規模之宏大.蓋幾與頡頏矣.長江航路.亦以招商局爲多.上海至漢口有船五.

【中國經濟志】招商局爲國營.南京招商分局置有江安江順江新江華各一等輪船.江裕江天江大江靖聯益建國各次等輪.共十艘.大者載重四、三一七噸.小者載重一、六八二噸.往來滬漢.

【中國航業】其管理機關初屬北洋大臣．係官督商辦．迨郵傳部設立．漸變爲間接管理．而今則純爲商辦．

繼起者有三北輪船股分有限公司．

【中國航業】創辦於民國四年．總公司設於上海．發起人爲虞和德等．先時資本祇有銀幣二十萬元．輪船一艘．行駛於甬滬間．七年資本增爲一百萬元．八年又增爲二百萬．嗣後推廣航線．增置輪船．夏秋二季由上海航行長江．並至煙臺天津營口海參威等處．冬春二季．由上海航赴福州汕頭廣東香港及日本新加坡西貢仰光南洋羣島．至十五年終．大輪船共有二十艘．總噸數達二萬五千二百八十九噸．

【中國經濟志】係中國商辦．置有長興青浦各大號船．長安醒獅松浦新寧興各次號船．共計六艘．大者載重二、一二一噸．小者載重一、〇八〇噸．

鴻安輪船股份有限公司．

【中國航業】鴻安公司本係英商創辦．惟其中附有華股．民國八年一月．由虞和德等將該公司英商股本悉數購囘組成完全華股之航業公司．定名爲鴻安輪船股份有限公司．資本一百萬元．設總公司於上海．分公司於長江各大埠．航線起上海訖長沙．經過鎮江南京蕪湖九江漢口宜昌岳州等處．有輪船長安德興長興三艘．計五千二百八十五噸．

寧紹商輪股份有限公司．

【中國航業】公司於前清宣統元年五月設立．發起人爲虞和德嚴義彬方舜年等．額定資金一百萬元．總公司設上海．分公司設寧波．初置寧紹甬興二輪．行駛甬滬兩埠．繼續添置新寧紹海寧寧興寧豐寧平寧安寧昌寧遠寧大等輪．航行長江各通商口岸及上海至鎮海．並蘇杭一帶內河．統計各輪噸數達五千餘噸．價值二十八萬餘元．營業頗稱發達．

【中國經濟志】寧紹公司　係中國商辦．有寧紹輪船一艘．載重一、一〇二噸．

外人經營者有英商之太古洋行．

【中國航政史】英人所設．創始于同治十三年．長江以內．直達宜昌爲止．

【中國經濟志】太古公司　係英國商辦．有吳淞蕪湖武穴安慶鄱陽武昌溫州黃州各大號船長沙沙市吉安湘潭各次號船。共計十三艘。大者載重二、一一九噸。小者載重七九〇噸。

怡和洋行。（即印度中國航業公司）

【中國航政史】創始于光緒三年。

【中國經濟志】怡和公司　係英國商辦。置有公和德和聯和隆和吉和各大號船。寶和同和湘和昌和各次號船。共計十艘。大者載重二、八二五噸。小者載重一、六〇一噸。

日人之日清公司。（即大阪商船會社）

【中國航業】爲日本之唯一航業公司。其經營我國之始。在光緒二十九年。其先收買英商麥邊洋行汽船及其航路。專從事揚子江航業。後逐漸擴充。

【中國經濟志】日清公司　係日本商辦。有鳳陽瑞陽襄陽南陽宜陽各大號船。大福大利大貞大昌各次號船。共計九艘。大者載重二、八〇三噸。小者載重一、〇七二噸。

皆設碼頭于下關。其曾在長江航運。而今已絕跡者。據光緒季年滬道册報。有美最時洋行。

【中國航政史】爲德商所創設．始於光緒二十六年．有輪船九艘．噸數爲九千四百五十二噸．（光緒末年滬關道報告表）航行於吾國長江各口暨北洋一帶．特船數無多．非若他公司之能有定期航行也．

立興洋行　法商　輪船三艘．共五、一一八噸．

禪臣洋行　德商　輪船二艘．共二、四八三噸．

瑞記洋行　德商　輪船三艘．

郵船會社　日商　輪船七艘．五艘計一、〇〇二噸　二艘計一、一五八噸．

上自漢口．下至上海．二三日間可以直達．而中外航業勢力之消長．亦不難按索得之矣．

南京至長江各口岸水程表

區間	里程	航行時間
南京至鎮江	一八〇	（上行）五小時半　（下行）三小時半

南京至口岸	三〇〇	九小時	六小時
南京至泰興	三六〇	十小時	七小時
南京至江陰	四五〇	十二小時半	九小時
南京至通州	六三〇	十五小時半	十一小時半
南京至上海	九九〇	二十四小時	十九小時
南京至蕪湖	一八〇	六小時	四小時
南京至大通	四二〇	十二小時半	八小時
南京至安慶	六〇〇	十九小時	十四小時半
南京至九江	九六〇	二十八小時	二十一小時
南京至武穴	一〇八〇	三十小時半	二十三小時
南京至黃石港	一二六〇	三十五小時	二十五小時
南京至黃州	一三五〇	三十七小時半	二十六小時半
南京至漢口	一五三〇	四十三小時半	三十一小時

內河航路．共有寧蕪寧揚寧和寧六寧口寧九寧溧寧湖八線．日有小輪來往．

寧蕪線　由下關溯江而上。至於安徽之蕪湖。全程一百八十里。中經大勝關江寧鎮和縣采石當塗西梁山等地。有天泰泰豐揚子泰昌四公司。

寧和線　下起下關。上至安徽之和縣。九十里。中經大勝關江寧鎮。僅源大一公司。

寧揚線　自下關順江流而下。至瓜州。入運河。至揚州。經笆斗山划子口沙馬州十二圩瓜洲等地。有天泰泰豐揚子泰昌四公司。

寧口線　自下關至口岸。全程三〇〇里。中泊笆斗山大河口四圍州十二圩瓜洲。有源大揚子泰昌三公司。

寧九線　起下關止九里埂。途中停泊之地。與寧口線同。有源大天泰泰豐三公司。

寧六線　自下關至江北之六合縣。百二十里。中經大河口東溝西溝瓜埠等地。有泰豐天泰二公司。

寧溧線　溯秦淮西源。南通溧水。全線長二百二十里。有茂同輪船公司之寧紹寧安汽船二艘。拖船二艘。每日往返行輪一次。中經通濟門秣陵關祿口塔山渡黃家渡等地

寧湖線　溯秦淮東源。東通湖熟。全程六十九里。中經通濟門橋頭西北村龍都鎮等地。為城鄉

重要交通航線。有通湖輪船公司汽船一艘。每日往返一次。惟河身淤塞。全年僅能行船四五月。

丙　航空

航空線路經南京者。有中國航空公司之滬蓉線。

【中國經濟志】滬蓉全線分三段。自上海經南京至漢口。曰滬漢段。長九百十四公里。自漢口至重慶。曰漢渝段。長八百九十一公里。自重慶至成都。曰渝蓉段。長三百零四公里。全長二千一百零九公里。

歐亞航空公司之京平蘭線。

【中國經濟志】該公司係中德合辦。上海南京均設有事務所及飛機場。南京事務所設四條巷良友里十二號。飛機場設明故宮。航線有二。一由上海至南京。經洛陽西安蘭州肅州哈密迪化而達塔城。線長四、〇五〇公里。全程共需四日。（迪化因亂未平。不能接班通航。）

丁　郵傳

周官。夏官太僕有遽令。鄭注郵驛上下程品。又曰遽傳也。發令時驛馬軍書當急鬬者。是卽郵傳之權輿。兩漢迄隋代有驛郵之官。唐駕部掌驛傳。凡三十里一驛。驛有驛吏。宋代因之。以駕部屬兵部。官文書量其遲速。附馬步急遞。遞夫唐役民爲之。宋以軍卒。謂之遞卒。蒙古入帝。有水站馬站。備有舟馬。

【至正金陵志】在城金陵驛水站。在正東隅青溪坊保前宋制置司僉廳地基。管船一十九隻。馬站在青溪坊前宋試院地基。正備馬八十八匹。 江寧馬站在江寧鎭。正備馬五十匹。 大城港水站在沙洲鄉。船二十五隻。上元縣龍灣水站在金陵鄉。船二十二隻。

其官有提領。隸集慶路。親管。而站戶闕乏逃亡。則又以時僉補。且加賑恤。於是四方往來之使。止則有館舍。頓則有供張。飢渴則有飲食。視前代爲盛。

【馬可波羅遊記】是時中國全境驛站有一萬所。站各相距二十五里。其中間有旅舍。所費不貲。所用驛馬。多至二十萬匹。其傳送聖旨之馬遞。以小黃旗一面插於衣領之間。自遠望之。卽可辨識。聖旨則封於蓋印小箱之內。馬則更迭易換。無或停留。

明之驛傳。南京有會同館。京外有水馬驛。並遞運所。任遞送使客。飛報軍情。轉

運軍需.

【明會典】自京師達於四方.設有驛傳.在京曰會同館.在外曰水馬驛.並遞運所.以便公差人員往來.其間有軍情重務.必給符驗.以防作僞.會同館者.初改南京公館爲之.永樂初設於北京.正統中定爲南北二部.北館六所.南館三所.設大使一員.副使二員.內以副使一員.分管南館.弘治中添設禮部主客司主事一員.專事提督.其水馬驛遞運所.則專爲遞送詩客.飛報軍情.轉運軍需等項之用.

應用馬驢船車人夫各驛有定額.

【萬曆上元縣志】凡驛遞上馬一匹.銀四十二兩.中馬一匹.銀三十八兩.下馬一匹.銀三十五兩三錢.驢一頭.銀二十一兩.　南京兵部會同館.上馬三匹.驢二頭.　龍江水馬驛.中馬二匹.下馬三匹.驢四頭.站船水夫二十七名.每名七兩二錢.支應銀一十兩八錢五分二釐　大勝驛站船水夫八名.各七兩二錢.支應銀二十兩.　江寧驛驢二頭.支應銀二十三兩三錢三分四釐.　江東驛中馬二匹.支應銀三十九兩九錢四分.　江淮驛驢一頭.　雲亭驛中馬一匹.　龍潭驛驢一頭　棠邑

驛下馬一匹。龍江遞運所。座船水夫三十六名。每名銀九兩二錢。紅船水夫十六名。所夫七十八名。已上各七兩二錢。

清代驛傳。有鋪遞驛遞。鋪遞以鋪夫鋪兵走遞公文。驛遞以馬。於遞送公文外。並護送官物及官差。凡公文自京發至南京者。先由車駕司交捷報處。經馬館。預備夫馬。然後由京傳至第一站。轉遞寄來。由南京發出者。由提塘發交首站。以次達京師車駕司分送各署。其費出地丁。馬歸官養。應役有常額。支廩有常數。

【江寧府志】上元縣江東驛原設馬七十五匹。馬夫七十五名。係驛丞專管。雍正十年裁減馬夫一十五名。乾隆十九年裁汰驛丞。歸縣經管。設馬六十八匹。馬夫五十四名。乾隆二十三年裁馬十匹。馬夫五名。今現設馬五十八匹。金陵驛（略）江寧驛（略）龍江水驛原設水夫一百名。係龍江關稅課大使兼理。雍正四年裁減夫二十名。乾隆二十一年裁撥龍潭驛夫二十名。其餘幷歸上元江寧二縣各半分管。大勝關水驛（略）

【中國郵電航空史】清代於京師置皇華館。爲全國綱領。直轄於兵部。特設一司曰車駕司。官長七人。主管所有京外驛務。兼掌存轄出納。別於東華門左近設兩機關。一曰馬館。專司夫馬。一曰提報處。收發來去文移。皆由滿漢監督會同管理。駐於京内。與各行省接洽往來。常川當值於兩署者。計有司員三十四名。用以傳遞該兩署與兵部車駕司連絡相互各事務。一面由兵部就該兩署人員。派遣十六員。名爲提塘。均係高級武選。分駐各省區。歸直隸江南山東山西河南陝甘浙江福建江西湖北湖南廣東廣西四川雲南漕河（黃河及運河一帶）按察使司節制。經管該地直接寄京之文報。凡經驛站傳寄各省之官封。先由車駕司驗明蓋戳。隨即送往提報處。經由馬館預備夫馬。然後由京傳至第一站。西路爲良鄉。東路爲通州。即由通州良鄉擔負轉發次站之責。如是沿站轉遞。以達原封應投之地點。各省文報。亦按此法。送由提塘發交首站。再由各站遞轉。以達京師車駕司。再由該司分送各署。凡由驛站遞送之文報。必須使用馬封。附黏排單。註明所經各站城邑。即由各站將經過時日在該單塡明。其有加緊傳遞者。該夫役每日需行二百里。乃至六百里。每站大抵須將夫馬預先備妥。又驛站除遞送文報外。兼爲乘傳官員供應一切。惟乘傳者在沿途各站需要夫馬。必須持有火牌。

民間傳信則有信局．今尚存十七局．

【中國經濟志】市內民信亦未全廢．截至二十三年調查時．尚有裕興康全泰洽松興公老福興福興潤全泰盛太古晉全昌仁協興昌銓昌祥正和協胡萬昌政大源乾昌裕興復通順森昌等十七局．惟因傳遞遲頓．業務均甚清淡．

清季創設郵局．乃裁提塘改文報局．接收驛站往來公文．半由郵局轉遞．

【寧藩司樊奉督憲札奏准江南駐省提塘官弁一併裁撤以節經費文】（附錄奏片）（宣統三年）抄片行知事．照得江南駐省提塘官弁塘兵．一併裁撤以節經費一片．經本督院於宣統二年十一月初七日．專差會奏．當經抄片札行在案．茲於十二月初十日．差弁賫回原片．奉硃批覽．欽此．恭錄札司移行蘇安西三藩司．淮運司．清理財政局．標中軍財政公所．一體欽遵．此札．

【奏片】再江南駐京提塘裁改文報局後．凡有南北各衙門往來公文．大半交郵局轉遞．或由驛遞．其由江南駐省提塘承遞者．甚屬寥寥．現在庫款支應．將該駐省提塘官弁塘兵．截至宣統三年正月初一日止．一併裁撤．以節經費．除咨部查照．並飭遵外．謹會同江蘇巡撫臣程德全．安徽巡撫臣朱家寶署江北提督臣雷震春附片陳明．伏乞聖鑒．謹奏．

【兩江督院張札江寧勸業道准郵傳部電接收驛站改設郵報收發廷寄摺報各件概歸本部辦文】〔宣統三年〕札飭事宣統三年閏六月二十九日．准郵傳部豔電開本部已接收驛站．並將陸軍提報處改設郵傳處．仍司收發廷寄摺報各件自七月初一日起所有照票．一律歸本部辦理．向章應辦事宜．均暫照舊．希通飭遵照勿誤等因．到本督院准此合行札飭札到該道卽便遵照分別移行．並通飭一體遵照仍報明撫院江南江北長江各提督查考．勿違．

郵局自此益興．民國七年建新局於下關大馬路．又設內橋竺橋丁家橋漢西門南門奇望街講堂街新街口陵園鼓樓三牌樓京滬車站津浦車站等支局十四所．

【中國郵政航空史】南京郵局．創於清光緒二十三年．惟時租用之屋甚狹．每月租金僅二十元．且錯處許多繁盛信局之中．不第表面形勢．不逮信局甚遠．卽開設歷史亦不如信局之悠久．故各信局主要人物．均輕視之．謂不能與之競爭．郵局因此擬定競爭方法．並不施行國家專利手段．蘄于數年之內．使各信局除少數競存者外．一律歸於淘汰．此種計劃各信局固未預料及之．即一般商民對此自號大淸郵政之新設機關．初亦未嘗重視．一切信函．欲付此信用未昭規模狹隘之局寄遞．亦尙不免遲疑．包裹更無論矣．其後漸爲郵局收取遠路信函寄費較廉所歆動．乃將信函交由郵局寄遞．欲姑一嘗試之．後查交寄信件．皆能按時寄到．且無信局向收信人索取酒資之陋習．於是爭向郵局投遞．爲時未久．郵務次第發達．局屋人員．兩俱擴張．迄於民國．而江蘇郵務管理局．遂得以二十五萬元．自建樓房三層之大屋．容納多數人員在內辦公．民國十一年．並在城內奇望街舊貢院地址．建一寬大郵務支局．以爲辦理郵務之用矣．南京郵局設立之初．係歸鎭江郵政司管轄．逮淸光緒二十五年．南京闢爲通商口岸．始撥歸南京海關稅務司管理．即以稅務司兼領郵政司．惟初辦之郵務．僅限於南京本地一處．至光緒二十九年．始在江蘇內地推行．是時鐵路未築．往來內地郵件．概用郵差．或船隻運寄．及郵務擴展．南京組成郵界．郵務長一職．始派專員充任．所有鄰省安徽之郵局．亦歸南京郵務長節制．並於安慶鎭江蘇州等處．設立副郵界總局．民國三年．郵政改組．各郵區地界．均經更訂．俾與各省界限大致相同．每一郵區管理局．即設於各該郵區所在之省會．由是安徽改設專區．南京郵區．亦正名爲江蘇郵區．除上海及其附近地方另立一郵區外．

所有江蘇省內各地概歸江蘇郵區管轄。

戊　電報

南京電報由官電局於光緒七年開辦。初爲海防軍務祇傳官報。光緒三十年改章。兼收商報。前於光緒十一年歸併商局。祇留分局。作爲官線。其餘悉歸商局。（見南洋官報局委員周震勛稟）

今有線電報由交通部直轄南京電報局辦理。局設城南潤德里。分設下關鼓樓兩收發處。通報路線三十條。（中國經濟志）

無綫電報由交通部直轄無線電臺辦理。臺設城內估衣廊。分設下關楊公井兩收發處。共有機號四。均係短波。（中國經濟志）

（一）報機X.H.A. 於民國十七年三月開始通報。現在通報地點爲上海福州長沙廣州等處。

（二）報機X.H.B. 於民國十八年三月開始通報。現與漢口北平青島通報。

（三）報機X.H.C.　於民國十八年四月通報。現與上海通報。

（四）報機X.H.D.　於民國十七年七月開始通報。現與蕪湖安慶南昌宜昌通報。

【二十二年交通部統計年報】南京無線電台職工八八人。收報機七。發報機四。電報發報字數一、四八一、八七四。次數四〇、二五八。營業收入一二六、八二一・〇〇元。支出六四、九〇四・六三元。差額六一、九一六・四一元。資本支出八三八・〇〇元。

己　電話

南京電話於光緒二十六年開辦。初僅設於實缺各衙署。光緒三十一年改章收費。推廣安設。宣統二年尚僅二百餘號。（見南洋官電局委員周震勛稟）

今市內電話。由交通部直轄南京電話局辦理。局設黨公巷。另於下關鼓樓分設自動機室兩處。全市用戶四千七百餘戶。（中國經濟志）

長途電話有滬寧蕪京杭江北三線。

（一）滬寧蕪長途電話　敷設於民國十五年。線路長度七一三・五八公里。可與蕪湖當塗上海吳淞南翔崑山常熟木瀆蘇州無錫常州鎮江等處直接通話。

(二)京杭長途電話　敷設於民國十八年。線路長度三三〇・〇〇公里。可與溧陽宜興長興吳興直接通話。

(三)江北長途電話　原通江北徐海各處。線路長度一、五八六・〇二公里。現須由鎮江轉接。僅通六合揚州。〔見中國經濟志〕

【二十二年交通部統計年報】首都電話交換局所四。職工二七三人。線路二六四・六三公里。電話機磁石式一〇〇號。自動式五、〇〇〇號。合計五、一〇〇號。用戶數四、二一〇。營業收入四七三、四八四・八五元。支出一七四、四四四・九七元。盈二九九、〇三九・八八元。資本支出三〇一、〇〇五・七五元。

庚　中央廣播電台

自十六年奠都南京。中央鑒於闡揚主義。宣傳政令之重要。爰於次歲秋成立中央廣播無線電台。嗣力圖擴充。慘澹經營。迄今五稔。而大電台益臻美備。不特爲我一國之榮．抑且爲遠東生色．爰茲分述於下．

一　計畫　方中央電台成立之始．電力不過五百瓦特．迨十七年十一月擬定擴充電力計畫．暫

中央廣播無線電臺

XGOA

以十啓羅瓦特爲準．機械及建築費．則以四十萬元爲度．并採用五十啓羅瓦特電力之機械．於十八年六月呈經中央常會通過．

二　購機　十九年二月與得律風根公司代表．即西門子洋行．商訂購機合同之詳細條款．先擬草案．幾經修改．始行決定．合同中除機件之項目效力價格運輸裝置及試驗手續等．分別載明．並負責擔保外．中央電台得選派工程師赴德監造．由該公司負擔費用．該合同分繕中

英文各一份．以中文爲準．

三　建築　十九年七月間．擇江東門以西濱江較高之處．爲播音台地點．址高出海關水準標點五十三公尺．十九年八月標選新華公司承辦．計廠房機房及東西兩塔基等．共塡泥土五千四百餘方．播音台建築圖樣．由西門子洋行供給．經審核修改．並製訂工程規約及說明書．於十九年十二月登報招標．二十年二月選訂華中公司承造．合同訂定後．於二月二十七日開工．因水災稽延．至十月間始行告竣．總計全部工程機房面積約一千一百公方．內分播送室．整流室．馬達室．重冷室．變壓器室．試驗室．及辦公室等．發音室暫就丁家橋現址臨時建築．應用二十年十二月選定孫永興承造．於二十一年六月間完成。分計大小兩間。并附增音室。馬達室。電池室及休息室各一間。面積二百八十公方。發音室房屋之前部。卽爲管理處辦公室。分上下兩層。共十二間。面積一百五十公方。

四　裝置　全部機件於十九年十月起。至二十年六月止。分批運送來華。二十年九月開始裝置播音機。九月至十二月爲配機時期。二十一年一月至五月爲接線時期。長方框地線連絡外圈之東南西北四極。及機房四角各有深埋土中之銅板一塊。連於地線網上。機件全部裝置。於二十一年五月終告竣。六月一日開始試驗調整機械。凡馬達發電機。抽水機。及重冷機等。均由播送室管理臺管理。

五　開幕播音　大電台各項機件裝置校驗之手續既竟。卽試行播音。成績良佳。爰擇定二十一年十一月十二總理誕辰紀念日正式開幕。自此而後。依照排定節目按時播音。以迄今日。節目表經七次之修改。現每週播音時間共爲四千五百分鐘。除星期日外。每日平均約爲十一小時二十分。較諸用五百瓦特播音時。幾多兩倍。緬想大電台建築之功。彌增神往矣。

中央廣播無線電台現行每週播音節目時間表

電力：75啓羅瓦特　呼號：XGOA　波長：454公尺　週率：660啓羅週波

時間 起	時間 訖	共需	播送節目
平			日
6:30	7:00	30	國術早操 六，七，八月
7:00	7:30	30	國術早操 四，五，九，十月
7:30	8:00	30	國術早操 十一，十二，一，二，三月
8:30	8:55	25	簡明新聞
8:55	9:20	25	講讀 總理遺教（星期一停）
9:00	10:00	60	中央紀念週（星期一）
9:20	9:30	10	全國氣象
11:15	11:45	30	電碼練習（星期一，三，五）
11:45	12:00	15	滬市商情
12:00	12:05	5	正午報時及南京氣象
12:05	13:10	65	音樂
16:00	16:30	30	星期一 家庭常識　星期二 故事 星期三 演講　星期四 公民常識 星期五 雜談　星期六 電學常識
16:30	17:10	40	星期一 衛生常識　星期二 兒童節目 星期三 法律 農業 常識　星期四 兒童節目 星期五 農林常識　星期六 兒童節目
17:10	17:20	10	京滬商情
17:20	17:50	30	星期一 科學常識　星期二 無綫電常識 星期三 科學新聞　星期四 無綫電常識 星期五 科學演講　星期六 軍事常識
17:50	18:20	30	音樂
18:20	18:30	10	全國氣象
18:30	19:20	50	報告新聞
19:20	19:40	20	時事述評（星期一，三，五） 國語教授（星期二，四）　星期六特別音樂
19:40	20:40	60	音樂
20:40	21:00	20	英語報告
21:00	21:25	25	廣州語報告（星期一，三，五） 廈門語報告（星期二，四，六）
21:25	21:30	5	預告明日節目
21:30	22:30	60	報告新聞
星			期日
11:00	11:55	55	音樂
11:55	12:00	5	全國氣象及正午報時
12:00	13:30	90	音樂
18:00	18:30	30	音樂
18:30	19:15	45	無綫電常識問答
19:15	19:45	30	音樂
19:45	19:50	5	全國氣象
19:50	20:20	30	一週大事報告
20:20	20:50	30	僑務委員會報告
20:50	21:15	30	音樂
21:15	21:20	5	預報明日節目
21:20	22:00	40	報告新聞

中央廣播無線電台管理處訂　二十三年三月

附註：節目如有變動當隨時播音通知

國外各地收聽中央電台播音情形一覽表

二十二年十二月止

地域	報告次數	收聽情形
俄羅斯(伯力)	一	夜間各處播音停止後始可收聽
日本	四	夜間收聽清晰前與福岡電台相擾
朝鮮	二	收聽響亮
臺灣	一	與台北電台相擾
安南(仰光)	二	夜間尚可收聽
緬甸	四	時有高低
印度	八	收聽甚佳惟天電極烈並受哥倫坡電台之騷擾
菲律濱(馬尼剌)	五	日夜均清晰夜間更佳
南洋羣島(吡咖拿吃)	二	有雜音
爪哇	一	清晰
新義洲	一	晚間清晰
澳洲	四八	收聽清晰惟有天電且與雪尼2FC電台(665k.c.)衝突
新西蘭	二四二	收聽清晰間有天電或他台干擾
夏威夷羣島(檀香山)	二	清晰收聽西樂時更佳
美利堅合衆國(舊金山等)	六二	晚間音調響亮惟時有高低
加拿大	五	夜間清晰惟有高低

〔附註〕上列收聽情形,係根據各處之報告所實錄;其中或因收音機之良窳不同,環境之優劣各異,自難立即認爲準確;惟其大概情形,可見一斑。

國內各地收音情形調查表

二十二年十二月

收音機裝設地點	收音機種類	收音者	天線			收聽中央電台播音情形		收聽別台播音情形	中央電台消息發表處
			長度	高度	方向	白晝	夜間		
江蘇省如皋縣縣政府	RCA 16 號	李樹人	60 尺	40 尺	東西	清晰	宏響		如皋報，皋報，另油印送各機關
江蘇省鹽城縣縣政府	28號八管外差式	顧壽岡	100 尺	50 尺	東北	宏響	宏響	可收XGOD,XGNE,XGCU等台	鹽城時報，縣政府壁報
江蘇省阜寧縣縣政府	Radiola 28號	劉子明	100 尺	40 尺	東西	嘹亮	清朗		阜寧民報
江蘇省銅山縣縣政府		吳擊卯	140 尺	40 尺	東南	尚響	清晰		徐報，晚報，民報，導報，新徐日報
上海市黨部		朱宇宸	50 尺	50 尺	東西		清		
浙江省黨部		吳道南	120 尺	70 尺	西北		響		民國日報
安徽省天長縣縣政府	RCA 16 號	陳鳳年	100 尺	40 尺	東南	尚清(間有高低)	明朗	收 XGOC 音量微弱	印送各機關及編壁報
安徽省太湖縣縣政府	RCA 21 號	呂大樵	90 尺	25 尺	東北	清響	尚佳		交民衆教育館編壁報
安徽省黨部		王學敏	90 尺	40 尺	東北	宏晰	宏晰(間有日台擾)		皖報，安徽晚報等
福建省黨部		李崇林	110 尺	50 尺	東北	輕	宏亮		民國日報，福建通訊社
江西省黨部		鍾煥乾	200 尺	50 尺	東南	宏晰	宏大(有日台干擾)		民國日報，江西社，九江社等
江西省第四區行政專員署	馬可尼 255 號	李祖昌 程耀行	30 尺	40 尺	北南	清晰	宏大		廣豐民國日報，上饒民國日報，玉山民報
江西省萍鄉縣縣政府	RCA 21 號	湯恩曾 何允浼	100 尺	35 尺	東南	尚響	宏響	收XGOB尚響	油印分發各機關
江西省清江縣縣政府	RCA 21 號	熊聰勳	78 尺	38 尺	南北	清晰	甚響		
江西省武寧縣縣政府	RCA 21 號	李惠霖	90 尺	50 尺	北	清晰	宏亮		油印分發各機關
江西省弋陽縣縣政府	RCA 21 號	葉煒藻	94 尺	48 尺	東南	佳	尚響(仍有日台擾)	收浙江(XGOD)及日台尚佳	油印分發各機關
江西省高安縣縣政府	RCA 21 號	鄧敏才 朱亨	200 尺	120 尺	東北	清楚	佳		編纂謄電日印，及本縣新聞報
江西省廣豐縣縣政府	RCA 21 號	曾朝暄	100 尺	50 尺	北	清晰	清晰	收 XGOC有混合干擾	廣豐民國日報，壁報
湖北省隨縣縣政府	馬可尼 255 號	丁曉一	100 尺	30 尺	東西	清晰	清響(間有天電)		辦壁報
湖北省天門縣專員署	RCA 21 號	王澤周	100 尺	40 尺	東西	清晰	清晰		
湖北省武昌縣縣政府	RCA 21 號	黃靖	150 尺	40 尺	南北	甚響	甚響	收他台時，聲浪甚輕，干擾又大	油印分送各機關
湖北省襄陽縣縣政府	RCA 21 號	張楚善	100 尺	38 尺	東西	清響	宏亮	收XGOC 音量低微	襄陽日報
湖北省宜昌縣縣政府	RCA 21 號	唐公度	80 尺	40 尺	東西	清楚(有天電及電報干擾)	與白晝同		工商，國民，民聲各日報
湖北省陽縣縣政府	RCA 21 號	[illegible]	100 尺	[illegible] 尺	東西	低微	尚響		油印分發及壁報

湖北省漢口市政府		邊清辰				響亮(惟有日台及武昌長波台與穩合干擾)	與白晝同		漢市各報
湖北省漢口市黨部		湯一鶚	200 尺	50 尺	東北	清晰	清晰	收XGOB音量微弱難辨	漢市各報
湖南省安化縣縣政府	RCA 21 號	龍雲燦	100 尺	45 尺	南北	清晰	嘹亮		民報，油印分送
湖南省溆浦縣縣政府	RCA 21 號	諶顯鏡 周有雄	75 尺	44 尺	東南	低微	尚響		溆浦民報
湖南省醴陵縣縣政府	RCA 21 號	傅霖	75 尺	50 尺	東北	稍弱	宏大		自辦中央無綫電日刊
湖南省瀏陽縣縣政府	RCA 21 號	李朝冕	100 尺	40 尺	西南	低微	尚響	收XGOC清晰稍有雜聲	瀏陽日報
湖南省郴陽縣縣政府	RCA 25 號	劉衡	150 尺	45 尺	東北	時有衰落現象	宏大		郴陽日報及壁報
湖南省大庸縣縣政府	RCA 21 號	李峙雄	75 尺	44 尺	北	間低	清晰		大庸民報
湖南省常德縣縣政府	RCA 21 號	張允中	76 尺	38 尺	東北	清晰	清晰		常德民報
湖南省衡山縣縣政府	RCA 21 號	胡香曜	70 尺	50 尺	東北	清微	明朗	收XGOC不甚明晰	衡山通俗日報
湖南省耒陽縣縣政府	RCA 21 號	鄧慶增	70 尺	45 尺	東	間低	尚響		張貼壁報
湖南省岳陽縣縣政府	RCA 21 號	劉靜初	120 尺	30 尺	北	可聽	清楚	可收十餘處，惟音較弱	大衆報，民報
湖南省永興縣縣政府	RCA 21 號	李文如	75 尺	50 尺	東北	極微	宏大		
湖南省黨部		陳沅	200 尺	50 尺	東北	清楚	宏響		全民，長沙，大公，婦女等日報
河北省邢台縣縣政府	RCA 21 號	石家鈺	75 尺	50 尺	東西	宏亮	尚響(稍有干擾)	(北平)(濟南)(天津) 可收XOPP,XOST,XOTN等台	邢台日報及分送各機關
河北省東鹿縣縣政府	RCA 21 號	李廣生	72 尺	40 尺	西南	清晰	時有高低	可收XOTN,惟音模糊	油印發送
河南省黨部		王致棠	200 尺	40 尺	東南	清晰	宏響		民國日報，新河南報
威海衛	RCA 21 號	鍾汝階	78 尺	40 尺	東北	尚響	清晰	收XOTN音量低微	威海日報，黃海報
隴海路特別黨部		蔡寶祚	120 尺	60 尺	東南	宏大	宏大		
山東省黨部		張慈涵	200 尺	60 尺	南	清晰	宏響		民國日報，山東日報
河南新鄉中央辦事處		郝振鐸	100 尺	28 尺	東西	宏亮	宏響		送各機關
甘肅省黨部		張縉	60 尺	60 尺	南北		響		民國日報
綏遠省黨部		史蔭晉	200 尺	50 尺	東南	間低	尚響		民國日報，社會日報
寧夏省黨部		王化岐	120 尺	50 尺	東西	間低	宏大		民國日報
貴州省黨部		楊仲皋	180 尺	55 尺	東西	低微	宏響		民衆，新黔，貴陽各日報
四川省黨部		李梅先				微弱	宏響		
青海省黨部		張其華				弱	清晰		
雲南省黨部		金樹欽	40 尺	30 尺	東	間低	間低		雲瀛通訊社

首都志　卷九　八八八

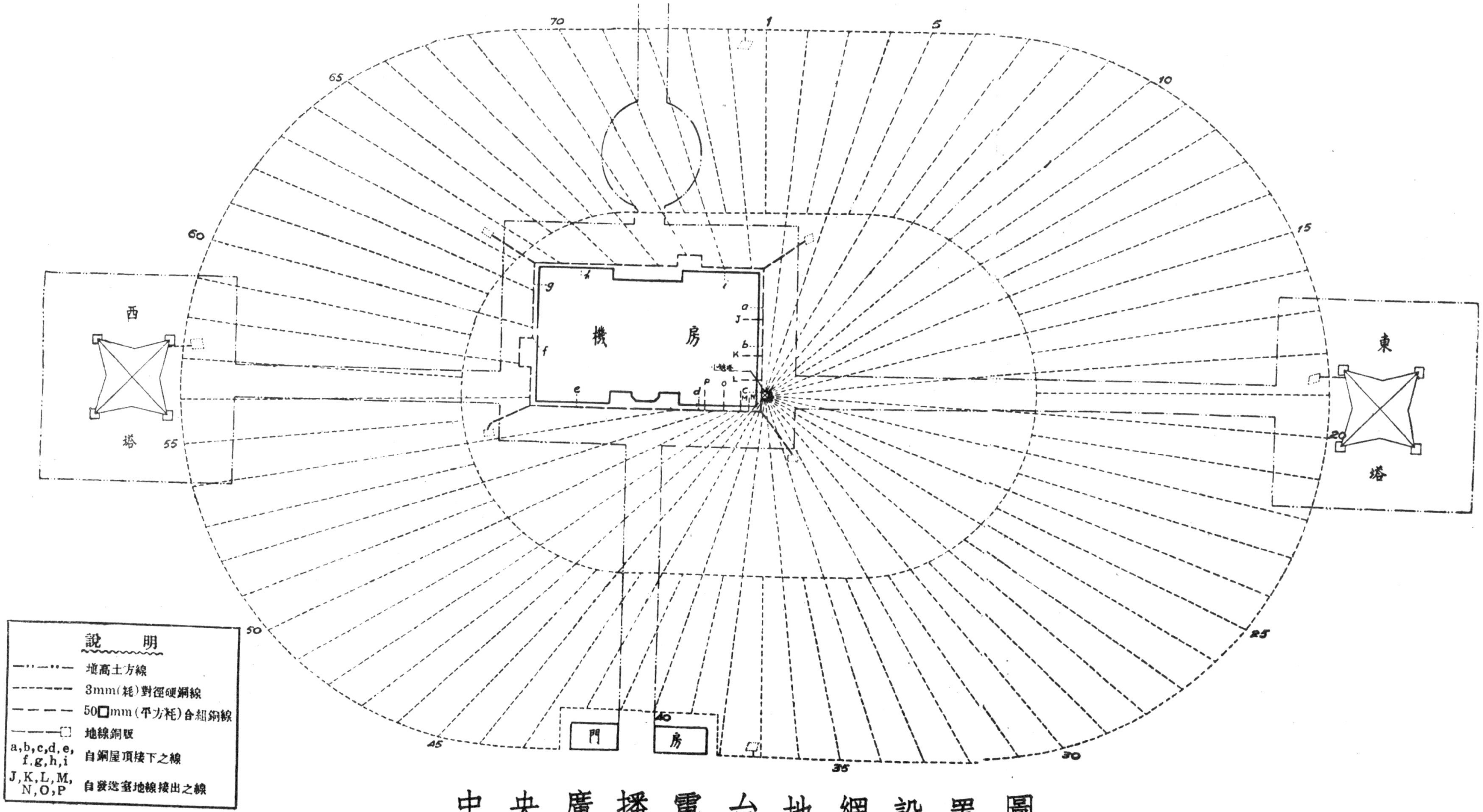

中央廣播電台地網設置圖

首都志卷十

外交

道光中葉。英吉利以鴉片煙事擾海疆數年。二十二年兵艦駛入長江。

【清史稿邦交志二】十六年定食鴉片煙罪。初英自道光元年以後。私設貯煙大船十餘隻。謂之躉船。又省城包買戶。謂之窰口。由窰口兌價銀於英館。由英館給票單至躉船取貨。有來往護艇名曰快蟹。礮械畢具。太常寺卿許乃濟見銀輸出歲千餘萬。奏請弛煙禁。令英商仍照藥材納稅入關。交行後。只許以貨易貨。不得用銀購買。以示限制。已報可。旋因疆臣奏請嚴販賣吸食罪名。加重至死。而私販私吸如故。十八年鴻臚寺卿黃爵滋請嚴吸食罪。行保甲連坐之法。且謂其禍烈於洪水猛獸。疏上。下各督撫議。於是請禁者紛起。湖廣總督林則徐奏尤剴切。言鴉片不禁絕。則國日貧。民日弱．十餘年後．豈惟無可籌之餉．抑且無可用之兵．帝深然其言．詔至京．面授方略．以兵部尙書頒欽差大臣關防．赴粵東查辦．明年春正月至粵東．與總督鄧廷楨會申煙禁．頒新律．以一年又六月爲限．吸煙罪絞．販煙罪斬．時嚴捕煙犯．洋人泊零丁洋諸躉船將徙避．則徐咨水師提督各營分路扼守．令在洋躉船．先繳煙．方許開艙．又傳集十三行商人等．令諭各商估煙土存儲實數．並索歷年販煙之查頓顚地二人．查頓遁走．義律託故囘澳門．及事亟．斷水陸餉道．義律乃使各商繳所存煙土．凡二萬二百八十三箱．則徐命悉焚之．而每箱償以茶葉五觔．復令各商具永不售賣煙土結．於是煙商失．利遂生觖望．義律恥見挫辱．乃鼓動國人．冀國王出干預．國王謀於上下議院．僉以此類貿易．本干中國例禁．其曲在我．遂有律士丹者上書求禁．並請禁印度栽種．又有地爾洼作鴉片罪過論．以爲既壞中國風俗．又使中國猜忌英人．反礙商務．然自燒煙之信．傳入外洋．茶絲日見翔踊．銀利日長．義律遂以爲鴉片興衰．實關民生國計．時林則徐令各洋船先停洋面候查．必無攜帶鴉片者．始許入口開艙．各國商俱如命．獨義律抗不遵命．謂必俟其國王命定章程．方許貨船入口．而遞書請許其國貨船泊近澳門．不入黃埔．則徐嚴駁不許．又禁絕薪蔬食物入澳．義律率妻子去澳．寄居尖沙嘴貨船．乃潛招其國兵船二．又取貨船配以礮械．假索食．突攻九龍山．參將賴恩爵礮沈其雙桅船一。餘船留潰仔者。亦爲水師攻燬。義律求澳人轉圜。願遵新例。惟不肯即交毆斃村民之犯。又上書請毋逐尖沙嘴貨船。且俟其國王之命。水師提督關天培以不交犯擲還其書。冬十月天培擊敗英人。義律遁。十一月能英人互市。英貨船三十餘艘皆不得入。又搜捕偵探船。日數起。英商人人怨義律。義律不得已。復遣人投書乞恩。請仍回居澳門。林則徐以新奉難。難驟更。復嚴斥與之絕。而英貨船皆泊老萬山外洋不肯去。惟以厚利啗島濱亡命漁舟蜑艇致薪蔬。且以鴉片與之市。是月廣東增嚴海防。二十年春正月廣東游擊馬辰焚運煙濟英匪船二十餘。夏五月林則徐復遣兵逐英人於磨刀洋。時義律先回國請益兵。其國遂命伯麥率兵船十餘。及印度兵船二十餘來粵。泊金星門。則徐以火艘乘風潮往攻。英船避去。英人見粵防嚴。謀擾閩。敗於廈門。六月攻定海。殺知縣姚懷祥等。事聞。特旨命兩江總督伊里布爲欽差大臣赴浙督師。七月則徐遣副將陳連升游擊馬辰率船五艘攻英帥士密於磨刀洋。馬辰一艘先至。乘風攻之。礮破其船。八月義律來天津要撫。時大學士琦善任直隸總督。義律以其國巴里滿衙門照會中國宰相書。遣人詣大沽口上之。多所要索。一索貨價。二索廣州廈門福州定海各港口爲市埠。三欲敵體平行。四索犒軍費。五不得以外洋販煙之船。貽累岸商。六欲盡裁洋商浮費。琦善力持撫議。旋宴其酋目二十餘人。許陳奏。遂入都面陳撫事。乃頒欽差大臣關防命琦善赴粵東查辦。是月免浙江巡撫烏爾恭額以失守海疆。又英人投書不受故也。義律既起椗過山東。巡撫託渾布具犒迎送代義律奏事。謂義律恭順且感皇上派欽差赴粵查辦。恩罷兩廣總督林則徐上諭切責以怡良暫署總督事。會義律南行過蘇復潛赴鎮海時伊里布駐浙。接琦善議撫咨遣家丁張喜赴英船犒師。英水師統領伯麥踞定海數月。聞撫事定。聽洋艘四出游弈。至餘姚。有士人誘其五桅船入擱淺灘。獲黑白洋人數十。伊里布聞之。飛檄餘姚縣設供張委員護入粵。冬十月琦善抵廣州。尋授兩廣總督。義律請撤沿海諸防虎門為廣州水道咽喉。水師提督駐寧。其外大角沙角二礮臺。燒煙後益增戍守。師船火船及蜑艇扒龍快蟹悉列口門內外。密布橫檔暗樁。至是裁撤殆盡。義律遂日夜增船櫓造攻具首索煙價繼求香港且行文趣琦善速覆。十二月五日突攻沙角礮臺。副將陳連升等兵不能支遂陷皆死之。英人又以火輪三板赴三門口。焚我戰船十數艘。水師亦潰。英人乘勝攻大角礮臺。千總黎志安受傷推礮落水潰圍出。礮臺陷。英人悉取水中礮分兵戍守。於是虎門危急。水師提督關天培總兵李廷鈺游擊馬辰等守靖遠威遠礮臺。僅兵數百。遣弁告急。不應。廷鈺至省泣求增兵以固省城門戶。琦善恐妨撫議。不許。文武僚屬皆力請。始允遣兵五百。義律仍挾兵力索煙價及香港。二十一年春正月琦善以香港許英。而未敢入奏。乃歸浙江英俘易定海。義律先遣人赴浙繳還定海。續請獻沙角大角礮臺以易之。琦善與訂期會於蓮花城。義律出所定貿易章程。並給予香港全島。如澳門故事。皆私許之。旣而琦善以義律來文入奏。帝怒不許。罷琦善。並伊里布。命宗室奕山爲靖逆將軍。尙書隆文湖南提督楊芳爲參贊大臣。赴粵勦辦。時義律以香港已經琦善允給。編諭居民以香港爲英屬埠。又牒大鵬營副將令撤營汛。粵撫怡良聞之大駭。奏聞。帝大怒。命籍琦善家。遂下詔暴英人罪。促奕山等兼程進會各路官兵進勦。尋以兩江總督裕謙爲欽差大臣。赴浙視師。時定海鎭海等處英船四出游弈。裕謙遣兵節次焚勦。並誅其酋目一人。二月英人犯虎門。水師提督關天培死之。乘勝薄烏涌。省城大震。十三日參贊楊芳抵粵。各路官兵未集。而虎門內外舟師悉被燬。楊芳議以堵爲勦。使總兵段永福率千兵扼守東勝寺。陸路總兵長春率千兵扼鳳凰岡水路。英人率師進逼。雖經鳳凰岡官兵擊退。仍乘潮深入。飛礮火箭。並力注攻。會美領事以戰事礙各國商船進口。赴營請進埔開艙。兼爲英人說和。謂英人繳還定海。惟求通商如舊。並出義律書。有惟求照常貿易。如帶違禁物。卽將貨船入官之文。時定海師船亦至粵。楊芳欲藉此緩兵退敵。遂與怡良聯銜奏請。帝以其復踵請撫故轍。嚴旨切責。不許。三月詔林則徐會辦浙江軍務。尋復遣戍新疆。四月奕山以楊芳隆文等軍分路夜襲英人。不克。英人遂犯廣州城。不得已仍議款。義律索煙價千二百萬。美商居間。許其半。議旣定。弈山奏稱義律乞撫。求許照舊通商。永不售賣鴉片。將所償費六百萬。改爲追交商欠。議旣定。英人以撤四方礮臺兵將。擾福山鎭。取道泥城。經蕭關三元里。里民憤起。號召各鄉壯勇。四面邀截。英兵死者二百餘。殪其渠帥伯麥等。義律馳援。復被圍。亟遣人突出告急於廣州知府余葆純。葆純馳往解散。翼義律出圍登舟免。時三山村民亦擊殺英兵百餘。佛山義勇圍攻英民於龜岡礮臺。殲英兵數十。又擊破應援之杉板船。新安亦以火攻燬其大兵船一。餘船遁。義律牒總督示諭衆。始解散。義律受挫。久之始變計入閩。攻廈門。再陷。復統兵攻定海。總兵葛雲飛等戰沒。裕謙以所部兵赴鎭海。方至而英人自蛟門島來攻。時鎭海防兵僅四千。提督余步雲與總兵謝朝恩各領其半。步雲違裕謙節制。不戰先走。英遂據招寶山。俯攻鎭海。陷之。裕謙赴水死。謝朝恩亦戰歿。英人乘勝據寧波。八月英人攻雞籠。爲臺灣道姚瑩所敗。九月命大學士宗室弈經爲揚威將軍。侍郎文蔚副都統特依順爲參贊大臣。赴浙。以怡良爲欽差大臣。赴閩會辦軍務。二十二年春正月。大兵進次紹興。將軍參贊定議同日分襲寧波鎭海。豫洩師期。及戰。官軍多損失。是月姚瑩復敗英人於大安。二月英人攻慈谿。營金華協副將朱貴。及其子武生昭南。督糧官卽用知縣顏履敬死之。是月起用伊里布。先是伊里布解任．並逮其家人張喜入都遣戍．至是浙撫劉韻琦請起用．報可．旋以耆英爲杭州將軍．命臺灣設防．夏四月英人犯乍浦．副都統長喜同知韋逢甲等戰死．時伊里布已來浙．即命家人張喜見英酋．告以撫事有成．令先退至大洋．即還所俘英人．英人如約．遂以收復乍浦奏聞．英人連陷寶山上海．江南提督陳化成等死之．遂犯松江．陷鎮江．殺副都統海齡．淮揚鹽商懼甚．賂英師乞免．

是年七月五日犯江寧．兵船八十餘艘．溯江上．自觀音門至下關．颺言六日與我開仗．

【籌辦夷務始末】欽差大臣耆英．乍浦都統伊里布．兩江總督牛鑑奏．稱英夷大小各船八十餘隻．陸續駛入草鞋峽江面寄碇．臣牛鑑當將欽奉恩旨．允准通商之處．專弁前往告知．臣伊里布於本月初三日馳抵省城．寄與照會．開導各情．具奏在案．嗣該逆酋疊次覆文．總稱臣耆英臣伊里布無權不能作主．雖經具文曉諭．堅不醒悟．詎於初五日忽向臣牛鑑差往之弁張攀龍聲稱．初六日欲行開仗．該弁向其索取回文．亦不給發．當即馳回稟報．維時已過夜分．臣等焦灼異常．且慮城中聞此消息．人心定必惶惑．更恐城池不能保全．遂公同籌商．總以江鎮省會先保無虞．方爲至要．當揀派太倉州知州徐家槐。外委陳志剛及張禧。持臣等照會。諭以欽差大臣耆將軍日內必到。並推誠布公。復加開導。於初六日天色未明時。令其一同前往。該員弁馳至江邊。已見該逆各船張掛紅旗。並車皆駕砲。人盡執槍。紛紛上岸。排列陣式。候時前進。該員弁當將照會付給逆酋等閱看。並反覆爲之陳說。先尙游疑。後見衆夷目公商良久。始鳴礮傳令。但見各夷船紅旗撤落。岸上夷兵次序回船。逆酋嗎嚨遜等向告。我們英吉利國喫飯養家。藉與中國通商。豈敢無故得罪中國。今連年兵戰。實出萬不得已。現蒙大皇帝准與通商。並有大臣可以作主。我們英吉利亦屬情願聽候商議。並令各船一色換掛藍旗。仍給該員弁等回文。文理全不通順。其大意則爲罷兵和好之事。皇帝既有降諭。特派大臣畀以全權。允照所討辦理。衆酋衆夷既得商利。且可回國。實所欣願。是該逆稱兵不息。雖專重通商牟利。其中之陰錯陽差。在所不免。是日差去之員弁等旋省。始悉省城大局危而復安。實皆仰承諭旨。暫事羈縻之所致。闔城紳商士庶。莫不欽感同深。

欽差大臣耆英方自浙啓行。伊里布亦奉詔。自浙馳至。遣張禧詣英船與議通商。並增兵防守要隘。

【籌辦夷務始末】臣耆英會同齊愼。將後路應行防守之處。妥爲布置後。卽行起程。於初六日巳刻馳抵省垣。隨公同熟商。如果該逆回心嚮化。就我範圍。自可與議通商。籌定大局。然臣等體察情形。該逆夷驕橫之性已成。貪婪之心無厭。要求之事。斷不能任其需索滿慾。臣等惟有竭盡心力。設法辦理。務求上持國體。下順夷情。遙盤籌算。以爲永絕禍根之計。再江寧省城。儀鳳門最關緊要。去江面祇有二三里之遙。此次該夷大幫船隻。均在該處一帶停泊。城門以內。左右均係重岡疊嶺。天然險要。提臣劉允孝鎭臣王志元帶兵防守。並旗綠各營兵丁。共有二千六七百名。又江西總兵李錡所帶之兵一千名。在漢西水西兩門一帶防守。並旗綠各營兵丁。足資堵禦。臣牛鑑前已奏明在案。茲浙江撥解之大礮四十尊。蘇州撥解之大礮十五尊。擡礮鳥槍數百桿。業已到齊。並臣牛鑑所調之在蘇防守河南兵丁九百數十餘名。亦陸續到省。當卽分派兵丁三百餘名於漢西太平兩門防範。以厚兵力。其餘兵丁五百餘名。飭令游擊陳平川管帶。在於儀鳳門內之鼓樓菜市兩處屯紮。查該兩處地方空闊。居民鮮少。樹木叢雜。爲往來行人必由要路。諄飭該游擊於各要口埋伏兵丁。安設大礮。萬一賊若爬城而入。前後夾擊。竟可聚而殲旃。除由臣牛鑑會同將軍德珠布提督劉紀孝。激勵將士。誓死據守。晝夜倍加小心嚴防。以期保守城池。斷不敢因現在議撫。稍存大意。臣等先行差遣佐領塔芬布同張禧馳往面見夷目。看其如何措詞。再行次第派委職分較大之員。前往籌商。以昭周妥。硃批目前固屬緊急。後慮尤當詳慎。勿墮奸計爲要。愼勉爲之。耆英又奏此次派員前往夷船議事。必得熟悉夷情之人。以期有濟。今奴才等共同酌商。不得不飭令張禧暫帶軍功頂帶。差往面議。一切俾夷人不敢輕視。至該逆狡譎異常。辦理大不易易。如果將來議有成就。奴才等自應會同面見該夷酋。以定大局。奴才耆英惟有仰懇皇上天恩。俯准奴才伊里布屆期暫帶頭品頂翎。庶足以啓夷人之敬。而堅夷人之信。

英人要求三款。

【籌辦夷務始末】耆英伊里布牛鑑又奏竊臣等於本月初八日將辦理夷務情形。會摺馳奏。先於初七日據該夷將請求各款。開到清單。交委員塔芬布等擕回。臣等公同閱看。一係索討洋錢二千一百萬圓。本年先交六百萬圓。其餘分年帶交。一係索討香港作爲馬頭。並求准往廣州福州廈門甯波上海等處貿易。一係與中國官員用平行禮。其餘雖尚有請求。大抵不出三款之外。並據堅稱若不能如其所請。卽行開仗。並往別省滋擾等語。

【清史稿邦交志二】餘則劃抵關稅．釋放漢奸等款．末請鈐用國寶．

八日復於鍾山安礮恫嚇．謂今日不定議．詰朝攻城．

【籌辦夷務始末】臣等正在會同酌議．擬即明晰照覆．詎料初八日戌刻．該夷因聞訛傳．有調壽春兵來省防剿之信．忽換紅旗．並於鍾山之上安設大礮．聲稱定於次早開礮攻城．勢甚猖獗．臣等查江寧省城雖已派撥弁兵分段防守．惟周圍五十餘里．兵力不敷．且所調江西湖北徐州各官兵．均曾經挫衄．士氣不揚．未敢恃以爲固．況鍾山逼近省會．該夷登高臨下．一經轟擊．勢必不支．兼之民風柔懦．一聞此信．均各驚慌．卽有男婦數萬人赴臣等各衙門遮道號呼．籲求救命．

遂卽夜覆書．一如所請．翼日遣侍衞咸齡．布政司黃恩彤．甯紹台道鹿澤長．往告各款已代請．俟批回卽定約．奏上許之．時耆英伊里布牛鑑以將修好．遣張禧等約期相見．馬利遜請以本國平行禮見．耆英等遂詣英舟．與璞鼎查等用舉手禮加額禮．訂約．復親具牛酒犒師．畫諾於靜海寺．夷船乃陸續出江．是爲南京條約．自此煙禁遂大開矣．

【籌辦夷務始末】道光二十二年壬寅七月癸亥。欽差大臣耆英兩江總督牛鑑署乍浦副都統伊里布奏。竊奴才等前因英夷猖獗。江寧萬分危急。冒死允夷所請。並乞將臣等從重治罪。緣由馳奏在案。彼時實因安危呼吸。稍遲即變。是以權宜從事。暫戢兇鋒。以便派委大員前往妥議。臣等於發給照會後。即委四等侍衛咸齡署江甯布政使按察使黃恩彤。於初九日乘夜出城。親赴夷船。向該夷酋明白曉諭。並令議一切章程。即據夷酋馬利遜等四人出艙相見。該侍衛等待以至誠。曉以大義。反覆開導。而該夷酋等請求各款。堅執如前。加以駁詰。則負氣不服。該侍衛等連日與之詳議。始據該夷將通商輸稅各事宜。粗定條款。迨詰以如果允准。所有兵船。是否即行退出長江。該夷酋等聲稱俟各款議定後。先給洋銀六百萬圓。伊等即將所泊各船。全行退出吳淞口外。江寧京口等處。決不再有阻遏。惟鎮海之招寶山。廈門之鼓浪嶼。及定海三處。須俟全銀付清。方肯退還等語。該侍衛等以爲期太久。復據理向爭。該夷酋僅允將招寶山先行退出。其餘仍執原議。據該侍衛等將詰辯情形。稟經臣等公同熟商。權其利害。均有難以拒絕之處。謹將酌辦各條。另繕清單。恭呈御覽。再該夷於酌擬條款後。復據稟稱此次和好通商。既蒙皇帝恩准。並賞給馬頭。不勝欣感。惟萬世利賴。在此一舉。仍求將條款奏明皇帝批准。欽加御寶。伊等亦請該國王蓋用印信。兩國分給。奉爲世守。

方可永結和好。不致再啓兵端。再三籲請。情詞迫切。該侍衞等告以中國無此體制。而馬禮遜則稱伊聞從前頒給各國敕書。均用御寶。務求奏請於所議條款內。鈐蓋御寶。如不見允。伊等回國後。無以取信國王。必致再有爭論。所有前議各條。即可勿庸置議等語。是該夷之意。專以御寶之准用與否爲向背從違。察其隱衷。實因悔禍厭兵。或恐再有翻悔。欲爲一勞永逸杜絕後患之計。該夷性本多疑。若非示以恩信。易啓反測之端。合無仰懇天恩。俯從所請。

【籌辦夷務始末】諭軍機大臣等。耆英等奏。連日與英夷會議。粗定條約一摺。覽奏憤恨之至。朕因億萬生靈所繫。實關天下大局。故雖憤悶莫釋。不得不勉允所請。藉作一勞永逸之計。非僅爲保全江浙兩省而然也。該大臣等所稱可救燃眉。是徒知救急於目前。未計貽憂於日後。所商各條內。尙有應行籌酌之處。卽如該夷船隻。既肯退出長江。又肯退出招寶山。其前請之通商貿易五處。除福州地方萬不可予。或另以他處相易外。其廣州廈門寧波上海四處。均應准其來往貿易。不得占據久住。至藉詞索欠一節。該大臣等須婉轉曉諭。該國與內地通商。已二百年。向稱和好。從前貨物交易。銀錢往來。俱係由洋商與汝等自行經理。我國官員向不過問。且此中貿易曲折。價值低昂。甚爲瑣屑。況各國言語不通。斷非地方官所能辦理。嗣後各處通商。自應仍照舊章。毋庸更改。儻該商有格外苛求過於剋扣之處。不妨向粵海關監督呈明。必將該商懲處。斷不姑容。所稱商欠一節。除三百萬圓由廣東查明商欠追還外。其餘斷難官爲保交。至現議先交之六百萬圓。自應付給。以示誠信。除現在民捐一百數十萬兩外。其不敷之處。准其暫於江浙安徽藩運各庫通融借撥。統於捐輸項下還款。其各省貿易。該夷自納稅銀。由副領事親赴海關交納。不經行商之手一節。有無窒礙。漸滋流弊之處。仍著該大臣等再行妥議具奏。至官員用平行禮。及將被虜夷人並被誘漢民一體懇恩釋放。俱著准其所請。又另片奏請於所議條款內。鈐蓋御寶等語。該夷不以汝等印信爲憑信。而以御寶爲憑信。雖屬可惡。尚不失尊崇之意。向來頒給各國敕書。均用御寶。著准其鈐蓋。惟如何齎呈鈐蓋之處。仍先行奏明。酌覈辦理。經此議定之後。該大臣等務當告以大皇帝相待以誠。所求無不允准。從此通商。永相和好。汝國亦應以誠相待。斷不准再啓兵端。違悖天理。不但業經滋擾各省不得復來尋釁。即沿海之廣東福建臺灣浙江江南山東直隸奉天各省地面。亦不准夷船駛入。此時既經和好。各省官兵應撤應留。我國自有斟酌。至內地舊有城池墩壘並礮臺等項。亦應次第修築。以復舊規。並非創自今日。此係爲防緝洋盜起見。並非爲防禦該夷而設。不必妄生疑慮。其有他省現尙不知和好消息。見有夷船駛入。輒行攻擊者。亦不得藉爲口實。以上各節。總在該大臣等深思遠慮。切實定議。永杜兵萌。不可稍涉含糊。仍成不了之局。愼之愼之。

【籌辦夷務始末】壬申欽差大臣耆英。署乍浦副都統伊里布。兩江總督牛鑑奏。竊臣等連次委員與英夷議定條款。因尚有未盡明晰之處。復飭四等侍衞咸齡署江寧布政使江蘇按察使黃恩彤。並添委前經札調之甯紹台道鹿澤長。石浦同知舒恭受。前往妥議。正在辦理間。於七月十九日承准軍機大臣字寄。是月十三日奉上諭。耆英等奏夷船大幫聚集江面現擬設法覊縻一摺。必須通盤籌算。永絕禍根等因。欽此。同日又奉上諭。耆英等奏形勢萬分危急。懇允所請一摺。必當切實議定。永杜兵萌等因。欽此。查夷酋噗鼎喳先有請臣等出城面見。以堅和好之約。臣等亦知事涉冒險。惟該夷性悍多疑。動輒反覆。若拒絕不往。非惟示以怯懦。尤恐易啓猜嫌。當即訂於十五日輕車簡從。先至該夷之火輪船。復經夷目導引緣梯而上。直至其三桅兵船。該夷酋等率同夷兵。擺隊跨刀。作樂奉酒。雖心難揣測。而貌甚恭謹。臣等當向噗鼎喳等諭以兵爭之害。通商之利。現蒙大皇帝逾格施恩。自當永結和好。不得再啓釁端。該夷酋等踴躍歡忻。似知感戴。旋於十九日在城外靜海寺行答拜之禮。復固請入城面訂和約。臣等以慮驚百姓。向其辭覆。據噗鼎喳聲稱伊止帶隨從數人。不帶一兵。祇求派兵迎護入城。以示兩無猜忌等語。詞甚諄切。臣因大局將定。不得不俯順其情。已定於二十一日選擇公所委員妥爲照料。俟入城後議定和約。再行照錄呈覽。

【籌辦夷務始末】至福州貿易。一節侍衛咸齡等前與會議時。已曾以既有廈門。無庸兼及福州。向其爭辯。據嗎禮遜等聲稱廈門相距福州。尚有數百里。雖海路可通。伊等販賣茶葉。以福州爲最便。務求准予通商等語。茲復委熟悉閩省情形之寧紹台道鹿澤長再向熟商。該夷等堅執不從。查寧波上海廈門等處。該夷均曾經占據。雖業已退出。而要口俱泊有夷船。儻不允所請。勢必復來攻奪。殘敝之餘。防守尤屬不易。定海之既得旋失。是其前車。臣等前摺所云與其任彼占據。孰若歸我土地與之通商者。實已見及如此。而既准貿易。即屬馬頭。舉凡設領事立夷館住家眷。勢不能遏其所請。其平行雖屬末節。於天朝體制。亦大有所損。惟既經曲事羈縻。亦復無暇顧惜。

【籌辦夷務始末】八月戊寅欽差大臣耆英署乍浦副都統伊里布兩江總督牛鑑奏。竊臣等親往夷船招撫英夷及所請各款。勢難拒絕。緣由業經由驛馳奏在案。道光二十三年七月二十二日。承准軍機大臣字寄。是月十七日奉上諭。耆英等奏連日與英夷會議。粗定條約。一摺。總在該大臣等切實定議。永杜兵萌等因。欽此。查該夷前請入城。共訂和約。以示不疑。臣等查其已就馴擾。即定期七月二十一日。派撥兵弁前往迎護。夷酋噗鼎喳帶同親隨九人。安靜入城。與臣等在公所而議和好。當將前經截留江寧將軍德珠布奏摺一件包封交還。並將連日集議各條。撰就和約。繕出漢文呈遞前來。

【籌辦夷務始末】謹將和約另繕清單。恭呈御覽。 一嗣後大清大皇帝與英國君主。永存和平。所屬華英人民彼此友睦。各住他國者必受該國保佑身家全安。 一自今以後。大皇帝恩准英國人民。帶同所屬家眷寄居沿海之廣州福州廈門寧波上海等五處港口。貿易通商無礙。英國君主派設領事管事等官。住該五處城邑。專理商賈事宜。與各該地方官公文往來。令英人按照下條開敍之例。清楚交納貨稅鈔餉等費。 一因英國商船遠路涉洋。往往有損壞須修補者。自應給予沿海一處。以便修船及存守所用物料。今大皇帝准將香港一島。給予英國君主暨嗣後世襲主位者。常遠主掌。任便立法治理。 一因欽差大臣等於道光十九年二月間。將英國領事官及民人等。強留粵省。嚇以死罪。索出鴉片以爲贖命。今大皇帝准以洋銀六百萬圓。償補原價。 一凡英國商民在粵貿易。向例全歸額設行商。亦稱公行者承辦。今大皇帝准其嗣後不必仍照向例。凡有英商等赴各該口貿易者。勿論與何商交易。均聽其便。且向例額設行商等內有累欠英商甚多。無措清還者。今酌定洋銀三百萬元。作爲商欠之數。由中國官爲償還。 一欽差大臣等向英國官民人等不公強辦。致須撥發軍士討求伸理。今酌定水陸軍費洋銀一千二百萬圓。大皇帝准爲償補。惟自道光二十一年六月十五日以後。英國在該各城收過銀兩之數。按數扣除。　一以上酌定銀數共二千一百萬元。此時交銀六百萬圓。癸卯年六月間交銀三百萬圓。十二月間交銀三百萬圓。共銀六百萬圓。甲辰年六月間交銀二百五十萬圓。十二月間交銀二百五十萬圓。共銀五百萬圓。乙巳年六月間交銀二百萬圓。十二月間交銀二百萬圓。共銀四百萬圓。自壬寅年起至乙巳年止。四年共交銀二千一百萬圓。儻按期未能交足。則酌定每年每百圓應加息五圓。　一凡係英國人。無論本國屬國軍民等。今在中國所管轄各地方被禁者。大皇帝准卽釋放。　一凡係中國人。前在英人所據之邑居住者。或與英人有來往者。或有跟隨及伺候英國官人者。均由大皇帝俯降諭旨。謄錄天下。恩准免罪。凡係中國人爲英國事被拏監禁者。亦加恩釋放。　一前第二條內言明開關。俾英國商民居住通商之廣州等五處。應納進口出口貨稅餉費。均宜秉公議定則例。由部頒發曉示。以便英商按例交納。今又議定英國貨物自在某港按例納稅後。卽准由中國商人徧運天下。而路所經過稅關。不得加重稅例。只可照估價則例若干。每兩加稅不過每分。　一議定英國住中國之總管大員。與中國大臣無論京內京外者。有文書來往。用照會字樣。英國屬員用申陳字樣。大臣批覆用劄行字樣。兩國屬員往來。必當平行照會。若兩國商賈上達官憲。不在議內。仍用奏明字樣。　一俟奉大皇帝允准和約各條施行。並以此時准交之六百萬圓交清。英國水陸軍士當即退出江寧京口等處江面。並不再行攔阻中國各省商賈貿易。至鎮海之招寶山。亦將退讓。惟有定海縣之舟山海島。廈門廳之古浪嶼小島。仍歸英兵暫爲駐守。迨及所議洋銀全數交清。而前議各海口均已開闢。俾英人通商後。即將駐守二處軍士退出。不復占據。　一以上各條均關議和公約。應俟大臣等分別奏明大皇帝硃筆批准。及英國君主判定後。即速相交。俾兩國分執一册。以昭信守。惟兩國相離遙遠。是以另繕二册。先由欽差大臣等及英國公使蓋用關防印。各執一册爲據。俾即日按照和約開載之條施行妥辦。

【籌辦夷務始末】耆英伊里布牛鑑又奏。再該夷自和約鈐用關防後。陸續退出兵船共有十餘隻。因善後事宜尚未議定。銀兩亦未交清。是以大幫夷船尚未退出。其觀音門一帶屯紮夷兵。自八月初三日後。次第登舟。並無滋擾情事。一切商賈行旅渡江船隻。該夷亦不攔阻。嗣於初九日接奉恩旨。卽委侍衛咸寧等前往宣示。該夷酋等感戴歡欣。手舞足蹈。卽據噗鼎喳照會內稱。渠因恭奉大皇帝諭旨。知前議各款。均蒙恩准施行。實屬萬幸。已飛飭帶兵官將兵船迅速退出長江等語。當於初十日爲始.每日開行兵船自三隻九隻至十二隻不等.現在停泊尙有二十六隻.較前已退大半.又據該酋照會內稱渠接本國來信.知有續來大小兵船十一隻.總緣未得議和確信所致.渠現已飭阻回國.求臣等先行奏明.並咨會沿海各督撫.儻見有該國續來兵船.不必疑慮.等因.現在已交給銀二百九十四萬兩.指日全數交淸.夷船卽可悉退.

【籌辦夷務始末】欽差大臣耆英署乍浦副都統伊里布兩江總督牛鑑奏.江寧夷船前已開去三分之二.經臣等於八月十六日附片陳明.嗣後每日開行夷船二三四隻不等.截至二十五日.草鞋峽江面仍泊夷船十二隻.另有佛蘭西夷船一隻.茲據噗嘛喳照會內稱現蒙大皇帝恩准通商.諸事均已議定.擬於二十六日.率同兵船迅速退出江口.等情.旋因搬運壓艙石塊.躭延二日.卽於二十八日早間全數開行.其佛蘭西夷船亦隨同駛去.現經臣等委員查明草鞋峽至觀音門一帶江面並無夷船停泊.

咸豐三年太平軍陷江寧.英以輪船駛至江寧.迎入城.與通款.英人言守中立.無所袒.

【新京備乘】國際交涉。以砲擊英艦黑姆斯號爲始。太平二年（卽淸咸豐三年）二月洪秀全旣建都。金陵改南京爲天京。英公使濮亭欲至天京察太平軍勢力。四月二十二日乘巡洋艦黑姆斯號抵鎭江。會有淸兵艦一艘。利其保護。尾英艦後。爲太平軍偵覺砲擊之。波及英艦。旣解釋誤會。濮使本擬晉謁天王。以東王楊秀淸答書辭氣間有失邦交禮。未果。溯行與天國通牒。聲明不干涉內政。嚴守中立。

嗣定外人入港通則。牒告外人遵守。（新京備乘）

八年法蘭西與英吉利合兵北犯。陷大沽礮臺。與訂約四十二款。是謂天津條約。始闢下關爲商埠。時江寧爲太平軍所據。未果實行。

【各國立約始末記】咸豐八年英吉利自五口通商定約後。因廣東水師兵弁械舟子解省。復搆釁。七年英使額羅金來粵。糾法美俄三國合從稱兵。攻陷省城。是年春額羅金復合兵北陷大沽礮臺。五月命大學士桂良尚書花沙納赴天津與英使額羅金議和。訂立新約五十六款。專條一款。 法蘭西自國初來粵通商。是年與英人合兵北犯。多所要求。五月欽差桂良花沙納會同來使葛羅在天津訂立條約四十二款。又因廣西西林縣誤殺教士案。另訂補遺六款。

【籌辦夷務始本】法夷和約。大清國大皇帝欽差便宜行事全權大臣東閣大學士總理刑部事務桂良。吏部尙書鑲藍旗漢軍都統花沙納。大法國大皇帝欽差頭等全權大臣御賜勳勞大星俄羅斯大敕帶大西洋降生大星世襲男爵喏嚙咪啼嘶吠噠嚱噶囉。前來議立條款。　第六款中國多添數港。准令通商。屢試屢驗。實爲近時切要。因此議定將廣東之瓊州潮州。福建之臺灣淡水。山東之登州。江南之江甯六口。與通商之廣州福州廈門寧波上海五口。准令通市無異。其江寧俟官兵將匪徒剿滅後。大法國官員方准本國人領執照前往通商。

十一年(太平天國十年)三月。太平軍與英海軍大將何伯通重訂中立之約。

【新京備乘】此約促成。實基於天津條約開放長江商埠之結果。其內容約爲(一)太平承認一年內不攻擊上海吳淞。及進兵該處周圍百里以內。英國一方當力阻清軍以該二處作軍事行動。(二)如太平軍攻擊其他通商口岸。不傷害英人生命財產。英國軍隊除必須自衛外。勿干涉太平軍之行動。當時太平軍行所至。向以保護外人自任。又以軍事作用。不惜委曲求全。故對於何伯

通牒．均一一承認之，

惟英以輸鴉片爲利．而太平軍懸爲厲禁．法以傳教爲事．而太平軍於羅馬諸偶像．一例毁廢．政教故不協．策士王畹（卽王韜）勸天王連洋人以圖中原．天王不能用．英法美等國遂保護上海．陰以助淸．太平軍之敗由此．

【新京備乘】外交政策．本親愛平等爲宗旨．宗教共同．以發揚眞諦相維護．行住通商．以自由開放爲準則．自開國以迄末造．始終弗渝．然英法各國．則舉棋莫定．中立之言屢宣．不旋踵而卽背之．蓋英國對華政策．以商業侵略爲主．尤以鴉片輸入爲利藪．法之對華政策．以宗教侵略爲主．其傳教士因華人習俗未能全廢偶像．如禮拜堂中設羅馬制之諸聖像．而太平軍則鴉片懸爲厲禁．又爲絕對毁像派．況自天津條約成立以來．（一八五八年七月）恃關稅爲賠款之給源．當時太平領域．多席富庶之區．長江擾攘．商運梗塞．迨蘇杭淪陷．上海垂危．夫上海居吾國第一商埠．又爲各國通商之總匯．利害相連．關係尤鉅．故英法美等國遂不惜破壞中立．干涉內政．英法軍保護上海．爲滿軍傅之翼而揚之波．祇圖保持其賠款之取償．經營其毒卉之鉅利．棄信而背義．太平之外交失敗．太平之國運斬焉摧絕矣．

【王曉上忠王取上海策】太平天國宜與洋人和。而藉其勢以圖中原。洋人遣使至金陵。以各國貿易所在。請勿攻滬。而天王不許。故洋人助淸。至爲失策。此時宜急許其不攻。而要令不得以軍裝火藥資中國。再遣舟師渡江。分援通泰裏下河完善之區。並於海道劫掠華商。使不敢載運貨物。貿易不通。釐捐斷絕。官軍乏餉。洋人坐困上海。聚數百萬避難之人。無所得食。必且生變。而洋人生理既絕。亦必俯首來求修好。然後脅之使獻上海。策之上也。若一時不能與洋和。人而先欲得上海。亦不必調齊大兵也。蓋洋人嗜利。近以蘇浙二省避難人齎至滬地。遂於夷場廣造房屋。重收租稅。初不問人之來歷也。宜遣精兵數千人。僞作難民。賃洋屋以居。地係夷場。中國官無從稽察。中夜一呼。應者四起。縱火焚燒。遇人砍殺。洋人計惟登舟逃逸。而上海唾手得矣。上海既得。然後招回洋人而厚待之。不攖其怒。而仍可爲用。策之次也。

然藉外人殘中國。卽獲勝利。終爲外人所挾持。外人之撥弄中國自此始。曾國藩雖知其未來之禍。而預防之。終不能免也。

【李鴻章曾文正公神道碑】初咸豐三年金陵始陷。米利堅人嘗謁江南帥。願以夷兵助戰。十一年和議既成。俄羅斯米利堅皆請以兵來助公議以爲宜嘉其效順。而緩其師期。及同治元年英吉利法蘭西又以爲請。公又議以爲宜申大義以謝之。陳利害以勸之。皆報可。廷議購夷船。公力贊之。比船至。欲用夷將則議寢其事。其後自募工寫夷船之制近似之。遂議開局製造。自是外洋機器輪舟夷礮。中國頗得其要領矣。

江南平定。以兩江總督兼南洋通商大臣。事任絕重。時設洋務局。

【續纂江寧府志】同治七年十月立。兩江總督例兼南洋通商大臣。以道員一人督守牧以下官。掌通商各國芻餼燕勞之禮。其中外交涉事件。海關道員掌之。

【李鴻章曾文正公神道碑】會江南闕帥。上念南洋馭夷事任絕重。非公不可。遂命還江南臥治之。至則經營遠略益勤。

【清史稿職官志】同治五年加五口通商事務。授爲南洋通商大臣。與北洋遙峙焉。

及下關稽查洋務局。

【續纂江寧府志】同治五年十二月立。以牧令一人。稽查上下游通商各國過境者姓名月具册籍。

報於通商大臣。

至光緒二十五年。始開放下關爲商埠。惟限於江干一帶。未及城內。又以利益均霑之故。各國皆得於下關通市設領事館矣。二十六年五月。端剛柄政。縱拳匪。殺洋人。毀教堂。七月。八國聯軍入都。西北糜爛，而東南數省雖形勢岌岌。終晏然無事者。則兩江總督劉坤一。兩湖總督張之洞保護之力爲多。

【劉坤一復李鑑帥電】（庚子五月廿八日）有電悉。此次拳匪召禍。患在政府不肯主剿。致動各國之兵。從古無開釁各國之理。津京危急。大局不支。東南若再有事。則全局糜爛。迭與香帥電商。就目前計。惟有力任保護。穩住各國。以冀北事轉圜。連日與英領會晤。及滬道各領事。均以此意告知。

先是盛宣懷。沈瑜慶。汪康年。陶森甲密商中外保護之策。告於坤一。然之。電鄂約之洞。爲應。而兩廣總督李鴻章主其成。訂東南保護約款九條。得以轉危爲安。然外重內輕之勢。自此始矣。

【劉坤一寄蘇皖贛三省司道】（庚子六月初一日）北事匪徒鬧教。致肇鉅釁。東南一帶。再滋事端。

大局不堪設想．迭經電檄通飭保護商教．拏辦匪犯．現因各國均欲以兵艦入江自衛．恐啓驚擾．會同湖廣張部堂．飭令滬道．正與各國領事．議訂長江一帶．由我自行力任禁止造謠．嚴辦匪徒．保護商教．不使疏虞．以期各不相擾．俾得保守東南．以待大局轉機．惟現當北事糜爛．人心浮動．匪徒思逞．防維固宜周密．辦匪尤必從嚴．倘有造謠生事．卽行嚴拏正法．以遏亂萌．至保護之法．値此兵單餉絀．分防要隘．尚多不敷．斷難分撥．內地所有各口商教．應責成關道營縣．沿江內地教堂．應責成各府廳州縣．會同營汛．各集地方紳董．共籌保護之法．切實辦理．要知保護商教．卽所以自衛地方人命財產．事關切己．禍福與共．必能一體曉悟．協力圖維．經此通飭．若再稍掉輕心．必致貽誤大局．斷非參辦所能蔽辜．望嚴飭懍遵．

【惜陰堂筆記】庚子拳匪之禍．當日中外報章．事後官私奏記．亦已詳盡．惟東南互保之議．如何發生．則無人能言之．予旣爲發議之人．更從事其間．迄於事平．應撮其大要記之．自五月初良鄉車站拳匪發難．京津響應．各省人心浮動．或信以爲義民．或迷其有神術．上海遠隔海洋．忽傳城內已有拳匪千人．飛渡而至．旅滬巨室．紛紛遷避內地．有甫首途而被劫者．其時南北消息頓阻．各省之紛亂日甚．各國兵艦連檣浦江．卽分駛沿江海各口岸．保護僑商．英水師提督西摩擬入長江．倘外艦所至。與各地方一有衝突。大局瓦解。立召瓜分之禍。憂思至再。卽訪何梅生老友商之。云事已如此。豈可坐聽糜爛。其時各省無一建言者。予意欲與西摩商各國兵艦。勿入長江內地。在各省各埠之僑商教士。由各省督撫聯合立約負責保護。上海租界保護。外人任之。華界保護。華官任之。總以租界內無一華兵。租界外無一外兵。力杜衝突。雖各擔責任。而仍互相保護。東南各省一律合訂中外互保之約。梅生極許可。惟謂須有任樞紐之人。以盛杏生地位最宜。並云此公必須有外人先與言。更易取信。當約某美國人偕往謁盛密談。旋杏生約予往晤。尙慮端剛用事。已無中樞。今特與外人訂此約。何以爲繼。予謂此層亦有辦法。可由各省督撫派候補道員來滬。會同滬道。與各國駐領事訂約簽字。公不過暫爲樞紐。非直接負責之人。日後亦無甚關係。卽定議由其分電沿江各督撫。最要在劉張兩督。劉電去未復。予爲約沈愛滄赴寧。再爲陳說。旋得各省復電。派員來滬。盛卽擬約八條。予爲酌改。並爲加漢口租界及各口岸兩條。共成十條。並迅定中外會議簽約之日。其會議之所。卽在新建會審公廨。盛旣不在簽約之列。對外卽不便發言。又慮滬道余聯沅向拙於應對。卽定爲中外會議座次。外人以領袖領事在前。以次各領事。中則以滬道在前。盛以太常寺卿爲紳士居次。與余道坐近。再次各省派來道員。先與余約。倘領事有問難於置答者。卽自與盛商。後再答之。庶有轉圜之地。議時。領袖係美國古納總領事。果因五月二十五日上諭。飭全國與外人啓釁。開口即云。今日各督撫派員與各國訂互保之約。倘貴國大皇帝又有旨來殺洋人。遵辦否。此語頗難答。遵辦則此約不須訂。不遵辦即係逆命。逆命即無外交。焉能訂約。余道即轉向盛踟躇。盛告余。即答以今日訂約。係奏明辦理。此四字本公牘恆言。古領向亦解之。意謂已荷俞允。即諾諾。兩方遂簽約散會。盛回來。深服予之先見。預與余道有約。幸渡難關。予亦極稱其迅答四字之圓妙。自此互保簽約後。西摩及各外艦停止入江內地。免生外釁。不致全國糜爛。難乎收拾。亦云幸矣。予即每日到盛寶源祥宅中。渠定一室爲辦事處。此室祇五人准入。盛及何梅生顧緝庭楊彝卿與予五人。負責接收京津各省電報消息。有關係者。勿稍洩漏。共籌應付。此則創議東南互保成立之事實也。

【張謇自訂年譜】五月北京拳匪事起。其勢熾於黃巾白蓮。二十二日聞外艦據大沽口。江南震擾。長江巡閱李秉衡北上。言於新寧（劉坤一）招撫徐懷禮（徐寶山）免礙東南全局。沈愛蒼慶瑜至寧。與議保護東南。陳伯嚴三立與議迎鑾南下。湯蟄先壽潛至寧。議追說李秉衡以安危大計。勿爲剛趙所誤。不及。至滬與何眉孫嗣焜沈愛蒼議。由江鄂公推李相統兵入衛。與眉孫愛蒼蟄先伯嚴施理卿炳燮議合。劉張二督保衛東南。余詣劉陳說後。其幕客有沮者。劉猶豫。復引余問。兩宮將幸西北．西北與東南孰重．余曰無西北．不足以存東南．爲其名不足以存也．無東南．不足以存西北．爲其實不足以存也．劉蹶然曰．吾決矣．告某客曰．頭是劉姓物．即定議電鄂．約張應．

【沈寐叟先生年譜】七月八國聯軍入都．兩宮西狩．公悲憤不知所出．停於上海．主沈濤園瑜慶．痛北事不可救．以長江爲慮．與盛杏孫宣懷沈濤園汪穰卿康年．密商中外互保之策．力疾走金陵．首決大計於兩江總督劉峴莊坤一．來往武昌．就議於兩湖總督張香濤之洞．而兩廣總督李少荃相國鴻章實主其成．訂東南保護約款凡九條．其後大局轉危爲安．乘輿重反．翳公之力居多．

【庚子國變記】是日（七月十八日）以奕劻爲全權大臣．劉坤一張之洞許便宜行事．先是李鴻章以釁亘寇深．議授奕劻榮祿坤一之洞．皆爲全權．議款．從其請也．自宣戰之詔出．長江多盜．盜稍稍起矣．天門燒教堂．衡州繼之．江西所毀尤獨多．而浙江寇至．連陷江山常山諸縣．殺西安令吳德瀟．聚者數萬人．東南大擾．然卒以無事．坤一之洞功爲多．坤一之洞之初得詔也．意猶豫．不知所爲．李鴻章首倡不奉詔之議．坤一之洞和之．遂遣沈瑜慶陶森甲至上海．與各國領事議互保長江．各不相犯．立約而還．雖用以自全．而國亦蒙其利矣．廣西巡撫黃槐森言義民雪國恥．坤一之洞．謀自保．私與夷約和．使夷兵得并力趨京師．誤大局．因袁世凱奏之．世凱懼．以告坤一之洞．坤一之洞念奏入且獲罪。匿奏又慮爲槐森所持。計無所出。問於李鴻章。鴻章報曰。吾思之熟矣。卽被譴。一身任之。不相及也。使世凱置其奏勿與通。且遣書德壽。告槐森詰責之。槐森卒以毀教堂去廣西。幾陷罪。當是時。微李鴻章。東南且亂。而袁世凱亦有贊和之功焉。

民國初改洋務局爲江寧交涉署。統理通商教務等事。

【江蘇財政報告】江寧交涉署之設。因寧垣駐有各國領事。官通商教務。交涉繁多。是以特設機關。期易接洽。實承前清兩江洋務局之制。而規模縮小。僅領江寧一部份交涉事件。惟經費已大加删減。不及前清十分之六。係預算案內核准動用之款。

民國十六年三月二十四日。國民革命軍大破直魯軍。克南京。方城垣之初下也。共黨乘亂煽動少數軍隊。襲擊各國領事館。及居宅。毀屋傷人。駐寧英美法兵艦。遽開礮向城內薩家灣射擊。傷我軍民甚多。及革命軍軍長魯滌平程潛等入城。捕數人槍斃之。護送外人赴外艦。事得以定。此寧案之所由發生也。

【東方雜誌程潛之報告】南京有反動分子乘秩序未定之際。煽動逆軍餘孽。及地方流氓。對於外僑掠奪財產．焚燬房屋．並有傷害性命情事．致英美軍艦發砲轟擊下關及城內．當轟斃我第二軍特務連長一名．士兵三十餘名．轟燬房屋無算．當時我軍正在肅清餘孽．警戒江面少數士兵覩此．未明眞相．以爲帝國主義者幫助逆敵．故意向我挑釁．乃亦向軍艦還擊．經官長發覺．隨令停止．潛於下午五時三十分入城．卽派隊鎭壓．並將搶犯就地槍決多名．一面出示保護外人生命財產．一面函知各國領事軍艦艦長．託紅十字會職員提出要求四條．（一）由張師長輝瓚立卽下緊急命令．保護外人．（二）張師長赴美軍艦商議外僑損失情形．並禁止士兵射擊．（三）有（二十五）日午前十時派兵護送城內外外僑至江岸．（四）如上列要求．不能實行．卽取嚴厲對付．以南京下關爲軍事區域等語．　日曾以正式書面通知前來．當卽答覆如下．（一）下令保護外人．當自照辦．且不待要求．卽由總指揮下令矣．（二）張師長赴美軍艦商議一節．認爲無必要．因張師長不能負責辦理此事．須由外交當局交涉也．至禁止射擊．肯由照辦．但希各軍艦勿再開砲．惹起意外．（三）派兵護送外僑至江岸．亦可照辦．但外人散居各地．住址莫明．應由各領事通知集合一處．以便護送．（四）所提要求．應由外交正當手續辦理．第四條所取態度．稍爲失當．軍艦發砲．損害我國生命財產不少．已將調查情形呈報政府．向貴國照外交慣例辦理．本日已派隊護送集合金陵大學外僑百餘人至江岸．轉赴軍艦．並派十七師黨代表李隆建．軍法處長唐卜年．訪問美日軍艦．詢查情形．適同時日本軍艦隊司令田健僑偕領事館書記長亦來部面告情形．並請設法保護潛婉辭慰藉．二人極表滿意而去．中外人民所受損害情形．容查明另報．謹此電聞．

【東方雜誌陳友仁之宣言】最近南京發生之事件．已有委員會正式從事調查．茲據該委員會初期報告．足以確定一顯著之事實．蓋南京之騷擾事實．爲反動派及反革命派之所爲．彼等乘此北軍及其收買之白俄兵士被擊敗退．秩序未定之際．煽動逆軍餘孽．（內有多人衣國民革命軍之制服．蓋事前取自被俘之革命軍兵士身上）及地方流氓．對於城內外僑有襲擊及劫掠之行動．當程潛軍長部下之軍隊．尚未將南京秩序完全恢復之際．英美日本諸國之領署．巳被襲擊．並不幸有傷害外僑生命．掠奪財產情事．程軍長於三月二十四日下午五時半進城後．參加劫掠外國之暴徒多人．卽由程軍長下令處決．據被告此次騷擾中外人受傷者六人．死亡者約自四人至六人．而與華人方面被害人數約略可得一比例．（確數尚待證明）而外人之遭死傷者一人．適當於華人死傷於英美砲艦者百人以上．國民政府一方深加痛惡於南京之騷擾行爲．致英國及其他領事館之被襲擊．並表示甚深之歉於外僑生命之喪亡．及英國領事及其他外人之受傷．一方對於英美兵艦砲擊戶口繁盛之南京之舉。特提出嚴重之抗議。

四月十一日美英法意日五國代表。提出條件及聲明書。要求懲凶道歉賠償保障四端。

【國民政府外交史】英美法意日五國通牒。下記署名諸人。奉駐華各本國外交代表之命。遵照英美法意日政府訓令。向閣下提出下列條件。此項條件。同時送致於民軍總司令蔣介石將軍。以期迅速解決。三月二十四日民軍在南京。對各本國國民暴行所造成之局面。(一)對於殺戮傷害侮辱及物質上之損害負責任之軍隊指揮官及關係者。全部適當處罰。(二)民軍總司令應以書面道歉。書中應含有將來對於外人生命財產。無論以任何形式。均不爲侵害騷擾之明白約定。(三)殺傷及損害之完全賠償。　民黨當局應速表示對於前項條件之允諾之意。非使關係國政府滿足。則前記各國政府。將至不得不執取認爲適當之手段。　附聲明書三月二十四日民軍入南京城。同日午前午後。均有正式服裝之民軍組織的軍隊。對於外國之領事。並僑民之身體財產。爲組織的暴動。因此美英法意日五國人民。或受殺戮傷害者。或受殘虐之暴行。生命頻於危險者。亦不在少。其所有物被搶奪。且受極端侮辱之待遇。婦女受不可說明之暴行。英美日三國領事館被侵害其國旗。被侮辱僑居南京之外國人家宅及營造物。受組織的掠奪。多有被燒燬者。美英法意日五國政府對於其代表官。及平穩合法從事於職業之本國國民。所受此款暴行。出於明白預定計劃之下。因此不得不要求負有責任之民黨官廳。與以滿足之匡正。於此關係國以一致要求之條項。竭力容讓矣。無論何等政府。苟於國際團體之中。自覺其對於友邦人民。有自己本身之威信與責任者。對於以上三項之處理。其爲正當之匡正。蓋所有條件。不過包含最小限度之當然措置。此等要求。並非爲毀損中國國民之主權或威信而提出者。中國國民之友誼。爲關係國政府所確信。同時繼續和衷協同之睦誼。且更增尊嚴。乃關係國政府所切望者也。此等條件。毋寧爲對中外之一種勢力而發。而此勢力爲對於寧案應負責任。蓋此種勢力之活動。使現有中外友誼破壞。而煽動中國之民。對於友邦人民不信任及嫌惡之暴行者也。

外長陳友仁慮其協以謀我。乃分別駁覆之。

【國民政府外交史】陳友仁答覆五國通牒。（四月十四日分送漢口五國領事。）

(一)對日之覆牒　國民政府外交部長業經接悉一九二七年四月十一日日本政府之通牒。內含擬定之條件。據稱乃所以迅速解決三月二十四日國民革命軍在南京侵害日本僑民後造成之局面。按國際公法。對於國際紛爭定有和平解決之方法。今謂日本自初卽欲於此種方法。以後更求他種之解決。殊難置信。故國民政府外交部長當聲明該項通牒送達以前。日本旣未與外交部長接洽此事。外交部長閱讀該項通牒之時。祇可認定其意旨。爲外交上談判之初步提議。以友誼的及迅速的方法解決三月二十四日南京騷擾中日本僑民所感受之困難與損失。今日左右中國時局之勢力。爲歷史上所僅見。過去之五十年間左右。日本之勢力使之脫離不平等條約之束縛者絕無二致。諒日本人士。均能洞見。是以國民政府外交部長。希望日本政府能權衡其自己之利益。在目前之局勢中。拒絕參加任何之行動或辦法。足妨國民政府權力之擴張。並使國民政府早日統一全國之計劃受礙者。　日本通牒要求個人傷害及財產損失。應完全賠償。國民政府爲答覆此項要求。準備賠償南京日本領事館所受之一切損失。其理由爲無論致成此種損失者。是否爲北方逆軍或其他人等。(爲三月三十一日國民政府發表之宣言中述)但在中國區域內。有一友邦之領事館。業被侵害。則係已成之事實也。至於賠償日本僑民之個人傷害。及財產損失之問題．國民政府準備在合理及必要之範圍內賠償此種損失．但經切實證明某種損失．爲三月二十四日英美砲擊南京或爲北方逆軍及挑撥者流所致成者．概不在賠償之列．通牒中復要求致成外人受有死傷者侮辱及財產損失事情之軍隊長官．及有關係人員皆受相當懲罰．此種要求．直臆斷非攻南京之革命軍．爲騷擾該城之軍隊．此點業於三月三十一日國民政府發表之初次宣言中．予以反證．但政府已遣派人員．就該項事件之事實．作嚴密之調查．並謀證實攻克南京之程潛軍長．在軍事委員會報告之重要事實．程軍長稱當攻克南京之時．在南京城內．挾有槍械北軍被包圍者有三萬之衆．隨軍人等亦有數千之譜．程軍長並報告業將與擾騷有關者多人．就地正法．國民政府茲特提議懲辦負責人員問題．當俟調查所得之報告以爲解決．或即採政府遣派調查委員．現正在進行之報告．或由國民政府及日本政府．立卽組織國際調查委員會．共同調查．提出報告．至通牒中要求國民革命軍總司令．應以書面道歉．並出書面擔保以後決無有妨外人生命財產之暴動及風潮一項．國民政府之意見．以爲道歉之要求．非至南京騷擾．確證明乃由於國民革命軍之過失時．實無提出之理由．故國民政府提議道歉之問題．亦當俟國民革命軍有否過失之問題決定後．再行解決．此項先決問題．或由現在調查進行之政府調查委員會解決．或由擬議之國際委員會解決之。同時國民政府對於南京事件。深為抱憾。前得南京日本領事館被侵害之消息時。即由外交部長以此意轉達日本政府。茲特將其惋惜之意重行申明。國民政府為負責之主治機關。自不能容許無論何人使用任何方式之暴動及風潮。以侵害外人之生命財產。且國民政府一再宣言外僑生命財產之保護。為其固定之政策。故對於國民革命軍之主管當局。自當令其不獨照此意義出書面之擔保。且必負責注意有效辦法之實行。使外人之生命財產。咸得相當之保護。

（二）對英之通牒　國民政府外交部長業經接悉一九二七年四月十一日英國政府之通牒。內含擬定之條件。據稱乃所以迅速解決三月二十四日國民革命軍在南京侵害英國僑民後造成之局面。（以下各段係駁覆賠償損失及懲罰有關係之人員者。其措詞完全與上文覆日本通牒之各段相同。但易日本二字為英國耳。從略）按屠殺友邦人民。為國際公法及文明各國通例所嚴禁。而對友邦人民在己國領土內者。施屠殺之行為。其情形尤為重大。而轟擊友邦城市之行為。亦懸為厲禁。因是國民政府提議上述之國際調查委員會。亦當調查英國政府海軍於三月二十四日砲擊毫無防禦之南京一案之情形。以及英國歷次所為之不法行動。如一九二五年英人主管之武裝兵士所致成之上海之五卅案。一九二五年六月二十三日英國武裝水兵及義勇隊在沙面之屠殺及去年英國海軍之砲擊萬縣等等。（此一段係特別對於英國提出者。以下四段。第一段爲駁覆道歉。第二段係說明外人生命財產本屬保護。第三段爲說明中英間關於所訂立之不平等條約。概當取消。第四段乃提議派遣代表。解決中英諸種問題。與覆日通牒相同。茲從略。）

（三）對美之通牒　國民政府外交部長業經接悉一九二七年四月十一日美國政府之通牒內含擬定之條件。據稱乃所以迅速解決三月二十四日國民革命軍在南京侵害美國僑民後造成之局面。（以下各段係駁覆賠償損失及懲罰有關係之人員者。與覆日通牒相同。從略。）按轟擊友邦城市之行爲。爲國際公法及文明各國通例所禁止。因是國民政府提議上述之國際調查委員會。亦當調查美國政府之海軍。於三月二十四日砲擊毫無防禦之南京一案之情形。（此一段爲特別對美國提出者。以下與覆日通牒相同。茲從略。）

（四）對法之通牒　國民政府外交部長業經接悉一九二七年四月十一日法國政府之通牒。內含擬定之條件。據稱乃所以迅速解決三月二十四日國民革命軍在南京侵害法國僑民後造成之局面。（以下係駁覆賠償損失及懲罰有關係之人員者。與覆日通牒相同。從略。）按屠殺友邦人民爲國際公法及文明各國通例所嚴禁。因是國民政府提議上述之國際調査委員會。亦當調査參加一九二五年六月二十三日法國武裝軍隊參加英國武裝水兵及義勇隊在沙面殺傷中國學生及工人之情形。（此一段爲特別對於法國提出者。以下與覆日通牒相同從略）

（五）對意之通牒　國民政府外交部長業經接悉一九二七年四月十一日意國政府之通牒。內含擬定之條件。據稱乃所以迅速解決三月二十四日國民革命軍在南京侵害意國僑民後造成之局面。（以下與覆日通牒相同從略）

各國亦以利害之異。弛其向日聯合壓迫之習。翌年三月三十日外長黃郛。與美公使馬慕瑞解決寧案於上海。我方承認道歉懲凶賠償諸款。美亦致其開砲之愆。并許修立平等條約。

【國民政府外交史】當寧案發生。適寧漢分裂。我外交部未能積極向各國進行談判。而各國以利害衝突及觀望國民政府起見。亦未與我交涉。及寧漢併呑。外交部長伍朝樞因事辭職。黃郛長外始着手與各國商此案之解決。各國政府亦紛遣代表爭先與我談判。蓋先是各國聯合對我。我分別答覆．破其聯合傳習．今何國與我首先解決此案．則何國爲實行我破此聯合傳習計劃．我國必與之利益也．是以駐北京英公使藍浦生與美公使馬慕瑞相繼南下．與我談判此案．美使抵滬後．卽晤黃外長談及南京事件．黃外長當謂此事雖發生於南京國民政府未成之前．然爲敦睦外交起見．亦願與之談判．是以雙方開始談判．我外交當局卽主張雙方旣爲敦睦邦交．而謀解決此案．美國政府應同時表示願意修改中美舊約．締結平等條約．美使對於此點．以美國對華素極親善．可於美政府歷來言行爲證．不必於寧案之時．表示願意修改舊約之意．我外交當局．卽聲明此次解決寧案．爲修約之預備．倘貴國不表示願意修約之意．則我國何貴乎解決寧案．美使初頗堅持己意．後經往返磋商數次．美使始願表示修改舊約．馬氏嗣有漢臯之行．黃外長亦以不克常川駐滬．因是馬氏委託美國駐滬總領事克銀漢．黃外長委託第三司長何傑才爲代表．繼續談判．何司長卽依據我國解決寧案方針．與克銀漢領事談判．及美公使由漢囘滬．於三月二十九日與黃外長晤面．將克銀漢與何司長談判之結果．細加審議．稍事修改．卽告同意解決．馬氏本定於三月三十日赴寧觀光首都．晉謁蔣總司令．並簽字寧案協定．旋因蔣總司令北上．及馬氏因離北京已有月餘．適使署參贊又將易人．急須北上主持公務．乃在滬簽字．其餘接受國民政府之正式公文等之未了手續。囑克銀漢領事代爲辦理。此巨大之中美寧案。於此解決。聯合謀我之戰線。由此打破。我國外交從此少一束縛。雖然寧案解決。我國受辱亦大。於此又不禁痛心矣。茲將其解決此案之往來照會全文錄之於左。

（甲）關於寧案者

（一）黃部長致美公使照會（十七年三月三十日）　爲照會事。關於去年三月二十四日所發生之南京事件。國民政府外交部長。依據本部長與美國公使自今年二月二十六日開始討論後互相同意之大綱。準備立卽解決。藉敦中美兩國國民固有之睦誼。茲本部長以國民政府名義。對於本事件。雖經調查證實。完全爲共產黨於國民政府未建都南京前所煽動而發生。但國民政府仍負其責。茲因對於美國國旗政府代表等有不敬之處。領館暨僑民受有生命財產上之損失。不得不以極誠懇之態度。向貴國政府深示歉意。國民政府對於在華美人生命財產。迭經本其素持之政策。通令軍民長官。繼續切實保護。現在共產黨及其足以破壞中美人民友誼之惡勢力。業已消滅。國民政府深信此後保護外人。自必較易爲力。故特擔任對於美僑生命及其正當事業。決不致再有同樣之暴行及鼓動。至當時被共產黨煽動而參加不幸事件之該軍隊。業已解散。國民政府且已施行切實辦法。以懲辦肇事兵卒及其他人。此則本部長堪爲貴公使附帶通告者也。國民政府依照國際公法通行原則。對於美國在寧領館員及美僑所受生命財產上之損失。擔任充分賠償。爲此國民政府提議組織中美調查委員會。以證實美人從有關係之華人方面所確受之損失。並估計每案中所應賠償之數目。相應函達。即請查照見覆爲荷。須至照會者。

（二）美公使覆黃部長照會（十七年三月三十日）　爲照覆事。准貴部長本日照會內開（原文見上列照會從略）等由。准此。本公使深知貴國人民於不爲惡勢力所煽動之時。素有公道及自敬之心。且深信對於去年三月二十四日南京事件。貴國有思想之人民。莫不歉憾。並信所有該事件各犯。尤以親身負責之林祖涵一名爲最要。其懲辦一層。必能依照表示。從速完全履行。故本公使代表本國政府。承受貴部長來文內開各條件。認爲因南京事件而發生各問題。確切解決。美政府深信此次解決之誠摯精神。故希望所有各該條件。誠實履行。藉以表明南京當局對於中美兩國人民他方面之關係。亦必以誠實與善意對待可也。相應照覆。須至照覆者。

（三）黃部長致美公使照會（十七年三月三十日）　爲照會事。關於去年三月二十四日南京事件發生之問題。業經本日換文解決。惟本部長尤有爲貴公使聲明者。去年三月二十四日貴國停泊南京江面之諾亞及潑利司登兩美艦。向南京城內薩家灣開火。爲此國民政府深望貴國政府表示歉意。相應函達。即請查照見覆爲荷。須至照會者。

（四）美馬公使覆黃部長照會（十七年三月三十日）　爲照覆事。准貴部長本月來文。關於去年三月二十四日停泊南京江面之諾亞暨潑利司登號美兵艦。對於南京薩家灣開火一事。深望美政府表示歉忱等由。准此。查當日砲火。實係保護炮專對美領事及其眷屬館員暨他人因無管束兵丁毆擊迫而躲避之房屋鄰近地點而發。當時此項人衆生命危險。故開砲一層。不但藉以保護。且爲一時思想得到之惟一辦法。俾生命確實瀕危之駐寧各美僑。亦得離境。因此美國政府頗感美國兵艦不得已而採取此種手段。蓋當時情形無法制止。藉以保護南京美僑生命。美國政府深爲抱歉也。相應照覆。須至照覆者。

（乙）關於修約者

（一）黃部長致美公使照會。　爲照會事。關於去年三月二十四日南京事件發生之問題。業經本日換文解決。茲國民政府外交部長希望中美兩國在外交上開一新紀元。本部長並提議以平等及互相尊重領土主權爲原則。修訂現行條約。並解決其他懸案。爲進一步之接洽。相應照請查照見覆爲荷.須至照會者.

(二)美公使覆黃部長照會　爲照覆事.准本日來文內開.貴部長希望中美兩國在外交上開一新紀元.並以平等互相尊重領土主權爲原則.修訂現行條約.並解決其他懸案.爲進一步之接洽等由.准此.查修約問題.雖未能認與南京事件.向美政府及美籍人民賠償一層.有何關係.然本公使現時仍願將上月與貴部長晤談時所發表各節.再爲貴部長陳之.中美邦交.素稱敦誼.勿庸追憶.貴國人民自謀發展.使國家生存穩固.且欲實現其願望.以實施不爲特種義務所限制之主權.此種願望.本國政府及人民深表同情.揆諸歷來美政府行動.以及去年一月二十七日國務卿宣佈政策.明矣.故美政府希望當時所以必須載在舊約各條款之情形.有以改善.俾得隨時遇機.將所有不需要及不妥當之約章.得經雙方同意.正式修改.爲此美政府希冀貴國有代表貴國人民之政治施行實權.俾得誠實履行貴國一方面關於修改約章所有應盡之義務可也.相應照覆.須至照覆者.

十月八日外交部司長徐謨.與英駐滬總領事巴爾登.談判中英寧案成.

【國民政府外交史】駐華英公使藍浦生。十四年初來華時。卽赴漢口視察國民政府政治狀況。並曾與陳友仁外交部長作數次非正式之談話。結果藍氏對於中國革命。深表同情。且表示願與中國修改不平等條約。及漢案發生。英公使藍氏亦頗能洞悉中國民族主義革命運動之熱烈。而將漢口租界交還我國。寧案發生。黃外部長就職。藍使又先美公司南下。與黃外長談判寧案。經幾度意見之交換。正將大綱擬就解決在卽之時。英政府忽以藍氏所談判爲非。訓令藍氏改變交涉方針。中英寧案交涉遂中途改變。藍氏亦怏怏北返。至王正廷氏任外交部長。英國卽示意國府。願派駐滬總領事巴爾登與我討論解決案件。王外長當卽令第二司長徐謨與巴氏交換意見。談判數次。始則英方主張單獨解決寧案。我方則堅持修改條約。與寧案同時解決。於是談判又忽形冷淡。未幾美國承認我國中美關稅協定。又忽告成立。列強對我外交之主張爲之一變。英國又復表示願意繼續談判寧案。雙方對手人。仍爲巴爾登與徐司長。經數度之商議。以我方之讓步。雙方意見日趨接近。巴氏卽赴北平。將談判情形面陳藍使。請示辦法。藍公使卽電請英政府核奪。徐司長亦向外部長面陳一切。及巴領事返滬後。卽啣有解決寧案之使命。於是又與徐司長往返磋商數次。至十月八日晚討論始行結束。巴領事辦理外交。甚爲狡滑。當其北上返滬。對人又謂寧案無解決消息．非惟謂寧案無解決消息．且謂中國促英修約．為不得事理之平．以冀掩中英寧案解決消息．而使國人疏忽監視外交當局之措施．其外交之用心．亦云苦矣．九日巴氏與徐司長得英公使與王外長之允諾．巴氏乃卽日入京簽字．我方係由王外長代表．英方由駐滬總領事巴爾登代表．該協定係以中英二國文字記述．其協定之內容．為我國向英道歉懲凶賠償．及擔保以後不發生同樣事變．而於英國停泊南京江面之愛末拉爾特軍艦．向南京城內薩家灣開火一節．僅表示抱憾而已．改約問題．我方言以平等及互尊主權為原則．而英方乃答以商議修訂條約六字了之．而於平等互相尊重主權等之原則．置之不理．茲將中英寧案解決往來照會原文錄之於左．

(甲)關於寧案者

(一)王部長致藍公使照會　為照會事．關於去年三月二十四日所發生之南京事件．本部長茲特為貴公使聲明．國民政府為欲增進中英兩國人民素有之友誼起見．準備依照近日討論互相同意之大綱．立將該事件解決之．茲本部長以國民政府名義．對於本事體雖經調查證實完全為共產黨於國民政府未建都南京前所煽動而發生．但國民政府仍負其責．茲對於英國政府代表等所受之不敬．及傷害領館財產上之損失．暨僑民身體上之傷害．及財產上之損失．不得不以極誠懇之態度向貴國政府深示歉意。國民政府對於在華英人生命財產。迭經本其素持之政策。通令軍民長官。繼續切實保護。現在共產黨及其足以破壞中英人民友誼之惡勢力業已消滅。國民政府深信此後保護外人自必較易爲力。故特擔任對於英僑生命及其正當事業。決不致再有同樣之暴行及鼓動。至當時被共產黨煽動而參加不幸事之該軍隊。業已解散。國民政府且已施行切實辦法。以懲辦肇事兵卒及其他有關係之人。此則本部長堪爲貴公使附帶通告者也。國民政府依照國際公法通行原則。對於英國在寧領館員。及英僑所受身體上之傷害。與財產上之損失。擔任充分賠償。爲此國民政府提議組織中英調查委員會。以證實英人從有關係之華人方面所確受之損失。並估計每案中所應賠償之數目。相應照請查照見覆爲荷。須至照會者。

(二)英公使致王部長照會　爲照覆事。准貴部長本日照會內開「原文見上照會中從略」等由。准此。本公使對於國民政府近來所預處分有關係人。暨防止以後發生同類事件之各命令。亦已獲悉。本使相信如此表示之意見。必能從速完全履行。故代表本國政府。承受貴部長照會。認爲一九二七年四月十一日致前外交部長公文中所列之要求。業已解決。相應照覆。請煩查照爲荷。須至照覆者。

(三)王外部長致藍公使照會　爲照會事．關於去年三月二十四日南京事件發生之問題．業經本日換文解決．惟本部長尤有爲貴公使聲明者．去年三月二十四日貴國停泊南京江面之愛末拉爾特軍艦．向南京城內薩家灣開火．爲此國民政府深望貴國政府．對於此舉表示歉忱．相應照請查照見覆爲荷．須至照會者．

(四)英藍公使覆王部長照會　爲照覆事．准貴部長本日照會．關於去年三月二十四日停泊南京江面之愛末拉爾特英兵艦．對於南京薩家灣開火一事．深望英政府表示歉忱等由．准此．查當日所開炮火．實係保護砲專對英國僑民數人因被無約束之兵士毆擊．迫而躱避之外國房屋鄰近地點而發．當時此項人衆生命危險．故開砲一層．不但爲一時採取之惟一辦法．以救當地人生命危險．且使其他生命確實瀕危之駐甯各英僑．亦得離境．因此英國政府頗感英國兵艦愛末拉爾特此採取種手段．藉以保護南京英僑生命財產之必要．雖處一九二七年三月二十四日南京情形之下．不得已採取此種手段．英政府深爲抱憾也．相應照請查照爲荷．須至照覆者．

(乙)關於修約者

(一)王外長致英藍公使照會　爲照會事．關於去年三月二十四日南京事件發生之問題．業經本日換文解決．茲國民政府外交部長．希望中英兩國在外交上開一新紀元．本部長並提議以平等及互相尊重領土主權為原則．修訂現行條約．並解決其他懸案．為進一步之接洽．相應照請查照見覆為荷．須至照會者．

（二）英藍公使覆王外長照會　為照覆事．准本日來文．內開貴部長希望中英兩國在外交上開一新紀元．並以平等及互相尊重領土主權為原則．修訂現行條約．並解決其他懸案．為進一步之接洽等由．准此．本國政府於中國修約之要求．認為根本合理．且在一九二六年十二月十八日之宣言及一九二七年一月二十八日七項建議內．業經充分表明其政策．並已盡力實行其步驟．以實現此項政策．英國政府茲為對於中國素常維持之友誼與同情的態度．作進步之表示起見．準備依相當程序．由以法委派之代表．與貴政府商議或修訂條約．英國政府之意．決不因南京事件．變更以前之對華態度．而認為該事件與修約政策無關係之別一問題也．須至照覆者．

同日中意寧案解決．

【國民政府外交史】當中英寧案　決之時．中意寧案．亦時時在接洽之間．我方派外交部司長徐誤．秘書吳凱聲爲接洽代表．意方派駐滬意總領事嘉倫梯爲接洽代表．我國又允許意國依照中美中英寧案解決協定內容．解決中意寧案．意國乃稍斂其頑硬態度．因是雙方代表．又往返交換意見數次．始於十月八日宣告解決．其內容與中美中英寧案相同．我國向意道歉賠償懲凶．而意則承認與我修約．今將其往來照會全文錄之於左．

（一）王外長致意公使照會　爲照會事．關於去年三月二十四日所發生之南京事件．本部長茲特爲貴公使聲明．國民政府爲欲增進中意兩國人民素有之友誼起見．準備依照近日討論後互相同意之大綱．立將該事件解決之．茲本部長以國民政府名義．對於該事件．雖經調查證實．完全爲共產黨於國民政府建都南京前所煽動而發生．但對於在寧意人生命之喪失．不得不向貴國政府表示其誠懇之歉意．國民政府業經施行切實辦法．懲辦參與該事件之人員．並繼續充分保護在華意國僑民之生命財產．此則本部長堪爲貴公使通知者也．國民政府依照國際公法通行原則．對於在寧意人生命之喪失．準備給予相當之賠償．並提議組織中意聯合委員會．以估計該項賠償之數目．相應照請查照見覆爲荷．須至照會者．

（二）意公使覆王部長照會　爲照覆事．准貴部長本年九月二十四日照會內開．（原文見上照會從略〕等由。准此。本公使又獲悉國民政府之命令。及其表示之意思。故代表意大利政府。承受貴部長照會。認爲一九二七年三月二十四日南京事件業已解決。相應照覆貴部長查照爲荷。須至照覆者。

中法寧案。亦於是時解決。

【國民政府外交史】中法本可先中意寧案解決。蓋雙方接洽較中意寧案爲早。我方接洽代表爲外交部司長徐謨。秘書吳凱聲。法方接洽代表爲駐滬法總領事梅林藹。卒以法方態度强硬。我方讓無可讓。至遲遲未得解決。然雙方磋商未嘗中斷。至中意寧案解決。法人乃知頑抗之無益。乃於十月八日駐滬法領事晉謁王外長於上海私寓。始表示法政府接受我方所讓步之意見。並允隨時可以進行修改越南條約。九日徐謨司長又赴法領署。與梅領磋商換文手續。完全妥協。此案方告解決。換文由梅領事辦就。寄往北京法代辦簽字。十月十六日在滬交與外交部駐滬辦公處長陳世光氏。該協定內容。與中美中英中意相同。我國向法道歉賠償懲凶保證將來。法國對我修約。則謂希望發生機會。俾兩國原條約上不需要或不適用之條款。經雙方同意。正式修改。今將往來照會全文錄之於左。

（甲）關於寧案者

（一）王外長致法代辦照會原文　爲照會事。關於三月二十四日所發生之南京事件。本部長茲特爲貴代辦聲明。國民政府爲欲增進中法兩國人民素有之友誼。準備將該事件立即解決之。茲本部長以國民政府名義。對於本事件雖經調查證實。完全爲共產黨於國民政府未建都南京以前所煽動而發生。但對於在寧法國人民所受財產上之損失。及身體上之傷害。不得不以極誠懇之態度。向貴國政府表示歉意。國民政府對於在華法人生命財產。業經本其素持之政策。實行切實保護。並已施行切實辦法。以懲辦參與該事件之兵士及其他人員。現在共產黨及其足以破壞中法人民友誼之惡勢力。業已消滅。國民政府深信此後保護外人。自必較易爲力。故特擔任對於法僑生命及其正當事業。決不再有同樣之暴行及鼓動。國民政府爲保持兩國友誼起見。對於法僑所受身體上之傷害。及財產上之損失。預備依照國際公法通行原則。及早予以充分之賠償。爲此國民政府提議組織中法調查委員會。以證實在該事件發生地點。法人從華人方面所確受之傷害及損失。並估計每案中所應賠償之數目。相應照請查照見覆爲荷。須至照會者。

（二）法代辦覆王外長照會　爲照覆事。准貴部長十月十一日照會內開各節。本代辦與貴部長同樣準備.在維持及發展中法兩國人民友誼之基礎上.解決南京事件.法國政府本此精神.承受對於一九二七年三月二十四日法國人民在南京所受身體上之傷害暴行.及物質上之損失.而向其表示之誠懇歉意.國民政府明白表示懲辦之意思.本代表深爲滿意.並深信國民政府.對於處分犯罪者.及懲辦應負責之人.必能從速履行.國民政府將來當然能以各種辦法.保護境內法國人民.並保證以後不再發生同類事件.本代辦對於設立中法調查委員會.其委員由雙方選定.以審查及估計各法人在法國民主政府保護下之產業.所受物質上一切損失.以備補償各節.深表同情.本代辦且確信國民政府履行以上各點之責任時.確能發展中法兩國之友誼.本此心理.本代辦認定於最短期內履行此項責任.即可作爲根本解決因南京事件而發生的各問題也.相應照覆.即請查照爲荷.須至照覆者.

(乙)關於修約者

(一)王部長致法代辦照會　爲照會事.茲本部長爲增進中法兩國固有之友好關係.提議與貴國政府爲進一步之接洽.以平等及互相尊重領土主權爲原則.修訂現行條約.並解決其他懸案.相應查照見覆爲荷.須至照會者.

(二)法代辦覆王外長照會　爲照覆事．案准十月九日貴部長照會．表示修改中法兩國所訂條約至解決兩國間懸案之希望等因．准此．本代辦特向國民政府保證中國人民以美善之基礎．努力於政治與司法上之發展．並在可能範圍內．實現其不爲特種義務所限止之主權之願望．本國人民對之深表同情．法國政府本其傳統之自由觀念．對於法國人民與中國人民歷來所有之友誼．深願重行保證．並希望發生機會．俾兩國原有條約上不需要或不適用之條款．經雙方同意正式修改．相應照覆．即請查照爲荷．須至照會者．

惟中日寧案．至十八年五月二日宣告結束．內容皆與中美寧案同．

【國民政府外交史】當中日濟案．經我方忍痛含恥解決之時．中日兩方外交當局．即約定繼續商議其他中日懸案．故濟案於三月二十八日簽字解決．四月十日雙方即開始談判寧案．我外交當局再三讓步．允許依照中美中英中法中意各寧案之解決辦法．亦向日道歉賠償懲凶了事．日公使芳澤表示滿意．故是案經會議三次．除對於照會文字略有修改外．餘無多爭執．該案內容既決定．芳澤即請示日政府．旋得日政府訓令．表示允諾．芳澤乃於五月二日入京簽字．中日寧案於此宣告結束。茲將往來照會全文錄之於左。

（一）王外長致日公使照會　為照會事。關於前年三月二十四所發生之南京事件。本部長茲特向貴公使聲明。國民政府為欲增進中日兩國固有之友誼起見。準備將該事件從速解決之。茲本部長以國民政府名義。對於本事件日本領事館官吏及其他日本人所被加之侮慢非禮。並其財產上之損失。及身體上之傷害。以極誠懇之態度。向貴政府深示歉意。至該事件經調查證實。完全為共產黨於國民政府遷都南京以前所煽動而發生。惟國民政府擔任其責任。國民政府對於在華日本人之生命財產。及其正當事業。不至再有同樣之暴行及煽動發生。合併聲明。至當時被共產黨煽動而參加不幸事件之該軍隊。業已解散。國民政府且已施行切實辦法。以懲辦肇事之兵士。及其他有關係之人。此則本部長堪為貴公使附帶通告者也。國民政府準備依照國際公法通行原則。對於日本國領事館。日本官吏。及其他日本人民所受身體上之傷害。及財產上之損失。應從速予以充分之賠償。為此國民政府特組織中日調查會。以便證實日本人從中國人方面所受之傷害及損失。並估計每件中所應賠償之數目。概應照請查照見覆為荷。須至照會者。五月二日。

（二）日公使覆王外長照會　為照覆事。案准本日照會內開（此處照會與王外長致日公使照會同茲從略」等因。業經閱悉。查本公使對於上述來文所表示之提議。應表同意。且於國民政府在最短期內完全履行上述來文所示之責任。本公使認定即可作爲根本解決因南京事件而發生之各種問題也。相應照覆查照爲荷。須至照覆者。五月二日。

十六年後。外僑日多。蘇俄公使館自北平遷京。英美德法意比等國。亦設公使館駐京辦事處。其設領事館者。有英美德法日等國。首都警察廳遵法保護。其使領館署派長警駐守。于外僑來京遊歷者。准市府通知。即飭屬驗明護照。優予保護。凡以安遠人也。

首都志卷十一

食貨上

物產

舊志類有物產一篇。而郭璞注爾雅。時引江東人語。如呼王蒭爲落帚。粟爲粢。蒴藋爲豨首。接余爲莕是也。多識於鳥獸草木之名。言其體用。由來已舊。近世科學日興。辨析之力益勝於前。茲擇取以入志焉。

動物（錄秉志南京自然史略原文）

無脊椎動物

依動物自然之序。由下等動物而及於高等。淡水中之原生動物（Protopzoa）宜首先言及。南京城內外多湖澤溪流。土與水之化學成份。及植物之生長。各隨其沼澤而異。因此單細胞之動物亦隨之而異由採集所得已經審定者有一百六十餘種除幾種已知及普遍產生者外其新種亦不少如 Urostyla. Paragrandis, Stichotricha accuminata, Euplotes novencarinata, Holophrya laterocallaris,'Choanostoma pingi 此外更有一種 Amoeba 一種 Hyalosphenia 一種 Phacus 一種 Cryptomonas 一種 Mallomonas 三種 Holophrya 三種 Choenia 一種 Spothidium 一種 Porodon 一種 Lionotus 一種 Pleuronema 一種 Cyclidium 一種 Blepharisma 一種 Stylonichia 一種 Historia 一種 Aspedisea 均無定名尙須繼續研究大約皆新種也其普通種類如 Amoeba proteus, Arcella vulgaris, Arcella descoides, Actinophrys sol, Euglena virides, Euglera deses, Euglena spirogyra, Eutriptia airides, Chilomonas paramaecium, Synura uvella, Dinobron sertularis, Chlamidomonas pulviculus, Pandorina morum, Volvox perglobator, Coleps hirtus, Didinium nasutum, Loxophyllum lamella, Colpoda cucullulus, Paramoecium caudatum, Spirostomum ambigum, Stentor polymorphus, Urostyla grandis, Stylonichia mytilus, Vorticella nebulifera, Vorticella campanula 等各處池沼中均有其中秀美者如

Euglena, Pandorina, Volvox, Chlamidomonas 等色澤鮮麗往往於春季聚於池中水色增綠甚可觀也他若 Synura, Actinophys, Stentor, Vorticella, Coleps, Arcella 等結構奇特式樣迥異足資玩賞以上諸種在南京極易採集足供研究生理及生態者之取用其他單細胞動物未知之新種必不少是則有待於動物學者之探討也

南京之多孔動物(Porifera)（卽淡水中之海綿）尙未經研究淡水海綿生長於河濱之磚石上或在橋梁之枝柱上其種類之多少尙未能知已知者僅二屬而已卽 Spongilla 及 Trochospongilla 第二屬中之一種爲 philotiana 然此二屬中必有不少種數而此二屬之外必有不少屬數是宜研究者也

淡水中之腔腸動物在池塘中最普通而習見者有一種卽水螅 (Hydra vulgaris) 當春夏秋三季荷塘裏極易尋覓大抵附於水中之植物幹上如鬚根然此類動物畜於水槽中置於窗口其生命亦可保持甚久若得和暖之日光晒之能伸展其體有時在水中植物幹上移轉有時藉觸手及其上部之力亦能移動捉食物

南京之蚯蚓據調查所得共有九種數年前所報告者爲 Pheritima hupeiensis, Pheritima

heterochaeta, Pheritima pingi, Pheritima hawayana。最近審定爲新種者有 Pheritima vulgaris, Pheritima vulgaris agricola, Pheritima kiangsuensis 及 Pheritimaobscuritopora。據云此外另有二類。即 Allolobophosa caliginosasubsp trepozoides及 Drawida japonica。以上各種 Pheritima vulgaris 及 pingi 最爲普通。此類動物。如達爾文所言。最有益於農藝。因其能使下層泥土上升地面。使土較鬆。轉爲沃壤。園丁雖不盡知其益處。而對之頗歡迎者。職是故也。在南京之諸種中以Pheritima kiangsuensis 爲最大。其最長者計有 350 mm.。其次則在 300mm.。以下爲多。大概南京之蚯蚓較小。其習性各不相同。有處於潮溼之地。亦有居於乾燥之地。最普通之蚯蚓。常居於螻蛄之穴中或與之鄰近之處。是以於夜間循螻蛄之聲。不難覓蚯蚓之跡。一般人均以爲陰溼之處所發之聲皆發自蚯蚓。蓋誤以蚯蚓亦動物能發音聲如一般直翅類之蟲耳。

南京之水蛭。多生水中。居於水外潮溼之處者甚鮮。共有八種。即 Glossiphonia lata, Glossiphonia (Helobdella) nuda, Hemielepsis geei, Erporbdella octoculata, Hirundonipponica, Odontobdella blanchardi, Whitmania levis, Haemopis acranulatum。其

中以 Whitmania 最大且最多易於採集也南京多池塘沿淺水河岸其普通種類甚多往往將瓦礫翻轉卽有一二水蛭特吸器堅附於瓦礫之背欲使之分離甚不易此類動物西方古代醫家常用之以吸取病人之血然在南京舊式醫生尙未注意及此此類陸居者極少居於潮溼之地者甚小水蛭在南京不致有吮血之危害非若海南或浙江之雁蕩山竹林中人經其處往往有水蛭附着於袖口衣襟漸次吸及皮膚爲可懼耳此類動物除供動物學家研究外似不甚重要

有許多貧毛蟲(Oligochaetous worms)如 Nais, Polygordeus 等皆可於淸水池中見之此一類頗有研究之價值惟現在對於此類之知識尙未充實關於扁蟲 (flat worm) 已知者有三屬其種名尙未審定其一爲 Placocephalus 長約二尺大都居於乾土此類特點在其扁闊之頭平扁之體週以圓緣及其背上前部三分之一之處之黑紋 (dark mediam line) 全體之面均甚光澤初獲時滿體汙濁皆其分泌之質也此屬中似只一種惟其名則尙未確定扁蟲 (Planaria) 有二種在南京所常見其一較大其生殖器在顯微鏡下可以顯見其較小者尾部狹尖生殖器雖詳細觀察亦不明瞭此種內部組織非用組織學之方法無從硏究是以考察此種生物之內部器官與其較大者比較之當有無限興趣也較大之一種甚普通常生於石底之小池內其所在處往往較微。光較小之一種則不然。其所在皆係陰暗之處。第三類爲 Dendrocoelum 甚小。其種名尚不可知。大都在比較清潔之池中。

南京之寄生蟲。非常豐富。本所（中國科學社生物研究所）研究。只限於生動之正常現象。而設備亦復有限。因此對於此類生物尚未着手考察。希望將來經費較裕。人員較多。可作此種之研究。

南京之輪蟲。在春夏秋三季中最繁盛。約有二十屬。本所現正從事於研究。因其體積細微。生物學家偶爾遊歷南京者往往注意於較大之動物。而於此物則忽視之。本所目的在考察南京一切動物。是以特別指導研究員開始從事於此種小生物之研究。本所創立以來即開始研究淡水中之原生動物（Protozoa）。輪蟲之研究爲新近開始之工作。據調查所得。車輪蟲之在南京者其屬爲 Notommata, Proales, Salpina,（Notommatidae 科。）Epiphanes (Epiphanidae科。) Brachonus (Brachionidae科。) Mytiliua (Mytilinidae科。) Euchlanis, Lecane, Mouostyla (Euchlanidae科。) Hoscularia, Lemnias, Sinantherine (Hoscedaridae科。) Philodina, Rotaria (Alilodinidae科。) Colurella (Lapadellidae科。) Trichocera (Trichocercidae科。) Synchaota (Synchaetidae科。) Polyarthra (Polyarthridae科。) Lestudinella (Lestudinellidae科）輪蟲之生活史與其他各種現象宜詳細硏究本所現正進行且與各國對於此類專家互相商榷希望不久有初步之報告

軟體動物中之斧足類(Pelecypods)約有五屬以上如Corbicula,Anodon,Unio,Mycetopus,Mouocondyiaea等腹足類(Gastropods)約有十屬如 Alycoeus, Bithynia, Paludina, Cyclophorus, Hyalina, Helix, Buliminus, Stenogyra, Clausila 及 Limax 以上各屬係據Heude所著之中國陸地與淡水中之軟體動物而言余以爲上所述之各屬尙未能包括南京所產對於軟體動物之詳細調查不容或緩庶幾有如許新種之發現以增廣知識本所同人現作較廣博之採集數年之後可有較完全之調查南京氣候潮溼尤以春夏霖雨時爲甚如 Limax, Clausilla Cyclophorus, Helix, Stenogyra 等往往於老屋門壁上見之池塘中多浮萍(Elodeas, duck weeds)及水蕨（waterferns）者Paludina與Anodon甚多淺水中 Unio, Anodon亦常習見 Paludina及 Anodon 工人常捕之以當食品Corbicula 及 Unio亦可以供食其餘二類食之者甚少

其次爲無脊椎動物中之最重要一類卽節足類（Arthropods）是也凡昆蟲蜘蛛及甲殼類等

皆屬此類。此類動物佔動物界最大部份。極有經濟之關係。研究南京自然歷史要以節肢動物類爲知識之富源。在本區以內。吾人所知者遠遜於此類固有之數。以現在調查所及者僅甲殼類。蜘蛛類。及幾種昆蟲而已。至於此類之生活史及其環境之影響尙未注意及之。甲殼類約有二十餘種。其形體較小者爲濛蟲類(Entomostraca) 至如仙蝦(Branchinella sp.)。及鱟蟲 (Apus) 皆軀體較大。春夏時淸淺之溝池內常見之。水蚤(water fleas) 約有十五種。如 Diaphnosoma brachyurum, 屬於 Sididae 科。Daphnia psittacea, Simocephalus, vetulus (Müller), Scapholelaris mucronata,Ceriodaphnia megops,Coriodaphnia quadroangula。屬Moina sp. Ilyocryptus spinifer Herrick, Chydorus spharicus 於 Daphnidae 科。Cyclops affinis Sars, Cyclops leuckarti, Cyclops secrulatus, Cyclops visinus 屬於 Cycelopi dae科。Cypris crena, Cypria ophthalmica, Herpetrocypris intermedia 屬於 Cypri-nidae科。皆繁殖於池塘內供魚類之食料。畜金魚者。常於雨季。俟其繁盛而採集之。養於池中待其孳生。以備旱季金魚之食料。此類生物於養魚家非常相宜。國人如以科學方法振興魚業。則此類生物之生活史及其孳生之方。不可膜視。較大之甲殼類 Malacostraca 種類較少。蟹類有二種。Eriocheir sinensis, 及 Potaman denticulatus 蝦類有二種 Caridina denteculatus, 及 Palaemon sinensis 以上二類均有經濟價值爲人類所食者也其體積均不甚大而產生極繁價亦不貴時當秋季往往生長頗繁水中易於捕獲漁人常於河濱淺水之處網羅之蟹爲秋季之佳肴漁人多於河爭捕之以謀利

南京之蜘蛛類爲吾人所知者甚少除最普通者外第知其名詞尙未研究其性質也據已調查者約有三十二三屬此類生物在春夏秋三季中常習見之在冬季殊鮮見欲捕捉之頗不易易因其常伏於茂密草莽中行動又疾有時自墜於亂草中以避捕捉有幾種可以在空屋及牆壁上之蜘蛛網上得之亦有水棲者可以與其他水棲動物並捕之惟大多數於草叢中得之本所所蒐集者約略如次櫛足蜘蛛 (Comb-footed spiders) Theridion tepidariorum, Agyrodes bonadea Argyoroides nephidae, Ariamnes flagellum 屬於 Theridiidae 科圓網蜘蛛 (orb-weavers) Eucta chinensis, Leucauge retracta, Leucauge Veterasceus, Neslicus alteratus, Nephila clavata, Angiope aquior, Argiope amoena, miranda zabonika, Aranea pia, Arana quadrata, Aranea sericata, Gasterocantha sp. Tetragnatha sp. Tetragnatha

Cliens, Verrucosa sp. Neoscona sp. 屬於 Argiopidae科苗圃蜘蛛(nurseryebw weavers)屬於 Pisauridae科漏斗網蜘蛛(funnel webed spiders):Agelena labyrinthica, Legenaria sp. 屬於 Agelaiidae科狼蜘蛛（wolf-spiders）: Lycosa sp. Lycosa psendoannulats 及水蜘蛛（waterspiders）屬於 Lycosidae科蟹蜘蛛（crab-spiders）: Xysticus sp. Misumena sp. 屬於 Thomisidae科跳蜘蛛（jumping spiders）包括飛蜘蛛（flying spiders）及蟻蜘蛛（Ant-spiders Synemosyna formica), 屬於 Attidae科及其他類如 Taranturus sp. 屬於 Taranturidae科 Uroborus sp. 屬於 Urobaridae科 Scytodes thoracica Loxosceles rufescens 屬於 Scytodidiae科 Selenops bursarius 屬於 Selenopidae科 Pholcus opilionoides 屬於 Pholcidae科 Clubiona sp. 屬於 Clubioidae科 Uroctea complactilis, Uroctea indica 屬於 Uroctidae科其中所謂絡新婦（weavingbride, Nephila clavata）極普通而最有趣味其腹部似束一黃綠色之帶其網張於矮樹或其他較低之處頗便於動物家之採集其中最普通者卽俗所謂蠅虎（Menemoris confusor）日常於壁間天花板上往來遊弋專捕蒼蠅往往自後逐之躍登其背上帶歸佐膳有時蟄伏不少動俟蠅落於其背上以二中足

負蠅於背而趨歸。Uroetea complactillis 或稱壁錢（wall penny）。當春夏時常於老屋之壁上。見之其體之薄僅如紙。對光線窺之如透明然。其內部組織尚未研究。當必甚奇特。此種生物之形態發達生活史及環境之影響等現象極有趣味。此外如櫛足蜘蛛（Comb-footed spiders, Thoridion) Aranea,（Epiear Domeotica）Tetrang natha 等常往來於園中及人跡罕至之屋宇。此種生物非特無害於人。實能爲人除蒼蠅蚊蟲等。

無脊椎動物中最後一類爲數最多。亦最重要。即昆蟲也。昆蟲之研究由昆蟲局擔任。該局長張巨伯先生曾示余已定名之昆蟲約有二百餘種。而未確定者尚不可勝數。對於南京之昆蟲第取其經濟關係及有美觀者述之如次。

蝗蟲（Locusta migratoria）爲害蟲之一。在昆蟲局未成立之前。每年有大羣蝗蟲爲禾黍害。南京城外良田之旁。盡是荒地。蝗蟲產子於荒田之土中。本地無嚴寒大雪。其卵常免於死。至明春氣候和暖。其卵孵化爲蝻。即於草田內生長。長至第二三期。即爬行田外。漸至路上。蔓延至於草莖樹幹。在此時期其翅未長。未能高飛。最易剷除。余偶或散步於小徑。爲余足踐滅之者數殊不鮮。此種蟲可用手拾或驅之使聚。然後以機械滅之。消弭蝗患最捷之法莫若墾荒於秋冬之季將土壤翻覆之使鬆。蝗蟲之子藏匿於其內。冬季寒凍而死。如此次年蝗蟲之患必大殺。另一方法廣佈殺蟲毒劑。依經濟昆蟲家言麥粃橘子汁糖漿及砒霜混和之。以之殺蝗最有效驗。昆蟲局對於以上二種根本方法皆未採用。其用以滅蝗者乃極簡單之一法。然每年行之亦頗有效。其法卽因國內人工低廉。每年派出曾受訓練之局員若干人。督率大隊巡捕及農人四處搜羅。所獲每以萬計。因之一年之中螟患可以大殺。而除患之費亦因法之簡易而特廉。

其次有害之蟲爲二種螟蟲 Chilo simplex Butt 及 Schoenbius inserteclus。昆蟲局每年必費如許精力與時間以除其害。此種蟲常出沒於稻之幹上。深藏於根或幹之內。使捕捉者無所施其技。其驅除之法有二。其一設誘蟲燈於田中。捕其已長成之蟲。其一搜集其卵而消滅之。因其卵皆產於稻葉上面。取之甚易也。以上兩法均由昆蟲局派遣曾受訓練之職員指導農民消除之。金剛鑽蟲(Diamond boorer)爲棉花之害。亦爲昆蟲局所注意。其生活歷史已曾經研究。消除之法。祇以手捕捉幼蟲而除之。此外更有棉花蚜蟲(cotton aphis, gossypii)。桑蛾(Mulburry moth, Bombyx mandarina)。白蟻(termites)等皆爲農業工業之害。昆蟲局現方極力驅治之。

消滅蚊蟲與蒼蠅之法、亦因南京工價之廉、比較簡易、行之有年、頗見功效、蚊蟲之幼蟲、即以平常網罟在汚濁之池沼中羅取之、然後置於乾燥之地上、用多數巡警四處收羅、城內外池沼無處不搜、此幼蟲因乾而死、蚊蟲因之減少、對付蒼蠅之法、亦由昆蟲局派員用強度適宜之靑酸鹽(potassium cryanide) 之溶液、殺其蛆於糞缸之中、每年進行之時、必廣爲佈告、務使人民見池中有蚊蟲之子或糞坑中有蛐者、即報告該局設法消滅之、據昆蟲局報告其結果非常圓滿、而所費亦不甚大、

以上所言、爲南京常見之害蟲、以下諸類、皆爲美麗可觀之蟲、生物家視爲有趣味者也、依余等所知、蝶類之已確定者有三十餘種、如燕尾類有五、Papilio xuthus, Papilio, palytes, Papilio machao chinensis, Papilio alcinous mansonensis, Papilio bianor 皆豔麗之蟲也、其餘如四足蝶類 (Nymphitids) 亦皆美麗有研究之價値、白菜蝶 (white cabbage butterfly, Pairis rape L.) 在南京極普通、其散佈最廣泛、其同科之 Anthocharis bambusarum 與 Lycaenidae 科之 Chrysophanus phlaeas chinensis 皆自然界中之點綴品、蜻蜓類 (dragonflies) 已由 J. G. Needham 教授研究之、其大部份生活歷史曾於其所著之中國蜻蜓誌

(Chinese Odonata)中詳細說明。至於蜻蛉(damselflies)甲殼蟲(beetles)蜂及蟋蟀等皆有趣味之生物。尚待研究審定也。

南京所産昆蟲種類甚多。尤其以淡水中之昆蟲爲有研究之價值。余等欲多籌經費。豫備研究長江下游之動物。希望此計劃不日成功。開始工作耳。

余等所知未能包羅一切。以上係無脊椎動物之大概耳。至於詳細完滿報告。尚須假以時日。

脊椎動物

脊椎動物之種類爲數較少。大概已由本所審定。且在專刊上報告矣。

魚

常見之魚可分十四科。卽Polydontidae, Acipenseridae, Engraudidae, Salangidae, Cyprinidae, Siluridae, Anguillidae, Scombresocidae, Ophiocephalidae, Serranidae, Anabantidae, Soleidae, Gobiidae 及 Mastacembelidae。此十四科中。提出討論者。祇有經濟價值幾種而已。鯉魚(carp)在湖河中甚普通。釣之者甚衆。其爲食品由來已久。在吾國北部與中部産生亦甚繁。非南京特産也。鯽魚 (small carp, Carassius auratus)其佐膳之價值較鯉

爲低其色常變紅白蓋有變爲金魚之趨向也其體較金魚爲大其色由人工畜養而轉變爲紅美麗與金魚等園林中荷花塘內常畜之以爲點綴烏魚(serpent head, Ophionphalus argus)爲有價值之魚產生甚繁大小適中其味可口此種魚通年常有爲佳肴之一人多嗜之與此種魚相似者有三種白魚（Culter brevicauda, Culter erythropterus, Culterrecurviceps),二種鰱魚（Hypothalmichthys, Hypothalmichthys Nobilis 及 molitrex）皆河渠中極普通之魚也其次爲銀魚(ice fish, Salanx cuvieri)刀魚(swords fish, Coilia nasus, Coelia rendahli, Cilia ectenes）泥鰌（Misgurnus auguillicandatus）鯰魚（Sheat fish, Parasilutus asotus）黃臘釘（Cat fish, Pseudobargus fulvidrace）白鱔（el, Angulla jopanica),鱵魚(haft billed fish, Hemiramphus sajori)鱖魚(Mandarin fish, Siniperca chuotsi) 鱸魚(loo fish, Lateobrax joponicus)皆長生於南京城外溪流池沼中且有價值魚也燕子魚(slime carp, Myxocyprius asiaticus Nankinesis)爲最近發現之新變種此種魚不若其他之普通惟其形體特異頗易認識脊背有長鰭鰭前之脊微凹其脣厚其體深厚極易辨別鱘魚(Sturgion)曾於南京相近之長江中捕得有二種其一名黃鱘(Chinese sturgion,

Acipenser sinensis）其一名白鱘（Yangtse beaked sturgion, Psephurus gladius），第一種魚長成時約長十英尺。此種魚可從其背部。腰部。腹部所排列之鱗骨認識之。其首平扁。其鼻伸出如三角錐。其口小目亦甚小。其尾斜歪。鼻之下部有觸鬚四。此種魚之皮色上面灰藍。下面白色。其幼小者在春夏兩季時常於市場上見之。其產地不限於南京附近。下游亦常見之。此種魚原屬於海產。生殖時始溯江而上。是以宜昌漢口等處亦見之。余曾於吳淞市上購得此種小魚不少。其肉味頗佳。人多喜食之。白鱘（Yangtse beaked sturgion）之外形如鮫。余於江中曾得一尾長約130cm.又嘗於市中購得此種魚之頭一。約二英尺長。此種魚長成時當有二十餘英尺。其體成梭形。前端平扁。後部側扁。皮光澤。其鼻平扁。其端尖。根闊而且厚。其口小。二齶上多細齒。目小。尾鰭斜歪。此種魚之色上部為灰棱色。下部色白。此種魚與黃鱘（Chinese sturgion）同為人所嗜食。

兩棲類

據吾人所知。南京之兩棲類動物其種類尚不甚多。蠑螈祇有一種。（Triturus orientalis）此種動物不產在城內。亦不在附廓之區。祇在城之東十五里棲霞山或龍潭方有之。常居於山澗或古剎旁之池塘中。凡比較清淨而有水草之池塘。此種動物居之最宜。蠑螈長約三四英寸（9—10 cm.）其背黑褐色。其腹鮮紅或橘色。有黃點分佈疏而勻。其尾側扁。棲霞山及龍潭而外。未之見也。

南京之無尾兩棲動物有二種蟾蜍。八種蛙。二種樹蛙。蛙在池塘與田間最爲習見。其種有虎皮蛙(tiger frog, Rana tigris rarugulosa)。金線蛙(golden-lined frog, Rana nigromaculata)湖邊蛙(lake neighbored frog, Rana limnocharis) 其中金線蛙又分變種。nigromaculata, reinhardtii 與 mongolia是也。虎皮蛙之身軀頗大。其背部之皮似樹癭。色綠如橄欖。金線蛙較虎皮蛙爲小。其色在每年一定之時間內作鮮綠。旁有二條金線。此類動物可食。惟人不採取之。湖邊蛙之身軀更小。其數較多。在春夏兩季。其色灰。有大黃點甚多。沿背中有牛皮色之紋。在秋季或初冬蟄伏時。其皮色紅。黃點作深褐色。背紋隱約莫辨。此類散佈甚廣。除上三種之外。另有三種蛙。卽蒲蘭西蛙 (Rana plancy), Rana chensinensis。日本蛙 (Rana joponica) 此皆不常見之稀。尤以前二種爲更希。南京亦有穴居蛙 (Kaloula borealis)。其軀幹比較肥胖。其頭較小。其體平滑。有小癭附於上面。無隆起之縱紋。其胸部兩腋間有褶痕一條。其背上爲深灰褐色。在小瘻之顛更深。兩旁色較淺。下部或汙濁之白色或純白色。其喉部大概淺淡灰褐色附以白點。此類皆於大江之北見之如浦口六合等處。南京一區大約爲其南佈之終點。有二種樹蛙。其一爲Hyla arborea immaculata. 體細小其足趾有小圓體。其一爲 Hyla chinensis 其體較前略胖。足趾間之圓體較大。此二種蛙之背作美麗之綠色。其下部或黃或白。與其環境頗相襯合。第二種之後腿兩旁及其脅旁多黑點甚顯著。此特點足以辨別以上二種之不同。在晚間雨後。此種蛙常喧噪田間。其居處常在樹中叢葉內或蘆葦幹上或跳躍於樹上。其次爲小樹蛙 (Microhyla)。即本處蛙類中最小之一種。其體之全部長不及 20mm. 其背爲青褐色或灰青色。其小瘻之色爲紅或深灰。有黑帶一條自鼻端經眼眶及脅之上部而達於腰。其四肢之背有斜黑紋。其喉與腹大半褐色或灰色且有白點。此種小蛙常居於陸地爛泥中不居水中。蟾蜍二種皆甚普通。惟其中一種名Bufo bankorensis 散佈不廣。似爲南京所特產。Bufo bufo asiaticus 及 joponicus 則散佈甚廣。Bufo bankoreneis 與 Bufo bufo 各不相同。其四肢皮上之瘻不多。而其體較瘦小。

爬蟲類

此類動物之採集較完全。其種類不多。據本所所得者。有八種蜥蜴。二種龜。十五種蛇。蜥蜴類有壁虎。(Gecko joponicus) Eümeces latisculatus, Eumeces elgans, Eumeces chinensis, Leiopisma laterale, Sphenom orphus indicus, Takydromus septentrionalnis, 壁虎在南京極普通。與中國北方所產之 Geckosuinhoenis 及西方及中部所產之 Gecko palmatus 不同。其皮有結節。比較大而多。且其足趾間之膜發育不甚完全。其生長區域自香港沿海濱達於山東。侵入長江流域。溯流而上。遠至宜昌。說者謂其附於商貨各處散佈。靡有抵止。高麗及烏蘇里(Ussure Country)等地亦已侵入云。藍尾蜥蜴。(Eumeces elegans)在南京亦極普通。其尾之碧藍色。表示其發育尚未健全。當其長成時。其尾變爲純黃色。而其體之兩旁有紅或紫色之點。此類普通稱之爲美麗蜥蜴(eleganl skink)其分佈區域遠至浙江福建。余曾於普陀及廈門見之。中國蜥蜴(Chiness skink, Eumeces chinensis)當幼時其色亦藍。胸部與頸之旁亦有紅紫點。惟其不同之點。則此類背上有黃色縱紋三。而藍尾蜥蜴有縱紋五。此類長成時有不規則之白點三串。而一則無之。其他蜥蜴 Elmeces lastiscutatus 比以上二種略小。其色上部完全青灰色。有白色與深褐色之紋二條。自眼經耳孔遂於尾。此種辨別之甚易。長尾蜥蜴。(Takydromus septentrionalis)亦極普通。其特異之點在其小弱之軀。其鱗有隆起之縱紋及其長尾。

其背有褐色帶紋一。附以黑點。緣有黃綠色之紋。其旁有黑線一條。其旁之色爲淺藍。其下部之色爲淡綠白色。其次較小而不普通者。有吳氏蜥蜴 (Takydromus wolteri) 其色褐灰。其背與旁無顯著之紋。此二種於草田間常見之。有時亦往來於矮樹之巔。小蜥蜴(Leiolopismalaterale)常於城牆上見之。其鱗片小而光滑。其四肢弱小。印度蜥蜴(Sphenomorphus indicus) 身軀較大。其背有黑點甚顯著。有時每邊各分二排。因之辨別甚易。

以上所舉諸種蜥蜴。大半於殘石下或摧折之樹幹下見之。在春初皆不甚活動。其產生最多之處爲棲霞山。時屆暮春夏秋。其行動最爲靈活。礫場草莽間。往來迅疾。偶有捕之。往往以石隙爲逋逃藪。

鼉 (Allegator) 在南京未嘗見過。余曾於當塗得一隻。長約六英尺。當塗在南京之西二十英里。在蕪湖之東二十英里。蕪湖爲此類產生最盛之區。此類名稱爲中國鼉 (Allegator sniensis)

南京普通龜類有兩種。軟甲或泥龜(Trionyx sinensis)，及地龜(Reeve's terrapin, Geoclemys reevesii) 第一種之特點。在其甲柔韌。其四肢及其他部份無鱗片。南京河流中常見之。可爲食料。其他一種。甲堅硬。上有隆起之跡三條。中間一條。二旁各一。其頭部有黃色之線紋。尤以面部爲多。龜在池塘中亦甚常見。有時爬上陸地。棲於可以久安之區。

爬蟲類中最後一種爲蛇。以下第舉其大略。余等在南京所已得者有十四種。請先舉其三種普通之蛇。環紋蛇 (ringed snake, Natrix annularis) 其皮暗紅有黑色直條甚多。互相連續。自一旁至他一旁連成半環。虎蛇(tiger snake, Natrix tigrina lateralis)在南京產生甚多。上面深綠。或如橄欖。下面青白色有相間之紅黑點或短斑。紅點聚於身之前部。黑點愈近於尾部愈小。而後部與尾部遂作深綠色。魚蛇(fish snake, Natrix piscicator)缺乏鮮明色彩。上面有細小黑點極多。兩旁各有三條黑紋。以上三種中。環紋蛇產於長江流域。上流至於九江以上。下流及於上海。而浙江福建亦有之。虎皮蛇在中國之北部與中部最爲普通。然據余等所見。除南京而外。浙江亦有之。魚蛇在中國南方分佈最廣。除南京而外溫州亦有。余又嘗得數尾於廈門。本區蛇類不能一一詳述。茲於Natricidae科之屬略舉各種之名以示一斑。其名如次。領紋蛇 (Chinese collored snake, Sbynophis collaris chinensis);Coluber spinalis; Holarchus chinensis, Enhydris chinensis, Achalinus spinalis, Zaocys dhumnades dhumnades; 紅條蛇 (red banded snake, Dinodon rufozonatum rufozonatum)及四種普通蛇。曲尾蛇(Curved tailed snake,

Elaphe taeniura)；二斑蛇(two spotted snake; Elaphe bimaculata)；紅背蛇（redback snake, Elaphe rufodorsata)；隆脊蛇（Keeled snake, Elaphe carineata）以上諸種皆無毒害。毒蛇科（Crotalidae）中有一種毒蛇，卽土公蛇（halys viper, Agkistrodon halys brevicaudus）其色灰褐色，有圓大深褐色黑點，或環以條紋之黑點甚多，頭頂有闊黑條紋，據說竹青蛇（Green bambo snake, Tremeresurus graminius）南京亦產，惟以余採集所及，此類美麗之蛇，從未遇着，卽隣近南京之區，亦未之見也。

鳥

鳥類約有四五百種，其中至普通者居五分之一，其種甚繁，不勝枚舉，下列諸種，其最著者可以代表三十餘科，茲特依其自然程序歷舉之。䴙鷉科（Podicipedidae）有東方小䴙鷉一種 Podiceps ruficol is poggei 鸕鷀科（Phalacrocoracidae）有鸕鷀（Phalacorocorax carbo sinensis）鷺科（Ardeidae）有塘鷺（pond heron, Ardeala bacehus)，小麻鳽（little bittern, Ixobrychus sinensis）大麻鳽（great bittern, Botaurus stellaris）灰鷺（Gray heron, Ardea Cinereajonyi）夜鷺（night heron, nycticorax Nycticorax）等。鴨科

(Anatidae) 有鳧 (mallard duck, Anas platyrhnchus) 金眼鳧 (golden eye duck, Clangula clangula) 鴛鴦 (mandarin duck, Aix galericulata) 爲此類中最美麗者。雁 (bean goose, Anser fabalis) 小鵝 (pygmy goose 或 Cotton teal, Nettapus Coromandelians) 綠翼鵝 (green winged teal, Nitteon crecca)。鷹科 (Falcon idae) 有鶚 (osprey, Pandion haliaetus) 等。鳶科 (Buteonidae) 有鷂 (sparrow hawks, Accipiter nisus) 鳶 (black-eared kite, Milvus melanotis) 等。雉科 (Phasianidae), 有山雞 (ringnecked pheasant, Phasianus torquatus) 鶉 (Common quail, coturnis coturnix)。秧雞科 (rail, Rallidae) 有鷭 (moor hen, Gallinula chloropus) 水雞 (Water cock, Gallicrex cinerea) 大鷭 (coot, Fulica atra L) 白胸水雞 (White breasted water hen, Amaurornis phoenicurus)。千鳥科 (Charadriidae) 有斑雨鳥 (eastern dotted plover, Ochthodromus veredus) 灰頭夏雞 (gray headed lapwing, Microsarcops cinereus)。水雉科 (Jacanidae) 有水雉 (pheasant tailed jacana, Hydrophasianus chirrergus)。鷗科 (Laridae) 有笑鷗 (laughing gull, Larus ridibundus) 黃腿鷗 (yellow-legged herring gull, Larus cachinnans) 等鴿科(Columlidae) 有斑鳩(spottednecked dove, Spilopilia chinensis) 雉鴿(blue pegion, Turtur orientalis) 龜鳩(Oriental turtle dove, Streptopelia orientalis)等鳲鳩科(Cuculidae)有鳲鳩(Eastern cuckoo, Cuculus canorus telephonus)印度杜鵑(Indian cuckoo, Cuculus micropterus micropterus)等魚狗科(Alcedinidae)有小翠鳥(little blue kingfisher, Alced ispida bengalensis Gm.)鵂鶹科(Strigidae)有小鵂鶹(Glauciduim whiteleyi)啄木鳥科(Picidae)有綠啄木鳥(Yangtse green Wood pecker, Picus guerini)大啄木鳥(pied wood-pecker, Dryobates canbanisi)紅頭啄木鳥(spark headed wood picker, Yungipicus scintilliceps)百靈鳥科(Alaubidae)有百靈(sky lark, Alauda avensis)鶺鴒科(Motacillidae)有白面鶺鴒(white faced waytail, Motacilla ceuoopsis)畫眉科(Timeliidae)有黑面畫眉(Spectacled laughing thrush, Dryonastes perspicillatus)畫眉(brown laughing thrush or hwamei, Trochalopteron canorum L)鶇科(Turdidae)有灰背鶇(Gray backed ousel, Turdus hortulorum)紅尾鶇(redtailed ousel, Turdus naumanni)鶯科

(Sylviidae) 有葦雀(Eastern great reed warbler, Acrocephalus arundinaceous arundinaceus)灌木雀(Chinese bush warbler, Horornis canturiaus) 等鵯科(Pycnonotidae) 有白頭翁(white head bulbul, Hysipetes leucocephalus) 黑頭翁(black head bulbul, Pycnonotes sinensis) 燕科有燕 (Eastern house swallow, Hirundo gutturalis)等山椒鳥科(Campephagidae) 有灰山椒鳥(gray minivet, Pericrocotus cinerus) 鵯鵊科(Dicruridae) 有毛鴿鵯鵊 (Chinese hair crested drongo, Chibia hottentotta brevirostris)蠟翼鳥科(Ampelidae) 有太平鳥(Bohemian wax wing, Ampelis garrulus) 伯勞科(Laniidae) 有扈伯勞(bull-headed shrike, Lanius bucephalus) 等山雀科(Paridae) 有銀喉山雀 (silver throated tit, Aegithalos glaucogularis) 相思鳥科(Paradoxonithidae) 有郝氏相思鳥(Heude's crowtit, Paradoxornis heudi) 韋氏相思鳥(Webb's cowtit, Suthora webbian Gray) 鸝科(Oiolidae), 有黃鸝(yellow oiole, Oiolus diffusus) 鴉鵲科(Corvidae) 有藍鵲(Chinese blue magdie, Urocissa sinensis) 喜鵲(Pied magpie, Pica pica sericea) 燕烏 (pied jackdaw, Coleus dauri cus) 大嘴鴉

(large billed crow, Corvus macrorhynchus) 天青鵲 Azurewinged magpie, Cyanopica cyanus swinhoei) 白頜鴉(ringed crow, Corvus torquatus)等。椋鳥科 (Starnidae) 有灰椋鳥(Gray starling, Spodiopsar cineraceus)八哥(Cresto mynah, Aethiopsar cristatellus)。雀科 (Fringillidae) 有黄喉鵐 (yellow throated bunting, Emberiza elgans)蠟嘴(bull-headed hawfinch, Eophona melanura)灰頭鵐(Gray-headed bunting, Emberiza spodocephala melanops) 鏽紅雀(ruddy sparrow, Passer rutilaus)家雀(tree sparrow, Passer montanus) 黄雀 (siskin, Spinus spinus) 栗鵐 (Chestnut bunting, Emberiza cioides)。此皆採集所得之最普通者。非本區鳥類盡於此也。其未爲余等所採得者尚屬不少。余非鳥類學家。以上所舉。余認爲最普通或比較普通之鳥類也。

哺乳動物

脊椎動物最上者爲哺乳類。然在南京種類不多。其故由於人煙稠密。森林稀少。而獵弋又不加禁止。沿揚子江及八卦洲。麞(water dear, Hydropotes inmernis) 常常可見。比鹿無角。雄者有長牙一對。其前足較短。故其軀前俯後仰。其肉南京人多喜食之。野猪 (wild boar, Sus paludosus）產於南京城附近之山中。如寶華山。棲霞山等處。此獸不如麞之普通。身軀頗重。性極凶猛。常以身磨擦松樹。往往其皮爲松脂所塗。此獸非細彈足以致其死命。其驅馳之猛。有時小樹竟爲衝倒。在揚子江中。余等常得江豚。（finless porpoise，Neomeris phocaenoides）此種獸在附近城區之江內可以見之。其長成時約長六英尺。其趨向上流。遠至宜昌。洞庭湖內亦常見之。狼類（Canis sp.）山中尚有之。惟不多見。此種獸與歐洲之狼頗相似。伶鼬（weasel, Mustela melampus）常於城內荒園廢屋中得之。其毛筆工頗重視。爲製筆之用。獾（bodgers）有二種。於城外田間得之。所謂狗獾（dogbager, meles toxus）身軀比較弱小。而猪獾（pigbadger, Arctonyx callaris）比較胖大。且有堅毛。兩種分別甚易。前一種之頰上色極淡。而後一種之毛比較深褐。南京齧齒動物有三種鼠。一種野兔。鼠有Mus musculus, Mus decumanas, 及Mus norwagicus。皆極普通。隨處可見。兔之一種（Lepus brachyurus）亦常見。在冬季。山雞與麞。獵人常持之求售於市。兔則偶或見之。豪猪（porcupine）聞亦產於鎮江。余得一皮。爲人所贈。惟其出處尚未能確定。食蟲哺乳類。余等祇有一種鼴鼠（mole）與一種刺蝟（hedgehog, Erinaeeus hanensis）。皆極稀少。蝙蝠有兩種。一爲較大的褐色蝙蝠。（Rhinolophus rouxi）及一種小蝙蝠。（Ia io）

在夏季最多。收集亦易。此外或者更有一二種。惟余則尚未見也。總之南京之哺乳類動物。其種類不多。所有者其爲數亦極少也。(據于星海述秉志先生講之南京自然史略載於中國科學社出版之科學的南京)

植物

草本植物表

品名	種別	主用	產地	備注
稻 禾本科稻屬		(實)食用黏者釀酒用 (稭)燃料飼料編物蓋屋等用 (稭灰)肥料 (米糠)飼料 (稃)俗名礱糠亦曰大糠	圩田種之	(正德江寧志)南鄉米出安德鳳西等鄉形圓長而色白飯盛磁碗中隱隱有綠色金陵志稻有珠子米即此今稻有二種有秔稻糯稻惟出南鄉者爲佳又有紅稻黑稻早稻晚稻品類頗衆香秔七月熟米粒小而性柔類糯有紅芒白芒二種以三五十粒入它米數升炊之芬芳可愛然不宜多又謂之香稬歲充貢 (金陵物產風土志)稻米佳者北鄉觀音秈以產觀音門得名而金牛洞紅蓮稻色微赤而香上至溧水率多此種謂之到地南鄉今曰黑稻米洋尖顯其變名也 (江蘇政治年鑑)江寧米產每年七十萬石

稗 禾本科 稗屬	形甚似稻俗呼叛艸	(實)亦可供食用釀酒用	野生禾田中	稗水旱無不熟易盛害禾在交通未便時以此爲救荒植物之一種今則無所利用矣
蘆稷 禾本科 蜀黍屬	黍之不黏者	(實)磨粉製餅餌供食用 (稈)燃料	各地偶有種之者	
[illegible]黍 禾本科 粟屬	俗呼粟米	(實)製餅或煮粥食之 (稈)燃料	各地皆有	因不畏旱收穫又早故近日種之漸廣
玉蜀黍 禾本科 玉蜀黍屬	即包粟俗呼陸穀	(實)食用 (稈)燃料	宜鹵地	包粟爲補充糧食之一又適土宜可廣植之
麥 禾本科 大麥屬 小麥屬	大麥小麥	(實)食用 (稈)編物用	爲禾田春作物	
莜 蓼科 蕎麥屬	即蕎麥	(實)食用		非常產
大豆 豆科 大豆屬	俗呼毛豆有七月豆八月豆九月豆之別	(實)食用及榨油造醬等用種子可發芽作饌 (莖)燃料 (灰)肥料 (豆粕)肥料 (根)鬚根有根瘤菌能肥土		種植易效用多
扁豆 豆科 扁豆屬	亦作藊豆蔓生有赤白二種莢扁平如鐮	(實)嫩時連莢作饌種子熟時可炊作糊和糖食之白者味美赤者不易爛味較遜	種之籬邊故有沿籬豆之名	

綠豆 豆科 菉豆屬	亦作菉豆種子綠色故得此名	(實)種子可發芽作饌或和米煮粥或磨粉製糕食之其粉含有鹼質故亦爲洗濯之用	平地種之	
豌豆 豆科 豌豆屬		(實)食用 (蔓)飼料肥料 (葉)初生時摘取其嫩者曰豆苗供食味甚美	爲禾田之春作物	
豇豆 豆科 豇豆屬	有赤紫二種	(實)嫩時連莢摘取供食成熟後去夾殼作豆供糕菜等用豆泥亦稱豆沙	園圃中多有種者	
四季豆 豆科 豇豆屬		(實)食用	栽培園圃中	
茄 茄科 茄屬	果實圓筒形紫色今有別種作卵圓形者及老而黃俗謂之黃胖茄	(果實)可煮食或醃之亦有糟漬之者	栽培園圃中	
黃瓜 葫蘆科 胡瓜屬	草名胡瓜蔓生葉爲心臟形淺裂如掌狀花黃色果實細長有刺甚多初生翠綠色漸老而白而黃	(果實)可生食或漬醬糟爲菹或出其瓤藏肉屑煮之	栽培園圃中植竹竿爲棚以供攀援	按胡瓜因避石勒諱改爲黃瓜因色黃而得名與禮記月令之王瓜異王瓜一名土瓜果實大如鴨卵紅色可爲藥用

絲瓜 葫蘆科 胡瓜屬	果實細長綠色	（果實）嫩時可作羹老則瓤內生強韌網狀之纖維可以滌器物醫家謂之絲瓜絡	栽培園圃中往往蔓延牆壁而及屋頂	按葫蘆科各屬之花皆有雌雄之別生於同株雌花結實俗名眞花雄花俗名野花
梢瓜 葫蘆科 絲瓜屬	俗名菜瓜就地引蔓青葉黃花果實橢圓形長自七八寸至尺許皮作淡綠色	（果實）可生食以醬漬之謂之醬瓜	栽培園圃中	
水晶瓜 葫蘆科 胡瓜屬	蔓生果實橢圓光有縱溝八九條熟則皮白肉如水晶	（果實）生食味極甘芳	同前	
黃金瓜 葫蘆科 胡瓜屬	蔓生果實類水晶瓜而稍長皮作黃色	（果實）富於漿液味極甘芳可生食	同前	
瓠 葫蘆科 葫蘆屬	俗名長瓠亦名夜開花蔓生葉短心臟形花白色果實呈細長之橢圓形長尺餘幼時外生白毛	（果實）可作羹或去其瓤實以肉煮食之	同前	栽培極廣邑人以爲常蔬
匏 葫蘆科 葫蘆屬	即瓠也與壺盧同種而微變果實巨大扁圓	（果實）老時乾之剖而爲二可以舀水俗謂之瓠瓢	同前	
壺盧 葫蘆科 葫蘆屬	亦作葫蘆一名蒲蘆蔓生葉圓心臟形而尖花	（果實）老時乾之可爲酒器或於嫩時雕刻種	植籬落間	按葫蘆屬之習見者有三種果實兩端大而中細者曰壺蘆細長者曰瓠即詩

	白色果長形兩端膨大中有細腰	一種花紋以爲美觀		所謂幡幡瓠葉及齒如瓠犀也扁圓者曰匏即詩所謂匏有苦葉也
冬瓜 葫蘆科 冬瓜屬	蔓生葉心臟形五裂如掌花黃色果實極大橢圓形徑尺許外皮有毛密生成熟後則其外泌白蠟	(果實)可供饌或用鹽漬糖浸而貯藏之	栽培園圃中	
南瓜 葫蘆科 南瓜屬	蔓生葉圓心臟形五淺裂花黃色果實嫩時綠色漸老而黃赤色皮外有稜成數縱溝纍時僅羃圓形者一種近自他處傳入有橢圓形者	(果實)嫩綠時煮羹作蔬黃熟時和豇豆煮食之或去瓤皮蒸熟之搗爛和麵作餅餌(子)乾之炒熟可食	同前	按南瓜鄉人以代糧故一名飯瓜其瓜蒂正方形有柄甚似印璽
西瓜 葫蘆科 西瓜屬	蔓生葉三裂至七裂花黃色果實圓形大如人頭變種甚多皮或青或綠或白或綠白條紋相間瓤或紅或黃或白子或赤或黃或黑	(果實)可生食(果皮)風乾之可煮肉(子)炒之供食用	同前	孝陵衛產者絕佳謂之衛瓜
苜蓿 豆科 苜蓿屬	三葉攢生開黃花	肥料飼料葉亦可食	禾田春作物	用爲禾田綠肥宜及花時刈取之因此時養料最富也
紫雲英 豆科 紫雲英屬	形如苜蓿開紫花	肥料飼料	同前	亦用爲綠肥養料稍遜
蒲 香蒲科 香蒲屬	水草之一種亦稱香蒲	(葉)材用	凡新築蕩田俱植之	

大麻 桑科 大麻屬	俗稱綫麻	(莖之皮)材用	農家間有種之用以打索	
苧麻 蕁麻科 苧麻屬		(莖之皮)材用 (葉)煮成漿糈米屑作炊餅	野生隨在有之極盛宿根不拔歲可三刈	苧綫結漁網可爲農家副業
脂麻 胡麻科 胡麻屬	即胡麻也有黑白二種黑者良亦作芝麻	(實)食用榨油用		
向日葵 菊科 向日葵屬		(實)食用 (莖灰)含鹼質甚富	瘠土廢地均可種	葵灰製鹼利益極大
落花生 豆科 落花生屬	俗省稱花生亦曰長生果有本花生洋花生二種	(實)食用榨油用	宜沙土	
蕓薹 十字花科 蕓薹屬	俗呼油菜	(葉)食用 (蕻)亦可食 (實)榨油用	農田副作物	初次之蕻摘取供食二次所發乃可留子供榨油用
菘 十字花科 蕓薹屬	有白菜青菜二種俗亦呼青菜爲小白菜	(葉)食用	同前	醃漬作齏亦農家常食
瓢兒菜 十字花科 蕓薹屬		(葉)食用	同前	
雪裏蕻 十字花科 蕓薹屬		(葉根)食用作齏最佳	同前	
芥菜 十字花科 蕓薹屬		(葉)食用兼作齏 (蕻)亦可食 (子)研末調和食品用	同前	

黃矮菜 十字花科 蕓薹屬	亦稱黃芽菜係菘之一種	(葉)食用	同前	
蕹菜 十字花科 蕓薹屬	似菘皺葉深綠色稱鳳尾者最佳	(葉)食用	園作物	既壯逐次薙葉供食生育期最長
箭幹菜 十字花科 蕓薹屬				(正德江寧志)諺云醃菜菜園務等鄉皆有之幹肥白長二尺餘土人冬月醃藏以備歲用
蕻菜 十字花科 蕓薹屬				(正德江寧志)葉柔莖處脆滑可愛宿根歷冬藏於土窨秋初始發蓋蔬之極美者也
蕪菁 十字花科 蕓薹屬	大根之一種俗稱大頭菜	(根葉)食用醃藏亦佳	沙壤可種	
薺菜 十字花科 薺屬		(葉根)食用	野生隨在有之棉地間播之最宜	
蘿蔔 十字花科 萊菔屬	亦曰萊菔大根之一種也	(根)食用生食醃藏皆佳 (葉)飼料	同前	
旱芋 天南星科 芋屬	有紅丁芋烏脚尖芋等種	(根)食用 (莖葉)飼料		
甘藷 旋花科 牽牛子屬	甘薯即番薯有紅白二種所產白者居多又有洋種曰馬鈴薯俗呼紅毛番薯其實馬鈴薯非同科除地下莖供蔬用	(根)食用 (葉)飼料 (薯絲)切薯成絲乾之可雜入米中炊飯 (薯粉)亦曰山薯粉碎薯濾取澱粉爲調羹要		

	外未有作糧食者	品銷運甚廣（番薯燒酒）用薯絲釀成		
馬鈴薯 茄科茄屬				馬鈴薯年中可栽二次
莧菜 莧科莧屬	有紅白二種	（葉）嫩時可作羹（莖）醃漬之供食用俗名莧菜股	園地種之甚廣	
莙薘 藜科菾菜屬	俗名女菜亦名菾菜	（葉）作羹食之用	同前	
菠薐 藜科菠薐屬		（葉）供食用	同前	（正德江寧志）出菜園務等鄉諺云波菜葉如箭簇根赤色味極甘美歲納太常公用劉禹錫嘉話錄云菠薐種來自波陵國因名俗加草失其義矣北人亦俗呼爲赤根菜
蒿菜 菊科茼蒿屬	一名茼蒿有香氣開黃花如菊	（葉）煮熟與黃豆芽及茶乾絲等拌和冷食之	同前	
青蒿 菊科艾屬	俗名臭蒿葉極細秋開細淡黃花結子如粟米	（葉莖）乾之夏日當茶飲謂可祛暑	野生	
蔞蒿 菊科艾屬			山地生	（正德江寧志）出安德鄉歲進薦新葉如艾而莖圓叢生水側性涼春時擷苗食之或中鹽爲乾可供茗盤
芹 繖形科水斳屬	有水芹旱芹	（葉）食用		（正德江寧志）生水澤旁潔白有節其氣芬芳安德等鄉皆有之歲充貢高啓

九八一

					詩飯煑爐香泥甕炊思碧澗無路獻君門對岸成三歎
蓼	蓼科 蓼屬	俗呼辣蓼	(葉)乾之研末和米粉團成四方形曰白藥又和麪麩曰麴皆以釀酒	野生池塘旁	
紫蘇	脣形科 紫蘇屬	葉有鋸齒對生常呈紫色亦有面綠背紫者	(葉)漬以梅汁乾之與嫩薑片拌和加糖則薑片呈鮮紅色俗謂之紅薑 (莖葉)乾之藥用	栽培園圃中	
薑	蘘荷科 蘘荷屬	俗謂之生薑	嫩時切片和紫蘇謂之紅薑老薑則調羹及藥用	同前	
薤	百合科 葱屬	一名藠子藠讀如叫俗因訛作蕎頭葉如葱地下莖亦似之	(根)鄉人間有煑食之者普通皆用鹽漬藏甕中數旬可以作饌	栽培園圃中	薤之地下莖即俗所稱爲蕎頭也
蔣	禾本科 菰屬	一名菰俗謂之茭白葉如蒲草莖心生白薹如小兒臂故有茭白之名薹中間有黑點者曰灰茭白實即菰米	(薹)可作饌	栽培池蕩中	
苦菜	眞正綠藻類 乾苔屬	色綠似練麻者良	食用		
紫菜	紅藻類 紫菜屬	紫葉無莖又有綠葉者乾之製成薄圓之餅其	食用		

木本植物表

	雜亂而間砂石者謂之掃菜其價較廉			
蕈 菌蕈科		食用	野生	（正德江寧志）即菌二月生者名雷驚蕈久雨後松下草際皆有之
茶 山茶科 山茶屬		（葉）飲料	牛頭山鍾山皆產之	
馬蘭 菊科 紫菀屬		食用	野生	
白艾 菊科 艾屬	苗葉類蒿而短葉肥大背有白毛	（葉）藥用		
除蟲菊 菊科 菊屬		藥用		此菊能殺蟲有益於農作物且可製蠅蚊香等農業副產之有利者宜提倡之
藍 蓼科 蓼屬	俗呼靛青葉似蓼而大故亦名蓼藍	（葉）製靛用		
棉 錦葵科 草棉屬	草棉	（花絮）材用 （實）榨油用 （花殼灰）含鹼質甚富可製鹼	塗地之再熟者可種	

品名	科屬	產地
銀杏	銀杏科銀杏屬	古林寺靈谷寺牛首山
羅漢松	紅豆杉科羅漢松屬	中大農學院
榧樹	紅豆杉科榧屬	中大農學院
紅豆杉	紅豆杉科紅豆杉屬	中大農學院
白皮松	松杉科松屬	侯府花園朝天宮
日本赤松	同上	中大農學院
馬尾松	同上	各處
五叉松	同上	中大農學院
赤松	同上	同上

日本黑松	同上	紫金山
赤蝦夷松	松杉科雲杉屬	中大農學院
日本鐵杉	松杉科鐵杉屬	同上
冷杉	松杉科冷杉屬	大倉園
杉	松杉科杉屬	棲霞山
扁柏	松杉科扁柏屬	中大農學院
柳杉	松杉科柳杉屬	金大校園
側柏	松杉科側柏屬	各處
檜	松杉科檜屬	各處
偃檜	同上	金大校園

刺柏	同上	侯府花園
世界爺	松杉科世界爺屬	中大農學院
落羽松	松杉科落羽松屬	同上
喜馬拉雅杉	松杉科喜馬拉雅杉屬	金大校園
椶樹	棕櫚科椶屬	各處庭園
菝葜	百合科菝葜屬	方山
牛尾菜	同上	方山
響葉楊	楊柳科楊屬	紫金山幕府山
美國楊	同上	鼓樓公園
意大利白楊	同上	各處庭園

白楊柳	同上	古林寺附近
毛白楊	同上	清涼山及各處
垂柳	楊柳科柳屬	各處
水楊柳	同上	太平門外
化香樹	胡桃科化香樹屬	清涼山
柜柳	胡桃科柜柳屬	鼓樓附近
胡桃	胡桃科胡桃屬	金大校園
山核桃	胡桃科山核桃屬	鬭雞閘西人庭園
赤楊	樺木科赤楊屬	金大農場
板栗	殼斗科栗屬	古林寺

茅栗	同上	牛首山
苦櫧	殼斗科鉤栗屬	牛首山
槲櫟	殼斗科櫟屬	牛首山
白櫟	同上	紫金山古林寺及各處
枹	同上	紫金山
麻櫟	同上	古林寺靈谷寺及各處
栓皮櫟	同上	古林寺紫金山
榔榆	榆科榆屬	各處
榆	同上	金大校園
樸	榆科樸屬	各處

欅	榆科欅屬	古林寺小門口
剌榆	榆科剌榆屬	古林寺小門口
沙樸	榆科樸屬	牛首山
桑樹	桑科桑屬	各處
構	桑科構屬	各處
柘	桑科柘屬	
無花果	桑科無花果屬	中大農學院
崖爬藤	同上	牛首山附近
薜荔	同上	甕城明陵
鐵木通	木通科鐵木通屬	古林寺附近

南天竹	小蘗科南天竹屬	金大校園
十大功勞	小蘗科十大功勞屬	神杭苗圃
玉蘭	木蘭科木蘭屬	靈谷寺
洋玉蘭	同上	侯府花園
白玉蘭	木蘭科白玉蘭屬	庭園
含笑花	同上	息園花局
鵝掌楸	木蘭科鵝掌楸屬	神州苗圃
樟	樟科樟屬	金大校園
檫	樟科檫屬	中大農學院
山胡椒	同上	同上

山梅花	虎耳草科山梅花屬	中大農學院
溲疏	虎耳草科溲疏屬	金大校園
繡球花	虎耳草科繡球花屬	各處庭園
茶藨子	虎耳草科茶藨子屬	牛首山
海桐花	海桐花科海桐花屬	金大校園
楓香樹	金縷梅科楓香樹屬	靈谷寺
牛皮發	金縷梅科Fortunearia屬	紫金山
法國梧桐	法國梧桐科法國梧桐屬	各處庭園
翠藍茶	薔薇科繡線菊屬	臺城
麻葉繡毬	同上	金大校園

笑靨笑	同上	寨府山
金瓜果	薔薇科金瓜果屬	牛首山
貼梗海棠	薔薇科海棠屬	鼓樓公園
木瓜	同上	靈谷寺
棠梨	薔薇科梨屬	北極閣
梨	薔薇科梨屬	各處庭園
枇杷	薔薇科枇杷屬	各處庭園
石楠	薔薇科扇骨木屬	各處
山樝	薔薇科山樝屬	紫金山
棣棠	薔薇科棣棠屬	金大農場

刺莓	薔薇科懸鉤子屬	
木香花	薔薇科薔薇屬	各處庭園
月季花	同上	同上
金櫻子	同上	紫金山
雀梅	同上	同上
野薔薇	同上	各處
杏	薔薇科桃屬	各處
李	同上	同上
郁李	同上	清涼山
桃	同上	各處

櫻桃	同上	後湖
合歡樹	豆科合歡屬	古林寺
皂角	豆科皂莢屬	中大農學院
皂莢	同上	三牌樓陰陽營
雲實	豆科雲實屬	崖山十二洞
苦參	豆科槐屬	紫金山
槐樹	同上	各處
紫荆	豆科紫荆屬	青龍山各處庭園
綠穗木藍	豆科木藍屬	紫金山
紫藤	豆科紫藤屬	牛首山

錦雞兒	豆科錦雞兒屬	鬬雞閘
胡枝子	豆科胡枝子屬	
臺灣胡枝子	同上	
鐵掃帚	同上	清涼山
白荻	同上	紫金山
刺槐	豆科刺槐屬	各處庭園
黃檀	豆科黃檀屬	古林寺
狗花椒	芸香科花椒屬	紫金山
蔓椒	同上	
野花椒	同上	

枸橘	芸香科枸橘屬	金大校園
白鮮	芸香科Dctam.us屬	湯山惜山
苦棟	苦木科苦棟屬	幕府山
香椿	棟科香椿屬	清涼山
棟	棟科棟屬	各處
一葉荻	大戟科一葉荻屬	各處
饅頭果	大戟科饅頭果屬	湯山頭
胡楊	大戟科胡楊屬	鼓樓公園
山蔴杆	大戟科奓包葉屬	紫金山
油桐	大戟科油桐屬	第一造林場

烏柏	大戟科烏柏屬	三牌樓鐵心橋
黃楊	黃楊科黃楊屬	侯府及各處庭園
黃連木	漆樹科黃連木屬	各處
鹽膚木	同上	古林寺
漆樹	同上	後湖
貓兒刺	冬青科冬青屬	紫金山
冬青樹	同上	牛首山
衛矛	衛矛科衛矛屬	臺城
絲棉木	同上	各處
黃楊	同上	各處庭園

扶芳藤	同上	城垣
老虎麻藤	衛矛科南蛇藤屬	清涼山附近
野鴉椿	省沽油科野鴉椿屬	牛首山
茶條	槭樹科槭屬	雞鳴寺各處
美國槭	同上	金大校園
槭	同上	庭園
三角楓	同上	各處
無患子	無患子科無患子屬	牛首山
欒樹	無患子科欒屬	湯山鼓樓公園
銅錢樹	鼠李科銅錢樹屬	幕府山

棗	鼠李科棗屬	太平門外
寶鼠李	鼠李科寶鼠李屬	陰陽營
水凍綠	鼠李科鼠李屬	古林寺附近
黑彈子	同上	同上
鼠李	同上	同上
枳椇	鼠李科枳椇屬	龍蟠里
對角刺	鼠李科桫桔木屬	臺城
野葡萄	葡萄科葡萄屬	幕府山
爬山藤	葡萄科地錦屬	金大
菩提樹	田麻科菩提樹屬	牛首山

芙蓉	錦葵科木槿屬	庭園
木槿	同上	各處
梧桐	梧桐科梧桐屬	各處
山茶花	山茶科山茶屬	庭園
茶	同上	牛首山
金絲桃	金絲桃科金絲桃屬	牛首山
檉柳	檉柳科檉柳屬	鬭雞閘
莞花	瑞香科瑞香屬	各處
瑞香	同上	庭園
胡頹子	胡頹子科胡頹子屬	牛首山南門外

牛奶子	同上	紫金山
安石榴	安石榴科Tunica屬	太平門外
紫薇	千屈菜科紫薇屬	各處庭園
八角楓	瓜木科瓜木屬	各處
刺楸	五加科刺楸屬	紫金山小門口
五加	同上	龍蟠里
爬牆虎	五加科爬牆虎屬	各處
梾木	山茱萸科山茱萸屬	紫金山
杜鵑花	石南科石南屬	棲霞山
羊躑躅	同上	牛首山

烏飯葉	石南科越橘屬	牛首山
柿	柿樹科柿樹屬	各處庭園
君遷子	同上	幕府山
野柿	同上	崖山十二洞
齊墩果	齊墩果科齊墩果屬	青龍山
白檀	灰木科白檀屬	靈谷寺
雪柳	木犀科雪柳屬	各處
美國白蠟樹	木犀科白蠟樹屬	中大農學院
白蠟樹	同上	牛首山附近
連翹	木犀科連翹屬	金大校園

丁香	木樨科丁香屬	金大校園
桂花	木樨科木犀屬	各處庭園
女貞樹	木樨科女貞屬	各處
小葉女貞	同上	太平門外
迎春花	木樨科迎春花屬	庭園
絡石	夾竹桃科絡石屬	青龍山
夾竹桃	夾竹桃科夾竹桃屬	庭園
厚殼	紫草科厚殼屬	蔣王廟附近
醉魚草	馬錢科醉魚草屬	庭園
牡荆	馬鞭草科牡荆屬	古林寺

枸杞	茄科枸杞屬	臺城
楸	紫葳科楸屬	古林寺
梓	同上	金大農場
黃金樹	同上	同上
梔子花	茜草科梔子花屬	丁家橋
六月雪	茜草科六月雪屬	北極閣
接骨木	忍冬科接骨木屬	蔣王廟附近
金銀木	忍冬科金銀木屬	古林寺
錦帶花	忍冬科錦帶花屬	金大校園
莢蒾	忍冬科莢蒾屬	幕府山

大宗農產概況表

品名	數量	數值	產源	銷路	備註
米	七〇、〇〇〇石	三八五、〇〇〇元	東鄉南鄉	本地	產東鄉者名園顆南鄉者名黑稻味香質厚
麵粉	二、〇八三、四〇〇石	五、〇〇〇、〇〇〇	三汊河大同揚子工廠	徐州蚌埠臨淮蕪湖六合	
蔬菜	一二〇、〇〇〇擔	二四〇、〇〇〇	城廂各圃	本地	以雙塘之莧菜瓢兒菜高橋門之蘿蔔阜城大頭菜爲著
魚	一、二〇〇擔	一二、〇〇〇	玄武湖	本地	全湖面積可放魚四十萬尾廿二年曾放魚八萬尾
櫻桃	三、〇〇〇擔	九、〇〇〇	玄武湖	本地	孝陵衛西瓜堯化門瑤棗亦爲南京名產
芡實		六、〇〇〇	莫愁湖玄武湖	本地	
石榴		一、五〇〇	嶐山十二洞玄武湖	本地	
藕		六〇〇	玄武湖	本地	沙洲圩菴藕菱亦豐

大頭菜 蘿蔔乾	二、三七六擔	三三、三八二	通濟門外 皇城等處	各	埠	紫金山產太子參雲霧茶百合等

礦物

品名	產地	礦區	開採人或公司	開採及註冊年月	產量
煤	朝陽門外靈山		天利公司 華源公司	光緒三十三年	
	太平門外林山		江南財政局 寶華公司	光緒三十四年	
		二八二畝	華利新記公司	民國八年十月	
	圍山等處	三、九一二畝	寧興公司	民國九年一月	
	北固鄉 夏家窪	六四八畝	孫德魁	民國十一年十月	
	湯泉鄉 橙子山	二七一畝	夏殿選	民國十一年二月	
	佛靈門 曹古山	二九九畝	王文亮	民國十一年三月	

	北固山老虎山	七八畝	華茂公司	民國十一年	
鐵	牛首山		鮑宗漢	民國七年六月	
	前山窪	六〇七畝	陶保晉	民國八年八月	
	鳳凰山	二三、六〇〇方尺		民國十年	四五百噸
銅	橫溪磨子山			尚未勘查	
錫	牛首山			尚未開採	
鉛	愚公廟石山	七七畝	鄭日昌	民國八年十一月	
礦石	攝山渡				年產值一十六萬元

附記查礦局

【江督周札委袁道遵辦礦局文】（南洋官報三册光緒三十一年）爲札飭事．前准商部咨．光緒三年五月初三日奉旨。福建興泉永道袁大化著發往安徽辦理全省礦務欽此當經咨行欽遵查照。本大臣蒞任後。因開礦一事歷辦無效。固由集股不易。亦因勘驗不實。擬仿各國開礦成法。先從勘礦一著入手現在江蘇江西兩省應勘之礦亦多而各處銅元局需銅尤急聞鎮江池州贛州銅礦頗旺。亟應先勘銅礦期早開辦。然後再及他礦。擬暫在江寧省城設一查礦公所。即派袁道總理其事。其應需經費。已飭由寧蘇皖贛四藩司各籌銀二萬五千兩。以一年爲限以後勘定某處即以此項歸入股份。

礦政總局

【江督端等奏改設江南礦政總局片】（南洋官報一〇九册光緒三十四年）再准農工商部咨奏定礦務正附章程咨行查照辦理。續准電咨。此項章程經奏准以三十四年二月十三日爲宣布施行日期。均經轉行遵照在案查新訂礦務正章第二章第三款。內稱各省礦政應於省城各設一總總承轉辦理之區等語。是按照新章各省均應專設一礦政總局辦理各項礦務。復查江寧省城前於光緒三十一年正月間。經前署督臣周馥會同蘇皖贛三省撫臣奏設兩江礦政調查局。定限三年查竣撤局．開辦以來．至三十四年正月限期屆滿．……應飭撤局．一面遵照新章改設江南礦政總局．仍委原辦調查局礦務議員江蘇候補道崔衡璣駐局專寧蘇兩省礦務．籌備一切進行事宜．

食物

品名	製法
甑兒糕	削木如小瓶實秈粳米屑於中遞蒸之使融
松子糖	松子嵌入糕中切成薄片
滷豆腐	取芥菜鹽汁積久以爲滷投白豆腐乾於甕內經宿後煎之蒸之味極濁醲之有別致
貼爐麵筋	取麥麩揉洗之成小團炙以火張其外而中虛
乾絲	取百葉乾片纔切之浸以鹽汁點以生薑[illegible]味清腴
梅豆	取黃豆以飴糖紅麴煑之攙以梅子其色味極鮮

酒	靈谷寺前霹靂溝之水宜釀酒明孝陵衞所製者曰衞酒甜而醲易醉有迎風倒之名即南鄉之封缸酒也又土製燒酒謂之大麥沖通濟門外有酒廠產燒酒水西門外有米酒廠
水晶鴨	去毛生鬻諸市者
燒鴨	舉叉火炙皮紅不焦
醬鴨	塗醬於膚煑使味透
鹽水鴨	漬於鹽水中者其鹽漬日久謂之板鴨
油雞	以子雞製成
臘肚香腸	以豬肉切小塊包薄皮之小肉球

首都志卷十二

食貨下

農業

南京之田宜芒種。無粟黍稷。季秋種麥。仲夏種稉稻。其常也。山地坡陀。墾其平者爲田。溪澗所經。築塘壩以蓄水。率得中稔。歲旱則多種芋魁蕎麥蜀黍薯蕷甘藷之屬。濱江之田築圩禦水而耕。其中濱秦淮者亦然。圩田近水。兼有魚蟹蝦蛤葭葦菰蔣之饒。田多而近郭者。碾米以入市。其聚處謂之行。皆在中華門外。或泊米船河下。不入行。行八徑與量槩。升斗最準。曰河斛。

南鄉之民。農殖之餘。率以飼蠶爲業。春季采桑。筐筥相屬。繭成繰絲。負以入城。

行戶收買謂之土絲．微粗于湖州之產．織緞之緯用之、不中經材．以其未染色也．謂之白貨．

市內曠土．皆有蔬圃．晨露未晞．夕陽將落、擔水荷糞之夫．往來若織．灌園之利．殆視農爲優也．

【鳳麓小志】金陵城西南一隅．岡隆谷奧．爲長干之分支．迴環處每成亘壑．山水所經．儲以塘濼．土氣深厚．最宜於蔬．習是業者．購得佳種、躬親灌漑．老圃之利、較農爲優．其在春風始和．冰凍消釋．曰韭曰薹．乃始生殖．花散金黃．莖敷玉碧、入市炫新、三倍論値、南薰司令、梅雨連緜．匏壺豇莢、藤蔓引牽．架蕭束葦．散布田間．離離相次．若蠶簇然、秋意乍凉．新霜示警．瓜疇芋區、實垂彌頃、籬豆淸陰、晚菘上品．鄉味之佳．伊誰與並．荒寒畦壠、倐屆嚴冬、劚瓢兒菜．掇雪裏蕻、芹芽蘿蔔、色間白紅、其甘媚舌．不羨肥醲．每當晨露未晞、夕陽將落、擔水荷糞之人、往來若織、不肯息肩、力耕者無此勤也．至於薺菜苜蓿馬蘭菌菇之屬．類皆不種而生者、則村娃穉子．相率成羣．遠望如蚍蜉螘子．蠕蠕浮動．攜筐提籠．不絕於途．而茭蒲菱芡．宛在水中、又必解衣赤足．如鳧鴨之出沒、乃虛往而實歸焉、蓋其地高而不患潦。其塘多而不廣旱。其人樸而習於勞。其居復近市而易於獲利。故雖四時作苦、終日泥塗、然抱甕餘閒。趁墟早散。偶徜徉於茶酒社中。所謂江南賣菜傭。亦有六朝煙水氣也。

傍市之洲。皆產蘆。其鬻于城中者。由西水關運入。江荻則堅而實。葭葦則粗而空。南入中華門者多葉柴、北入自由門者多山柴。其餘則紅茅桿豆稭秫稭、或擔以人。或馱以驢。或運以車。率送至人家而止。

清季設桑棉局。

【續纂江寧府志】同治十年六月立。先是四年　月知府涂宗瀛於石城門內設局、貧民願植桑者。戶給桑三十五株。別自種佃種書於册籍。佃種者蠶時官收其息〔自種謂民地、佃種謂官地也〕。至是移局妙相庵。隸善後局、以冬月委員購嘉湖桑秧。民願領種者。呈糧串地契爲驗。乃賜給之、以翦接灌溉之法課之〔刊有種桑條規〕植官桑爲之程。〔局前城西北隅及王府園彌望綠野。皆官桑也〕附郭內外比戶業蠶。光緒六年撤局。

江寧農務總局辦理墾務。

【江督周飭設江寧農務總局札】〔南洋官報光緒三十一年〕照得江南荒地甚多。歷年催墾。不見大效。說者皆謂繳價太重。升科太早。又無餘留之款。以爲地方公用。遂至紳董不問。農夫裹足。今擬在江寧省城。設農務總局。卽派藩司爲督辦。候補趙道曾槐爲會辦。選派員紳。妥定章程。通行各屬遵辦。

設農務總會分會。

【寧學使江南實業學堂會詳遵創辦農會酌擬簡章請示文】〔南洋官報光緒三十三年〕爲詳覆事。竊署學司奉憲台札開。准農工商部咨。光緒三十三年五月二十九日本部具奏直隸保定府設立農務總會。請予立案。並飭各直省一律仿效。以資提倡而興農業一摺。同日奉旨依議。欽此。恭錄諭旨。刷印原奏咨行欽遵。迅卽籌辦報部備核。札司卽便會同江藩司實業學堂。體察情形。仿辦具覆等因。下司轉移到堂。奉此。……現經司道等公同會商。擬就職堂試驗場中。附設農務總會一所。爲各府廳州縣之機關。各府廳州縣設立分會一所。爲各鄉村之機關。並由總會編輯農學白話報。分發各分會。由各分會員。轉發各鄉。詳爲演說。務令農民皆知改良之法。漸次進化之功。並擇農隙之時。每年開會一次。陳列試驗成績。以及各地物產。俾官紳農畯互相聯絡。實力勸導。以期盡闢新機。廣興地利。

【江南勸業道李照寧屬各紳士等籌設農務總分會早日成立文】（南洋官報宣統二年一一五册）照得農林要政。疊奉嚴旨催飭籌辦。憲政之第二年第三年各省屬農務總分會均應次第成立。迭經通飭有案。……省城總會尚未成立。因於本年七月二十一日開茶話會。延請各紳籌議。當經議決總分會同時並進。一面趕設總會籌辦處以利進行。復經公推張紳謇仇紳繼恆主持。……事關本省農政。全賴貴紳協力組織。以期總會得早成立。以爲各屬分會之倡。除詳報督撫憲外。合行粘抄照會。爲此照會貴紳煩爲查照施行。須至照會者。

【督部堂張批勸業道詳報會督紳商組織農務總分會情形由】（南洋官報宣統二年一二一册）詳悉。……該道集紳公議。先設江寧農務總會籌辦處。……洵屬知所先務。旣請張仇二紳主任其事。候即備文照會。趕緊組織成立。以速進行。餘如何議辦理。仰即遵照。

【江蘇政治年鑑】省農會在寧垣丁家橋。

南京義農會．

【江蘇政治年鑑】在鍾山．

模範農場以資試驗．

【江蘇政治年鑑】江寧模範農場民國八年六月成立．地址在秣陵市般巷．面積一三、〇〇〇畝．種植棉稻小麥豌菉豆等．產值一二八、七〇〇元．外有五分所．設四鄉．

設昆蟲局以除蟲害．

【江蘇政治年鑑】現〔民國十一年〕寧垣特設昆蟲局．延聘美國昆蟲學專家吳偉士爲局長．竭力從事防除．

外有江南實業學堂農業試驗場．中央大學大勝關之農場．金陵大學農事試驗場．

民國十六年後．市政府以區內荒地多．劃分爲二十三區．從事整理．頗注意於治蝗．

【南京特別市政府工作報告】本市本年（民國十八年）夏各鄉發現大批蝗蝻。滋蔓八卦九洑永生柳洲等洲。及蔣廟岔路夾山白鷺後湖等鄉。均由社會局派員用網捕藥殺坑埋火燒諸法。督同農民星夜捕滅。計前後工作兩月有餘。耗洋兩千元。捕殺蝗蟲幾近二十萬斤。又云夏蝗既經撲滅。惟因遺卵甚多。仍恐發生秋蝗。爲先事防範計。曾訂定掘發蝗子懲奬條例。分發各鄉農民協會並派員督同農民認眞掘發。是以秋蝗未能發生。

又設立農藝場。

【南京特別市政府工作報告】三牌樓南洋勸業會舊址。原有綠筠花圃。現市府改爲市立農藝場。栽種花木甚多。

太平軍後。山多童禿。

【同治上江志】乾嘉間諸山松林十餘里。石頭山松竹亦十里。兵燹焚毀。今四境山皆濯濯而童。故無鳥獸翎羽皮革齒角之利。喬木上藥亘藤之用。

清季有南京利益樹藝墾牧有限公司。

【江蘇省政治年鑑】光緒廿八年開辦.股分定額六萬兩.

樹藝局.

【江蘇省政治年鑑】由農務局試辦.

江南蠶桑樹藝公所.

【江蘇省政治年鑑】光緒三十年開始試辦.

民國有省立第一造林場.

【江蘇省政治年鑑】民國五年四月成立.地址在朝陽門外四方城.面積二、六〇〇畝.專事苗圃造林及園藝畜牧.收穫數最爲二千二百一十五元.另有幕府山烏龍山分場.

鍾山園藝棉桑公司.（江蘇政治年鑑）

今鍾山造林.屬之陵園.進步尤速.數年以後.倘一變今日童濯之觀乎.

工業

南京工業.以絲織手工業爲大宗.出品有四種.而緞爲之最.

【中國經濟志】一曰緞．二曰雲錦．三曰絨．四曰綢．雲錦亦名錦緞．實質亦爲緞類之一種．特緞不起花．雲錦則起花．故雲錦又稱爲花緞．

緞業始於元而盛於淸皆設官理之．

【同治上江志】秣陵（皆江寧）之民善織．織巨業也．（明有神帛堂供應機房）元有東西織染局．明史正德元年尙衣監請造諸色絹絲紗羅織金閃色蟒龍斗牛飛魚麒麟師子通袖膝襴並胸背飛仙天鹿諸件．南都察院志亦言年例龍衣各色花素繒絲紗綾各色段．乾嘉間機以三萬計．其後稍稍零落．然猶萬七八千．

【續纂江寧府志】織緞爲江寧巨業．咸豐三年以來．機戶以避寇遷徙．北至通如．南至松滬．多即流寓之地募匠興織．販運各省．同治三年克復江寧．機戶安土重遷．觀望不歸．傭趁資食者．無以厚生．元氣難於驟復．總督曾文正公委員四出招集．囘省復業．并檄金陵善後總局．蘇州牙釐總局．分議販運緞匹扼要總捐一次．其沿途水陸卡釐槪免．以示體恤．

【續纂江寧府志】同治四年立織局．隸織造衙門．設織機六百餘張．以官領之．凡例貢若傳辦度其采章方幅之宜。以授匠作。織成。輸上內務府。

【中國經濟志】南京緞業久負盛名。明時於南京蘇州杭州三處。各置提督織造官。設廠監造。淸承明制。稱織造府。當時蘇產曰羅緞。杭產曰花緞。京產曰元緞。昔人品評謂羅緞花緞均不及元緞之質軟堅潤。因其僅織袍緞及制帛誥敕彩繪之類。以供御用及內庭頒賞之需。故稱貢緞。通俗稱京緞。要皆指無花元緞而言。道咸而後。漸加改良。花樣翻新。南京除貢緞而外。又有所謂閃花摹本緞天鵝絨緞寧綢宮綢之屬。次第出現。此卽緞業之極盛時期。其時織機達三萬餘台。依此爲生者垂二十萬人。每年產值皆在千萬以上。洪楊兵燹後。尙存織機萬餘台。男女工五萬餘人。每年仍可出緞二十餘萬疋。產値仍在千萬元以上云。

淸季裁撤江寧織造。

【南洋官報一二九册陶筱寔等稟】前奉電傳光緒三十年五月二十八日諭旨。江寧蘇州兩織造同在一省。著卽將江寧織造裁撤。

【南洋官報一四六册】江寧織造奉旨裁撤後。存尙衣會咨商前督憲魏制軍先裁去本署筆帖式二缺。至織局承辦織繡各貢品。則勒限嚴催。將做定各貨。迅速竣工。以憑報部。茲已據該局三堂總管呈報。遵限一律完工。尙衣乃飭轉諭各機匠。卽將機具什物陸續搬運出局。一面咨請督憲派員驗收局屋。一切仍尙衣將諸務署就緒後。卽於十月二十二日啓節北上矣。

迄至今日。機業益衰。其因甚多。不亟加改良。恐難復興也。

【江蘇十一年政治年鑑】江寧元緞。近受嗶嘰呢之影響。銷場始滯。歲亦尙售銀四五百萬。

【中國經濟志】民元以來。國體改革。用途減少。該業漸落。推其原因。一因舶來品之侵銷。一因銷場之減縮。考京緞國外銷場。以高麗安南印度爲大宗。自十三年始。日本陡增關稅百分之百。安南亦因法科重稅。均裹足不前。國內銷場。以東三省爲最。約佔全數之半。次爲蒙古新疆西藏川滇等省。東三省又以九一八事變。受郵政封鎖。關稅加至百分之五十。大宗銷路。盡告斷絕。加之該業暗相競爭。粗製濫造。但期低價推銷。不求貨品精進。致出品本身日劣。遠不及呢絨嗶嘰洋緞之經久耐用。亦其失敗之一大原因。迄至二十二年實業部調查時統計。二十一年概況。僅存緞號六十家。織機一千一百二十九台。織工三千二百八十七人。年產緞不過一萬七千五百疋。產值八十一萬餘元耳。以今比昔。曷勝興替之感。市府當局現正亟力提倡京緞之改良。同時舉辦緞絨機戶貸款。……並令各區糾集貸款機戶。組織改良緞絨會。以實行研究改良之方法。取締粗織濫造。進行產銷合作事。經半年。現在出品較之舊有出品。無其浮光。而堅實耐用。價值亦較廉三分之一。購置踴躍。各機關人員亦多採用。倘能長此努力。或爲復興京緞之一途徑。亦未可知。

【中國經濟志】南京緞業二十三年上年情形。尚存緞號六十一家。約定織本牌緞疋機數增至一千一百四十六架。全年可織素緞二萬八千疋。產值一百一十二萬零一百九十元。較之二十一年似覺稍有起色。

【一九三一年海關報告册】南京緞業。往日曾頗興盛。風行極廣。今則一蹶不振。三十年前。此項絲織品佔出口百分之七十。人民直接間接賴此爲生者。將及三分之一。然近年來南京產品已不若蘇杭鐵機所製者之精良。不能與之爭勝。而爲衣服之用。更不能與外國之棉毛織品相競。此種緞業之漸衰。顯因織法缺乏改良。試一比較市上所售各種絲織。則蘇杭之光澤遠軼南京。昭然可見。蘇杭絲織視南京素緞更動人意。京緞式樣已太陳舊。不爲今日衣飾之用。僅宜於簾幕椅褥而已。如再不改良。恐異日必致消滅。試觀下表所列過去十年間之出口。即可知之。

一九二二	八、〇四五疋
一九二三	八、二四四疋
一九二四	三、五八七疋
一九二五	三、二五二疋
一九二六	三、七一五疋
一九二七	二、三六三疋
一九二八	一、四四八疋
一九二九	二二七疋
一九三〇	一〇一疋
一九三一	八疋

【朝報】（二十四年五月）京市六年前緞機爲全市首業．各行各業皆爲緞機業所左右．民國十六年緞機業工會成立．時有織緞機八千架．男女大小工人達二萬餘．十八年該工會二次改組成立．機有四千架．工人萬餘．二十年該工會三次改選成立．機數減至一千．工人僅二千餘人．迄現今

全市機數不過五六百架。且或織或停。工人尚不滿千人。可見該業已一落千丈。而全市各業。均受影響。故市面非常冷靜云。

業緞最久者有數家。

【江蘇十一年政治年鑑】德義長號在城內釣魚臺。道光十七年成立。宣統二年五月註册。股分定額六千兩。于啓泰在釣魚臺。同治八年開設。產量年六千五百匹。工人一千三百五十人。劉益興在高崗里。同治十一年開設。產量年二千五百匹。工人五百三十五人。

緞之類有數種。

【鳳麓小志】緞之類有頭號二號三號。八絲冒頭。而以韡素爲至美。其經有萬七千頭者。玄緞爲最上。天青者次之。

其織也。由機戶領之于帳房。

【鳳麓小志】開機之家。謂之帳房。機戶領織。謂之代料。織成送緞。主人校其良楛。謂之讐貨。

【中國經濟志】緞爲女絡男織之純粹家庭工業。並無廠家。僅有織戶。各戶備織機數架。代城內緞號製貨緞號爲銷售機關.機戶爲製造者.由緞號向機戶接洽.代爲織緞.每機立一牌號……有一家專織一號者.亦有一戶代織數家緞號之牌名者.故南京緞業非以廠或戶爲單位.而以機爲單位.

織之手續極繁.

【鳳麓小志】其織也必先之以染經.經以湖絲爲之.經既染.分散絡工.絡工.貧女也.日絡三四窠.〔絲曰片.經曰窠.百窠爲一椿.〕得錢易米.可供一日食.於傭力之中.寓恤貧之意焉.經雙交齊.則植二竿於前.兩人對牽之.謂之牽經.牽畢.即上機接頭.新舊並繫.兩端相續.如新置之機.無舊頭可接.則必先撈範子.然後從交竹中縷縷分出.一絲不亂.謂之通交.而織工乃有所藉手矣.

所用之機.名目百餘.

【鳳麓小志】語曰.工欲善其事.必先利其器.織緞之機.名目百餘.向於高子安中書處得機器譜.爰循其次序誌之.曰鼎椿.曰踮椿.〔以石爲之.〕曰鼎機石.曰馬頭.曰仙人洞.曰豬腳坑.曰腳竹椿.曰腳竹釘.曰脚竹.曰搭馬竹.曰機頭.曰機身子.曰核齒檔.曰筐門.曰雞冠.曰機頸子.曰江楔.曰坐板.曰蠟

尺（竹也）曰蝠槽。曰局頭曰襯局。曰拖機布。曰局頭槽。亦名敖口。曰穿札。曰壓伏。曰狗腦。曰海底楔。曰靠山楔。曰千金椿（俗名較門）曰較尺。曰辮。曰辮楔。亦名辮仁。曰遭線。曰遭線管。曰伏辮繩。曰和邊繩。曰蝦須繩。曰腦門。曰三架樑。曰鸚哥架。曰仙橋。曰獅子口。曰鴿子籠。曰牛眼睛。曰穿心竹。曰弓篷（竹也）曰菱角鉤（鐵也）曰鴨子觜。曰楔障板。曰隔板。曰樓柱。曰沖天。曰沖天蓋。曰橫檔。曰千金桶（竹也）曰繂。曰豬腳盆（木也）曰豬腳（竹也）曰豬腳線（在綢機曰渠）曰打絲板（花機用）曰腰機腳。曰腰機橫檔。曰筐匣。曰筐蓋。曰侏儒。曰底條。曰釣筐繩。曰燕子窩。曰護梭板（以竹爲之或用銅片）曰筐門。曰篦。曰篦齒。曰篦門（用馬尾縫）曰邊齒。曰樟桿。曰搭馬。曰鋸子齒。曰釣魚竿。曰過梭板。曰廂板。曰邊關龍扦竹。（小花機用）曰渠楔竹（花機弦用）曰雲棒（竹也）曰障。曰範子。曰範子髮。曰障髮。曰範子梁。曰龍骨（生絲筋用）曰脊刺（細竹絲以連四紙爲之）曰合檔竹。亦名八扇竹。曰帶障繩。曰釣障繩。曰絡腳繩。曰肚帶繩。曰釣蔑（竹也）曰拽範繩。曰老鼠尾。曰橫眼竹。曰立人。曰立人釘。曰立人簫。曰立人盤（石也）曰鬼臉。曰撞機石。曰立人椿（石也）曰排雁。曰排雁槽。曰邊鵝眼。曰迪花。曰鎗腳。曰羊角。曰搭角枋。曰鎖筆。曰包迪布。曰拖泥。曰邊爬。曰綹頭爬。曰緯盆。曰洋燈鉤（鐵也）曰文刀頭（鐵也）曰渠撤竹（花機用）曰仙鶴髮（竹也）曰文刀（竹也）又作場所用之物曰平尺。曰上經棍。曰緒梭。曰交杖竹。曰提頭。曰挑頭竹。曰釣作線。曰交帶。曰釣枰。曰播竿。曰拉車橙。曰走頭板橙。曰沖天挑頭鉤。曰絡筐竹。曰絡筐盆。亦名蜻蜓。曰舌頭。曰絡筐楔。曰擡絲碼。曰緯車。曰緯車橙。曰車輪。曰麪筋挖。曰將軍柱。曰緯釘。曰緯弦。曰搖手。曰緯盆。曰梭子。曰梭頭（鐵也）曰梭爪。曰梭倉。曰鵝瘤。曰梭門。曰梭棕。曰梭槔蓋。一器而工聚者機爲多。宜其細密精緻。爲海內所取資也。

緞業外有雲錦業

【中國經濟志】雲錦亦名錦緞。凡緞質而有花色者均屬之。大別可分爲摹本元錦織錦裝花錦緞四種。歷史較素緞尤長，宋時宋錦卽其鼻祖。限於專供御用。歷代帝王。用以作袍。明清尤盛行。皇族親王亦用以製衣。辛亥革命此項用途消滅。惟蒙古喇嘛西藏活佛裝飾廟堂祭墊神袍傘蓋圖幕之用途如故。西人遊華。多購歸製作椅墊琴擡手夾皮包之用。現在亦多照式仿織。織戶均係半工半商性質。一面織。一面售。亦有家藏一二機代人織錦。專取工資者。……全業尙存一百零八家。計有資本二萬四千五百十九元。織機四百四十九架。

絨業

【中國經濟志】南京絨業能出漳絨建絨彩絨三種。漳絨卽天鵝絨。相傳於今六十年前由福建漳州傳入。故名漳絨。旋成爲本地特產。多製馬褂坎背。建絨亦由福建仿織。以南京古名建業。故稱建絨。元色無花。專製婦女帽勒。彩絨爲加金銀桃花織品。多用作桌毡地毡及陳設品。爲魏正豐晚近所發明。該號原爲織漳緞專號。緞名亦源自漳州。在清末時男褂女襖風行一時。近以漳緞衰微。達於極點。乃增織彩絨。獨樹一幟。

漳絨　民國十七年初成立公會時。南京尚有漳絨織戶九十二家。織機一百九十五架。現存織戶僅四家。織機十五架。

建絨　民國十七年間南京有建絨織戶一百六十七家。織機三百二十九架。二十一年尚存八十餘家。今則僅存五十八家。工作機百架。年產建絨五百疋。產值一萬三千元耳。

江寧縣建絨業機戶多散布於五棵松五百戶二百戶等處。共約四十家。大都爲南京各絨莊工友因絨業衰落失業家居。聊備織機原料。藉以維持生活。各家資本五六十元不等。共計二千餘元。年產建絨約二百疋。銷售南京。總值四千餘元。

彩絨及漳絨　僅魏正豐一家。計資本五百元。工作機四架。漳緞爲緞底絨花織品。專作衣料。……

近以銷路斷絕．改織彩絨．……年產凡八十四丈．產值三千一百二十元．銷行西藏外洋．歐美人頗好之．

寧綢．

【中國經濟志】寧綢盛行時．南京織戶約一萬餘家．今除立成綢廠外．僅楚德泰宋永源丁子餘三家．各備織機一具．年出寧綢不過三十疋．

【中國經濟志】立成綢廠改組於民國十八年間．廠設船板巷．資本一萬六千元．……機械設備．置有木機四十三架．……每年可出㭲綢四百疋．絹綢二千四百疋．銷行印度孟買南洋一帶．營業達八萬二千元．

因機業而發生者有絲行

【鳳麓小志】絲行則在沙灣．所以收南鄉之土絲也．織玄緞者以湖絲爲經．而緯則用土絲．自曾文正公開蠶桑局而土絲始多．逮沈文肅公永免絲捐．而土絲大盛．當四五月間．鄉人背負而來．評論價值．比戶皆然．近乃稍稍減色者．殆效西法繅絲收繭輩階之厲歟．

染坊。

【鳳麓小志】染坊則在柳葉街船板巷左近。蓋秦淮西流水以之漂絲。其色黝而明。尤於玄緞爲宜。猶之鎭江大紅常州果綠蘇州玉色西湖杭色皆遷地弗能爲良也。（李春泉封君云。向例染坊漂絲。水涸時在城外。恐城內停水多穢也。水漲時在城內。以西流水急汚濁可隨退潮出關也。今城外掃帚巷漂絲馬頭已爲江北灰糞堆所佔。染工利於就近。無冬無夏皆於新橋上浮橋一帶漂絲。致水流垢膩。幾不可食。是宜復舊制者也。

外此有貧民工廠。（今廢）

【兩江督院張札江寧勸業道准農工商部咨復南洋勸業會場開設工廠應准立案飭將章程送部備核文】（南洋官報宣統三年一四八册）宣統三年正月二十二日。准農工商部咨。接准咨稱。據江寧勸業道詳稱。此次南洋勸業會。原以提倡實業。現在閉會而場地遼闊。善後之策。必須設立。且邇來貧民生計日蹙。非此不足以安置。擬請咨部立案……擬訂簡章。詳請批示等情。到本部堂。據此。當批詳摺均悉。應准照辦……相應咨請查照立案等因。前來。本部查現就南洋勸業會場基址。開設工廠。專收貧民。教以工藝。並承造本省軍學兩界用品。免致利權外溢。自係爲擴充實業挽回利權起見。應卽准予立案。仍希飭將章程送部備查。應咨復貴督轉飭遵照可也等因。到本督院。准此。合就札行。札到該道卽便遵照勿違。

【兩江督院張批江南勸業道詳寧屬各項實業及交通經辦情形由錄原詳】（南洋官報宣統三年一五〇册）一曰設立省城工廠。以爲工藝之模範。……江南本有工藝局。近因貨滯銷日形虧折。職道當經另籌辦法。請於勸業會場就地組織。專收貧民。教以工藝。……業奉憲台批准。惟經費未經指定。驟難開辦。……一經籌有定款。卽當實行。決難稍事延緩。

江蘇省立第一工場。

【江蘇十一年政治年鑑】在城內復成橋。民國元年九月成立。基金五萬元。職員八人。工徒一百八十人。男三十。女一百五十。製造分提花木機兩種。年成四千疋。

省立貧兒教養院。

【江蘇十一年政治年鑑】在昇平橋。民國元年八月成立。工人二百六十三人。男二百三十三。女三十。製造布疋產量五百疋。籐竹木工四百四十件。

寧城善後工廠。

【江蘇十一年政治年鑑】在大中橋。民國元年十二月成立。工人二百四十七人。男二十七。女二百二十。製造絲光布產量不詳。

南城貧民工廠。

【江蘇十一年政治年鑑】在下江考棚。民國二年九月成立。工人二百一十五人。男一百四十。女七十五。製造布疋年成四千三百疋。

布疋巾襪竹木等工廠。

【江蘇十一年政治年鑑】振興織襪廠在四象橋。民國三年二月成立。工人十三人。男五。女八。製造線襪。年成五千打。利生工廠在二道高井。民國二年十二月成立。工人一百九十六人。男三十六。女一百六十。製造絲光布年成一萬三千二百疋。源成工廠在油市大街。宣統元年四月成立。男工八十八。製造絲光布。年成一萬二千疋。湧盛布廠在南門大街。民國元年成立。男工二十二人。製造條布年成四千疋。恆興祥織襪廠在評事街。民國元年八月成立。工人十五人。男十二。女三。製襪年成二千六百打。華新織布廠在油市大街。民國二年一月成立。男工二十二人。製造布疋年成三千五百疋。利民柞綢工廠在曹都巷。民國三年五月成立。工人七百二十五人。男三百二十五。女四百。製造柞綢。年成七千二十九疋。

【中國經濟志】南京疋頭多由上海南通無錫輸入。本地自織者僅有公正源成馮晉記三廠。年出各種廠布不過八千餘疋。且貨色粗劣。市面不甚暢銷……此外各廠布莊大都自設工廠。原料機器均由廠方供給。工資按月計算。亦有放料辦法。廠方僅供原料。織機由工人自備者。本京漢西門一帶。織散戶頗多。

【中國經濟志】毛巾廠僅有合記湖南旅京民生工廠一所。成立於民國二十年。廠設釣魚臺。資本七百元。工人十四名。置木機八架。年產大小毛巾約三千打。計值四千元。

營造廠。

【中國經濟志】南京自十六年以後。修築官署營房及馬路兩旁房屋迄未間斷。故營造廠亦特別發達。全市計共四百八十家。爲京市工廠家數之最多者。該業登記按照資本大小分爲甲乙丙丁四等。資本在五萬元以上者爲甲等。萬元以上者爲乙等。二千元以上者爲丙等。二百元以上者爲丁等。內計甲等六十三家。乙等七十九家。丙等一百八十六家。丁等一百五十二家。按照登記資額應爲四百三十四萬二千四百元。然實際猶不止此數。

磚瓦瓦筒廠

【中國經濟志】南京磚瓦瓦筒業。初僅談海（民國元年成立）征業（民國十年成立）二廠。自國都建定。建築頻繁。於是應運而興者有大興（民國十九年成立）新建（民國二十年成立）新利源（民國二十一年成立）協義記（民國二十一年成立）通華（民國二十一年成立）宏業（民國二十二年成立）六廠。其中以宏業爲最大。談海新建次之……總計產值凡五十一萬三千七百六十元。出品悉銷京市。尚覺供不應求。

【中國經濟志】江寧縣磚瓦廠有金城京華兩廠。一設九區沙口。一設十區西善橋。……年產青紅磚瓦總值約二十餘萬元。概銷於各大市場。

磚窰業.

【中國經濟志】散布於仙人居窰頭上六郎橋油坊橋一帶．共有大小磚窰約十三座．資本微薄．每家各約百元．雇用工人各六七人．泥土就地取給．每年燒窰各三次．產值共約五萬餘元．

採石業.

【中國經濟志】廠設燕子磯．有天然大華兩公司．均用工人開採．軋成碎石．石砂．運銷南京．用以建築馬路等．年計產值約五萬元．

機器廠.

【中國經濟志】南京機器廠有協昌等二十家．內計翻砂廠二家．鍋廠三家．電機廠一家．全業資本六萬四千餘元．……全業機器設備共有柴油引擎八只．共馬力四十七匹．電流馬達十三只．共馬力二十八匹．車床三十九只．鑽床十八只．鐴床二只．鐵模一百五十只．溶鐵爐四只．翻砂爐一只．每年出產柴油引擎二十四架．抽水機三百架．麪粉機三十架．打火機五架．碾米機四架．鍋九萬口．火爐五百個．多係協昌邊隆豐金永盛三廠產品．其餘各廠類多修理性質．祇可修配機件．

勝昌機器廠　光緒二十年成立

同泰永機器翻砂廠　光緒三十年成立

楊永興機器廠　宣統年間成立

邊隆豐機器廠　民國七年成立

協昌機器廠　民國十年九月成立

張乾亨鍋廠　民國十四年成立

中興機器廠　民國十四年成立

金盛永造鍋廠　民國十五年成立

邊隆豐機器廠　民國十五年成立

新福記鐵工廠　民國十六年成立

邦華電機廠　民國十六年成立

公昌機器廠　民國十八年成立

和平軒銅鐵機器翻砂廠　民國十九年成立

永興機器廠　民國十九年成立
泰森機器廠　民國二十年成立
同興昌鑄鍋廠　民國二十年成立
同裕機器廠　民國二十年成立
信誼機器廠　民國二十一年成立
華成機器廠　未詳
同泰永機器廠　未詳
協昌邊隆豐金盛永三廠每年產量
協　昌　柴油引擎二〇架．抽水機三〇〇架．麪粉機三〇架．
邊隆豐　柴油引擎四架．打水機五架．礮米機四架．
金盛永　鍋五〇、〇〇〇口．火爐五〇〇個．

印刷工業．有南洋印刷官廠．

【督部堂端札寧藩司籌辦南洋印刷官廠奏奉硃批文錄原奏】(南洋官報宣統元年二八册)奏爲籌辦南洋印刷官廠規模已具。發行有期。謹將大概情形恭摺具陳仰祈聖鑒事……度支部……已於光緒三十三年奏明創設印刷局其後各省亦漸有踵而行之者江南夙號繁庶作僞之風。勝於他處。近年上海一埠商辦印刷雖多。然祇爲營業之謀。仍於行政無補。若不將印刷官廠迅速圖維。實足爲行政改良之阻礙……適其時江寧省城造幣廠奉文停鑄。房屋甚多。閒廢可惜。因將造幣廠之中廠略事改修。期於合用。定名爲南洋印刷官廠計自三十三年四月創始經營。至今將及兩載規模粗立。……擬定於本年六月初一日。爲發行之期。

【中國經濟志】南京爲全國首都中央一切政教文化之宣傳。均恃印刷爲廣播利器。十六年以前全市僅四家。十六年以後逐年添設。增至二十八家。內以三民印務局爲最大該局由中央黨部辦理。次爲京華大陸設備齊全。印刷亦精。全業資本共計四十四萬三千五百五十元。……置有柴油引擎五座。(馬力共四十二匹)馬達七座。(馬力共一百〇四匹)鉛印機六十三具……二十二年營業凡九十萬餘元。

造紙廠。

【中國經濟志】計中國及新中華兩家，前者二十三年七月開工，後者廿二年九月開工。

電氣工業有電燈廠。

【金陵電燈官廠詳督憲本廠成立日期及與信記洋行結清貨款帳目分期歸還請備案文】（南洋官報宣統二年一二三冊）嗣於七月間將鍋爐引擎總開關邦浦煙囪並豎桿掛線次第裝設完竣，試車次機器尙屬靈捷，燈光亦極明淨，已於宣統二年八月中旬自憲署及會議廳起開燃電燈，其餘有來廠掛號者亦均陸續飭匠挨裝次第開燈……擬請以九月初一日爲本廠成立之期。

【江蘇十一年政治年鑑】省立南京電燈廠綱要組織表一

名稱	江蘇省立南京電燈廠
沿革	原名金陵電燈官廠清宣統元年由江南財政局稟請兩江總督撥款興辦民國成立始改今名
成立年月	清宣統三年冬
資本總數	約七十萬元
發電所地址	發電所兩處一在城內西華門一在下關江邊
配電所地址	城內龍王廟

變壓所地址	城內分設變壓所七所在三山街貢院水西門中正街三元巷螺絲灣督軍署等處但下關及城北一帶有一部分採用小變壓器掛於電桿上端
發電方式	城內單相三線式下關三相三線式
發電容量	城內八百零五KVA下關一千二百五十KVA
營業區域	城內下關共約十二方里
現有燈數	五萬盞

表二

職別	員額
廠長	一
總務部	一四
營業部	一五
技術部	一一
物料部	六
下關發電所	四
見習生	五

機器工頭	二
機器工匠	四一
綫路工頭	一
綫路工匠	二四
合計	一二四

【中國經濟志】南京電氣業共有二家．一爲首都電廠．一爲浦口電廠．均係官營性質．首都電廠．原名南京電燈廠．自建設委員會十七年接辦後．始改今名．規模從此大加擴充．頓成全國模範電廠．另於下關設有分廠．初有資本不過一百七十餘萬元．現已增至三百五十萬元．都城內外及下關商埠．均爲其營業範圍．浦口電廠（民國十三年成立）由津浦鐵路局設立．專供路用．營業僅及于浦口一隅．

電池廠．

【中國經濟志】耀華電池分廠．民國二十一年設立．資本一千元．年產各種電池一萬打．營業計五千元．

下關電廠（陸地測量局製）

電鍍廠。

【中國經濟志】電鍍電刻業共有四家。計有資本四千八百元。全年營業共計二萬四千餘元。

又有機器鑿井廠。

【中國經濟志】新昌機器鑿井廠成立於民國十八年。營業年達萬元。

煤球廠。

【中國經濟志】煤球廠有利民合昌二家。利民爲機製煤球廠。年出煤球六萬擔。合昌爲手工製球。有小機器一架。年出煤球三千餘擔。全年營業共計七萬餘元。

燭皂廠

【江蘇十一年政治年鑑】泰記和茂工廠在璇子巷宣統二年七月成立男工十六人每年製造肥皂三千二百箱洋燭二千五百箱。

【中國經濟志】南京燭皂廠有大中華（民國二十年成立）和茂新（民國十九年成立）興茂（民國十七年成立）華興（民國十五年成立）四廠年可出皂七千七百五十箱燭一千六百箱碱八百塊產值三萬九千六百元銷行南京江寧句容溧水等處。

食品工業有麪粉廠

【中國經濟志】南京麪粉製造廠原有大同（民國十年成立資本五十萬元）揚子（民國二十年成立）泰昌三家前二廠設於三汊河後一廠設通濟門外……推爲京市規模較大之工廠惟泰昌已於二十二年上年歇閉現存大同揚子二廠……年出共麪粉二百七十萬袋麩皮七十五袋行銷江蘇安徽各埠全年營業共約五百萬元。

【一九三二年海關報告册】近十年間。南京麪粉廠。頗形興盛。其主要原因。蓋由麪粉爲南京近郊人民需要之大宗。而南京地位適當小麥易於收集。亦爲一因。以前南京麪粉全由上海無錫輸入。今則有三工廠矣。大同麪粉廠設立於一九二一年。資本百萬元。廠在三汊河上。佔地六十畝。機器設備有柴油機十九架。每年出產麪粉約一、五〇〇、〇〇〇至二、〇〇〇、〇〇〇袋。麪粉銷售本地及外埠。其數略相等。外埠多銷行安徽河南山西江西河北各省埠。所用製粉小麥。則來自安慶蕪湖和州徐州蚌埠揚州高郵諸地。然一九三〇年竟有大批小麥。約一八四、九九〇擔。直接由美國澳洲俄國輸入。蓋因江北小麥含有百分之二十之廢物。難以磨製也。第二爲揚子麪粉廠。廠址與大同密近。資本三〇〇、〇〇〇元。一九三一年三月開工。有柴油機兩架。每年出粉約七〇〇、〇〇〇袋。泰昌麪粉廠亦成立於一九三一九。資本較小。日出麪粉約五〇〇〇袋。

碾米廠

【中國經濟志】南京自建都截至現在。人口激增。至七十二萬餘人。其食糧銷耗。平均每日每人以食米五合計算。則日需米三千六百石。積年則需一百二十餘萬石。此種鉅量。除一部分由外埠運入外。多數均本市米廠精輾供給。京市碾米業亦因之發達。散布於中華門外漢西門外通濟門外及下關等處者。共計凡三十九廠。全業資本凡八萬餘元。各廠設備共計有柴油引擎四十二具。馬力七百零四匹。米斗七十五具。米礱十八具。每日出米最多可六千石。但實際上僅至半數以上。所出之米。皆銷本市。以供民食。

酒廠

【中國經濟志】南京釀酒作頗多。機器酒廠惟濟豐（民國十年成立）華豐裕（民國三年成立）二廠。分設光華西街九龍橋兩處。共有資本七萬五千元。置柴油引擎石磨鍋竈之屬。專製汾酒燒酒。銷售京市每年可製汾酒五千擔。燒酒七百擔。產值九萬二千元。

冰廠

【中國經濟志】南京機製冰廠現僅鼓樓（民國十七年成立）九龍（民國二十一年成立）二廠。共計資本四萬五千元。年可出冰八百六十噸。全年營業二萬九千餘元。此外尚有天然冰廠十二家。二十二年共藏天然冰十六萬擔。每擔以七成計算。則每年營業約值八萬九千六百元。較之機製

南京自來水廠（陸地測量局製）

冰超過約三倍以上。

公用工業有自來水廠。

【中國經濟志】南京自定都後。爲急行救濟飲料之缺乏及消防事業之改進。市政當局乃於十八年春間着手籌劃自來水。旋於十八年六月奉國府令核准發行特種建設公債三百萬元。暫以二百萬元作爲建設首都自來水之用。十八年八月市府成立自來水籌備處。籌備一切進行之工程計劃。復於翌年三月成立自來水工程處。負責督促工程之進行。及至二十二年四月開始供水。廠址設漢西門外蔔包洲。取長江之水爲水源。每日給水能率爲四萬立方公尺。

【南京市自來水工程進行概略】南京自定都而後。爲救濟飲料之缺乏及改進消防事業計。乃有興辦自來水之議。計自十八年秋籌備以來。已於二十二年四月一日起局部給水。茲將各工程進行概況約略說明如左。

十八年八月奉劉市長命着手籌備。

十九年三月成立自來水工程處。開始工程建設。

二十一年五月奉命歸併於工務局。儘先促成局部給水計劃。

二十二年四月開始給水。

現在情形　已費工程總額及機件水管裝管等費約四百萬元。每月營業收入約三萬五千元。經常支出每月約一萬五千元。利息及折扣在外。

水源　長江夾江在下關上游約四公里。

廠址　在北河口以北葡包州。

廠內建築　動力室（卽發電廠）　內裝道馳牌六〇〇匹馬力六汽缸立式柴油發電機一架。機件價美金二萬七千元。房屋約六萬元。已完工。

進水建築　自來水進水建築。用江底水箱式水管。口徑爲四十八吋。用鉚釘鋼板管埋於最低水位下一・五公尺。工程費用八萬餘元。已於二十一年六月完工。

混水機室（抽江水至沉凝池）　一名低壓抽水機室。爲吸引江水沉澱之用。現有電動者三架。出水口徑十四吋。出水十二吋。水頭抗力八——一五公尺。效率72%。馬力68。電壓525。總價美金七千四百元。電機部分爲西門子廠供給。抽水機部分爲德國懷司廠供給。房屋工程造價約八萬元。早已完工。

沉凝池（澄清水質）　本市現有沉凝池。計分上下二層。上層爲加藥沉凝之用。下層爲蓄藏清水之用。沉凝池有效容量爲七千立公。蓄水池容量約爲三千立公。沉凝時間在每二十四小時出水四萬立公時。約爲四小時。和藥用電動翼子。和藥機排泥用斗式。造價約五十萬。已於二十一年六月竣工。

清水機室（打清水入城）　即高壓抽水機室。爲吸引江水入城之機關。內裝電力抽水機三套。出水量每套每分鐘一三・七立公。水頭抗力七十三公尺。效率78%。馬力315匹。機件總價美金一萬一千五百元。房屋造價約五萬元。已於二十年八月竣工。

淸涼山蓄水池　因城內用水不均而抽水機出水量常不變更。爲調節計故有上述蓄水池。當城內用水少時。蓄水池卽積存多量之水。城內用水增加。抽水機出水量不足時。蓄水池之存水。卽補充之。現有者之容量約爲二千八百立公。

水質　將江水抽入時。卽加漂粉一道。以資消毒。比例約爲氯千萬分之五。復於沉凝池加礬。約百萬分之四十。以資澄清。澄淸後於淸水機吸水口再加適當氯氣殺菌。然後打入城中應用。每日均由衞生署及衞生事務所化驗。並無大腸菌。宜於飲用。

出水量　水廠安全出水量每日約四萬立公。必要時可增至六萬立公。現在城內用水尙不足一萬立公。（約七千立公）距足量程度尙遠。（每立公合二十市擔）

管線長度　總管長度約一百公里。

支管長度約三十五公里。

用戶總數　約二千戶。

售水站　約六十處。分布全城。現擬增設自動售水處若干處。試辦有成效後。再行增設。

水費　每立公自二角起至八分止．每月用水愈多．單價亦愈廉．

將來計劃　〔一〕擴充幹管　城內幹管．離普遍之程度尚遠．現擬儘量設法擴充．以期普遍．

〔二〕改善水質　水廠因限於經費．尚無快濾池設備．雖水質已差強人意．尚有改進之必要．現擬即興建快濾池一座．使清水再濾過一次．尤臻淸澈．現正在計劃中．

〔三〕擴充蓄水池　蓄水池即可平均水壓．於總管需要修理時．亦可暫時維持給水．擬即酌予擴充及加設．現正在計劃中．

〔四〕增加十三公厘及添設九公厘優待戶　本處爲減少市民負擔．及提倡裝用自來水起見．現擬將原有之十三公厘優待戶數．酌予增加．並加設九公厘優待戶．務使裝管費用．減至極微．

〔五〕加設售水站　爲便於一般市民購用自來水起見．擬即於適當地點．酌量加設售水站數十處．

消防免費　自來水出水後．對於飲用．固改進不少．於消防事業．功效尤著．爲便利市民計．消防用水．一概免費．

手工業有刻書業

【金陵物產風土志】金陵。圖書之府也。明時有南監板。較北監爲精工。厥後豆巷（卽焦狀元巷）焦殿撰竑家五車樓。馬路街黃檢討虞稷家千頃堂。栞書與毛氏汲古閣等。卽近時金陵書局所栞之經史亦在他省上。蓋陶吳鎮人善於剞劂也。故京師刻木之匠。江寧南鄉人居其大半。

紙扇業

【同治上江志】通濟門外民善柔治竹木。雕刻文字爲摺扇。

【金陵物產風土志】若北鄉石埠橋人亦善柔治竹木。或檀香或桃絲。皆扇骨之質也。水磨模雕各擅其技。表素潔之紙。摺疊之。謂之蘇面。其行遠不亞於杭之油扇焉。

皮業

【同治上江志】攻韋之工。聚牛頭巷。

妝飾品業

【同治上江志】城內民翦通草茸爲花勝。鮮妍精巧。同常州。或熏麝調鉛研脂爲香粉諸婦飾。下邑咸來取給。饋遺戚友爲珍異。是亦貨之微者已。

帽業

籐竹木工業

麻繩草鞋業。

【中國經濟志】農民於冬季農閒。兼營此業者。約三百戶。計有男工三百八女工五百八。童工五十人。原料均係當地所產。生產率每季一人可編製草鞋四百雙。或搓麻繩一千條。少則二百雙或五百條。全年產植草鞋一萬五千餘元。麻繩一萬二千元。

箴業等。

【中國經濟志】第一區龍潭一帶居民多製筐籃竹蓆。約五十餘家。原料採自鄰縣。製成筐籃竹蓆分銷遠近。計値約四千餘元。

機器工業。極不發達。殊有賴於提倡。遜清宣統二年。設南洋勸業會。

【調任直隸總督前兩江督部堂端札寧藩司南洋勸業會籌備情形奏奉硃批文】（南洋官報

宣統元年三三册）竊臣於光緒三十四年十一月。奏設南洋第一次勸業會一摺。欽奉硃批。該部知道欽此。遵即督飭省內外官紳商董等趕速籌備。先於江寧上海兩處分設南洋勸業會事務所及董事會。派委職員舉任商董。以專理籌備進行方法。江寧事務所暫設庶務文牘調查建築四科。酌定先後緩急。約分三期辦理。以議定各項章程。繪具建築圖樣爲第一期。規畫會場調查物產爲第二期。建築完竣賽品齊集爲第三期。第一期應辦各事巳大致就緒。現正選派官紳。分往各地調查物產。聯絡工商。以爲勸業會之先導。一面參仿日本成例。酌定規章。通飭兩江所轄各府屬中先於本年創設物產會。以各府知府爲監督。蒐集農產工藝美術教育諸物品。就地訂期開會展覽。此外各省及各著名商埠均設出品協會。以各關道勸業爲監督。徵集漁牧物產機械圖書及各項製造新奇物品。以立勸業會之基。更聯合各省紳學商界。開通練達之才。設立協贊會。籌畫交通補助出品。以作勸業會之機關。至會場布置。擬分設農學工學商學衛生電學體操蹋球賽馬各會所。分門別類陳列比賽。以資研究。以供觀摩。並擬設別館。准外國人攜物與會。俾得見聞略廣。風氣漸開。於範圍限制之中。仍收比例競爭之益。此近日籌備辦法之大略情形也。……應請明降諭旨。宣示開會綱要。並設正會長一員。專任籌備該會一切進行事宜。審查總長一員。專任臨時蒞會審查。酌定。褒賞事宜審查總長應俟開會前期奏請簡派。其正會長有預爲籌備各事。該會既名爲南洋勸業會。奴才應即督飭官紳。妥爲辦理。至現距開會日期。不過一年。事屬創行。一切須早爲部署。仍懇敕下各省督撫不分畛域。預爲籌辦協會出品等事。一體實力贊成。

設勸業道。未常不於斯焉兢兢。二十年來。曾不少進。豈行之無其人與。抑兵燹擾攘。未遑暇與。是不可不長慮熟計。亟爲之所也。

【兩江總督張江蘇巡撫寶會奏籌設江寧勸業道缺遴員請補摺】〔南洋官報宣統二年九一册〕

竊照前准總司核定官制考察政治五大臣咨。光緒三十三年五月二十七日奏奉上諭欽奉懿旨。各省增設巡警勸業道缺。應即施行等因。欽此。咨行欽遵在案。伏查勸業道之設。原以振興實業。規畫交通爲要義。舉凡農工商礦輪路郵電諸要政。悉歸管理。江南當南洋要衝。……自非設立專官。不足以脊董勸而收實效。前督臣屢議建設。因遴選尙未得人。致未辦理。現値南洋勸業會期迫。……尤非專員經理不可。查江寧江蘇雖屬不分省界。惟轄境寬廣。屬縣繁多。藩學二司向係分設。今遵旨籌設勸業道缺。自應援照藩學二司之例。寧蘇各設一員。除江蘇應設之缺容俟遴選得人另行酌擬奏請補署外。應將江寧勸業道缺。援照各省奏補成案。先行揀員請補。臣等於通省候補道員中。悉心遴選。查有……李哲濬……臣人駿查該員器識明通。才猷卓越。熟悉商務。曉暢民情。一切實業事宜。講求有素。理財尤其所長。到寧以來。委辦南洋勸業會事。擘劃詳審。措置得宜。迄今會場建築布置諸事。次第就緒。乃可如期成立。實該員之力爲多。……以之請補新設勸設業道缺。洵堪勝任。合無仰懇天恩。俯准以李哲濬補授江寧勸業道。

商業

光緒末年組織商會。

【南洋官報一六二册】江南商務總局。籌議創設商務總會。現正議定詳細章程。以便永遠遵守。特先頒發照會數十通。分委各業公正商人。爲本會商董。諭令每屆集議之時。來局會議。以考究商業利病得失之所在。徐圖維持補救之方云。

【南洋官報一六八册】江南商務總局。前奉商部札飭勸辦江南商會。當經先行照會省垣各大小商業。一律從速舉董興辦。並倣各國投票公舉章程。刊印舉董單式。派委蘇令錫岱分往各業勸導。

玆悉各業奉諭之後。陸續投單舉董呈請開會。凡屬大宗商業。皆已一律舉齊。乃由商局擇期本月〔十二月〕初五日先假胭脂巷典業公所開辦江南商業總會。幷由商局籌墊銀一千兩。以爲經費。是日商局總會辦劉楊二觀察皆親蒞會場。與各業商董籌議一切。聞其辦理章程。專以開通官商向來隔閡之情。聯絡羣商。此後團結之力。並籌議各業一切利弊興革之事。爲全會之宗旨。故現在省垣大小各商業咸頗有絡繹奔趨踴躍自效之概云。

每歲各業盈虧之數由會調查報告。

【江寧商務總會申報督憲寧垣各商業去歲盈虧情形文附表】〔宣統元年閏二月二十日一三册〕査去歲寧垣各業。互有盈虧。如錢業木業土業布業衣業廣貨洋貨業。凡皆爲盈之類。如緞業米業典業花綢業雜貨業。凡皆爲虧之類。綜其全局。雖盈之數較優於虧之數。然其差強人意者。獨布業衣業木業暨廣貨耳。至土業以禁煙壟斷而居奇。錢業以息率日高而致勝。凡此皆於商務之前途無可品評之價値者也。就中以洋貨而論。究其發達之跡。即爲土貨失敗之前因。揆諸供應相求之例。是該業之盛。不爲可嘉喜而反爲可憂。至虧折各業。其遠因近因。各有所在。近因以銅元之充積。遠因以外貨之流行。然受銅元之影響。圜法一定。猶可收拾於將來。惟對於外國之競爭。如絲緞各業。則皆一落千丈。岌岌可危。無可挽回之希望。今不救。後患何可勝言。

戊申年寧垣各大業貿易盈虧簡明表

錢	盈十二萬八千兩	典	虧七萬五千兩
緞機	虧八萬五千兩	土	盈五萬八千兩
絨機	虧二萬二千兩	紗機	虧八千兩
花綢機	虧一萬二千兩	綢	虧三萬三千兩
布	盈五萬六千兩	洋貨	盈四萬五千兩
絲經	虧二萬兩	衣	盈五萬四千兩
帽	虧八千兩	靴鞋	盈二萬四千兩
絲綫	虧一萬三千兩	棉貨	盈二萬六千兩
米	虧八萬六千兩	雜穀	平等
烟	盈九千兩	酒	平等
茶葉	盈二萬五千兩	雜貨	虧五萬三千兩

醬園	平等	油坊	平等
藥	盈四萬四千兩	茶食	盈二萬八千兩
廣貨	盈三萬四千兩	紙	虧五千兩
香燭	虧二萬六千兩	首飾	盈五萬二千兩
銅錫	盈四萬五千兩	鍋炭	平等
磁器	盈二萬四千兩	扇	盈一萬二千兩
漆	盈二萬五千兩	木	盈二萬五千兩

惟南京爲入超商埠。貨運經過區域。向無大宗商品出口。故歷來商業。無稱道之者。迄定爲首都。始爲全國人士所注目。據建設委員會經濟調查所調查。現存商店尚有一萬三千有三家。依市商會同業公會之分業統計。有食糧綢布等九十六業。經理店員八萬六千零七十九人。資本一千二百四十三萬餘元。二十二年全業營業凡七千二百三十四萬餘元。其不合營業登記之商店五千餘家。以未入同業公會。未詳查。

南京市商店家數分區統計表

區別	家數	備註
第一區	二、七五八	大行宮 洪武街一帶
第二區	二、三四三	太平路 白下路一帶
第三區	二、八二五	夫子廟 奇望街一帶
第四區	二、一四〇	中華路 雨花路一帶
第五區	二、一五〇	漢中路 明瓦廊 大王府巷一帶
第六區	八四三	丁家橋 三牌樓一帶
第七區	一、一〇二	下關一帶
第八區	二四九	浦口一帶
合計	一三、四一〇	內有不合於營業稅登記商店五千餘家有特稅免徵商店二千家未列入

南京市商業分業統計表 計九十六業

業別	家數	資本數	營業數	備註
糧食業	一九八	一八〇、三三五元	四、二〇六、一四〇元	

麪粉業	一二〇	三〇九、六五五	一、八〇〇、〇一〇
鹽油業	七二	二二五、四九五	一、八一三、〇〇〇
糖業	二五	一四、〇六九	二六六、三〇〇
醬園業	八二	三〇〇、〇〇〇	一、七〇三、八〇〇
茶葉業	七五	一一〇、二〇〇	六六一、六四〇
糖菓罐頭業	一四七	二〇〇、〇〇〇	八〇〇、〇〇〇
火腿業	三九	四四、二〇〇	一四五、八〇〇
鹹貨肉業	六二	五二、六〇〇	八九、五〇〇
牛奶業	一二	一三、四五〇	二六、一〇〇
酒菜館業	一、一五一	四二三、八六二	二、八九五、四一〇
燒餅油條業	四二六	九、〇五八	四六五、〇八〇
雞鴨業	一五六	三三、一一一	六二〇、〇〇〇
蛋業	二七	二六、〇〇〇	二三九、二〇〇
南北貨業	七一	二〇〇、〇〇〇	一、〇〇〇、〇〇〇
豆腐茶乾業	三〇三	一八、九九五	三六〇、〇六〇

水菓業	一〇八	三三、〇一四	六三三、四六〇	
冰食汽水業	八四	四〇、二五〇	一九二、一四〇	
磨坊業	二四	四、七〇〇	五四、二三〇	
酒業	三四	三六、〇〇〇	一五六、〇〇〇	
茶社水爐業	三〇〇	九〇、〇〇〇	二四〇、〇〇〇	
炒貨業	一二五	三〇、〇〇〇	二〇〇、〇〇〇	
捲烟業	一五二	一二〇、〇〇〇	五、〇〇〇、〇〇〇	
旱烟業	一三	五〇、〇〇〇	八〇、〇〇〇	
錢米業	二〇九	一六五、九四〇	三、〇〇七、六六五	米業兼錢業俗呼錢米流通乃京市特別情形
乾鮮果桐油業	三七	七三、〇〇〇	一、五五〇、〇〇〇	
山地貨業	六	八、八七〇	一〇、九〇〇	
國藥業	一三〇	二二九、五四〇	九八八、四二〇	
西藥業	七	一五四、〇〇〇	三六四、〇〇〇	
參燕業	七	八五、〇〇〇	三九六、〇〇〇	
棉花業	一一九	二五二、一四〇	一九六、三六〇	

絲繭業	四四	一五、〇五五	二七一、五〇〇
紡經業	一五六	一三、六四五	二一五、九〇〇
紗綫業	一三	一七、九七〇	一二四、一〇〇
呢絨業	三二	二五、八五〇	一六三、二二〇
鞋帽襪業	三九二	一七八、二七四	一、三七九、三七七
零剪業	二一	七、五〇〇	六二、〇〇〇
估衣業	一三二	一九七、九〇〇	一、〇四五、〇五〇
軍西服裝業	一二〇	九九、一七八	四二七、四九〇
綢布業	五八	七五〇、四五〇	五、〇〇〇、〇〇〇
成衣業	七三四	四四、一九八	六三三、八六〇
棉織品業	一二四	一三八、六九五	一、二六一、四六二
麻織品業	三二	一六、九九五	二七三、三〇〇
草織品業	二二六	六四五、九三五	一、二三六、二七〇
染煉業	一一六	四二、二二五	一六六、五七〇
銀樓業	八一	二二一、一五〇	七二九、七〇〇

鐘錶眼鏡業	一一二	七一、五七〇	二〇二、四〇〇
竹木業	一二三	三一〇、〇〇〇	一、九九〇、〇〇〇
竹木籐器業	二九五	三四、七四九	三三七、〇二〇
銅鐵錫器業	四一五	八五、〇一九	三九一、九一〇
五金業	一一七	三九九、六九〇	一、五二〇、〇〇〇
家具業	一四七	一三六、六二五	五七九、九一〇
磁料陶器業	八一	七三、二四〇	四六五、〇三〇
梳篦業	一五	二四、九六〇	六六、六〇〇
棕麻漢貨業	二一	八、五二〇	四八、五〇〇
紫檀紅木業	一八	一五、〇〇〇	一三五、三〇〇
銅鐵行軍床業	九	一六、四五〇	五九、七〇〇
磚瓦石灰砂石業	二二四	二八一、五七〇	一、〇〇〇、〇〇〇
顏料油漆業	九七	六一三、一二〇	七四一、四〇〇
旅館業	三二一	一、一一〇、〇〇〇	七一〇、〇〇〇
煤灰鍋業	二五九	三七四、四七〇	二、六六五、六〇〇

理髮業	四八一	一二三、六一二	五六六、八〇五	
浴堂業	七三	一五〇、〇〇〇	一〇九、〇〇〇	
刻字印刷業	六五	九、七二〇	四六、一一二	
古玩業	二二	二七、三〇〇	七一、〇〇〇	
花樹業	一一	八一五	一八、五六〇	
彈子房業	九	一四、〇二〇	二一、七〇〇	
影戲劇場業	一〇	五一〇、〇〇〇	五〇〇、〇〇〇	
攝影業	六八	七五、〇〇〇	四〇〇、〇〇〇	
壽材業	一〇五	三四、九三〇	一五九、四五〇	
紙箔業	一二七	一五八、四五〇	二、〇三九、二三〇	內計書籍文具店一一七家錫箔店一〇家同一公會
喜幛業	二四	一九、六三〇	七四、七三〇	
彩亭業	二〇	九、〇八〇	三一、七〇〇	
租賃物品業	二八	二三、七八八	八四、五六〇	
香燭紙炮業	八九	六二、四三四	二九三、五八〇	
皮革業	一六	四〇、〇〇〇	二四二、二〇〇	

硝皮骨貨業	二八	一〇、九〇〇	六三、九八〇
化裝美術品業	三四	一五、一七〇	一三一、二〇〇
洋廣雜貨業	一、八八一	五九四、九〇〇	六、七二五、二二四
傘席業	六二	一五、八三五	一五四、八一〇
電料業	三八	一五、七二一	一、四五八、八〇〇
燭皂業	二一	二五、二五五	三一三、八五六
火柴業	一二	一五、五五〇	八九、四〇〇
橡皮業	六	一九、二〇〇	一四二、〇〇〇
琺瑯業	七	二四、六二〇	五〇、八〇〇
玻璃鏡架業	三三	一六、九九〇	一〇五、五〇〇
扇業	一一〇	一三八、七七〇	七四五、八七〇
舊貨業	一四二	一一三、二七〇	四一五、四七〇
修理業	一四五	三四、九四二	二〇九、三八〇
包裝紙匣業	二九	二、八二三	二九、一三〇
保險業	二四	一一、四〇〇	二〇〇、五〇〇

鷄鴨毛業	一四	四〇、〇〇〇	一〇〇、〇〇〇
猪行業	一七	一三、〇〇〇	一六〇、〇〇〇
屠業	一八〇	六六、〇〇〇	一、三〇〇、〇〇〇
馬車行業	一四二	三九、二〇〇	二八、四〇〇
汽車行業	七三	四五五、五二〇	一、二〇〇、〇〇〇
合計	一三、〇〇三	二、四三二、三三二	七二、三四七、二七一

一、南京歷年物價指數 以十九年爲一〇〇

類別	民國十九年	民國二十年	民國二十一年	民國二十二年
食料類	一〇〇・〇	九九・〇	九三・〇	八六・一
衣服類	一〇〇・〇	一〇九・〇	一〇二・五	八三・四
燃料類	一〇〇・〇	一一二・〇	一〇四・八	九五・八
金屬及電器	一〇〇・〇	一一五・一	一〇〇・三	九二・七
建築材料	一〇〇・〇	一〇五・五	一一八・二	一一二・九
雜項	一〇〇・〇	一一二・四	一一五・七	一一四・四

總指數	一〇〇·〇	一〇〇·三	一〇〇·八	九二·二

二、南京一般物價表 二十三年三月份

品名	單位	價格	品名	單位	價格
普通食米	升	〇·〇六五元	本色粗布	疋	二·〇〇〇元
普通麵粉	斤	〇·〇五二	本色洋布	疋	三·〇〇〇
小麥	升	〇·〇三六	棉花	斤	〇·三六〇
黃豆	升	〇·〇三九	布面布底鞋	雙	〇·九八〇
食鹽	斤	〇·一一〇	黑緞瓜皮帽	頂	〇·八〇〇
紅糖	斤	〇·一六〇	線襪	雙	〇·一六〇
白糖	斤	〇·一八〇	毛巾	條	〇·一四〇
豆油	斤	〇·一一五	瓦	萬	三〇·〇〇〇
菜油	斤	〇·一一三	磚	萬	八五·〇〇〇
醬油	斤	〇·〇六〇	石灰	百斤	一·〇〇〇
茶葉	斤	〇·七六〇	桐油	斤	〇·二八〇

黄酒	斤	〇·〇九六	玻璃	箱	九·八〇〇
白酒	斤	〇·三六〇	苧麻	斤	〇·二七〇
豬肉	斤	〇·二七〇	毛邊紙	張	〇·〇一三
牛肉	斤	〇·一八〇	美孚煤油	聽	三·五〇〇
鯽魚	斤	〇·二二〇	火柴	盒	〇·〇一〇
雞蛋	個	〇·〇一二	煤屑	噸	一四·八〇〇
豆腐	塊	〇·〇一〇	捲烟	十支	〇·〇五〇

三十年來南京出入口貨價值統計表（據六十五年中國國際貿易統計）（單位海關兩）

年代	土貨出口	洋貨入口	總計
光緒二十六年	—	一五、〇〇〇	一五、〇〇〇
二十七年	四六八	一〇、〇〇〇	一〇、四六八
二十八年			
二十九年	—	八、四一三	八、四一三
三十年	—	三八九、八五三	三八九、八五三

三十一年	七〇二	一二八、九三六	一二九、六三八
三十二年	四七六	三八七、五七八	三八八、〇五四
三十三年	一三三	七二、五三八	七二、六七一
三十四年	八七三	一七六、二一七	一七七、〇九〇
宣統元年	九〇六	一、七九五、〇九六	一、七六六、〇〇二
二年	—	二、〇八七、五〇四	二、〇八七、五〇四
三年	—	一、四二八、六五四	一、四二八、六五四
民國元年	—	一、五三八、四四二	一、五三八、四四二
二年	一二三	二、六四五、〇七〇	二、六四五、一九三
三年	一、〇五五、四五六	三、六一九、八六五	四、六七五、三二一
四年	一、九四二、九七三	五六三、八六七	二、五〇六、八四〇
五年	三、七〇九、五四一	一、一八五、三七〇	四、八九四、九一一
六年	三、六六四、六九〇	一、六六一、一七四	五、三二五、八六四
七年	二、一八九、九〇〇	一、六五九、八〇五	三、八四九、七〇五
八年	六、七五九、五二九	三、一二〇、五五六	九、八八〇、〇八五

九年	六、六四八、三八三	四、四一一、三九九	一一、〇五九、七八二
十年	二、五二二、八七九	八、二七四、〇〇九	一〇、七九六、八八八
十一年	三、六八八、一二一	八、五六二、七九四	一二、二五〇、九一五
十二年	四、〇三六、八八七	三、八四五、六一三	七、八八二、五〇〇
十三年	二、四九七、四七九	三、九六八、〇五八	六、四六五、五三七
十四年	三、四二九、四六一	四、三四七、〇五二	七、七七六、五一三
十五年	六、〇五九、六八八	四、三二四、八〇八	一〇、三八四、四九四
十六年	一〇一、三九五	九四一、四五二	一、〇四二、八四七
十七年	二、八〇〇、〇〇七	一、〇四九、二〇六	三、八四九、二一三

貿易

進出貿易。據金陵關最近兩年統計。二十一年貿易總值。凡五千二百三十一萬餘元。二十二年貿易總值。凡四千一百七十九萬餘元。考其貨值內容。二十一年外洋進口貨佔二千三百一十七萬餘元。出口貨僅凍鴨一種。價值三十五萬餘元。進超達二千二百八十二萬餘元之多。二十二年外洋進口貨估二千一百三十六萬餘元．出口貨僅鄄包一種．價值一千八百餘元．進超達二千一百三十六萬餘元之多．且并凍鴨亦無之．囘溯十年以前．緞絨暢銷時期．每年出口貨少亦二三百萬元．多至五百三十餘萬元．曾幾何時．進口激增．而出口毫無．對於國際商場．全無貿易可言．則是貿易總值愈大．洋貨之暢銷愈多．人民陷於經濟侵略愈深．而不能振拔．

至於國內貿易．就津浦鐵路運由浦口裝輪轉口貨併計而言．二十一年各埠進口貨估一千五百九十九萬餘元．運銷各埠貨估一千二百七十九萬餘元．進超達三百二十萬餘元．二十二年進口貨估五百三十七萬餘元．運銷各埠貨估一千五百零四萬餘元．出超九百六十六萬餘元．尙佔有相當地位．但二十二年實爲特殊現象．囘溯十年以前．惟十五年有出超百餘萬元．其餘各年亦惟見進超不見出超．玆將金陵關最近兩年進出貿易總值貿易貨值比較國外國內大宗貨物數量數值．分別表列於左．

金陵關最近兩年進出貿易貨值總數表（單位元）

年份	進口 由外洋	進口 由通商口岸	出口 往外洋	出口 往通商口岸	進出合計
民國二十一年	三〇、一七三、九五九	一五、九九六、八三五	三五一、六八四	一二、七九五、四九九	五三、三一六、九七七

民國二十二年	二一、三六九、六二九	五、三七七、四七五	一、八四九	一五、〇四五、四一九	四一、七九四、三七三

金陵關最近兩年進出貿易貨值比較表（單位元）

年份	外洋進出貨值比較			通商口岸進出貨值比較			
	洋貨進口	國貨出口	進超	各埠進口	國貨運銷各埠	進超	出超
民國二十一年	三五、一七二、九五九	三五一、六八四	三四、八二一、二七五	一四、九九六、八三五	一二、七九五、四九九	二、二〇一、三三六	—
民國二十二年	二一、三六五、六二九	一、八四九	二一、三六三、七八〇	五、三七七、四七五	一五、〇四五、四一九	—	九、六六七、九四四

金融

南京金融業．可分為銀行．錢莊．儲蓄．典當等業．敍述於次．

銀行業　南京銀行．多係上海總行之分行．資本及金融之周轉．亦均仰給於總行．在民國十六年以前．僅有中國交通上海江蘇四家．自十六年迄今．繼續新開一十六家．共計凡二十家．（若連支行及辦事處併計．為數凡三十五家）自一二八滬變發生．京滬路交通中斷．致銀錢來源驟告斷絕．曾一度發生經濟恐慌．存戶提款．停付信用借款．拒絕．嗣後滬戰停止．交通恢復．然因銀行感受戰事影響，銀根奇緊．不能盡量接濟．直至二十二年．金融未見週轉．一般欲求調劑者．各行均苦無法應付．國際匯兌業務．多由中央銀行辦理．其餘各行內地設有分行者．多營國內匯兌．無分行者．

則直無匯兌可言．且京滬交通．朝發夕至．紙幣便於攜帶．機關匯款商家辦貨．多不願經過匯兌手續．放款業務自二十年大水．繼以一二八滬變．銀根奇緊．放款不惟無利可圖．甚至連本亦難收回．各行均視爲畏途．現在惟對於大同．揚子兩麪粉廠及較殷實商店．稍有發放．爲數甚微．存款業務在各商家原無款存．有款存者多喜直存滬行及外國銀行．押款業務分貨物及不動產兩種．經過南京貨物多不停留．不動產抵押以房屋爲多．一因銀行不願經營此種押款．一因持貨物及房屋抵押者亦少．故押款亦不興旺．惟市民銀行因性質不同．辦理押款手續．亦較通融．故最近兩年銀行業務僅能維持開支．殊少盈餘可言．各行利息分活期定期數種．存款由三四厘至七八厘不等．放款自一分至一分二三厘不等．茲將各行概況列表於左．

南京市銀行業概況表

行名	行址	經理	開設年月	總行地址	當地辦事處數	資本定額	資本實收	職員人數	業務
中央銀行	奇望街	李嘉隆		上海	二	一〇〇,〇〇〇,〇〇〇元	一〇〇,〇〇〇,〇〇〇元		國際匯兌代理國庫發行兌換券
中國銀行	珠寶廊	吳震修	民國三年一月	上海	四	二五,〇〇〇,〇〇〇	二四,七二一,七〇〇	七〇	國際匯兌及存放款發行兌換券
交通銀行	白下路	江禪山	民國六年四月	上海	二	一〇,〇〇〇,〇〇〇	一〇,〇〇〇,〇〇〇	五四	存款放款匯兌儲蓄發行兌換券

上海銀行	建康路	李桐村	民國四年六月	上海	五	五，〇〇〇，〇〇〇	五，〇〇〇，〇〇〇	一六五	匯兌存款放款儲蓄
國華銀行	白下路	王伯衡	民國十九年十二月	上海	一	四，〇〇〇，〇〇〇	二，四五〇，〇〇〇	六〇	匯兌存款放款儲蓄
金城銀行	白下路	李祖基	民國二十年五月	天津	一	一〇，〇〇〇，〇〇〇	七，〇〇〇，〇〇〇	一五	匯兌存款放款儲蓄
鹽業銀行	白下路	陳蔗青	民國二十年十月	天津	一	一〇，〇〇〇，〇〇〇	七，五〇〇，〇〇〇	九	匯兌存款放款儲蓄
中南銀行	白下路	章叔淳	民國十八年三月	上海	一	—	七，五〇〇，〇〇〇	二〇	匯兌存款放款儲蓄發行兌換券
大陸銀行	朱雀路	程錫庚	民國十九年四月	天津	一	五，〇〇〇，〇〇〇	三，七六〇，〇〇〇	一八	匯兌存款放款
江蘇銀行	建康路	顧伯言	民國元年	上海	一	一，〇〇〇，〇〇〇	一，〇〇〇，〇〇〇	三〇	匯兌存款放款兼理省金庫
中國墾業銀行	中山路	董占春	民國二十一年八月	上海	一	二，五〇〇，〇〇〇	二，五〇〇，〇〇〇	一八	匯兌存款放款
四明銀行	延齡路	丁問樵	民國二十年七月	上海	一	—	二，三五〇，〇〇〇	二九	匯兌存款放款發行兌換券
中國農工銀行	白下路	蕭緝亭	民國十八年八月	上海	一	一〇，〇〇〇，〇〇〇	三，二〇五，〇〇〇	一八	匯兌存款放款發行兌換券
中國國貨銀行	新街口	羅訥齋	民國二十年六月	上海	一	三〇，〇〇〇，〇〇〇	五，〇〇〇，〇〇〇	二四	匯兌存款放款儲蓄
中國實業銀行	白下路	隋超衡	民國十九年	上海	一	二〇，〇〇〇，〇〇〇	三，五〇七，四〇〇	一九	匯兌存款放款儲蓄發行兌換券

浙江興業銀行	白下路	楊蔭溥	民國二十年八月	上海	—	四,〇〇〇,〇〇〇	四,〇〇〇,〇〇〇	一九	滙兌存款放款儲蓄發行兌換劵
中國通商銀行	新街口	賀衎舫	民國二十一年十一月	上海	—	七,〇〇〇,〇〇〇	四,五〇〇,〇〇〇	二八	滙兌存款放款儲蓄發行兌換劵
江蘇農民銀行	戶部街	夏紱麟	民國十九年五月	鎭江	—	二,二〇〇,〇〇〇	二,二〇〇,〇〇〇	八	滙兌存款放款儲蓄
南京農民銀行	坊口街	傅　麟	民國十七年十二月	南京	—	一,〇〇〇,〇〇〇	五〇〇,〇〇〇	二四	滙兌存款放款儲蓄代理市庫
聚興誠銀行	新街口	蔣望平	民國廿三年	重慶	—	——	一,〇〇〇,〇〇〇	?	滙兌存款放款儲蓄

錢莊業　京市錢莊．在民國二十年成立同業公會時．計六十一家．旋新開七家．共有六十八家．因二十年大水爲災．繼以九一八．一二八事變．農村放款既難收回．商家放款亦無力償還．該業驟告緊張．紛紛歇業收賬．最大錢莊如通匯．及泰亨潤庚餘三家．竟於二十年宣告停業．二十一年又停歇豫大同康鴻源等十七家．二十二年停歇隆太順康等十五家．二十三年三月以前．停歇謙益勤康等四家．現在僅存通和震豐等二十九家．內計合資十六家．獨資十三家．各家資本大者三萬元．小者五百元．全業資本一十七萬二千九百元．各家店員最多二十六人．少四人．全業三百一十六人．據該業公會主席朱德鑄面稱．當其盛時．每年全業營業約二三千萬元不等．現年僅可營業一

二百萬元．恰成十與一之比．同行業務．分爲匯劃莊．錢莊．兌換店三類．放款利率．最大一分六厘半．最小七厘半．存款最大九厘．最少三厘．匯款以千元爲單位．上海收匯費三角至五角．漢口收匯費一元二角．幫派分南京．揚州．鎮江三幫．錢市隨上海行情爲標準．各莊概況如左表．

南京市錢莊業概況表

牌號	地址	經理姓名	開設年份	組合性質	資本數	職員人數	業務
通和	昇州路	李培深	光緒三十年	合資	三〇、〇〇〇元	一八	滙兌放款存款
震豐	洋珠巷	尤子賓	民國十八年	合資	一五、〇〇〇	二二	滙兌
福康	李府巷	許鑄江	民國十八年	合資	二〇、〇〇〇	二六	滙兌
長和	昇州路	李漢卿	民國三年	合資	四、〇〇〇	一六	門市兼滙兌
同興牲	魚市街	曹心齋	光緒三十一年	合資	四、五〇〇	九	錢業兼米業
厚康	沙灣	游竹蓀	光緒十九年	獨資	三、〇〇〇	八	兌換存欵放款
怡康	油市大街	劉濬如	民國元年	獨資	四、〇〇〇	一三	兌換兼往來
同和	馬巷	郭子恆	光緒三十年	合資	三、〇〇〇	六	兌換
榮和	評事街	馬駿如	光緒七年	獨資	三、〇〇〇	一一	滙兌兼往來米業

裕豐	中華路	姜渭川	民國十四年	合資	一、〇〇〇	九	兌換
洪大	白下路	陶均泉	民國二年	獨資	六〇〇	四	兌換
鼎昇	中華路	王順甫	光緒十五年	獨資	五〇〇	五	兌換
天盛	昇州路	陳子晉	民國三年	獨資	五〇〇	五	兌換
保餘	上新河	林厚臣	民國二年	合資	一三、〇〇〇	一六	滙兌
裕大	上新河	黃鮮彦	民國十六年	合資	一五、〇〇〇	一六	滙兌
森源	下關北安里	劉漢章	民國十年	合資	五、〇〇〇	二二	滙兌
怡豐	下關鮮魚巷	陳仲彝	民國十五年	合資	二〇、〇〇〇	二一	滙兌
愼康	下關鄧府巷	倪文伯	民國十八年	獨資	一、〇〇〇	五	滙兌
鎭泰	下關鄧府巷	江志齋	民國十六年	獨資	一、〇〇〇	六	滙兌兌換
蔚豐	中華路	馮錫五	民國元年	獨資	一、〇〇〇	四	錢業門市
聚源	馬巷	李子芬	光緒五年	獨資	一、五〇〇	六	錢業
慶豐	水西門外大街	陶欲甫	宣統三年	獨資	一、〇〇〇	五	兌換
恆康	下關鮮魚巷	蕭養侯	民國二十年	合資	五、〇〇〇	一二	滙兌

鼎元	下關三馬路	王幹臣	民國十八年	合資	一、〇〇〇	六	滙兌
德餘	三坊巷	蕭丙生	民國二十年	合資	六、〇〇〇	一〇	錢業
泰祥	昇州路	石松筠	民國十七年	合資	八〇〇	五	門市
沈成元	許事街	沈寶亨	民國三年	獨資	五〇〇	六	滙兌門市
信餘	承恩寺	夏信餘	民國二十二年	獨資	二、〇〇〇	八	錢業
仁泰昌	李府巷	朱少泉	民國十年	合資	一〇、〇〇〇	一六	滙兌
合計					一七二、九〇〇	三一六	

儲蓄會及郵政儲金　儲蓄會與銀行所設儲蓄部不同．有有獎及分攤紅利之分．我國範圍較大歷史較久之儲蓄會．厥爲萬國．四行．中法三家．萬國儲蓄會係法人於民元創辦．總會設上海．四行儲蓄會係民國十二年由吳達詮聯合鹽業．金城．中南．大陸四行創辦．總會亦設上海．中法儲蓄會．初爲中法人合辦．民國十四年法人股份讓與華人．遂另改組股份有限公司．仍沿舊名．總會設北平．均於南京設立分會．與南京郵政儲金滙兌局．分別辦理京市各種儲蓄．該會局概況如左表．

南京市儲蓄會及郵政儲金概況表

儲蓄機關名稱	地址	資本數（元）	儲蓄種類	儲蓄戶數	利率	儲蓄總額	附註
郵政儲金匯業局	大行宮		定期、支票、存簿、存本付息、零存整付	二、五六三	年計最高九厘最低三厘	八六六、五六七元	
萬國儲蓄會	郵政牌樓	三二、五〇〇兩 五〇〇、〇〇〇法郎	全會、半會、四分之一會	四、〇〇〇		一八、〇〇〇	月存數
中法儲蓄會	四象橋	一〇〇、〇〇〇	整會、五分之四會、五分之三會、五分之二會、五分之一會	八〇〇		三〇〇	月存數
四行儲蓄會	白下路	一、〇〇〇、〇〇〇	基本、定期、分期、長期、活期		週息七厘	七七、三九二、五四三	四行總會數

典當業　京市典當計有公濟等七家。合計店員二百餘人。各家最多六十餘人。少者亦十餘人。合計資本二百萬元。利息二分。贖期十八個月。營業季節以春秋兩季最旺。農村經濟破產以來。凡農民耕種養蠶成本紅白慶弔用費納租還債及購買食糧不時之需。多恃典當爲惟一借貸機關。年來僱客尤形湧擠。二十二年全業營業凡三百二十餘萬元。各家概況如左表。

南京市典當業概況表

牌號	地址	開設年份	資本數	營業數
公濟典	珠寶廊	民國三年	四四〇、〇〇〇元	六六〇、〇〇〇元
協濟典	李府巷	民國四年	四〇〇、〇〇〇	六〇〇、〇〇〇

會濟典	花市街	民國五年	四八〇、〇〇〇	七二〇、〇〇〇
通濟典	大中橋	民國十年	四八〇、〇〇〇	七二〇、〇〇〇
同濟典	下關惠民橋	民國五年	四〇、〇〇〇	一〇〇、〇〇〇
隆濟典	下關鮮魚巷	民國八年	八〇、〇〇〇	二〇〇、〇〇〇
和濟典	下關升和里	民國八年	八〇、〇〇〇	二〇〇、〇〇〇
合計			二、〇〇〇、〇〇〇	二、三〇〇、〇〇〇

首都志卷十三

禮俗

一 總論

六朝時金陵爲京都所在。衣冠萃止。相競以文學。朝廷取士。專重風貌。貴游子弟。以豪侈修飾相耀。

【謝靈運傳】性豪侈。車服鮮麗。衣物多改舊形製。世共宗之。

【顏氏家訓涉務篇】梁時士大夫皆尚褒衣博帶。大冠高履。出則車輿。無乘馬者。

【顏氏家訓勉學篇】梁朝全盛之時。貴游子弟無不燻衣剃面。傅粉施朱。駕長簷車。跟高齒屐。

【釵小志】梁陳士人春游。畫衣粉面。絃歌相逐。　南北朝取人不專在才識局量。而專重風貌。

【宋史王彧傳】宋孝武選侍中四人並以風貌．

【南史王景文傳】袁粲見王景文歎曰不但風貌可悅．及哺啜亦復可觀．

【南史何炯傳】何炯白皙美容貌．從兄點嘗曰叔寶神清．

【南史孟昶傳】孟昶孟凱並美風姿．時人謂之雙珠．

下逮隋唐．流風未泯．

【隋志】丹陽舊京所在．人物繁盛．小人率多商販．君子資於官祿．市廛列肆．埒於二京．人雜五方．俗頗相類．

【顏氏家訓】江東婦女．略無交遊．婚姻之家．或十數年間未相識者．惟以信命贈遺．致殷勤焉．

【通典】江寧古揚州地．永嘉之後．帝室東遷．衣冠違難．多所萃止．今雖閭閻賤隸．處力役之際．吟詠不輟．蓋因顏謝徐庾之風尚焉．

【祥符圖經】君子勤禮恭謹．小人盡力耕殖．性好學文．旨辭清舉．楊萬里曰．金陵六朝之故國也．有孫仲謀宋武之遺烈．故其俗毅且美．有王茂洪謝安石之餘風．故其士清以邁．

至宋士風趨於質厚。

【游九言曰】每愛金陵士風質厚尙氣。前年攝行倅事。日受訴牒。不過百餘。較劇郡纔十一爾。爲吏爲兵者頗知自愛。少健狡之風。

明初遷杭嘉諸郡右族實京師。多在三山等坊。習尙豪侈。而東北則敦樸如故。一城之內。風尙頓異。

【正德江寧志】縣封在城中。如顏料氈匠三山等坊。闤闠輻輳。餘皆諸衞軍營。故其俗少間。而城外則多金陵人也。雖然晉宋南渡。皆中原衣冠。而國初所實者。又皆杭嘉諸郡右族。生養賦受既久。率爲山川風氣所移。而風俗與古金陵往往不異。

【客座贅語】南都一城之內。民生其間。風尙頓異。自大中橋而東。歷正陽朝陽二門。迤北至太平門。復折而南至玄津百川二橋。大內百司庶府之蟠亙也。其人文客豐而主嗇。達官健吏。日夜馳騖於其間。廣袤其氣。故其小人多儳侻而傲僻。自大中橋而西。繇淮清橋達於三山街斗門橋以西。至三山門。又北自倉巷橋至冶城。轉而東至內橋中正街而止。京兆赤縣之所彈壓也。百貨聚焉。其物力客多而主少。市魁駔儈。千百嘈哢其中。故其小人多攫攘而浮競。自東水關西達武定橋。轉南門而西至飲虹上浮二橋。復東折而到江寧縣。至三坊巷貢院。世胄宦族之所都居也。其人文之在主者多。而其物力之在外者侈。游士豪客。競千金裘馬之風。而六院之油檀裙屐。浸淫染於閭閻。膏唇耀首。倣而效之。至武定橋之東西。嘻甚矣。故其小人多嬉靡而淫惰。繇笪橋而北。自冶城轉北門橋。鼓樓以東。包成賢街而南。至西華門而止。是武弁中涓之所羣萃。太學生徒之所州處也。其人文主客頗相埒。而物力嗇。不可以娛樂耳目。羶慕之者必徙而圖南。非是則株守其處。故其小人多拘狃而劬瘠。北出鼓樓達三牌樓。絡金川儀鳳定淮三門而南。至石城。其地多曠土。其人文主與客並少。物力之在外者嗇。民什三而軍什七。服食之供。糲與疏者倍蓰于粱肉紈綺。言貌樸僿。城南人常舉以相啁唽。故其小人多悴谻而蹇陋。

而正嘉以前風尚醕厚。

【客座贅語】有一長者言曰。正嘉以前。南都風尚。最爲醇厚。薦紳以文章政事行誼氣節爲常。求田問舍之事少。而營聲利畜伎樂者。百不一二見之。逢掖以呫嗶帖括。授徒下帷爲常。投贄干名之事少。而挾倡優耽博弈。交關士大夫。陳說是非者。百不一二見之。軍民以營生務本。畏官長。守樸陋爲常。后飾帝服之事少。而買官鬻爵。服舍亡等。幾與士大夫抗衡者。百不一二見之。婦女以深居不露面。治酒漿。工織紅爲常。珠翠綺羅之事少。而擬飾倡妓。交結媢嫗。出入施之無異。男子者百不一二見之。

【客座贅語】王丹丘先生著有建業風俗記一卷。其事自冠婚喪祭。以逮飲食衣服。其人自鄉士大夫秀才。以至於市井之猥賤。亡不有紀。大較慕正嘉以前之厖厚。而傷後之漸以澆薄也。姑舉其數則。如云嘉靖初年。文人墨士。雖不逮先輩。亦少涉獵。聚會之間。言辭彬彬可聽。今或衣巾輩徒誦詩文。而言談之際。無異村巷。又云。嘉靖中年以前。猶循禮法。見尊長多執年幼禮。近來蕩然。或與先輩抗衡。甚至有遇尊長乘騎不下者。又云。嘉靖初年。市井極僻陋處。多有豐厚俊偉老者。不惟忠厚朴實。且禮貌言動可觀。三四十年來。雖通衢亦少見矣。又云。嘉靖初脚夫市口或十字路口。數十羣聚。闘邊深網。青布衫袴。青布長手巾。靸鞋。人皆肥壯。人家有大事。一呼而至。至於行禮娶親。俱有青布褶。其人皆有行止。今雖極繁富市口。不過三五黧瘦之人。衣衫藍縷。無舊時景象。又云。正德中士大夫有號者。十有四五。雖有號。然多呼字。嘉靖年來。束髮時即有號。末年。奴僕輿隸俳優。無不有之。又云。嘉靖十年以前。富厚之家多謹禮法。居室不敢淫。飲食不敢過。後遂肆然無忌。服飾器用宮室車馬僭擬不可言。又云正德已前。房屋矮小。廳堂多在後面。或有好事者。畫以羅木。皆朴素渾堅不淫。嘉靖末年。士大夫家不必言。至於百姓有三間客廳費千金者。金碧輝煌。高聳過倍。往往重檐獸脊。如官衙然。園囿僭擬公侯。下至勾闌之中。亦多畫屋矣。它多感刺之言。不能具載。

【客座贅語】南都正統中。延客正當日早。令一童子至各家邀云。請吃飯。至巳時則客已畢集矣。如六人八人。止用大八仙桌一張。殽止四大盤。四隅四小菜。不設果酒。用二大盃輪飲。桌中置一大碗。注水滌盃。更斟送次客。曰汕碗。午後散席。其後十餘年。乃先日邀知。次早再速。桌及殽如前。但用四杯。有八杯者。再後十餘年。始先日用一帖。帖闊一寸三四分。長可五寸。不書某生。但具姓名拜耳。上書某日午刻一飯。桌殽如前。再後十餘年。始用雙帖。亦不過三摺。長五六寸。闊二寸。方書眷生或侍生某拜。始設開席。兩人一席。設果殽七八器。亦巳刻入席。申末即去。至正德嘉靖間。乃有設樂及勞廚人之事矣。

萬歷以後。務爲華靡。服舍違式。婚宴無節。則又以時代變易矣。

【客靖贅語】南都在嘉隆間．諸苦役重累．破家傾產者．不可勝紀．而閭里尚多殷實人戶．自條編之法行．而雜徭之害杜．自坊廂之法罷．而應付之累止．自大馬重紙之法除．而寄養賠賍之禍蘇．自編丁之法立．而馬快船小甲之苦息．然而民間物力反日益彫瘵不自聊者．何也．嘗求其故．役累重時．人家畏禍．衣飾房屋．婚嫁宴會．務從儉約．恐一或暴露．必招扳累．今則服舍違式．婚宴無節．白屋之家．侈僭無忌．是以用度日益華靡．物力日益耗蠹．且曩時人家尚多營殖之計．如每歲赴京販酒米．販紗段．販雜貨者．必得厚息而歸．今則往多折閲．殆是造化默有裁抑．盈虛之理．故難偏論也．

【客座贅語】南都服飾．在慶曆前．猶為樸謹．官戴忠靜冠．士戴方巾而已．近年以來．殊形詭製．日異月新．於是士大夫所戴．其名甚夥．有漢巾．晉巾．唐巾．諸葛巾．純陽巾．東坡巾．陽明巾．九華巾．玉臺巾．逍遥巾．紗帽巾．華陽巾．四開巾．勇巾．巾之上．或綴以玉結子．玉花缾．側綴以二大玉環．而純陽．九華．逍遥．華陽等巾．前後益兩版．風至則飛揚．齊縫皆緣以皮金．其質或以帽羅．緯羅．漆紗．紗之外．又有馬尾紗．龍鱗紗．其色間有用天青．天藍者．至以馬尾織為巾．又有瓦楞．單絲．雙絲之異．於是首服之侈汰．至今日極矣．足之所履．昔為雲履．素履．無他異式．今則又有方頭．短臉．毬鞋．羅漢靸．僧鞋．其跟益務為淺薄．至拖曳而後成步．其色則紅紫黃綠．亡所不有．即婦女之飾．不加麗焉．

狎妓之風。南朝已盛。當時官妓有營戶奚官補兵之目。大抵皆奴隸與罪人爲之。

【南史沈慶之傳】宋沈慶之討郡蠻。前後所獲蛋。幷移都下以爲營戶。

【南史元凶劭傳】宋女巫嚴天爲劫。坐沒入奚官。

【隋書刑法志】梁制大逆者母妻姊妹及從坐者妻子妾女同補奚女爲奴婢。其劫盜者妻子補兵。

【宋書後廢帝本紀】帝每出入去來。嘗自稱劉統或自稱李將軍。與右衞翼營女子私通每從之游。持數千錢。供酒肉之費。

【南史齊廢帝鬱林王本紀】帝嘗與左右無賴羣小二十餘人共衣食同臥起。帝獨往西州。每夜輒開後堂與諸不逞小人至營署中淫宴。

至貴戚顯宦。則多畜家妓。被以錦繡。習以歌舞。逸樂至于无等。

【世說新語】謝安在東山畜妓。

【晉書謝安傳】每出游必以女妓從。

【宋書杜驥傳】幼文所蒞貪橫家累千金．女妓數十人．絲竹晝夜不絕．帝微行夜出．輒在幼文門牆之間．聽其管絃．

【宋書范曄傳】家樂器服玩并皆珍麗．妓妾亦盛飾．母止住單舍．唯有一廚盛樵採．子弟冬無被．叔父單布衣．

【宋書恩倖傳】佃夫〔阮佃夫〕權亞於人主．宅舍園地．諸王邸第莫及．妓女數十．金玉錦繡之飾．宮掖不及也．每製一衣造一物．京邑莫不法效焉．於宅內開瀆東出十許里．塘岸整潔．泛輕舟．奏女樂．

【宋書徐湛之傳】貴戚豪家．產業甚厚．室宇園池．貴游莫及．妓樂之妙．冠絕一時．……時安成公何勖．無忌之子也．臨汝公孟靈休．昶之子也．競各奢豪．與湛之共以餚膳器服車馬相尚．京邑為之語曰．安成食．臨汝飾．湛之二事之美．兼何孟．

【宋書沈慶之傳】妓妾數十人．競美容工藝．慶之優遊無事．盡日歡愉．非朝賀不出門．

【南史王宴傳】宴從弟詡位少府卿．敕未登黃門郎不得畜女妓．詡與討擊校尉陰玄智皆以畜妓免官．禁錮十年．

又有好男色者.

【宋書五行志】自咸寧太康以後.男寵大興.甚於女色.士大夫莫不尚之.天下咸相仿效.或有至夫婦離絕.怨曠妒忌者.

【梁簡文帝孌童詩】妙齡周小史.姝貌比朝霞.攬袴輕紅出.迴頭雙鬢斜.

【沈約懺悔文】漢水上宮.誠云無幾.分桃斷袖.亦足稱多.

迄於南唐.流風猶存.

【清異錄】李煜在國.微行娼家.遇一僧張席.煜遂爲不速之客.乘醉大書右壁.僧妓不知其爲誰也.

【江南餘載】陳致堯雍與韓熙載最善.家無儋石之儲.然家妓數百.頗以帷薄取譏於時.

【湘山野錄】南唐韓熙載縱家妓與賓客生旦雜處.

【南唐近事】熙載不妨閑婢妾侍兒.往往私客.客賦詩云.最是五更留不得.向人枕畔着衣裳.

【堯山堂外紀】陶穀奉使江南.韓熙載遣家妓侍之.及旦.以書謝云.巫山之麗質.初臨霞侵鳥道.洛浦之妖姿.自至月滿鴻溝.舉朝不能會其辭.熙載召家妓訊之.云是夕適當浣濯.

明洪武時.設富樂院.起各處妓女居之.

【國初事蹟】太祖立富樂院於乾道橋復移武定橋後以各處將士妓飲生事.盡起妓女赴京入院.

以罪人家婦女及擄獲降附人爲樂婦.

【三風十愆記】記色荒明滅元凡蒙古部落子孫流竄中國者.令所在編入戶籍.其在京省謂之樂戶.在州邑謂之丐戶.

【猥談】奉化有所謂丐戶.俗謂之大貧.聚處城外.自爲匹偶.良人不與接.皆官給衣糧.其婦女稍妝澤業枕席.其始皆宦家.以罪殺其人而籍其牝.官轂之而征其淫捐.以迄今也.金陵教坊稱十八家者亦然.

設教坊司掌之.

【大明會典】設教坊司以掌宮懸大樂.凡行禮筵宴用領樂官妻四名領女樂二十四名.隨鐘鼓司引進.在宮內排列作樂.

【板橋雜記】樂戶統於教坊司.有一官以主之.有衙署.有公座.有人役刑杖錢牌之類.有冠有帶.但

見客則不敢拱揖耳。

又建十六樓以處官妓。搢紳宴集。用以承值。

【晏鐸金陵春夕詩】花月春風十四樓。

【金陵瑣事】在城內者曰南市北市。在聚寶門外之西者。曰來賓。在聚寶門外之東者曰重譯。在瓦屑壩者曰集賢曰樂民。在西關中街北者曰鶴鳴。在西關中街南者曰醉仙。在西關南街者曰輕烟。曰淡粉在西關北街者曰柳翠曰梅姸。在石城門外者曰石城。曰謳歌在清涼門外者曰清江曰鼓腹。所載楊用修藝林伐山遺南市北市。陳魯南金陵世紀遺清江石城。因曲就十四樓之目而誤。

【明實錄】洪武二十七年八月庚寅。新建京都酒樓成。先是上以海內太平。思欲與民偕樂。乃命工部作十樓於江東諸門之外。令民設酒肆以接四方賓旅。既又增作五樓。至是皆成。賜百官鈔。宴於醉仙樓。九月癸丑定正蔡傳書成。賜諸儒宴及鈔。俾馳驛還。

【秦淮廣記】酒樓本十六。其一北市樓。建後被焚。此實錄止言增建五樓也。

【秦淮廣記】當日諸樓皆有官妓。不獨輕烟淡粉梅姸柳翠爲然。故李公泰叔通集句諸詩。於北市則云極目亂紅妝。於集賢則云妙舞向春風。於淸江則云時轉過雲聲。於鼓腹則云舞破日初斜。於石城則云翠袖拂塵埃。於來賓則云烟花象外幽。於鶴鳴則云白日移歌袖。而孟同詩云。詩寫桃花歌扇底。酒攜楊柳舞樓前。又云龍虎鬬河環錦繡。鳳凰樓閣麗烟花。又云。趙女酒翻歌扇溼。燕姬香襲舞裙紆。追憶承平都會之盛。君臣相遇之隆。亦一段佳話也。

自永樂遷都。存者無幾。惟富樂院爲人所豔稱，萃花月於一處。秦淮自此大盛。院通稱舊院。一稱曲中。在秦淮南岸。紈袴銷魂地也。

【秦淮士女表】國初女妓尙列樂官。縉紳大失。不廢歌宴。革除以後。屏禁最嚴。當時胭脂粉黛翡翠鴛鴦二十四樓。分列秦淮之市。憾無有記其勝者。其後遂毀。所存六院而已。所豔稱者獨舊院而已。

【板橋雜記】舊院人稱曲中。前門對武定橋。後門在鈔庫街。妓家鱗次比屋而居。屋宇精潔。花木蕭疏。迥非塵境。到門則銅環半啓。珠箔低垂。升階則猧兒吠客。鸚哥喚茶。登堂則假母肅迎。分賓抗禮。進軒則丫鬟畢妝。捧豔而出。坐久則水陸備至。絲肉競陳。定情則目挑心招。綢繆宛轉。紈袴少年。繡腸才子。無不魂迷色陳。氣盡雌風矣。

【板橋雜記】長板橋在院牆外數十步。曠遠芊綿。水烟凝碧。迴光鷲峯兩寺夾之。中山東花園亙其前。秦淮朱雀桁遶其後。洵可娛目賞心。漱滌塵襟。每當夜涼人定。風清月朗。名士傾城。簪花約鬢。攜手閒行。憑欄徙倚。忽遇彼姝。笑言宴宴。此吹洞簫。彼度妙曲。萬籟皆寂。遊魚出聽。洵太平盛事也。

中葉以後。海宇清謐。貴介賓遊之士。莫不選色徵歌。消其暇日。

【錢牧齋金陵夕社詩序】海宇承平。陪京佳麗。仕宦者誇爲仙都。遊談者據爲樂土。弘正之間。顧華玉王欽佩以文章弁墠。陳大聲徐子仁以詞曲擅長。方俊歛集。風流孔長。嘉靖中年。朱子价何元朗爲寓公。金在衡盛仲交爲地主。皇甫子循黃淳史之流。爲旅人。相與折簡分題。徵歌選勝。秦淮一曲。烟水競其風華。桃葉諸姬。梅花漾其妍翠。此金陵之始盛也。萬歷初年。陳寧鄉芹解組石城。卜屋笛步。置驛邀賓。復修青溪之社。於是在衡仲交以舊老而蒞盟。幼于百穀以勝流而至止。軒車紛遝。唱和頻繁。此金陵之再盛也。其後二十餘年。閩人曹學佺能始迴翔棘寺。遊宴冶城。賓朋過從。名勝延眺。縉紳則臧晉叔陳德遠爲眉目。布衣則吳非績吳允兆柳深父盛太古爲領袖。臺城懷古。爲文憑弔之篇。新亭送客。亦有儷雛之作。筆墨橫飛。篇帙騰湧。此金陵之極盛也。余錄元夕詩爲之引其端。

以誌盛衰之感.

【板橋雜記】金陵爲帝王建都之地.公侯戚畹甲第連雲.宗室王孫.翩翩裘馬.以及烏衣子弟.湖海賓遊.靡不挾彈吹簫.經過趙李.每開筵宴.則傳呼樂籍.羅綺芬芳.行酒糾觴.留髡送客.酒闌棋罷.墮珥遺簪.眞慾界之仙都.昇平之樂國也.

明社既屋.歡場鞠爲茂草.長板橋亦拆毀.王士禎所謂煞風景也.其後或守令提倡簫鼓.復興.或時際亂離.姬女雲散.故秦淮之盛衰.可以卜一時之治亂.杜濬鼓吹之歌.余懷板橋之記.所爲作也.

【杜濬秦淮鐙船鼓吹歌】一聲著人如夢中.雙槌再下耳作聾.三下四下管絃沸.鐙船鼓聲天上至.居然列坐倚船舷.驚指遙看相詫異.鼓聲漸逼船漸近.亦解迴環左右戲.急攢冷點槌猶灑春雷坎坎初驚蟄.吹彈節鼓.鼓倔強.中有閒聲闌不入.吁嗟此時聽鼓止.聽鼓鳴.誰能打掐聲裏情.誰能眼底求精妙.乍許胸中見太平.太平久遠知音希.萬歷年間聞而知.九州富庶無旌旄.揚州之域尤希奇.誰致此者帝軒羲.下有江陵張太師.江陵初年致國政.樂事無多廟謨競.爾時秦淮一條水.伐鼓

吹笙猶未盛．江陵死日富強成．聖人宮中奏雲門．後來宰相皆福人．普天物力東南傾．豪奢橫溢撒向水．此水不須重過秦．王家謝家侈紈袴．海湖遊八闋詞賦．廣陵女兒絕可憐．新安金帛誰知數．舊都冠蓋例無事．朝與花朝暮酒暮．水嬉不待二月半．秾服新妝桃葉渡．高樓夾水對排窗．捲起珠簾人面素．騰騰更有鼓音來．鐙船到處遊船開．燭龍但恨天難夜．赤鳳從教晝不回．皇天此時亦可哀．龜年協律生奇材．善和坊接平康街．弄兒狎客多渠魁．船中百甕梁溪酒．膽大心雄選鋒手．蘇州簫管虎邱腔．太倉絃索崑山口．鎮江染紅制瓔珞．廿椀珠鐙懸一角．當前置鼓大如筐．黃金釘鉸來淮陽．此聲一驩衆聲集．不獨火中聞霹靂．風雨叢中百鳥鳴．旌旗隊裏將軍立．熬波煮火火更然．積響沈舟舟未涇．可憐如此已快意．未到端陽百分一．記我來遊丑與辰．其時海內久風塵．石榴花發照溪津．友人置酒我作賓．下船稍遲渡口塞．踏人肩背人怒嗔．鐙光鼓吹河沙遍．銜尾蟠旋成一串．蔽虧果覺星火覆．演弄早使魚龍顫．衆人洶洶我靜賞．初奏此時差可辨．須臾光響相糾結．惟聞森森沈沈直上翻雲漢．東船西舫更交加．下視何繇覩寸澗．偶然閃倏透水處．如金在鎔風掣電．樓樓堂客〔白下稱內人爲堂客〕船船妓．近不聞聲遠察面．嗚呼此時鐙船更難動．但坐飽食揮槌調絲按孔相淩亂．侯家別擕清商部．那得於中聞唱歎．復有劣鼓與劣吹．就中藏拙誰能見．爆竹聲低煙霧濃。暫借香風解焦汗。露零雨下不能退。樂極生悲眞可厭。酒醒忽迷此何地。魂銷略記伊堪戀。直至明朝日亭午。船鬆卻退入相羨。歸來沈眠須竟日。流鶯啼破河陽戰。此後遊人數日稀。淸淮十里流花片。記得座中客。能說王稺登。稺登撾鼓湘蘭舞。賞音擊節屠長卿。後來好事潘景升。晚節猶數茅止生。絕藝於今誰作主。李小大歌張卯鼓。當時惆悵說於今。忍見於今又成古。年復年來事可歎。鐙船伐鼓鼓不懽。辛壬之際大饑疫。惟見鳳陵烽火照見秦淮白骨橫靑灘。桃葉何須怨寂寞。天子孤立在長安。吾聞是時宰相蒯成侯。黃金至厚封疆讎。公卿濟濟咸一德。坐令戰鼓逼龍樓。甲申三月鼓遂破。斷管殘絲復誰和。半閒堂裏起笙歌。平章舟上稱朝賀。試問當時甯海靑。階下池頭還幾箇。新劇惟傳燕子箋。殺人無暇上遊船。行人何必近前聽。塗毒鼓中無性命。同時阿誰伎啇爾。惟有黃劉高左五侯耳。君不見師延靡靡濮上水。未若玉樹後庭美。賞音何人丞相嚭。相對掀髯復切齒。一撥絃中半壁亡。一棒鼓中萬人死。鼓急絃驚曲不長。兩年歇絕墮漁陽。有客徒憐橋下水。無人不斷渡邊腸。及此相看眞分外。何許藏舟一舟在。拂麈捍撥光初輝。奮槌揚袖襤褸衣。不鐙漫乘夕照出。無伴知從何處歸。爭新誇異各有故。君看西風桃李枝。西風一枝衆稱異。東風萬樹空爾爲。入耳悲歡難具說。醉裏分明具心熱。於戲漢代金仙唐舞馬。此事千年有無者。興亡不入心手閒。然後聲音如雨下．探湯撾鼓蒺藜刺．應有心肝礙胸次．餘音漠漠攪飛絮．鐙船鐙船過橋去．過橋去．傷鼓聲．長歌短歌歌當成．隴西李賀抽身死．舉杯相屬樊川生．此生流落江南久．曾聽當時煞尾聲．又聽今朝第一聲．

【余懷板橋雜記序】或問余曰．板橋雜記．何爲而作也．余應之曰．有爲而作也．或者又曰．一代之興衰．千秋之感慨．其可歌可錄者何限．而子惟狹邪之是述．豔冶之是傳．不已荒乎．余乃听然而笑曰．此卽一代之興衰．千秋之感慨所繫也．金陵古稱佳麗之地．衣冠文物．盛於江南．文采風流．甲於海內．白下青谿．桃葉團扇．其爲豔冶也多矣．洪武初年．建十六樓以處官妓．淡烟輕粉．重譯來賓．稱一時之盛事．自時厥後．或廢或存．迨至百年之久．而古蹟寖湮．存者惟南市珠市及舊院而已．南市者卑屑所居．珠市者間有殊色．若舊院則南曲名姬．上廳行首．皆在焉．余生也晚．不及見南部之烟花．宜春之子弟．而猶幸少長承平之世．偶爲百里之遊．馬板橋邊．一吟一咏．顧盼自雄．所作歌詩．傳誦諸姬之口．楚潤相看．態娟互引．余亦自詡爲平安社書記也．鼎革以來．時移物換．十年舊夢．依約揚州．一片歡場．鞠爲茂草．紅牙碧串．妙舞清歌．不可得而聞也．洞房綺疏．湘簾繡幕．不可得而見也．名花瑤草．錦瑟犀毗．不可得而賞也．間亦過之．蒿藜滿眼．樓館劫灰．美人塵土．盛衰感慨．豈復有過此者乎。鬱志未仲。俄逢喪亂。靜思陳事。返念無因。聊記見聞。用編汗簡。效東京夢華之錄。標崖公蜆斗之名。豈徒狹邪之是述。艷冶之是傳也哉。客蹶然而起曰。如此則不可以不記。於是作板橋雜記。

【秦淮廣紀】姜廷善寶爲南宗伯。大戒六院。無得游行。人迹無敢至者。張幼于來白門。先入舊院盤桓旬日。仍收所榜而宗伯曰。請爲先生開一面之網。宗伯笑曰。我固疑有此。　清初舊院荒蕪。板橋毀壞。間存一二舊人。已附前明之末。康熙朝禁令綦嚴。至乾隆四十餘年。始有續記之作。　孔雙湖太守禁妓。簡齋太守以詩嘲之。　百菊溪齡總督兩江時。司道以下。多朋飲妓船。酣嬉無常。百公患之而不欲顯發。乃召一尉謂之曰。某所有妓船。爲我驅之。索尉手版書絕句云。宛轉歌喉一串珠。好風吹送莫愁湖。緣何打槳匆匆去。煮鶴焚琴是老夫。尉持手版往。衆官踉蹌而散。　辛未七月大府有驅逐之令。院中諸姬雲散風流。　嘉慶丙子丁丑百菊溪既行。秦淮復大盛。捧花生有畫舫錄二卷。捧花生上元車秋舲持謙別號。　道光中葉頻經水災。秦淮兩岸屋房傾圮。笙歌亦極蕭條。辛丑英人舟師直抵城下。鶯鶯燕燕。盡室四竄。議和以後。藉以少定。　金陵當大兵之後。有人世蕭條之感。曾太傅規復盛時之舊。爰作畫舫於青溪。設女閭於曲巷。所以永慶昇平。潤飾鴻業也。又限以妓院六家。院中許增妓女。不許增妓院。以示趣不可極。慾不可縱也。　粵寇踞金陵十有二年。河房舊址。荆棘叢生。秦淮細流。瓦礫山積曾文正公首先提倡。至辛未中。稍復舊觀。游船往來。踏波乘浪。才妓名媛大都至自吳中來從邗上。而土著中人亦復不少。兩岸笙歌。一隄煙月。承平故態。父老猶有見之。　沈文肅公到江督任。諭秦淮妓館。多令設於幽僻處門式高僅三尺。闊僅尺半。入其中必俯首鞠躬而後入。於是冶游者率皆望望而去焉。

今市府禁娼。八年於茲。秦淮景象。非復當年。然歌館影院。轉益增盛。達一百餘所。

首都娛樂場所分類統計表

類別＼局別	一局	二局	三局	四局	五局	六局	七局	八局	合計
京戲院	一		二				一		四
白話戲院			一						一
遊藝場	一		一			一	一		四
電影場	四	一	二						七
清音茶社	一		一五		二	一	一		二〇

大鼓茶社			一						一
說書茶社	七	四	一	九	一八	三	四		四六
徽班戲院		一	一				一		三
露天雜耍場			四		四		二		一〇
其他	一	一	三		五	三	一六	三	三二
總計	一五	七	三一	九	二九	八	二六	三	一二八

涉足其間者日至五六千人。

首都娛樂場所游人數目統計表　二十二年七月至二十三年六月

類別	全年遊人數		每月平均遊人數		每日平均約數	
	成人	幼童	成人	幼童	成人	幼童
電影院	八九八、四〇四	五二、三三二	七四、八六七	四、三六一	二、四九五	一四五
京戲院	一九五、四三二	二五、四〇四	一六、二八六	二、一一七	五四二	七
遊藝場	三二九、一七二	九八、六六四	二七、四三一	八、二二二	九一四	二七四
清音茶社	一九八、四〇八	六、六八四	一六、五三四	五五七	五五一	一八

大鼓茶社	一〇五、三七二	二、六七六	八、七八一	二三二	二九二	七
說書茶社	一七六、九七六	三一、〇〇八	一四、七四八	二、五八四	四九一	八六
徽班戲院	一一、九一六	二、七四八	九九三	二二九	三三	七
道情戲院	六九、六四八	一二、七九二	五、八〇四	一、〇六六	一九三	三五
露天雜耍	一三二、六三六	三七、八八四	一一、〇五三	三、一五七	三六八	一〇五
總　計	二、一一七、九六四	二七〇、一九二	一七六、四九七	二二、五一六	五、八七九	六八四

而沈迷於烟賭娼者尙衆。

【首都警察概況】(二十三年份)烟賭娼爲社會三害。根深蒂固。流毒至爲普徧。本廳雖歷經飭屬嚴密查禁。但據今年上半年份司法統計。違警犯二萬四千四百十八中。妨害風俗者至一萬六千五百八十八。佔百分之六十七。刑事檢舉案件二千一百十五起中。煙毒案至九百四十七起。佔百分之四十六。禁令雖嚴。犯者仍多。沉迷陷溺。大有人在。此誠社會一大問題也。

若非導以高尙之娛樂。而禁其舊染之汚。烏能一變靡儆之俗乎。

二　冠禮

南朝重冠王侯士庶莫不兢兢於三加之典.

【宋書禮志】江左諸帝將冠.金石宿設.百僚陪位.又豫於殿上鋪大牀.御府令奉冕幘簪導衮服.以授侍中常侍.太尉加幘.太保加冕.將加冕.太尉跪讀祝文曰.今月吉日始加元服.皇帝穆穆.思弘衮職.欽若昊天.六合是式.率遵祖考.永永無極.眉壽惟祺.介茲景福.加冕訖.侍中繫玄紞.侍中脫絳紗服.加衮服冠事畢.太保率羣臣奉觴上壽.王公以下三稱萬歲.乃退.按儀注一加幘冕而已. 宋冠王太子及蕃王.亦一加也.官有其注. 元嘉十一年.營道侯將冠.詔曰.營道侯義綦可克日冠.外詳舊施行.何禎冠義約制.及王堪私撰冠儀.亦皆家人之可遵用者也.

【南史始興王伯茂傳】時六門之外有別館.以爲諸王冠昏之所.名爲昏第.

【南史阮孝緒傳】十五冠而見其父彥之.彥之戒曰.三加彌尊.人倫之始.宜思自勖.以庇爾躬.

唐始廢冠禮.

【柳宗元答韋中立論師道書】古者重冠禮.將以責成人之道.是聖人所尤用心者也.數百年來.人不復行.近有孫昌胤者.獨發憤行之.既成禮.明日至朝.至外庭.薦笏言於卿士曰.某子冠畢.應之者

咸憮然。京兆尹鄭叔則怫然曳笏却立曰。何預我耶。廷中皆大笑。

宋元亦無行之者。明興。定皇太子皇子品官至庶人之冠禮。

【明史禮志】庶人冠禮。古冠禮之存者惟士禮。後世皆推而用之。明洪武元年詔定冠禮。下及庶人。纖悉備具。然自品官而降。鮮有能行之者。載之禮官。備故事而已。凡男子年十五至二十。皆可冠。將冠。筮日。筮賓。戒賓。俱如品官儀。是日夙興。張幄爲房於廳事東。皆盛服。設冠於阼階下東南。陳服於房中西牖下。席二在南。酒在服北。次幞頭巾帽各盛以盤。三人捧之。立於堂下西階之西南。向東上。主人立於阼階下。諸親立於盥東。儐者立於門外。以俟賓。冠者雙紒袍勒帛素履。侍於房。賓至。主人出迎。揖而入。坐定。冠者出於房。執事者請行事。賓之贊者取櫛總篦幧頭。置於席南端。賓揖冠者卽席西向坐。贊者爲之櫛。合紒施總加幧頭。賓降。主亦降。立於阼階。賓盥。主人揖讓。升自西階。復位。執事者進巾。賓降一等受之。詣冠者席前。東向祝。詞同品官。（品官冠禮祝用士禮祝詞）祝訖。跪著巾。興。復位。冠者興。賓揖之。入房。易服深衣大帶。出就冠席。賓盥如初。執事者進帽。賓降二等受之。進祝。跪冠訖。興。復位。揖冠者入房。易服襴衫要帶。出就冠席。賓盥如初。執事者進幞頭。賓降三等受之。

進祝．跪冠訖．興復位．揖冠者入房．易公服出．執事者徹冠席．設醴席於西階．南向．贊者酌醴．出房立於冠者之南．賓揖冠者卽席．西向立．賓受醴詣席前北面祝．冠者拜受．賓答拜．執事者進饌．冠者卽席坐．飲食訖．再拜．賓答拜．冠者離席．立於西階之東．南向．賓字之．如品官詞．（品官冠禮字之辭同士冠禮）冠者拜．賓答拜．冠者拜父母．父母爲之起．拜諸父之尊者．遂出見鄉先生及父之執友．先生執友皆答拜．賓退．主人請禮賓．固請乃入．設酒饌．賓退．主人酬賓．贄侑以幣．禮畢．主人以冠者見於祠堂．再拜出．

然留都宦庶力能行之者甚少．多沿俗草率行禮而已．

【客座贅語】冠禮之不行久矣．耿恭簡公在南臺．爲其猶子行冠禮．議三加之服．一加用幅巾深衣履鞋．二加用頭巾藍衫縧靴．三加用進士冠服角帶靴笏．然冠禮文繁．所用賓贊執事人數甚衆．自非家有大廳事．與力能辦治者．未易舉行．故留都士大夫家亦多沿行俗禮．草草而已．

【正德江寧志】冠笄則爲綬帶糕以餽遺．設席會飲．諺云澆頭．

清代以後．此禮遂廢．

三　昏禮

周代昏有六禮．後世多因其意變遷．南朝重門第．姻婭淪雜．輒見譏於當世．

【晉書陸玩傳】王導初至江左思結人情．請婚於玩．玩對曰．培塿無松柏．薰蕕不同器．玩雖不才．義不能爲亂倫之始．導乃止．

【世說新語】諸葛恢大女適太尉庾亮兒．次適徐州刺史羊忱兒．亮子被蘇峻害．改適江虨．恢兒娶鄧攸女．於時謝尚書求其小女婚．恢乃云．羊鄧是世婚．江家我顧伊．庾家伊顧我．不能復與謝裒兒婚．及恢亡．遂婚．於是王右軍往謝家看新婦．猶有恢之遺法．威儀端詳．容服光整．王歎曰．我在遺女裁得爾耳．

【沈約奏彈王源文】自宋氏失御．禮教彫衰．衣冠之族．日失其序．姻婭淪雜．罔計廝庶．販鬻祖宗．以爲賈道．明目腆顏．曾無愧畏．風聞東海王源嫁女與富陽滿氏．雖人品庸陋．冑實參華．而託姻結唯利是求．玷辱流輩．莫斯爲甚．源人身在遠．輒攝媒人劉嗣之到臺辨問．嗣之列稱吳郡滿璋之．相承云．是高平舊族．寵奮胤冑．家計溫足．見託爲息鸞覓婚．王源見告窮盡．即索璋之簿閥．見璋之任王國侍郎．鸞又爲王慈吳郡正閤主簿．源父子同共詳議．判與爲婚．璋之下錢五萬．以爲聘禮．源先喪婦．又以所聘餘直納妾．如其所列．則與風聞符同．王滿聯姻．實駭物聽．潘揚之睦．有異於此．且買妾納媵．因聘爲資．施衿之費．化充牀笫．鄙情贅行．造次以之．糾慝繩違．允茲簡裁．高門降衡．雖自己作．蔑祖辱親．於事爲甚．此風弗翦．其源遂開．點世塵家．將被比屋．宜寘以明科．黜之流伍．

宋制品官六禮．士庶四期．其易行也．

【宋史禮志】品官婚禮．納采問名納吉納成請期親迎．同牢廟見．見舅姑．姑醴婦．盥饋．饗婦送者．幷如諸王以下婚． 士庶人婚禮．幷問名於納采．幷請期於納成．其無雁奠者．三舍生聽用羊．庶人聽以雉及雞鶩代．

明昏禮．大都本文公家禮．

【明史禮志】品官昏禮．周制．凡公侯大夫士之昏娶者．用六禮．唐以後儀物．多以官品爲降殺．明洪武五年詔曰．古之昏禮．結兩姓之歡．以重人倫．近世以來．專論聘財．習染奢侈．其儀制頒行．務從節儉．以厚風俗．故其時品節詳明．皆有限制．後克遵者鮮矣．其制凡品官昏娶．或爲子聘婦．皆使媒氏通書。女氏許之。擇吉納采。主昏者設賓席。至日具祝版告廟。訖賓至女氏第。主昏者公服出迎。揖賓及媒氏入。雁及禮物。陳於廳。賓左主右。媒氏立於賓南。皆再拜。賓詣主人曰。某官以伉儷之重。施於某官。率循典禮。謹使某納采。主昏者曰。某之子弗嫻姆訓。既辱采擇。敢不拜嘉。賓主西南相向坐。徹雁受禮。訖。復陳雁及問名禮物。賓興。詣主昏者曰。某官愼重昏禮。將加卜筮。請問名。主昏者進曰。某第幾女。妻某氏出。或以紅羅。或以銷金紙書女之第行年歲。賓辭。主昏者請禮從者。禮畢。送賓至門外。納吉如納采儀。賓致詞曰。某官承嘉命。稽諸卜筮。龜筮協從。使某告吉。主昏者曰。某未教之女。既以吉告。其何敢辭。納徵如納吉儀。加玄纁束帛函書。不用雁。賓致詞曰。某官以伉儷之重。加惠某官。率循典禮。有不腆之幣。敢請納徵。主昏者曰。某官貺某以重禮。某敢不拜受。賓以函書授主昏者。主昏者亦答以函書。請期亦如納吉儀。親迎日。壻父告於禰廟。壻北面再拜立。父命之曰。躬迎嘉偶。釐爾內治。壻進曰。敢不承命。再拜。媒氏導壻之女家。其日女氏主昏者告廟。訖。醴女如家人禮。壻至門下馬。就大門外之次。女從者請女盛服。就寢門內南向坐。壻出次。主昏者出迎於門外。揖而入。主昏者入門而右。壻入門而左。執雁者從至寢戶前。北面立。主昏者立於戶東西向。壻再拜奠雁。出就次。主昏者不降迎。壻既出。女父母南向坐。保母導女四拜。父命之曰。往之女家。以順為正。無妄肅恭。母命之曰。必恭必戒。毋違舅姑之命。庶母申之曰。爾忱聽於訓言。毋作父母羞。保姆及侍女翼女出門升車。儀衞導前。送者乘車後。壻先還以俟。婦車至門。出迎於門內。揖婦入。及寢門。壻先升階。婦從升入室。壻盥於室之東南。婦從者執巾進水以沃之。婦盥於室之西北。壻從者執巾進水以沃之。盥畢。各就座。壻東婦西。舉食案。進酒進饌。酒食訖。復進如初。侍女以卺注酒。進於壻婦前。各飲畢。皆興立於座南。東西相向。皆再拜。壻婦入室易服。壻從者餕婦之餘。婦從者餕壻之餘。明日見宗廟。設壻父拜位於東階下。壻於其後。主婦拜位於西階下。婦於其後。諸親各以序分立。其日夙興。壻父以下各就位。再拜。贊禮引婦至庭中。北面立。壻父升自東階。詣神位前。跪。三上香。三祭酒。讀祝。興。立於西。婦四拜。退。復位。壻父降自西階。就拜位。壻父以下皆再拜。禮畢。次見舅姑。其日婦立堂下。伺舅姑即座。就位四拜。保姆引婦升自西階。至舅前。侍女奉棗栗授婦。婦進訖。降階四拜。詣姑前。進腶脩如前儀。次舅姑醴婦。如家人禮。次盥饋。其日婦家備饌至壻家。舅姑即座。婦四拜。升自西階。至舅前。從者舉食案。以饌授婦。婦進饌。執事者加匕筯。進饌於姑。亦如之。食訖徹饌。婦降階。就位四拜。禮畢。舅姑再醴婦如初儀。

庶人昏禮。禮云。昏禮下達。則六禮之行。無貴賤一也。朱子家禮。無問名納吉。止納采納幣請期。洪武元年定制用之。下令禁指腹割衫襟爲親者。凡庶人娶婦。男年十六。女年十四以上。幷聽昏娶。壻常服。或假九品服。婦服花釵大袖。其納采納幣請期。略倣品官之儀。有媒無賓。詢亦稍異。親迎前一日。女氏使人陳設於壻之寢室。俗謂之鋪房。至若告詞醮戒奠雁合巹。幷如品官儀。見祖禰舅姑醴婦。亦略相準。

留都所行。參以習俗。不盡依此制。

【客座贅語】留都婚姻。亦備六禮。差與古異。古禮。一曰納采。二曰問名。三曰納吉。四曰納徵。五曰請期。六曰親迎。今留都初締姻具禮往拜女家曰謝允。次具儀曰小定。將娶先期具納幣。親迎之日。往請曰通信。納幣曰行大禮。將娶前數日具儀曰催妝。至日行親迎。似以小定兼納采問名。通信即請期。第先後不同耳。古俗親迎有弄女壻。弄新婦。障車。壻坐鞍靑廬下。壻却扇等禮。今幷無之。唯壻下輿。以馬鞍令步曰跨鞍。花燭前導曰迎花燭。仿佛舊事。昏禮古以不親迎爲譏。留都則壻之親迎者絕少。惟姑自往迎之。女家稍款以茶果。婦登輿則女之母隨送至壻家。舅姑設宴款女之父母。富貴家歌吹徹夜。至天明始歸。壻隨往謝。婦之父母亦款以酒。而婦之廟見。與見舅姑。多在三日。按家禮婦於第三日廟見。見舅姑。第四日壻乃往謁婦之父母。蓋謂婦未廟見與見舅姑。而壻無先見女父母之禮也。此禮已復。但俗沿已久。四日往謝。衆論駭然。議於第二日晨起。子率婦先廟見。拜父母舅姑。而後壻往婦家。拜其父母。庶幾得禮俗之中矣。 金陵人家行聘禮。行納幣禮。其穽盒中用柏枝。及絲線絡果作長串。或剪綵作鴛鴦。又或以糖澆成之。又用膠漆丁香。粘合綵絨結束。或用萬年青吉祥草。相詡爲吉慶之兆。考通志婚禮。後漢之俗。聘禮三十物。以玄纁。羊。雁。清酒。白酒。粳米。稷米。蒲。葦。卷柏。嘉禾。長命縷。膠漆。五色絲。合驩鈴。九子墨。金錢。祿得香草。凰凰。舍利獸。鴛鴦。受福獸。魚。鹿。鳥。九子婦。陽燧鑽。凡二十八物。又有丹爲五色之榮。青爲東方之始。共三十物。皆有俗儀。不足書。按此則今俗相沿之儀物。固有所自來矣。酉陽雜俎言納采九事。曰合驩。曰嘉禾。曰阿膠。曰九子蒲。曰朱葦。曰雙石。曰綿絮。曰長命縷。曰乾漆。九事皆有詞。各有取義。

【正德江寧志】婚禮甚煩猥。如起帖（用茶餅之類。取女子八字。）回吉（用油酥大餅。曰回吉餅。茶果羹酒。倍于起帖。）道日（又謂之通信。卽古請期之禮。近日省便。止用羊酒。）下茶（視回吉之禮又倍之。又增衣服首飾之類。）催妝（用雞酒。近日少增羹果。以代下茶。甚爲省便。）及娶。又有鋪房設筵之費（是日女家鋪房。男家設筵。侈靡相高。其間有跨鞍迎龍牽綵添實坐床合巹之

類】

清代有官定之制。

【清會典禮部】凡婚禮。王以下至庶人。各頒其儀。凡公民之下。百官之子。未受爵者。禮皆攝盛。視其父儀。從亦如之。軍民納采。使媒氏道遠。女家具饌。近則否。納幣用幣衣一襲。衾褥一具。筵用牲一。請期。備鵞。婚日醮子於廳事東序。婿輿。襘蓋無飾。筵用牲二。凡有品級官。婚嫁用本官執事。鼓樂不得過十二名。鐙不得過六對。無品級人及監生軍民。不得用執事。鼓樂不得過八名。鐙不得過四對。軍民紬絹不得過四。果金不得過四。官民皆不許用金銀財禮。庶民婦女不許用冠帔補服大轎。

其民間之俗先說媒。

【金陵雜志】說媒注。俗云。一家有女百家求。然必年貌相當。門戶相對。方能結昏。說媒者以婦人說合居多。必先言定聘禮聘金若干。合婚後。男女家另擇媒人。謂之大賓。

合則發草帖。就星者合婚。

【炳燭里談】女家以粗紙書女年庚。交媒氏遞至女家。謂之草八字。主人召日者推算。兩無沖剋。然後諏吉行聘焉。又有因好結姻者。不復推算。俗謂爲天婚做云。

【金陵雜志】凡男女兩家願結朱陳者。先將女宅年庚用紅紙書就。由冰人成雙交男宅。壓竈前香爐下。三日內家中平安。然後持就星家合婚。三日內倘有碎碗破甑之事。謂之不祥。託言不合。將草八字退還。

行初聘禮請之傳紅

【炳燭里談】古者納采之禮。蓋采擇某氏之女。卜吉而後聘之。故兼行納吉之禮。今之過帖是也。男女氏各延一人爲媒（有前此通言之人在則曰原媒）謂之大賓。或曰大冰。先期兩家踵門肅拜。至日媒氏衣冠赴男家。主人具庚帖一副。書男八字於陽頁。外以紅綠綢聯成方塊包之。名之曰袱。別具全紅柬帖四副。書主婚者郡望姓名。媵以荔支龍眼魁栗蜜棗四種。茶葉若干瓶。或加香櫞福橘木瓜石榴諸大果及龍鳳喜餅。以示豐盈。隨媒氏齎至女家。陳於庭。主人受之。因取男庚帖填寫女八字於陰頁。別用蜜合與紫色袱包之。以主人全柬四副並具蜜食若干種。亦隨媒氏齎回。所以報聘也。蓋至是而婚姻定。故謂之下定。以其所傳者紅帖。又謂之傳紅云。

將娶選日再行聘禮謂之行禮。

【炳燭里談】古者請期之禮。今之送日子是也。男氏將娶。卜吉既定。主人延二大媒。晨至其家。齎選擇吉期紅帖。同往女氏。女氏受之。以紅單開寫新婦衣裙尺寸。交大媒帶回男氏。照單製成。俟納幣日齎送焉。古者納徵之禮。今之行禮是也。婚期既定。先數日男氏延請大媒。具全紅禮單二。一書謹詹某日行親迎禮。一書納幣之喜。並新婦冠袍衣飾。送至女家。媵以茗果。如傳紅儀式。

【金陵賦注】納徵請期。注先昏期數日。壻家具柬以昏期告於婦家。媵以茗果。婦家亦答以果物。謂之行禮。

【金陵雜志】男家欲迎娶。先將男女八字送星命家諏吉。必使無沖犯無刑剋之良辰。以紅全柬上記新人沐浴宜何時。水傾何方。上轎何時。合巹何時。避忌何人。皆歷歷書之。送女家。謂之送日子。

女家答禮曰回盤。

【炳燭里談】女氏答以允吉登嘉二帖。具新壻冠帶并蜜食齎還。謂之回盤。

【金陵雜志】男宅行禮。衣飾聘金到門後。必籌所以回盤者。除翁姑新郎針線外。另回三代腰帶鈔袋襪帶。近今三代祇行二代。謂女家自留一代。俗例相沿。自爲消長。婦女之見。牢不可破。誠可笑也。

先期鋪嫁妝。

【金陵賦注】先昏期一日。婦家具妝奩。往之壻家。謂之鋪嫁妝。按宋時俗謂之鋪房。見温公書儀。

屆期親迎。

【白下瑣言】顧逖園客座贅語云。壻之親迎者絕少。惟姑自往迎之。女家款以茶果。婦登輿。則女之母隨送至壻家。舅姑設宴款女之母。至天明始歸。今則姑不往迎。女母亦無隨送之舉。惟納采時用大紅帖。寫謹詹某月某日恭備喜筵。祇候光臨云云。請女之父母。謂之禮書。徒存具文而已。舊俗嫁娶。男家必邀戚友四人。先吉服詣女家。俟綵輿將發而後返。謂之迎親。

【金陵賦注】今俗壻於晨後往婦家。謁婦之父母。並見婦家戚友。若婦之三日見拜者然。謂之求親。蓋名雖似親迎。而實則將明時謁婦父母一節。移於前一日。又向晚壻家使戚友四人導輿至婦家。婦家款以茶果。謂之迎親。婦家亦使婦之兄弟或姻戚隨輿往壻家。謂之送親。蓋即明時姑迎婦。女父母送女之遺意。第親迎不施之壻。而轉以施之戚友。殊爲非古。莫若將求親移至日昳。婦輿即隨壻而歸爲宜。然俗固以求親當親迎也。

發轎。

【金陵賦】衣冠攝盛。備哉燦爛。（原注吾鄉昏禮。或民間而上擬士。或士而上擬丈夫。蓋卽所謂攝盛。）將彩輿。犴婦居。嚧嚧燈燭。祁祁車徒。頭銜冰皎。騶從風趨。旗幟旖旎。鼓吹喁于。聞者留雀而犇視。行者佇眙而趨愉。

【金陵雜志】發寶轎約中西之時。於轎前鼓樂齊奏。擇年輕四人。各手執一燈。隨彩輿至女家。謂之迎親寶轎。

陋者索開門錢。

【白下瑣言】娶之日。女之兄弟必向男家爭索錢財。名爲開門錢。往往有較量錙銖。故爲留難者。兩家至戚尙斤斤於此耶。此最陋習。

【金陵雜志】大開門者。舅子之靴帽也。小開門者。彩轎至女宅所索之開門錢也。

于是催妝。

【金陵賦】丁日入之三商。修合巹之令典。於斯之時。枚馬之裔。布幔幬而詠催妝者以百計。

上頭。

【金陵賦注】吾鄉笄禮久廢。惟新婦將上輿時。料量妝飾。仍沿上頭之名。

【金陵雜志】喜日新娘必鎮日眠。及彩轎到門催請。然後新娘起身沐浴更衣。桌上燃大燭一對。梳妝穿帶。則請年輕有全福之婦人爲之。謂之上頭。

【金陵賦注】女上頭時。鏡前然雙燭。登輿後燭不撤。席設之鏡臺如故。所坐之椅如故。並於椅前置手爐一。炙女所解之故履焉。按曾子問孔子曰。嫁女之家。三夜不息燭。思相離也。即此意。

加蓋持瓶。

【金陵賦注】唐時女將上車。以蔽膝覆面。見酉陽雜俎。至婦將登車。用彩巾羃首。合巹後乃去之。名曰蓋頭。則明時俗已如此。今但易稱方巾。而去方巾後。仍有彩線下垂。名遮羞鬚。

【金陵賦注】新婦左持小錦囊。右持錫蜜罐。至夫家。正輿中去蜜罐。而以錫餅三緘其口。令婦執之。嗟乎。長舌厲階。其旨微矣。

送親以次爲之。

【金陵雜志】新人上頭畢。由父兄抱之上轎。另請少年四人。隨轎走送。謂之送親。半途即回。

既至跨鞍傳席以入。

【白下瑣言】輟耕錄云。新婦始至。傳席以入。弗令履地。唐人已然。今仍其風。不以席而以米袋。取接代之義。又甫下輿時。先跨馬鞍。按歸田錄。劉岳書儀。婚禮有女坐壻之馬鞍。父母有合髻之禮。乃在女家。今則行於男家。徒跨之而不坐矣。

【金陵賦注】婦至壻家。始下輿時。必先跨鞍。鞍亦髣髴其形。蒙以紫楮。命曰鞍橋。

【金陵賦注】冬夜箋記。今娶新婦。到門。以氈藉地。人轉接之使行其上。白樂天詩云。青衣轉氈褥。錦繡一條斜。古已然矣。今吾鄉仍其風。不以氈席而以米袋。取接代之誼。

合巹之先。交拜天地。

【金陵賦】登華堂而交拜。影婆娑而微俛。

入房坐床。謂之作富貴。

【金陵雜志】兩新人入房。由伴娘扶之。盤膝坐於牀頭。男東女西。任人調笑。不言不動。謂之坐富貴。

親友鬧房。謂之鬧新娘。

【金陵賦注】三日之內。未行見拜禮。無尊卑。皆得戲新婦。謂之鬧新娘。一月之內。有半面識。皆得觀新婦。謂之看新娘。

翌日開臉。

【金陵雜志】次日黎明。兩新人即起。伴娘以一甌蓮子羹進。使二人分吃之。然後爲新娘梳妝絞臉。謂之開臉。

三日謁祖先。

【金陵賦注】平日惟於堂上懸庋一閣。以奉木主。凡朔望節序。則拜之。昏之三日。則壻率婦拜之。

會親。

【金陵雜志】第三日謂之三朝。有人於此日請會新親。如岳翁妻弟之類。每有一男丁。必有一帖一副。不計能來不能來也。然岳家辭謝居多。遲日登門視女。使男家出其不意。免其厚款。謂之會親。

見家屬分大小。

【金陵賦】見舅姑爲長者龔進退紆徐。【注】見拜時。贊儀者必唱攏椅。蓋猶有龔之遺意。

【金陵賦注】昏之三日行見拜禮。亦有於昏之明日者。謂之連朝坐。按見拜之禮。宋時已行。書儀又謂長屬雖多。共爲一列受拜。以從簡易。則今之一一受拜者爲繁矣。

入廚作羹。

【金陵賦】登降拜跪之禮既畢。嫛婗勃窣。媒妁前導。遂洒作羹湯而下庖廚。【注】古有盥饋之禮。温公書儀。于見拜後行之。今則見拜後入廚作羹。深合唐人三日之詩。

又數日回門。

【金陵賦注】女嫁彌月後。與壻歸家。謂之回門。兵燹後。或六日。或十日。不必彌月矣。

母家時節餽遺。其繁文縟節。有如此者。

【金陵雜志】送夏送冬送燈。此係富而好禮者方有之。女兒出閣後。一逢夏日。即送壻與女以紗羅之衣。冬日即送炭火盆手爐等。逢燈節。送各式新燈。

【金陵歲時記】女子旣嫁之初年．母家屆燈節．則遺以燈．及元宵諸食品．名曰燈節盒．與送重陽之旗．同爲玩具．

【炳燭里談】婦人將產子．母家必備小兒服飾及雞肉麪饊相餽．謂之催生．送禮後踰月猶不生．則遣女僕備熟麪數盌送往女家．置諸地．急趣而出．女家人取食之．謂之過街麪．是亦催生之餘波也．

清季歐風漸於中國．一切趨於簡易．乃有所謂文明結昏．不由父母媒妁．先相結以情愛．然後訂婚．互易約指．

【柳南隨筆】婦人以金銀爲介指．其來已久．相傳古者婦人月經與娠則帶之．否則去之．今人常帶在手．旣昧戒止之義．甚至男子而亦帶之．若爲飾手之物．尤可怪矣．

【清稗類鈔】指環以貴金屬或寶石製之．約之於指．以爲美觀．初惟左手之第三第四兩指．後則惟所欲矣．亦謂之戒指．紂作寶幹指環．漢宮人御幸．賜銀指環．蓋古宮禁中本用以爲嬪妃進御．或有所避忌之符號．後世遂用爲普通之指飾．故曰戒指．大宛娶婦．先以同心指環爲聘．今乃以爲訂婚之紀念品．則歐風所漸也．

結婚時賃逆旅。延儐相。陳軍樂。備證書。不一時而禮畢矣。

【清稗類鈔】親迎之禮。晚近不用者多。光宣之交。盛行文明結婚。倡於都會商埠。內地亦漸行之。禮堂所備證書。（有新郎新婦證婚人介紹人主婚人姓名。）由證婚人宣讀。介紹人（即媒妁）證婚人男女賓代表皆有頌詞。亦有由主婚人宣讀訓詞。來賓唱文明結婚歌者。　文明婚禮。實有三長。一以父母之命。媒妁之言。而取男女之同意。以監督自由。其辦理次序。先由男子陳志願於父母。得父母允准。即延介紹人請願於女之父母。得其父母允准。再由介紹人約期訂邀男女會晤。男女同意。婚約始定。二定婚後。男女立約。先以求學自立為誓言。三婚禮務求節儉。以挽回奢侈習俗。而免經濟生活之障礙。結婚之日。由男女父母各給以金戒指一事禮服一襲。

其行舊禮者。亦日趨簡易。一日畢事者。（回門等事。皆於昏日行之。）謂之一堂。退。新婦與新郎同至男家者。謂之裏親。用卜日之前夕子時以後行合巹禮者。謂之倒搭夜。婚之次日行舅姑待新婦禮者。謂之連朝坐。

四　喪禮

吳俗好治喪，動費十萬數，蕩產爲所不惜。

【南史孔琳之傳】凶門柏裝，不出禮典，起自末代，積習生常，遂成舊俗，爰自天子達於庶人，誠行之有由，卒革必駭，然苟無關於情，而有愆禮度，存之未有所明，去之未有所失，固當式遵先典，釐革後謬，況復兼以遊費，實爲人患者乎。凡人事喪儀，多出閭里，每有此需，動十數萬，損人財力，而義無所取，至於寒素，則人思自竭，雖復室如懸磬，莫不傾產殫財，所謂葬之以禮，其若此乎。謂宜一罷凶門之式。

往往有致毀以死者。

【晉書五行志】居三年之喪者，往往有致毀以死。

孫權以時方多難，凡在官守，一禁奔喪，犯者致科以大辟。

【吳志】嘉禾六年春正月詔曰：夫三年之喪，天下之達制，人情之極痛也。賢者割哀以從禮，不肖者勉而致之，世治道泰，上下無事，君子不奪人情，故三年不逮孝子之門，至於有事，則殺典以從宜，要經而處事，故聖人制法，有禮無時則不行，遭喪不奔非古也，蓋隨時之宜，以義斷恩也。前故設科，長吏正官。當須交代。而故犯之。雖隨糾坐。猶已廢職。方事之殷。國家多難。凡在官司。宜各盡節。先公後私。而不恭承。甚非謂也。中外羣僚。其更平議。務令得中。詳爲節度。顧譚議以爲奔喪立科。輕則不足以禁孝子之情。重則本非應死之罪。雖嚴刑益設。違奪必多。若偶有犯者。加其刑。則恩所不忍。有減則法廢不行。愚以爲長吏在遠。苟不告語。勢不得知。比選代之間。若有傳者。必加大辟。則長吏無廢職之負。孝子無犯重之刑。將軍胡綜議以爲喪紀之禮。雖有典制。苟無其時。所不得行。方今戎事。軍國異容。而長吏遭喪。知有科禁。公敢干突。苟念聞憂不奔之恥。不計爲臣犯禁之罪。此由科防本輕所致。忠節在國。孝道立家。出身爲臣。焉得兼之。故爲忠臣不得爲孝子。宜定科文。示以大辟。若故違犯。有罪無赦。以殺止殺。行之一人。其後必絕。丞相雍奏從大辟。其後吳令孟宗喪母奔赴。已而自拘於武昌以聽刑。陸遜陳其素行。因爲之請。權乃減宗一等。後不得以爲比。因此遂絕。

劉宋又禁長吏以親疾去官。

【南史鄭鮮之傳】新制。長吏以父母疾去官。禁錮三年。山陰令沈叔任父疾去職。鮮之因此上議曰。父母之疾。而加以罪名。悖義疾理。莫此爲大。謂宜從舊。於是自二品以上。父母及爲祖父母後者墳墓崩毀。及疾病族屬輒去。並不禁錮。

晉初用王肅議。三年之喪。二十五月而除。縉紳多從鄭氏二十七月之說。劉宋因王准之奏。以鄭義爲制。

【南史王准之傳】永初中奏曰。鄭玄注禮。三年之喪。二十七月而吉。古今學者多謂得禮之宜。晉初用王肅議。祥禫共月。故二十五月而除。遂以爲制。江左以來。準晉朝施用。縉紳之士多遵玄義。夫先王制禮。以大順羣心。喪也寧戚。著自前經。今大宋開泰。品物遂理。愚謂宜同卽物情。以玄義爲制。朝野一禮。則家無殊俗。從之。

梁武重毀瘠。

【顏氏家訓】江左朝臣子孫初釋服。朝見二宮。皆當泣涕。二宮爲之改容。頗有膚色充澤。無哀感者。梁武帝薄其爲人。多被抑退。裴政出服。問訊武帝。貶瘦枯槁。涕泗滂沱。武帝目送之曰。裴之禮不死也。

而民有朝終夕殯者。政俗固難一致矣。

【南史徐勉傳】時人間喪事多不遵禮。朝終夕殯。相尚以速。勉上疏曰。禮記問喪云三日而後斂者。以俟其生也。三日而不生。亦不生矣。頃來不遵斯制。送終之禮。殯以期日。潤屋豪家。乃或半晷。衣衾棺槨。以速爲榮。親戚徒隸。各念休反。故屬纊纔畢。灰釘已具。忘狐鼠之顧步。媿燕雀之迴翔。傷情滅理。莫此爲大。且人子承衾之時。志懣心絕。喪事所資。悉關他手。愛憎深淺。事實難原。如覘視或爽。存沒違濫。使萬有其一。怨酷已多。豈可不緩其告斂之辰。申其望生之冀。請自今士庶。宜悉依古三日大斂。如其不奉。加以糾繩。詔可其奏。

明代喪禮大抵本之以儀禮唐典。參以朱子家禮。

【明史禮志】品官喪禮。載在集禮會典者。本之儀禮士喪。稽諸唐典。又參以朱子家禮之編。通行共曉。茲舉大要。其儀節不具錄。凡初終之禮。疾病遷於正寢。屬纊俟絕氣乃哭。哭主主婦護喪以子弟賢能者。治報訃告。設尸牀帷堂。掘坎設沐具。沐者四人。六品以下三人。乃含。置虛座。結魂帛。立銘旌。喪之明日乃小斂。又明日大斂。蓋棺。設靈牀於柩東。又明日五服之人各服其服。然後朝哭相弔。既成服。朝夕奠。百日而卒哭。乃擇地。三月而葬。告后土。遂穿壙。刻誌石。造明器。備大轝。作神主。既發引至墓所。乃窆。施銘旌誌石於壙內。掩壙復土。乃祠后土。於墓題主奉安升車。反哭。凡虞祭。葬之日。日中而虞。柔日再虞。剛日三虞。若去家經宿以上。則初虞於墓所行之。墓遠途中遇柔日。亦於館所行之。若三虞必俟至家而後行。三虞後遇剛日。卒哭。明日祔家廟。而小祥。喪至此。凡十三月。不計閏。古卜日祭。今止用初忌。喪主乃易練服。再期而大祥。喪至此。凡二十五月。亦止用第二忌日。祭陳禫服。告遷於祠堂。改題神主。遞遷而西。奉神主入於祠堂。徹靈座。奉遷主埋於墓側。大祥後間一月而禫。喪至此。計二十有七月。卜日。喪主禫服。詣祠堂。祗薦禫事。　士庶人喪禮。大略仿品官制。稍有損益。【明史禮志】五年詔定庶民襲衣一稱。用深衣一。大帶一。履一雙。裙袴衫襪隨所用。飯用粱。含錢三。銘旌用紅絹五尺。斂隨所用衣衾。及親戚襚儀。隨所用。棺用堅木。油杉爲上。柏次之。土杉松又次之。用黑漆金漆。不得用朱紅。明器一事。功布白布三尺。引柩柳車。以衾覆棺。誌石二片。如官之儀。塋地圍十八步。祭用豕。隨家有無。

喪服等差。多因前代。惟父母並尊。則自明開之。

【明史禮志】五服喪制。並著爲書。使內外遵守。其制服五。曰斬衰。以至粗麻布爲之。不縫下邊。曰齊

衰以稍粗麻布爲之縫下邊曰大功以粗熟布爲之曰小功以稍粗熟布爲之曰緦麻以稍細熟布爲之

【明史禮志】明初頒大明令凡喪服等差多因前代之舊洪武七年孝慈錄成復圖列於大明令刊示中外先是貴妃孫氏薨敕禮官定服制禮部尙書牛諒等奏曰周儀禮父在爲母服期年若庶母則無服太祖曰父母之恩一也而低昂若是不情甚矣乃敕翰林學士宋濂等曰養生送死聖王大政諱亡忌疾衰世陋俗三代喪禮散失於衰周厄於暴秦漢唐以降莫能議此夫人情無窮而禮爲適宜人心所安卽天理所在爾等其考定喪禮於是濂等考得古人論服母喪者凡四十二人願服三年者二十八人服期年者十四人太祖曰三年之喪天下通喪觀願服三年者視願服期年者倍豈非天理人情之所安乎乃立爲定制子爲父庶子爲其母皆斬衰三年嫡子衆子爲庶母皆齊衰杖期

【客座贅語】前代定制未有定式我聖祖謂其君牽制文義優游不斷於是作孝慈錄立爲定制子爲父母庶子爲其母皆斬衰三年嫡子衆子爲庶母皆齊衰杖期大哉王言自是人子得申其罔極之情而從來短喪之謬論與拘儒之曲說可廢而不談矣服制圖子爲繼母爲慈母爲養母皆斬衰

三年．爲嫁母出母．爲父卒繼母．改嫁而已從之者．皆齊衰杖期．爲繼父同居．兩無大功之親者．服齊衰不杖期．爲繼父先曾同居今不同居者．爲繼父雖同居而兩有大功以上親者．皆齊衰三月．於是以恩服．以義服．以名服．三者曲到周盡．無毫髮遺憾於人心．此所以明天倫．正人紀．順人情．爲萬世不易之經也．

【陔餘叢考】古禮．父在爲母服期．禮記雜記下篇．期之喪十一月而練．十三月而祥．十五月而禫．注云．父在爲母也．喪服篇曰．期者．父在爲母．傳曰．何以期也．屈也．至尊在．不敢伸其私尊也．喪服四制曰．父在爲母齊衰者．見無二尊也．漢以來皆遵此制．唐高宗上元元年．武后上表．請父在爲母服齊衰三年．從之．然僅齊衰也．明太祖定制．子爲父母．庶子爲其母．皆斬衰三年．嫡子衆子爲其庶母．皆齊衰杖期．自後遂爲定制．

京師人民多循舊俗．

【明史禮志】洪武元年．御史高元侃言．京師人民．循習舊俗．凡有喪葬．設宴會親友．作樂娛尸．竟無哀戚之情．甚非所以爲治．乞禁止．以厚風化．乃令禮官定民喪服之制．

【明史禮志】詔古之喪禮以哀戚爲本治喪之具稱家有無近代以來富者奢僭犯分力不足者稱貸財物誇耀殯送及有惑於風水停柩經年不行安葬宜令中書省臣集議定制頒行遵守違者論罪

散服設奠盛用鼓吹，多行佛事。

【正德江寧志】舉喪則先致弔者練帛發引則具席于城南（鳳臺安德門外皆有齋堂近日多于僧寺甚有設席七八百者）多行佛事（如七七百日期年禫服皆誦經修齋）皆靡習也

【客座贅語】近代喪禮中有二事循俗而與古反者沿流既久遽難變之其一曰服古人遇死喪凡應服某服者或內親或外親人自製其所應服之服哭之交友亦不以玄冠色衣弔蓋哀感在心故必變服以臨之耳乃今自同宗外凡應服者必喪家送布始製而服之不送即應服而玄其冠色其衣者有矣甚且喪家力不能送共以詬詈加之而大家復有破孝送帛之事破孝毋論何人但入弔者卽贈以布或絹有生平不一識面聞名爲布而弔者矣不知變服志哀乃衷之旗心既不哀服於何有且送而不服尤屬無謂至送帛則本不爲服直以幣帛將孝之敬爲酬酢而已其一曰奠始死

而有奠。記所謂餘閣者也。成服後諸祭。皆主人自爲之。其在姻友。直有賻襚賵已。賻以錢帛。襚以衣服。賵以車馬。皆以助斂與殯之事。賓客至有喪者之家。哭之弔之。奠此物而已。奠者置也。置其物於前也。今則賻襚之禮間有行焉。賵則江南絕未聞者。乃代爲喪家致祭。屠割羊豕。崇飾果蓏粔籹餦餭。寓錢楮幣之類。闐塞於庭。客乃爲酹酒致敬。夫酹乃主人之事。賓客乃代而行之。知禮者謂宜於送孝上祭一切止之。惟有服者人自製而服。以示哀戚變常之意。其在賓客。第行賻襚以助之。或貧者出力以佐其事。祭悉輟而不舉。庶使喪主人不苦於送帛之紛紛。而賓客亦不爲此無益之糜費。是亦從禮儉之一端也。

【客座贅語】軍中鼓吹。在隋唐以前。即大臣非恩賜不敢用。舊時吾鄉凡有婚喪。自宗勳縉紳外。人家雖富厚無有用鼓吹與教坊大樂者。所用惟市間鼓手與教坊之細樂而已。近日則不論貴賤。一概濫用。浸淫之久。體統蕩然。

期功之喪。鮮衣盛飾。無異平時。均有戾於禮矣。

【客座贅語】喪禮之不講甚矣。前輩士大夫如張憲副祥有期之喪。猶著齊衰見客。其後或有期功服者。鮮衣盛飾。無異平時。世俗安之。恬不爲怪。間有守禮者。恐矯俗招尤。不敢行也。昔謝安石期功不廢絲竹。人猶非之。視今日當何如哉。余謂士大夫在官。有公制。固所不論。至里居遭喪。卽期功亦宜示稍與常異。如非公事。謁有司。不變服。不赴筵會。卽赴亦不聽聲樂。不躬行賀慶禮。不先謁賓客。庶古禮幾存什一於千百也。

其極貧窶。有火葬其親者。

【金陵瑣事】陪京有家貧者。親死付之一炬。湛甘皐先生爲禮書時。欲變其俗。擇禁門外空地數處。爲漏澤園以葬貧不能買地者。

清代金陵喪禮。多軼於官定之制。于易簀時焚紙輿。

【金陵雜志】亡者病篤。卽預備紙紮轎馬各一事。易簀卽焚之。

【炳燭里談】吾鄉舊俗。父母始死。有兩子者。一子守靈。一子常服解辮散麻。出至親族家。匍匐門外。哭泣報喪。近來已無此禮。惟傳單遍報所知者。

易衣後。擇時日以殮。謂之擇七單。

【金陵雜志】擇七單。注以亡者年庚。及氣絕時日。與星者推算擇入殮之吉時。避沖犯之方。偶一不愼。卽犯重喪惡煞。最爲不祥。故金陵視之極爲重要。

【金陵雜志】俗傳人死必經惡狗村。故易衣後必以龍眼七枚懸於手腕。或以麪作球亦可。俗云持之可禦惡狗之噬。

【金陵雜志】入殮注屆時親人均須環送。卽將亡者舁入棺內。

按金陵之俗三日內死者室中一切照舊。不得動移。每晚送草鞋一燈籠一於土地祠。謂之送監掌。

越數日成服親友來弔唁。

【金陵雜志】成服或三日或五日。全家易凶服。凡戚畹均於是日弔唁。富家則揚厲鋪張。燕享奏樂。懸掛燈彩以誌盛。

七日一祭。謂之作七。

【金陵雜志】每逢七日。設盛饌以祭。如有女已嫁者。必於六七之日致祭。俗云六七不吃自家飯。富家則延請僧道。禮懺諷經。以求冥福。

已而擇日題主。

【金陵雜志】亡者木主。必請當道之顯者題之。相傳此日爲亡者之吉日。故全家均着吉服。鳴砲奏樂。燈彩搖紅。見者若不知其爲喪事也。俗謂之點主。

家奠治喪。

【炳燭里談】逮治喪有期。乃遍訃戚友。先一日預約有服之親族。及款賓執事之人食祭奠餕品。謂之請在堂。屆期延接弔客。各任其職。彬彬如也。筵皆素饌。設酒而不飲。謂之齋飯。今則成服有傳單。治喪有報帖。是再訃也。盛筵待客。與吉席無異。治喪者門有鼓樂。謂之門吹。堂有鼓樂。謂之材吹。

【金陵雜志】治喪者。使外姓之人來弔家奠者。使族中之人行禮。是日雖貧家亦延僧徒誦經。以求超度。　治喪約在點主後三四日。其奢華較成服尤甚。其儀制亦與成服略同。來弔唁者均贈賻爲奠。孝子惟匍匐靈右答禮。別延相知者應接賓客。謂之司賓。

出殯。

【金陵雜志】發引又謂之出殯。羽葆紛繁。鼓樂導引。喪儀盛者數千人。數百人不等。又開路神赤髮藍面。方弼方相。身高數丈。俗呼獃子。皆送葬之具。

【新京備乘】遷柩在路。有馬上鼓吹作軍中樂。又有方相四目。魌頭武士。今謂之文武大人。門神今謂之黃門官。及天祿辟邪諸獸。今謂之靑獅白象前導。此皆明功臣舉葬體制也。凡民何得僭而用之。

安葬。

【金陵雜志】先請陰陽生擇定吉地。命墳主掘一深坑。謂之打金。再擇吉時安葬入穴。

反葬日祀遺容。百日小祥。大祥均奠。

按金陵之俗。設位懸容。日祀四餐。以後減至午時一餐。服除方撤。

喪服或沿古制。

【白下瑣言】喪服無論貴賤。凡斬衰以下。皆長領大袖。蓋暫而非常。仍沿前代制耳。

或俗自爲增損。

【白下瑣言】喪服多不合制。父黨姑之父。母黨舅之妻。母姊妹之夫。母伯叔父母妻黨妻祖父母。妻伯叔父母皆無服今則有概從穿孝者矣謂之材前孝三字不知本于何典而外祖父母報服緦麻妻父母爲壻緦麻兄弟爲甥亦報服緦麻兩姨之子及姑舅之子亦相爲緦麻皆有定制而今皆不行有議及者反從而訾之又黃爲中央正色而齊衰期服髮辮皆繫黃縷積習相沿毫不爲怪

【炳燭里談】壻爲外舅姑服緦今之禮制也金陵人乃服麻之極細者如齊衰此必不識字人誤緦爲細而以譌傳譌遂以細麻當之初不知其服之太重耳

太平軍制不棺不哭不設香火

【平定粤匪紀略】死不用棺用則爲妖香火不設設則爲邪死爲昇天享受天堂極樂爲莫大喜事不許哭其傳教然也而楊秀清子死購梓木爲棺含以珠玉希世寶物錦裹繡裝葬之日衆備鹵簿祖道楊淚下如雨目自是失明

民國以來效西俗者則以黑紗纏臂爲服一掃歷來斬衰期功緦麻之制而齊民仍以循舊俗者爲多焉

五　祭禮

家祭。為常之俗。大族有宗祠。春秋二仲。或冬至。合祀通族之先。其高曾祖禰。又各祀於家。忌日誕日。惟祭亡者及其配。歲首歲除春秋冬之時祭。則合祀。懸遺像。〔江蘇社會志〕

【正德江寧志】中元人家祀先。亦多用疏品。十月朔祀先。

【金陵歲時記】吾鄉新年祀祖影堂上。必供飥饠。以麪炕成圓形。而空其中。實以紅糖。削竹穿之。每垛凡四名曰棹麵。惟吾鄉獨有。愚意與小兒所要之陀羅。形式相類。俗稱殆以此歟。

【金陵歲時記】老學庵筆記。載有望日具素饌享先。吾鄉屆中元節。人家祀先。取茄子切成絲和麪。用油煎之。曰茄餅。俗以此為先祖赴盂蘭會之乾餱。他省罕見。惟陶廬續憶詠云。茄餅家家設祭筵。盂蘭盆會太喧闐。怪他一路金銀紙。未結人緣結鬼緣。

【炳燭里談】鄉俗向於父母沒後誕辰家祭而已。今則開筵宴客。無異生時。謂之追祝。祝之死而致生之。是曰不智。

惟奉回教耶教者無祀先之禮。

六　歲時習俗

元旦罷市凡四日。諺云冬三年四。更易春聯。

【金陵歲時記】簪雲樓雜記。明太祖都金陵。於除夕前忽傳旨公卿庶士之家。必須加春聯一副。帝微行出觀。以爲笑樂。偶見一家獨無。詢知爲醃豕苗者。未倩人耳。帝爲大書曰雙手劈開生死路。一刀割斷是非根。書訖投筆而去。嗣帝復出不見懸掛。因問故云知是御書。高懸中堂。燃薌祝聖。爲獻歲之瑞。帝大喜。賞銀五十兩。俾遷業焉。

【金陵瑣事】太祖御書春聯賜中山王徐公達云。始余起兵於濠上。先崇捧日之心。逮茲定鼎於江南。遂作擎天之柱。又一聯云破虜平蠻。功貫古今人第一。出將入相。才兼文武世無雙。

【白下瑣言】新歲人家更易春聯。自明初始。

【客座贅語】歲除歲旦。秣陵人家門上插松柏枝。芝蔴稭。冬青樹葉。大門換新桃符。貴家房門左右。貼畫雄雞。

貼門神黃錢等。

【白下瑣言】門神猶古鬱壘神荼之意。以紙鐫錢。貼諸戶牖。謂之黃錢。然色皆尚紅。黃者惟有喪者用之。

【金陵歲時記】金陵人家大門之有門神者不多槪見。惟後門貼鍾馗。內室各門亦不一。其製年老者用推車進寶四季平安。少年則麒麟送子。五子奪盔。冠帶傳流等圖。單扉則貼一圓形和合。名曰一團和氣。亦有摹財神仙官形像者。義取吉祥而已。

供紙馬。

【金陵歲時記】取紅紙長約五尺。墨印財神仙官或蓮座等狀。新年立春供設廳堂。削木如牌坊形。高尺餘曰紙馬架。

爆竹于庭。

【金陵歲時記】凡慶賀事皆用之。不獨元旦然矣。

賀客至則設果盒。泡歡喜團。（糯米所製元團）奉茶泡元寶蛋等。

【金陵歲時記】鹽漬白芹芽。雜以松子仁胡桃仁荸薺點茶。謂之茶泡。客至則與歡喜團及果盒同

獻果盒以山查糕鏤成雙喜字及福壽字式最爲精巧餘則隨時物備之而已

【金陵歲時記】茶煑雞子以當點心名曰元寶蛋客至必爭獻數枚俗謂進元寶

給錢僕役謂之恭喜包給卑幼曰答賀

【金陵歲時記】賀客以紅紙裹銅錢十枚或八枚六枚給主人之僕曰恭喜包自制錢易爲銅元而無此包矣凡尊長賜卑幼賀錢曰答賀同光間多用紅紙小票自一百文至二百文止專供新年答賀之用自裕寧官錢局成立禁用私票而無此票矣

不賀者則飛賀柬

【白下瑣言】金陵俗新歲以紅柬書名互相投遞多從門罅入者謂之飛帖

正月八日十三日十五日爲燈節寺宇上燈

【金陵賦注】　癸前值元宵凡庵祠廟宇皆上鐙而府署西偏白衣庵尤甲于一郡婦人祈嗣者率于是時進香油壁香車游人如蟻不亞杭州天竺蘇門上方之勝近則寺宇間有上鐙者但不似昔盛

【金陵歲時記】俗以正月八日十三日十五日爲燈節。洪楊未亂之前。凡庵廟皆上燈。同光間惟天靑街之白衣庵最盛。評事街之江西會館。門東之天喜長生祠。堂子巷之財帛司亦然。相傳初八爲閻羅誕。故漢西門之都城隍廟。府治前之郡城隍廟。倉頂之蕭公廟。香火不絕。從前亦有上燈之事。今則罕見矣。

好事者爲龍燈會。

【金陵賦】金吾馳禁。上元是迎。則有輕訬之客。狂趡之倫。翦帛爲龍。然燭中熒。【注】舊俗有龍燈之會。兵燹後則湘營士卒爲之鐙。後增以高蹻會。塗脂抹粉。往來如飛。按高蹻卽列子所謂雙枝屬脛之戲。今但益以俳優面目耳。【又注】上新河爲徽州木商所萃。春初有鐙會。矜奇鬬勝。每周游城市。觀者咸盛稱徽州鐙云。歲四月初旬。木商賽都天會。亦出斯鐙。

【金陵歲時記】洪楊亂後。上新河徽州木商燈會最盛。稱徽州燈。四月初旬賽都天會。亦出斯燈。迨光緒中年。湘軍燈會翹然特出。及丁未年。僅有水西門木商燈會一枝矣。其燈中有紙紮戲臺。安置相生人物。設機運動。最稱特色。

按白下瑣言卷四言四月三日上新河木客出燈。

作燈市。

【正德江寧志】上元作燈市。〔燈有楮練紗帛魚魫羊皮料絲諸品。又有街途串遊者曰滾燈。曰槊燈。商謎者曰彈壁燈〕架松棚于通衢。〔棚中奏樂上下四旁綴亙華燈。燦若白晝〕簫鼓聲聞。燈火迷望。士女以類夜行。〔諺云走百病〕自十三日至十八日爲止。〔十三日謂之試燈。十八日謂之落燈〕

燈市以笪橋評事街夫子廟等處爲盛。

【白下瑣言】笪橋燈市由來已久。正月初魚龍雜沓。有銀花火樹之觀。然皆剪紙爲之。若綵帛燈則在評事街迤南一帶。五色十光。尤爲冠絕。

【金陵賦注】笪橋舊有鐙市。曼延于評事街。比歲稍寥落。而縣學文廟稱盛焉。

【金陵歲時記】府縣學前評事街皆燈市也。洪楊未亂以前。盛稱料絲燈。予不及見。惟明角之製。有三星八仙聚寶盆皮球西瓜草蟲金魚之類。樓船則以碎玻璃條爲之。他如絹製之燈。花鳥蟲魚。亦復惟妙惟肖。壁燈中有人物各種。惟走馬燈最極靈巧。光緒間財帛司供神。以棉絮製成元宵形。又以紙爲方糕饅首。盛以紙盎。幾欲亂眞。

文士射燈謎。

【金陵賦】其猜鐙則經史選雋。百家湫攲。下逮片字隻言。指事體物。古句新詞。小說里諺之屬。靡理不譎。胡思弗彀。

【金陵歲時記】同光間此風猶盛。謂之春燈。亦謂之燈虎。吾鄉周左麾姚壁垣鄭季中華金昆孫雲伯諸先生最精於此。同儕稱爲五虎云。

閨閣迎廁姑。

【金陵歲時記】正月望。迎廁姑。人家閨秀以香楮往迎廁上。果聞糞窖中有聲。知爲神降之徵。迎入內室。鋪米於盤。兩人對執小糞箕。立一箸於中。其箸自動。能從盤上畫米。如問事者有吉兆。則書爲字。或畫如意雙錢種種吉祥形式。凶則否。

十六日士女均上城頭。謂之走百病。

【白下瑣言】歲正月既望。城頭游人如蟻。簫鼓爆竹之聲。遠近相聞。謂之走百病。又云踏太平。聚寶三山石城通濟四門爲尤盛。按五雜俎載齊魯人多以正月十六日游寺觀。亦謂走百病。是其俗自古有之。不第吾鄉然也。

【金陵賦注】今則此風惟聚寶門爲盛。但有簫鼓。而無爆竹。兼有陳洋畫與游人觀者。又煮豆染絳焙蜀黍令綻。綴諸棘刺上。以爲梅枝。抑或以飴吹作榴實等綴其上。沿道而賣。游人必攜一枝而歸。走百病之名尙如舊。特罕有稱踏太平者矣。光緒癸巳劉制軍因新修城禁止。此風爰廢。

新歲宴客。謂之請春酒。

【正德江寧志】數日多會客。諺云節酒。又謂之賞燈。

【金陵歲時記】新年邀集賓朋讌飲。謂之請春酒。以正月半前爲盛。諺云過了正月半。大家尋事幹。言有節也。洪楊亂後。民風尙樸。多用燒酒白花。光緒之季。踵事增華。宴飲必以紹酒及汾酒矣。

二月二日。女子新嫁者歸寧。

【金陵雜志】二月初二日。相傳爲龍抬頭。有女出閣者。均於是日接取歸寧。俗謂之二月二。龍抬頭。

家家接女訴冤讎

【金陵歲時記】諺云。二月二。家家接女兒。途中香輿。往來如織。隨載硃漆提盒。以貯饋贈之品。

八日祀張王廟。

【白下瑣言】夾岡門張王廟。即祠山大帝。神名渤。本前漢烏程橫山人。嘗役陰兵開鑿河瀆。有

豕形之異。見能改齋漫錄。故今祀之者不用豬肉。二月八日為王誕辰。前後必有風雨。俗號請

送客雨。無歲不驗。田家雜占載之。

【金陵歲時記】有張王老爺吃凍食。請客風。送客雨之諺。

十九日大士香火。城南石觀音。城北雞鳴寺。最盛。

【白下瑣言】大士香火。舊以蟒蛇倉石觀音為盛。六月間賽會。喧闐達旦不絕。彷彿三天竺之

慶甲戌燒香者。皆赴雞鳴山觀音樓。此遂冷落。其時城北關傳有白髮老婦自蟒蛇倉肩輿至

寺進香。倏忽不見。謂為大士化身。其事近誕。然興替自有定也。

【金陵歲時記】二月十九六月十九九月十九均有是舉。吾鄉善男信女。於此三月茹素。曰

清明踏青放風箏．

【正德江寧志】二月携酒遊山城南雨花臺最盛．謂之踏青．每日遊人晚歸如蟻．迄三月終無間日．

清明插柳村夫稚子皆佩之．

【金陵歲時記】吾鄉每歲屆清明節．放風箏者麕集南城外之雨花臺山半有永寧泉茶社．佐茗之具盛稱梅豆．其法以黃豆和梅子拌糖煮之．最饒風味．亦有售善橋秋油乾者．謂之茶乾．風箏即紙鳶遺製．作於韓信而不稱．蕭梁時侯景之亂．羊侃教小兒作此戲．詔因西北風放之．冀達援軍．詳見事物紀原．今人巧製不一．有龍鰱蝶蟹蜈蚣金魚蜻蜓蟬鷹燕七星八角花籃美人明月燈籠鐘板門鬍子老雙人諸名．翺翔空際．宛轉如生．復加響弦其上．足以極視聽之娛〔按今政府中有提倡此事者．式樣益多．〕

掃墓．

【正德江寧志】新喪者多在社日前行禮．諺云新墳不過社．

【白下瑣言】清明掃墓．必以紫紙長條．掛樹枝．插於冢上．謂之挑錢．亦古人挂錢之遺意．

【金陵歲時記】吾鄉掃墓多在清明．惟新葬者必於社日．謂之趕社．

祭泰厲壇．

【金陵歲時記】清明中元十月朔．皆爲城隍出巡之期．府縣官咸詣神策門外白土山泰厲壇致祭．因昔鄭成功之亂．金陵岌岌．賴崇明總兵梁化鳳入援．先擣白土山．次攻儀鳳鍾阜二門．三路夾攻．敵兵大潰．復燒海艘五百餘．成功遂以餘艦竄入海島．是役也．梁化鳳實居首功．而敵人死者無算．白下瑣言載二百年來．白土山泰厲壇側．鋤地者常見白骨．並節錄魏源聖武記第八卷東南靖海篇中．以備舊聞．

三月賽會．

【金陵賦】暮春三月．鄉人賽會之時．【注】一年之會．有若都天城隍東嶽茅山大王之屬．近惟東嶽會城內外兩支稱盛．而都天大王兩會均廢矣．光緒乙未南城都天廟傳有神降．遂于六月復舉都天會．（按今俱廢）

三日婦女以薺菜花插鬢．

【金陵雜志】三月初三日爲薺菜花生日。歸女均摘薺花插於鬢邊。以爲紀念。諺云。三月三。薺菜花。賽牡丹。女人不插無錢用。女人一插米滿倉。

四月八日啖烏飯。

【正德江寧志】用藥草沁米爲黑炊糍。浮屠氏浴佛。偏走閭巷。〔注此俗近日稀少〕。

【金陵歲時記】本草綱目烏飯乃仙家服食之法。唐陸龜蒙道室書事有烏飯新炊芼臛香。道家齋日以爲常之句。而釋家乃於四月八日造以供佛。吾鄉每屆是日沿途爭賣。以當點心。

立夏小兒騎坐門檻。啖豌豆糕。謂之不疰夏。

【金陵歲時記】俗云住〔按應作疰〕夏者。以夏令炎熱。人多不思飲食。故先以此厭之。

端午造角黍。炒五毒菜。雄黃豆。

【客座贅語】今人家五月五日。庭懸道士硃符。人戴珮五色絨線符牌。門戶以縷繫獨蒜。及以綵帛通草製五毒蟲。虎蠍蟾蜍蛇蜈蚣。蟠綴于大艾葉上。懸于門。又以桃核刻作人物珮之。

【金陵歲時記】端午人家取銀魚。蝦米。茭菜。韭菜。黑乾雜炒。名曰炒五毒。是日必啖莧菜。謂可免腹痛。又取蠶豆和雄黃炒之。曰雄黃豆。

以雄黃洗目。謂之破火眼。

【金陵歲時記】浸雄黃於水。曝諸日中。闔家洗目。曰破火眼。冀免目疾。

燒蚊煙香。門懸菖蒲艾五毒牌。

【金陵歲時記】客座贅語載明時以綵帛通草製五毒蟲形狀。蟠綴大艾葉上。題於門。今則以五色摺之使方。刻書五毒蟲形。貼之門楣床簷。蓋禳災之義。

廳堂上懸鍾馗圖。小兒着老虎被。繫五色縷。額畫王字。

【金陵歲時記】五色絹布飾爲天師騎虎形。繫小兒背後。曰老虎被。結五色線成紋。圈爲臂釧。古之長命縷也。

龍舟競渡於秦淮。

【正德江寧志】好事者買舟載酒。嬉遊。諺云遊舡。此俗近年最盛。

【金陵歲時記】龍舟競渡。弔屈子之溺水。楚俗也。吾鄉亦沿用之。秦淮河一帶。觀者蟻集。光緒初水西門外某茶寮。臨河一軒。因人衆倒塌。溺死無算。乙巳端午節。文德橋亦因人衆崩圮。有溺死者。後乃禁止。

次日爲拗節。

【金陵歲時記】端午中秋之次日。吾鄉均謂之拗節。方言也。殆謂拗轉時日。而流連光景耳。吾鄉女子之出嫁者。率於拗節歸寧。

十三日舉關帝會。

【金陵歲時記】續通考漢壽亭侯關公廟。五月十三日遣太常寺官致祭。吾鄉是日舉行關帝會。而以信局中人爲盛。

【金陵雜志】五月十三日相傳爲關王磨刀之期。人家相戒不動刀砧。

十五日天地交泰。忌房事。

【金陵雜志】五月十四十五十六三日。相傳爲天地交泰之期。最忌夫婦房事。

【金陵歲時記】以十五爲天地交泰。

二十日爲分龍節。

【金陵歲時記】俗以五月二十日爲分龍節。二十五爲回龍節。是數日必有大雨。故吾鄉諺曰。二十四五。小龍望母。又曰。分龍不下回。按江陰烏程等縣亦以五月二十日爲大分龍。

六月四日放荷燈。

【金陵雜志】六月初四日爲荷花生日。凡有池塘植荷者。以紙作燈燃之。放於中流。以爲祝嘏。

六日出筐篋服飾晒之。（見正德江寧志）

十一日妓女作老郎會。

【金陵歲時記】六月十一日爲妓寮祀老郎神之期。或云。神爲管仲。蓋女閭三百之所由昉也。是日燈燭輝煌。香火繚繞。入夜競放燈火。妓者預招遊客。置酒讌飲。絲肉雜進。極一時之盛。

夏至食李。權輕重。

【正德江寧志】夏至日食李。諺云。以解注（按應作疰）夏之疾。

【金陵歲時記】自夏至日起時。凡十五日分三時。五日爲一時。或以三日爲頭時。五日爲二時。七日爲三時。田家望雨最切。是日人家必權量老幼身體之輕重。

立秋前一日食西瓜。謂之啨秋。七夕乞巧。

【正德江寧志】七夕曰巧節。飣果皆曰巧。如巧果巧餅之類。

【金陵歲時記】七夕前日。婦女取水一盂。曝烈日中。使水面起油皮。截蟋蟀草如針。泛之。勿令沉下。共觀水影中如珠如傘如箭如筆等狀。以驗吉凶。相傳南唐後主生辰。適當七夕。宮人以其時當祝嘏。故預先期而乞巧云。

中元前後作盂蘭會。

【正德江寧志】中元。僧舍營齋供薦亡。名曰盂蘭會。又謂之鬼節。

【金陵歲時記】吾鄉是月各街巷舉行盂蘭會。延僧道懺拜之外。獨有所謂蓮花鬧者。即落字轉音方言也。所唱大半里謠。類如蘇白而不及其雅。昔聞洪楊亂前。罵駕橋以八月十六日舉行盂蘭會。蓋當時延僧道者。預有定期。以次遞舉。故該處獨後云。光緒間。奉新許仙屏方伯振禕任寧藩時。曾撰盂蘭會祭文一首。今僅記其一二。有云。新鬼大。故鬼小。玄武湖都是青燐。一姓姚。二姓烝。白鷺洲長埋碧血．多引南朝事實．惜全文已佚矣．

齋河孤．

【金陵賦注】中元前後．村嫗延僧舟次誦經．翦五色紙爲荷花鐙．沿水放之．謂之齋河孤．按帝京景物略．有中元放河鐙之說．但不言制爲荷花耳．

【金陵賦注】中元糊紙爲舟．中爲地藏象．艙兩偏象兩廡．是爲十殿閻羅．船外則列陰官冥卒．謂之法船．于曠野焚之．

【金陵歲時記】每年中元節．朱狀元巷黃翼升宮保第內．特設水陸道場．其紙紮地獄變相．猙獰可畏．法船神馬之具悉備．觀者如堵．至十月朔亦有齋冬孤者．然不若中元之盛．

七月赴清涼山燒香．謂之地藏篷．

【金陵待徵錄】清涼山古無此山．近乃因寺名之．卽石頭山也．寺據山巔．殿之四面各塑佛像．異於他寺佛座之製．沿途設茶篷．以飲香客．中奉地藏畫相．旁奉十殿閻羅畫相．高懸九連燈．纍如貫珠．羊市橋之長興茶篷．陳設尤精．清涼山麓．有售毛栗．並線穿山查果．如一串牟尼．遊人爭購而歸．

秋日鬬蟋蟀謂之秋興

【金陵歲時記】吾鄉秋日有鬬蟋蟀者。謂之秋興。馬南江有鬬促織賦。而周吉甫金陵瑣事。祇云鬬之有場。盛之有器。掌之有人。必大小相配。兩家方賭。旁猜者甚多。

中秋祀月

【正德江寧志】中秋具餅饌菱棗之類賞月。

【金陵歲時記】中秋祀月。陳列果實。如菱藕栗柿之屬。紮香如寶塔式。上加紙斗。名曰斗香。月餅俗名團圓餅。祀月之餘。闔家分啖。義取團聚。競稱中秋爲團圓節。荆楚歲時記端午爲團圓節。又爲女兒節。亦從俗從宜爾。

婦女有摸秋之戲

【金陵歲時記】金陵俗。中秋月夜婦女有摸秋之戲。嘗往茉莉園。以得瓜豆爲宜男。相傳洪楊亂前。恆在長樂渡玄帝廟之鐵老鴉桿及鍾山書院前之鐵錨。

重九登雨花臺。北極閣。喫重陽糕。

【正德江寧志】九日出城南登高。〔亦多在雨花臺〕飲鞠酒。啖重陽糕。〔或粉或麪爲之。又用麪裹肉炊之曰駱駝蹄〕

【金陵歲時記】諺云喫了重陽糕。夏衣就打包。又云重陽無雨望十三。十三無雨一冬乾。

製重陽旗。

【金陵歲時記】重陽旗以五色紙鏤爲花紋。中嵌令字。或插門楣。或爲兒童玩具。競稱慶賀重陽。吾鄉女子新嫁。母家必遺以旗。而以時鮮佐之。謂之重陽節盒。

犒店夥。

【金陵歲時記】吾鄉重九之夕。鋪家治酒剢蟹。以犒店夥。佐以鹹鴨。自是夕酒後。工人始夜作矣。至清明而罷。亦鋪家俗例也。

十月朔出城隍會。今禁。

【正德江寧志】十月朔開爐熾炭。

【金陵雜志】十月初一日謂之十月朔。府城隍出巡。俗傳可以消災增福。

冬月望文德橋觀月影。

【正德江寧志】鄉間獨重冬至。亦如城中元旦。

【金陵歲時記】冬月之望爲月當頭。秦淮一帶畫舫酒樓。燈火竟夕。與月光相映。遊人率于文德橋頭。以觀水中月影。

冬至謂之過小年。是日打竈。

【金陵歲時記】金陵諺云。冬至打竈不忌。按管子有云。冬至之日始數。四十六日冬盡春始。民鑽燧墐竈。所以壽人也。

冬至後打春。

【金陵古蹟詩註】孝陵衞人。每冬至後。于京兆領畫鼓二十四面。沿街打鼓唱吉語。索錢米名打春。至迎春日止。相傳高皇帝賜孝陵衞人。他村不得與。有效之者爲野打春。

【金陵歲時記】吾鄉立春前後有擊腰鼓小鍚鑼沿門唱里謠者。背負印文一紙。頒自陰陽學。俗云。南鄉馮家邊人。慣說吉利話。即此。按明時教坊司。每於歲首五日內。或四人。或五六人。往富貴人家奏樂一套。謂之送春。又謂之節料。其後則罕見矣。

小雪前後醃白菜。謂之醃元寶菜。十二月八日食臘八粥。二十四日用竈糖祀竈。

【正德江寧志】廿四日掃室宇。是夕祀竈。〔用糖餅之類。俗云竈神上天。言人過于上帝。用糖祀之。取膠牙之意。〕

【金陵賦注】吾鄉則臘月二十三日祀竈。以餳膠牙爲黃白金式。命曰竈糖。薦諸槃中。放爆仗。具芻豆。謂之送竈。至除夕則謂之接竈。

立春日迎春東郊。〔今無此事。〕

【正德江寧志】迎春日啖春餅。〔諺云咬春。〕競看春牛。〔自城南春牛廠達府前。老稚塞途。次日看鞭春。爭趨取土書壁。爲吉。〕

【金陵歲時記】迎春東郊。舊在通濟門外鬼神壇。後移神木庵。是日郡守以下咸往至府署而止。

除夕燃火爐。

【正德江寧志】除夕各燃火爐于門外。古謂之籸盆。(今惟用松柴。訛呼爲松盆。)點炮熗以代爆竹。

製十景菜。【金陵歲時記】除夕。人家以醬姜瓜葫蘿蔔金針菜木耳冬筍白芹醬油乾百頁麪筋十色。細切成絲以油炒之。謂之十景。又有所謂安樂菜者。乾馬齒莧也。如意菜者。黃豆芽也。蓋取義吉祥爾。

守歲。合家聚飲。取紅棗福建蓮子荸薺天生野菱煮食之。謂之洪福齊天。取天竺臘梅爲淸供。一歲風俗。大概如此。

首都志卷十四

方言

南京方言．言人物之長曰媌條．美曰標致．蠲曰乾淨．其不蠲曰齷齪．（惡綽）曰邋遢．曰膪䐲．曰鏖糟．言事之軒昂曰轟轟．（上歇平下遮）有圭角曰支查．老成曰穩重．其輕薄曰姑嫪．不雅馴曰囊甚．（臘上聲査上聲）曰朗伉．（平聲）曰磊砢．曰孟浪．曰靐（蒲倂反）銃．曰莽撞．曰粗奘．曰倔彊．曰麄糙．其俊快可喜曰爽俐．曰乖角．曰踢跳．曰綉縚。（秀溜）曰活絡．其不聰敏者曰鶻突．曰糊塗．（與上一也音稍異）曰懵懂．曰勺鐸．（音韶道．似當爲少度．以無思量也．以中原音少爲韶．度爲道．字改爲此．）曰溫墩．（似當爲混沌．訛爲此音耳．）曰沒汨．曰倜湋．曰禿儂．修容止曰打扮．形惡者曰脥臛。人之亡賴曰㦗賴。言之多而躁曰喳哇。曰激聒。曰瑣碎。曰嘈嘈（下音匝一作咂）曰囔咄。曰啐叨。曰的達。曰絮聒。其小語而可厭曰呱噥。曰唧噥。曰唧嘈。聾而呻者曰哼唧。作事之不果決曰摸㨂。曰膸膩。曰乜斜。曰落索。曰揚僮。其捧物不敬曰集㯳。（烈挈）曰蹀躞。其敗事曰郎當。人之谿刻者曰趷落。（音各拉）曰疙瘩。曰嶢崄。曰挩搭。曰刀蹬。曰雕鐫。曰窶數。其果而窒者曰裂決。用財之吝曰拈掐。曰寡辥。曰尷尬。能不彰著曰隱宿。其反是曰招搖。曰倡揚。（或徜徉也）人之貧乏曰褊短。勉強營爲曰掤拽。曰巴結。曰扯拽。曲處以應之曰騰那。展轉造端曰拐揣。恰相當者曰促恰。不合事宜曰差池。與世乖舛曰趷蹬。曰蹭蹬。曰落魄。（下音薄）其少精彩曰𩲡𩴤。（灰頹）或曰萎蕤。（威雖）敗壞之甚曰壘堆。性堅執曰直紂。好撥弄曰翻騰。曰估倒。自矜尚曰支楞。曰崚嶒。不分辨是非曰含胡。面羞澀曰䩄腆。（一作眠廷）行不端徐曰踉蹌。（俱去聲）交關人物曰瓜葛。或曰首尾。男女之私相通者亦曰首尾。以事難人曰揉抄。人之發跡曰升騰。談笑不誠恪曰欷歌。（希哈）或曰哈哄。闌入人中事中曰夾插。擾人曰聒躁。籌處事曰度量。（上音刀北韶也）檢物用曰拾掇。以言從臾曰攛掇。搃抑人曰拄擦。曰敦摔。曠大不拘束曰浪蕩。（音朗倘）物之細小者曰些娘。（娘女之小者）事之有隙可指曰窟籠。其有歸著曰撻煞。曰合煞。曰與結無破敗者曰囫圇。曰團圞。不分別曰儱侗。物事就理曰條直。不了結曰拖拉。欲了不了曰丟搭。身之孤獨曰伶仃。可憎曰臭猒。其不爽潔煩汙曰漬淖。（刺鬧）眼之視不定曰的歷都盧。手之捉物曰捫搽摸捺。身之失跌曰撲騰。入水聲曰汨洞。或曰骨都。心之不快曰懊憹。（熬撓）笑之態曰㗙床。（上音迷下音兮）氣勃鬱曰籧篨。（渠除不能俯也上訛氣）凡物之聲急疾曰忽剌。又大曰砰磅。（上音耕下音行）曰颬颬。（律忽）曰颩飀。（或六）

雙硯齋筆記云。方言諺語。有最近古者。不可槩以里俗忽之。金陵人以草索束物謂之草約（音似要）卽左傳尋約之約。說文約纏束也。从勺之字聲古音如論語樂節禮樂之樂。婦人耳上綴鐶。老婦所綴謂之耳塞。卽毛詩玉之瑱也傳瑱塞耳也之塞耳。市間買物。欲其增益曰饒。卽說文饒益也之饒。所謂買菜求益也。去菜之敗葉枯莖而留其佳者曰擇菜。卽說文少儀爲君子擇葱薤則絕其本末之擇。

音系（據趙元任南京音系）

一　南京之語音以國際音標表之如下。

(甲)聲母：

白 p	拍 pʻ	墨 m	拂 f
得 t	忒 tʻ	勒 l	
格 k	克 kʻ	黑 x	
基 tɕ	欺 tʻɕ	希 ɕ	
知 tʂ	蚩 tʻʂ	施 ʂ	日 ʐ

茲ts　雌ts'　思s

(a)發音方法：

〔p,t,k〕爲不吐氣之破裂音(Plosives)〔tɕ, tʂ,ts〕爲極不吐氣之破裂摩擦音(affricates)。

第二橫行〔p',t',k',tɕ',tʂ',ts'〕皆吐氣音。

〔l〕　母略帶鼻音與〔i〕,〔y〕音相叶幾變n音。

〔ʐ〕　母音摩擦甚少較北平發音尤軟與英文〔ɹ〕音異。蓋〔ʐ〕不必有脣之作用。而英文〔ɹ〕則與脣有關耳。

(b)發音部位：

〔x〕　部位甚後。輕讀時有變成喉音〔h〕之傾向。

〔tɕ,tɕ',ɕ〕較北平音略後。

〔tʂ,tʂ',ʂ,ʐ〕較北平音稍前。

〔ts,ts',s〕與中國他處發聲相似。較英文爲前。

(乙)韻母：

ɿ ʅ ɒ o ɔ ɵ ɜ ɵ aæ əi au ən ɵ˜ a˜ ən on ɵʳ
(施,思)(他)痾惡拾厄(爹)哀(杯)噭歐天安恩翁兒

i iɒ iɔ io iaæ iau iəu iɵ˜ ia˜ in ion
衣鴉藥爺(鞋)腰幽煙央因雍

u uɒ uɛ uaæ uəi uen ua˜
烏蛙(國)歪威溫汪

(y) (yɵ)(yɛ) (yɵ˜)(yin)
迂靴月冤氳

〔ɿ〕,〔ʅ〕一爲舌尖後之元音。一爲舌尖前之元音。與北平發聲相似。

〔ɒ〕　爲甚暗之〔ɑ〕音。與蘇州之買啥野等字之收韻相同。

〔o〕　單用時略有讀成oɔ̆或ɔ̆o之勢。以其變動之範圍極小。故不寫作ɔo或ou等複合式。〔o〕在

〔o̝̟〕是一部位高而略前之〔o〕。

〔ɔ〕　惟見入聲。部位較第六標準元音略高。

〔ɛ〕 單用在〔u〕後者。惟見入聲字。其音偏後偏低。稍有轉〔ɐ〕之傾向。

〔æ〕 在〔aæ〕時。爲甚前之〔æ〕音。

〔ə〕 單用甚前。幾爲〔e〕音。在〔əi〕在〔əu〕音偏後。在〔əŋ〕或在輕音字爲中性〔ə〕。

〔ər〕 前有聲母者。較近捲舌純元音。單讀（加在兒耳二）有分爲〔ər〕之傾向。

〔a〕 在〔aæ〕比在〔ã〕較前。

〔ã〕 之元音微偏後。

〔e〕 部位甚高。與法文 é 相仿彿。且略上移。似 ei 而範圍甚小。故不立二母。

〔ẽ〕 部位與〔e〕相同。

〔i〕 單用在〔iəu〕或在〔iŋ〕爲韻母之主元音。他處僅作韻頭或韻尾。聲母如爲〔tɕ, tɕʻ, ɕ,〕韻頭之〔i〕甚短。例如香〔ɕiã〕幾變〔ɕã〕。

〔u〕 之脣位近乎英文長縫式之合口作用。（不作圓形）〔u〕在韻尾者如〔au, iau, əu, iəu〕甚前甚哆。

〔y〕 爲韻頭時。較爲主元音時短。南京人有全無撮口者。凡〔y〕皆改用〔i〕。而月〔yɛ〕字改讀齊齒時元音亦變爲〔e〕與葉〔ie〕同音。

〔e~〕〔a~〕表示前半無鼻音後半有半鼻音之韻此種韻甚易受下字之同化作用例如天〔t'e~〕邊〔pe~〕相連成當〔t'empe~〕頭〔tɒ~, t'ɔu〕成鮮〔tant'eu〕菓〔se~ko〕成〔seŋko〕

〔ŋ〕〔n〕之韻尾亦有時受同樣之同化作用其中以〔eŋ, iŋ〕最不穩〔uon, yin〕次之〔oŋ, ioŋ〕最不受影響

〔eŋ〕韻字單讀時往往又用〔en〕

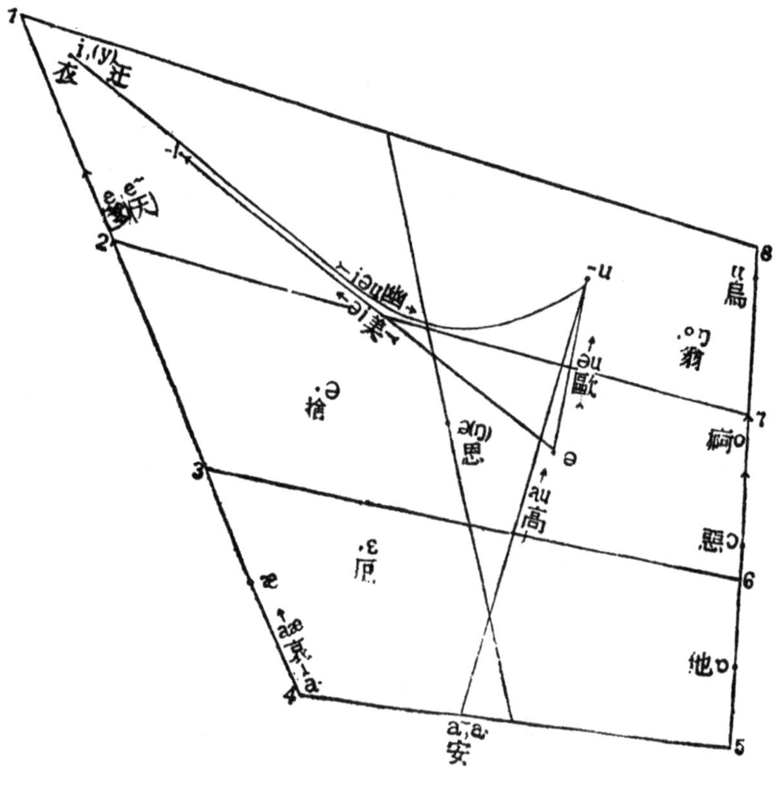

大致是奔噴門風用eŋ時多登疼倫庚肯很．en,eŋ
任用眞稱勝人曾襯生用en時多．

〔ʔ〕（喉部關閉作用）在入聲字單讀或在短句尾入聲字重讀時有之平常入聲字不過較短並無喉部關閉作用．

照標準元音(cardinal vowel)圖南京元音之舌位大約如上圖．（圖中之線代表複合元音之路線．號碼即八標準元音之次第．）

圖中僅注單元音與眞複合元音．（即先開後關的）帶介母音者除 iau 一韻 i 音較長其餘未列入以無新音素在內故．

(丙)聲調：

南京有陰平（衣）陽平（移）上（椅）去（意）入（一）五聲其音值以下列二圖表之．

二　南京之音韻以羅馬字表之。

聲母：

白 b	拍 p	墨 m	弗 f
得 d	忒 t	勒 l	
格 g	克 k	黑 h	
基 j	欺 ch	希 sh	
知 j	蚩 ch	施 sh	日 r
玆 tz	雌 ts	思 s	
移 y	吳 w	于 y(u)	

韻母：

,y（施思）	,yr（時詞）
à（他）	àr（爬）
o 痾	or 鵝
e（遮）	er（蛇）
é（爹）	ér（斜）
ai 哀	air 呆
ei（杯）	eir（肥）
au（蒿）	aur 熬
ou 歐	our（侯）
én（天）	érn（綿）
ang 安	arng 昂
eng 恩	erng（痕）
ong 翁	orng（紅）
el（杯兒）	erl 兒

椅 ji	移 yi	衣 i	(失) yg	(世,四) yh	(使,死) yy
雅 eá	牙 áy	鴉 ià	(八) àg	(霸) àh	(把) àà
			惡 og	臥 oh	我 oo
野 iee	爺 ye	(街) iai	厄 eg	(赦) eh	(者) ee
(解) eai	捱 yai		(別) ég	(謝) éh	(姐) éé
				愛 ay	矮 ae
				(妹) ey	(美) eei
咬 eau	搖 yau	腰 iau		奧 aw	襖 ao
有 eou	由 you	幽 iou		慪 ow	偶 oou
眼 ieen	言 yen	煙 ien		(線) énn	(臉) één
養 eang	洋 yang	央 iang		骯 ang	(仿) aang
影 iing	銀 yng	因 ing		(恨) eng	(肯) eeng
永 eong	容 yong	兄 iong		(甕) ong	(孔) oong
				二 ell	耳 eel

務 uh	五 uu	吳 wu	烏 u	一 iq	意 in
話 uàh	瓦 oà	娃 wà	蛙 uà	鴨 iàh	亞 iàh
				約 ioq	
				葉 ieq	夜 ieh
外 uay	拐 oai	（懷） wai	歪 uai		（界） iay
衞 ney	委 oei	圍 wei	威 uei		
					要 iaw
					又 iow
					厭 ienn
同 uenn	穩 oen	文 wen	温 uen		
萬 uanq	往 oang	王 wang	汪 uang		
					様 iang
					印 ing
					用 iong

屋 ug　挖 uag　（國）ueg

（虛）iu　（靴）iue

魚 yu

雨 eu

遇 iuh

菊 iug　月 iueg

冤 iuon　氳 iuin

元 yuen　雲 yuin

遠 euon　允 euin

怨 iuenn　運 ininn

從上表可以得下列南京音系之性質

(1)聲母方面：濁音僅有 m, l, r 三種軟音(liquids)。(官話均爲軟濁音即舊名之次濁)

l, n 不分。皆併入 l (奈讀如賴)。(從南京起溯長江以上兩岸皆如此。)

j, ch, sh (章昌商) 與 tz, ts, s (臧倉桑)不混。(但分法與國音略有不同。看下面。)

無 ng 母。別處用 ng 母者皆用元音起頭(礙讀如愛。)

(2)韻母方面：en 與 eng (蒸)不分。現在寫作 eng (實在之讀音是 en,eng 混用。) in (今)

ing (京)不分現在寫作 ing。

an (山) ang (商)不分。現在寫作 ang uan (官) uang (光)不分。現在寫作 uang。

o (渴) e (客)不混。

有 o 而無 uo (鍋讀如歌。)

(3)聲調方面：有陰陽平上去各一種。有入聲。

(4)聲母與韻母：

f系聲母不與 ong 韻拼。(風不讀 fong 而讀 feng)(與北方同。與一般南方官話不同)。

b系聲母除 u 韻外。不與 u- 類 iu- 類韻母拼(多數現代方音如此)。

f 母並且不與 i- 類韻母拼。

d系聲母與 uei 拼而不與 ei 拼(對內作 duey luey 不作 duey ney)。

g系聲母與除給去兩字白話音讀 gii,kih 以外。不與 i- 類 iu- 類韻母拼。

ji 系聲母只拼 i- 類 iu- 類韻母。

j' 系聲母只拼開口 u- 類韻母。

tz系聲母可以有 i- 類 iu- 類(tzi, tsi, si)(躋妻西)不與 ji, chi, shi(基欺希)混。

(5)聲母與聲調：

b, d, g, ji, jtz 無陽平。

m, l, r 除媽拉拾等少數數字外。無陰平。

因爲只有一種入聲。故濁母 m, l, r 之入聲字(密落日)不另成陽入。音值類似一般吳語之陰入。亦一也無分別。

（6）韻母與聲母：é,én不單見不拼 g, ji, j 系聲母。只拼 b,d,tz 系聲(別列接邊天先)。

ie, ien只單見(爺烟)。或拼 ji 系聲母(結謙)。

ei 限於拼 b 系字(杯)。

ong 不拼 b 系聲母(風讀 feng 不讀 fong 與國語同)。

ià 只單見。或拼 ji 系聲母(牙家)。

uà只單見。或拼 g 系 j 系聲母(瓦花撾)。

ue 只拼 g 系聲母(國)。

uai 只單見。或拼 g 系 j 系聲母(歪快衰)。

iu- 類韻母除 liu 音四聲外。只單見。或拼 ji 系 tz 系聲母(雨去須)。

（7）韻母與聲調：y 韻拼 tz 系聲時缺入聲(有雌慈此次而無 ts y g)。

io, ue, iue 只有入聲(學闊血)。

有-i,-u,-n,-ng,-l 韻尾的無入聲(杯乎生通二)。但入聲字與詞尾兒字合拼

者不在此例（如碟兒 dəlg 仍是入聲）

（8）聲調與聲母： 看上（5）

（9）聲調與韻母： 看上（7）

1 南京音之別派

（a）撮口之有無 撮口韻有甚完全者凡國音撮口之字均用撮口上列之音表卽以此爲標準有全無撮口者月圓雲遠完全讀成業沿寅演

（b）j系 a,ai 韻開齊問題 渣乂沙齋釵篩與家卡蝦街囗蟹在上列之表中分開齊兩類前者爲舌尖後音 j,ch,sh 與開口韻 a, ai 所成之音後者爲舌面音 ji,chi,shi 與齊齒韻 ia,iai 所成之音有以第二類照第一類讀者例如下雨讀如沙（去聲）雨螃蟹讀如螃蟹（上聲）此種讀法用在sh母字上比在 j,ch母字上爲多又有入聲欲蓄等字不讀 yug, shug 而讀 rug shug 者

（c）遮車奢惹之韻音 此種韻類有三種音值卽〔æ〕,〔e〕和〔er〕是也〔æ〕文言用之

宗 教

釋教

江左佛教莫盛南朝。自僧會遊吳。爲造建初寺。

【高僧傳】僧會欲使道振江左。興立圖寺。乃杖錫東遊。以吳赤烏十年初達建業。營立茅茨。設像行道。　權大嗟服。卽爲建塔。以始有佛寺。故號建初寺。因名其地爲佛陀里。

西域僧徒來者益衆。或安止梵宇。翻譯經典。

【高僧傳】康僧會傳。會於建初寺譯出衆經。所謂阿難念彌陀經。鏡面王察微王皇經等。又出小品及六度集雜譬喻等。

【高僧傳】帛尸黎密傳。初江東未有咒法。密譯出孔雀王經。明諸神咒。

【同治上江志】晉有帛尸黎密（西域人）永嘉中至東土。行頭陀行。所謂高座道人也。（卒於梅岡。元帝於冢立高座寺。）

【高僧傳】佛馱跋陀羅。此云覺賢。本姓釋氏。　安止道場寺。　先是沙門支法領於于闐得華嚴前分三萬六千偈。未有宣譯。到義熙十四年。吳郡內史孟顗。右衛將軍褚叔度。卽請賢爲譯匠。乃手執梵文。共沙門法業慧義慧嚴等百有餘人。於道場譯出。　又沙門法顯於西域所得僧祇律梵本。復請賢譯爲晉文。

其先後所出觀佛三昧海六卷。泥洹及修行方便論等。凡一十五部。一百十有七卷。並究其幽旨。妙盡文意。

【高僧傳】佛馱什傳。佛馱什　以宋景平元年七月屆於揚州。先沙門法顯於師子國。得彌沙塞律梵本。未及翻譯。而法顯遷化。京邑諸僧聞什既善此學。於是請令出焉。以其年冬十一月。集於龍光寺。譯爲三十四卷。稱爲五分律。什執梵文。于闐沙門智勝爲譯。龍光道生。東安慧嚴共執筆參正。至明年四月方竟。仍於大部抄出戒心及羯磨文等。並行於世。

【高僧傳】釋智嚴傳。嚴前還於西域所得梵本衆經。未及譯寫。到元嘉四年。乃共沙門寶雲譯出普曜。廣博。嚴淨。四天王等經。

【高僧傳】寶雲傳。雲安止道場寺。　雲譯出新無量。晚出諸經。多雲所治定。

【高僧傳】求那跋摩傳。文帝知跋摩已至南海。於是復勑州郡。令資發下京。路由始興。經停歲許。後文帝重勑觀等。復更敦請。乃汎舟下都。以元嘉八年正月達於建康。文帝引見。勞問慇懃。乃勑住祇洹寺。供給隆厚。後祇洹慧義請出菩薩善戒。始得二十八品。後弟子代出二品。成三十品。初元嘉三年徐州刺史王仲德。於彭城請外國伊葉波羅。譯出雜心。至擇品而緣礙遂輟。至是更請跋摩譯出後品。並先所出四分羯磨。優婆塞五戒略論。優婆塞二十四戒等。凡二十六卷。文義詳允。梵漢弗差。

【高僧傳】僧伽跋摩傳。伽跋摩此云衆鎧。天竺人。以宋元嘉十年步自流沙。至於京邑。慧觀等以跋摩妙解雜心。諷誦通利。先三藏雖譯。未及繕寫。即以其年九月於長干寺招集學士。更請出焉。寶雲譯語。觀自筆受。考覈研校。一周乃訖。續出摩得勒伽。分別業報略。勸發諸王要偈。及請聖僧浴文等。

【高僧傳】曇摩密多傳。至於京師。初止中興寺。晚憩祇洹。即於祇洹寺譯出禪經禪法要普賢觀虛空藏觀等。

【高僧傳】畺良耶舍傳。以元嘉之初。遠冒沙河。萃於京邑。太祖文皇深加歎異。初止鍾山道林精舍。沙門寶誌崇其禪法。沙門僧含請譯藥王藥上觀及無量壽觀。含即筆受。以此二經是轉障之祕術。淨土之洪因。故沈吟嗟味。流通宋國。

【高僧傳】求那跋陀羅傳。元嘉十二年至廣州。刺史車朗表聞。宋太祖遣使迎接。既至京都。初住祇洹寺。僧衆共請出經。於祇洹寺集義學諸僧。譯出雜阿含經。東安寺出法鼓經。寶雲傳譯。慧觀執筆。往復諮析。妙得本旨。

【高僧傳】求那毗地傳．齊建元初來至京師．止毗耶離寺．初僧伽斯於天竺國抄修多羅藏中．切要譬喻．撰爲一部．凡有百事．教授新學．毗地悉通誦．兼明義旨．以永明十年譯爲齊文．凡有十卷．誦百句喻經．復出十二因緣．及須達長者經各一卷．自大明已後．譯語殆絕．及其宣流．世咸稱美．梁初復有僧伽婆羅者至京師．亦止正觀寺．今上甚加禮接．勑於正觀及壽光殿古雲館中譯出大阿育王經解脱道論等．凡十部．三十三卷．使沙門釋寶唱袁曇允等執筆受．

【高僧傳】曇無讖傳．及僞魏吞併西涼．南奔於宋．嘗遊止塔寺．以居士自卑．初出彌勒觀音二觀經．後竹園寺慧濬尼復請出禪經．安陽既通習積久．臨筆無滯．旬有七日．出爲五卷．頃之．又於鍾山定林寺譯出佛母般泥洹經一卷．

【高僧傳】曇斌傳．曇濟大師．宋人．居京師莊嚴寺．以學業才力見重一時．述七家論．爲世所宗．

【續高僧傳】拘那羅陀．陳言親依．或云波羅末陀．譯云眞諦．本西天竺優禪尼國人．景行澄明．器宇清肅．風神爽拔．悠然自遠．羣藏廣部．罔不措懷．藝術異能．偏素諳練．雖遵融佛理．而以通道知名．遠涉問關．無憚夷險．歷遊諸國．隨機利見．梁武皇帝德加四域．盛昌三寶．眞諦遠聞行化．儀軌聖賢．搜選名匠．惠益氓品．彼國乃屈眞諦幷賚經論．恭膺帝旨．既素蓄在心．渙然聞命．太淸二年閏八月始屆京邑。武皇面申頂禮於寶雲殿。竭誠供養。帝欲傳翻經教。不羨秦時。更出新文。有逾齊日。屬道銷梁季。寇羯憑陵。法爲時崩。不果宣述。乃步入東土。又往富春。令陸元哲創奉問津。將事傳譯。招延英秀沙門寶瓊等二十餘人。翻十七地論。適得五卷。而國難未靜。側附通傳。至大寶三年。爲侯景請還。在臺供養。於斯時也。兵饑相接。法幾頹焉。會元帝啓祚。承聖清夷。乃止於金陵正觀寺。與元禪師等二十餘人。翻金光明經。

時或升座演講。道俗輻輳。

【高僧傳】求那跋摩傳。以元嘉八年正月達於建業。乃敕住祇洹寺。俄於寺開講法華及十地。法席之日。軒蓋盈衢。觀矚往還。肩隨踵接。跋摩神采自然。妙辯天逸。或時假譯人而往復懸悟。

【高僧傳】竺法汰傳。汰下都止瓦官寺。晉太宗簡文皇帝深相敬重。請講放光經。開題大會。帝親臨幸。王侯公卿莫不畢集。汰形解過人。流名四遠。開講之日。黑白觀聽。士庶成羣。及諮稟門徒。以次駢席。三吳負袠至者千數。

【高僧傳】竺道生傳。生既當時法匠。宋太祖文皇深加歎重。後太祖設會。帝親御於地筵。

【高僧傳】釋慧叡傳。後適京師。止於烏衣寺。講說衆經。皆思徹言表。理慧環中。

【續高僧傳】僧旻傳。永明十年始於福興寺講成實編。先輩法師高視當世排競下筵。其會如市。山栖邑寺莫不掩屝畢集衣冠士子。四衢輻輳。坐皆膝不爲迮。言雖竟日無起疲倦。皆仰之如日月矣。希風慕德者。不遠萬里相造。

【續高僧傳】釋法雲傳。建武四年夏初於妙音寺。開法華淨名二經。序正條源。羣分名類。學徒海湊。四衆盈堂。僉謂理因言盡。紙卷空存。及至爲賓。擲擊縱橫。比類紛綆。機辯若疾風。應變如行雨。當其鋒者罕不心務賓主咨嗟。朋僚胥悅。時人呼爲作幻法師矣。講經之妙。獨步當時。

【續高僧傳】法朗傳。永定二年十一月。奉敕入京住興皇寺。鎮講相續。所以華嚴大品四論文言往哲所未談。後進所損略。朗皆指摘義理。徵發詞致。故能言氣挺暢。清穆易曉。常衆千餘。福慧彌廣。所以聽侶雲會。揮汗屈膝。法衣千領。積散恆結。每一上座。輒易一衣。闡前經論各二十餘遍。二十五載流潤不絶。

【佛教宗派詳注】智者大師別傳。智者大師名智顗。字德安。姓陳氏。其母夢呑白鼠而生。師卜者曰。白鼠者龍所化也。七歲喜往伽藍。僧口授普門品一遍成誦。十八歲就湘州果願寺法緒出家。二十歲受具。初從慧曠學律。兼通方等諸經。陳文帝元嘉元年時思禪師止光州大蘇山。師往頂拜。思曰。

昔日靈山同聽法華。宿緣所逐。今復來也。卽示以普賢道場。說法華四安樂行。師日夜自勵。經二七日誦經。至是眞精進。是名眞法供養如來。身心豁然而入定。照了法華。師歎曰。非汝不證。非我不識。所入定者法華三昧前方便。所發公德者初旋陀羅尼也。縱令文字師千羣萬衆。亦不能汝辯。當於說法人中最爲第一。陳光大元年同法喜等二十七人初至陳都金陵。時年三十。太建元年儀同三司沈君理請居瓦官寺講法華。乃一夏。九月。談經玄義。止瓦官前後八載講大智度論。說次第禪門。陳太建七年秋九月始入天台安居佛隴。九年二月帝詔割始豐縣調以充衆費。遂創伽藍。十年五月左僕射徐陵奏於朝。賜修禪寺之號。陳少主數數遣使請師於金陵。師出止於金陵靈超寺講釋論及仁王般若於太極殿。後移光宅寺。

間遇名德。不憚論難。

【高僧傳】僧苞傳。後東下京師。正值祇洹寺發講。法徒雲聚。士庶駢席。迺乘驢往看。高座舉題。適竟。苞始欲厝言。法師便問客僧何名。答云名苞。又問盡何所苞。答云高座之人亦可苞耳。迺致問數番。皆是先達思力所不逮。高座無以抗其辭。遂遜退而止。

【續高僧傳】釋法雲傳。齊永明中僧柔東歸於道林寺發講。雲諮決累日。詞旨激揚。衆所歎異。年小

坐遠聲聞難敍命置小牀處之於前共盡往復

高僧之多無逾斯時

【同治上江志】晉有支遁〔林慮人〕字道林哀帝迎至建康搢席名流結契塵外〔俱見世說〕有逍遙篇論慧琳〔學兼內外嘗著均善論頗貶裁佛法秦郡人也〕僧導〔十歲讀觀世音經即相諮議師即授以法華孝武勅於瓦官寺講維摩詰經〕摩訶衍〔苦節有精理大明中於都下出新繙勝鬘經〕慧嚴慧議〔並住東安寺學行精整深於易學時人語曰東安談易林〕曇遷〔游心佛義善談老莊工正書范蔚宗被誅門有十二喪無敢近者遷貨衣物爲營葬送孝武善之謂徐爰曰卿著宋書勿遺此人〕齊有慧約〔周彥倫於鍾山舊館造草堂寺居之〕智稱〔永明初止安樂寺嘗曰安上治人莫先於禮閑邪遷善莫尚乎律著義記八篇〕梁有曇瑗〔住光宅寺棲託不競每上鍾阜游詠終日年八十二勅立白塔建碑於寺〕陳有道宗〔住瓦官寺耳不妄屬口無妄言歷學經論終日卷軸間〕皆傳西土正法者

上自帝王公卿下至士庶靡不稟志歸依厝心崇信〔梁宋諸帝舍身佛寺諸事詳大事表〕

【高僧傳】度江以來。則王導周顗庾亮王蒙謝尙郄超王坦王恭王謐郭文謝敷戴逵許洵。及亡高祖兄弟王元琳昆季。范汪孫綽張玄殷顗。或宰輔之冠蓋。或人倫之羽儀。或置情天人之際。或抗迹烟霞之表。並稟志歸依。厝心崇信。

【高僧傳】釋慧叡後適京師。止於烏衣寺。宋大將軍彭城王義康請以爲師。再三乃許。王請入第受戒。叡曰。禮聞來學。不聞往敎。康大以爲愧。乃入寺虔禮。祇奉戒法。

一時建造寺宇。波起雲興。杜牧詩南朝四百八十寺。今可考者有二百數十寺。

【中國文化史】其立寺之類別。有由僧尼營建者。（如長干寺本吳時尼。宋熙寺爲天竺僧伽羅多哆所造之類）有由帝王創造者。（如晉簡文帝造波提寺。梁武帝立同泰寺等）有由個人捨宅而成者。（如莊嚴寺爲謝尙捨宅所造。平陸寺爲宋平陸令許桑捨宅建剎。因以官名名之之類。）有由僧徒啓乞而立者。（如瓦官寺本陶瓦處。沙門慧力啓乞爲寺之類）有專居一僧者。（如佛馱至京。諸檀越立罽賓寺。求那跋陀羅譯經。特立天竺寺。摩訶至都。建外國寺以居之之類）有爲人求福者。（如蕭惠開爲父思話造禪岡寺。宋孝武帝爲殷貴妃立新安寺之類）有人民爲帝王而立者。（如宋泰始中京師民爲孝武帝立天保寺之類。）有達官以寺爲家者。（如法輪寺爲何點家寺．點常居其中之類〕一時風尚．波起雲興．

六朝名德．多研成實．

【佛教宗派詳注】成實宗．為印度小乘中最後所立之宗．卽小乘中之空宗．酷似大乘．以訶梨跋摩所造之成實論為所依．故名成實宗．於四諦立章．於五聚明義．來中國而居於十三宗之一．立南北兩宗．梁朝之三大法師．皆此宗之人也．

攝山僧朗傳鳩摩羅什三論宗之學．成實漸微．

【史學雜誌攝山之三論宗史略考】中華三論學傳之者鳩摩羅什．聞之者肇影叡導．人才輩出．實極一時之盛．其後關中叠經變亂．加以魏太武毀法．學士零落．宗風不振．在南朝齊梁之際．斯學復起於攝山栖霞僧朗．謂得關河舊說．其師資已不可考．今日流行之傳授說．絕不可信．攝山而外．當時固亦有弘宣三論者．惟仍以僧朗為重鎮．繼以止觀僧詮與皇法朗．一變江南之學風．三論宗興．成實式微．實由於攝山之學者．

禪學之興．肇於梁之達摩．而南京之傳其旨者．有牛頭法眼等．

【同治上江志】禪者秦客之廋語六朝之類也始於梁之達摩（南天竺人普通七年自廣州至對武帝言度僧寫經乃人天小果有漏之因如影隨形雖有非實帝不領悟達摩知機不契乃折蘆渡江去之少室）此東土之初祖也（宋僧覺意已於瓦官寺樹下坐禪是先有此法）其後傳慧可可傳璨璨傳道信（所謂四祖也）信傳宏忍（所謂黃梅也）又別傳法融（初唐人住幽棲寺石室修道得璨大師頓教法門虎鹿馴伏百鳥獻花法席之盛擬於黃梅其山與寺遂號祖堂云）曰牛頭宗演闡頓門接引英彥傳智嚴（隋大業中以郎將累立戰功貞觀十七年得融師眞訣）嚴傳慧方（於開善寺出家謁嚴後始悟秘要）方傳法持（年二十問法黃梅復爲方印可）持傳智威（江寧人陳姓）威傳慧忠（一衲一鐺有穀二廩虎爲之守縣令張遜問有何徒衆忠擊床者三有三虎哮而至）是曰牛頭六祖其不得匹於黃梅者忍之後有曹溪再傳而得青原思南嶽讓光宅忠荷澤會宏暢宗風法嗣徧天下雖曰道行精嚴抑亦語錄之流扇遠被者然也然融之徒別有鶴林素鍾山璀亦再傳而得徑山一支元風不墜皆與濂溪白沙所謂靜中養出端倪者殊流而合派此禪之正宗也南唐時清涼寺有文益所謂法眼鐙也（雪峯存之三傳弟子）爲五鐙之第四（南唐書載益因觀牡丹爲詩諷後主云何須待零落然後始知空）太史公謂附驥尾而

言益彰。此言誠是也。

【續高僧傳】釋法融。姓韋。潤州延陵人。年十九。翰林墳典。探索將盡。而姿質都雅。偉秀一期。喟然嘆曰。儒道俗文。信同糠粃。般若止觀。實可舟航。遂入茅山依靈法師剃除周羅。服勤請道。炅譽動江海。德誘幾神。妙理眞筌。無所遺隱。融縱神挹酌。情所緣以爲慧發。亂縱定開心府。如不凝想。萬慮難摧。乃凝心宴默於空靜林。二十年中。專精匪懈。遂大入妙門。百八總持。樂說無盡。趣言三一。懸河不窮。貞觀十七年。於牛頭山幽棲寺北巖下別立茅茨禪室。日夕思擇。無缺寸陰。數年之中。息心之衆百有餘人。初構禪室。四壁未周。弟子道綦道憑於中攝念。夜有一獸如羊而入。騰倚揚聲。脚蹴二人。心見其無擾。出庭宛轉而遊。山有石深可十步。融於中坐。忽有神蛇長丈餘。目如星火。舉頭揚威。於室口經宿。見融不動。遂去。因居百日。山素多虎。樵蘇絕人。自融入後。往還無阻。又感羣鹿依室聽伏。曾無懼容。有二大鹿直入通僧聽法。三年而去。故慈善根力。禽獸來馴。乃至集于手上而食。都無驚恐。所住食廚基臨大壑。至於激水。不可環階。乃顧步徘徊。指東嶺曰。昔遠公挂錫。則朽壤驚泉。耿將整冠。則枯甃還滿。誠感所及。豈虛言哉。若此可居。會當清泉自溢。經宿東嶺忽涌飛泉。清白甘美。冬溫夏冷。卽激引登峯。趣釜經廊。此水一斗。輕餘將半。又二十一年十一月。巖下講法華經。于時素雪滿階。法流不絕。於凝冰內獲花二莖。狀如芙蓉。璨同金石。經于七日忽然失之。衆咸歎仰。永徽三年邑宰請出建初講揚大品。僧衆千人。至滅淨品。融乃縱其天辯。商理義。地忽大動。聽侶驚收鐘磬。香牀並皆搖蕩。寺外道俗。安然不覺。顯慶元年司工蕭元善再三邀請。出在建初。融謂諸僧曰。從今一去。再踐無期。離合之道。此常規耳。辭而不免。遂出山門。禽獸哀號。逾月不止。山澗泉池。擊石涌砂一時塡滿。房前大桐四株。五月繁茂。一朝凋盡。至二年閏正月二十三日終於建初春秋六十四。

【宋高僧傳】釋文益。姓魯氏。餘杭人也。江南國主李氏始祖知重。迎往報恩寺禪院。署號淨慧。厥後微言欲絕。大夢誰醒。既傳而有歸。亦同凡而示滅。以周顯德五年戊午歲秋七月十七日有恙。國主紆於方丈問疾。閏月五日剃髮澡身。與衆言別。加趺而盡。聲貌如生。俗年七十四。私謚曰大法眼。塔號無相。俾城下僧寺。具威儀禮迎引。奉全身於江寧縣丹陽鄉起塔焉。蓋好爲文筆。特慕支湯之體。時作偈頌眞讚。別形纂錄。法嗣帝子天台德韶。慧明。漳州智依。鍾山道欽。潤州光逸。吉州文遂。江南後主爲碑德。韓熙載撰塔銘云。

【同治上江志】唐僧守亮。〔居瓦官寺。〕善周易。〔李衞公延之講易。詞旨暢朗。公所蓄疑。亮輒先意離決無滯。〕元素。〔字道淸。居長壽寺。〕嘗曰道惟心證。不在言通。智威以東南正法期之。曇玭

大曆中（住棲霞寺）探曹溪牛頭之旨（沈研覃思朗然自得）曰了心當如是（貞元中終瓦官寺）梁雲光講經值天風飛花因曰雨花

南唐後主酷好浮屠拜跪頓顙至爲瘤贅大造蘭若廣聚僧徒猶六朝之餘習也

【馬令南唐書浮屠傳】南唐有國蘭若精舍漸盛於烈祖元宗之世而後主卽位好之彌篤輒於禁中崇建寺宇延集僧尼後主與周后頂僧伽帽披袈裟課誦佛經跪拜頓顙至爲瘤贅親削僧徒廁簡試之頰少有芒刺則再加修治

【南唐書】後主書建隆三年命境內重修佛寺又於禁中廣署僧尼精舍多聚徒衆國主與后頂僧伽帽衣袈裟誦佛經拜跪頓顙至爲瘤贅由是建康城中僧徒殆數千給廩米緡帛以供之

【南唐書】浮屠傳小長老說後主廣施梵刹營造塔像自是困庾漸虛財用耗斁又請於牛頭山大起蘭若千餘間廣聚僧徒日設齋供金陵受圍後主召小長老問禍福對曰臣當以佛力御之乃登城大呼周麾數四後主令僧俗念救苦菩薩滿城沸涌

【同治上江志】南唐如清涼道場之休復（自知死期）法鐙（辯才無礙）清涼之智明（後主

延之開講．有僧問言句刊盡．爲落方便不落方便．明曰．國主在此．不敢無禮．又有僧深居者．元宗時嘗置綵一篋．劍一具．謂深及文益曰．高座若問答得當．卽賜綵．否則齒此劍．文益升座．深曰．今日奉勅參問．師還許不．益曰許．深曰鷂子過新羅．言訖．奉綵卽走．　深一日與智明見魚從網出．深曰．此與兩僧相似．明曰．爭似當時不入網羅．深曰．公少悟矣．明至中夜方省．按明乃危邦不入之義．深則賢者辟世．其次辟地之說也．〕　報恩道場之淸護．〔衆問諸佛出世．天花亂墜．有何祥瑞．答曰．昨日雷發．今朝雨飛．問如何是諸佛元旨．曰草鞋木屐．按上言偶然花開花落．下言行脚也．後賜號妙行禪師．〕匡逸．〔嘗曰人無心則合道．道無心故合人．人道兩合．是名無事．又曰．人迷曰失．人悟曰得．得失在人．何關動靜．〕　報慈之行言．〔得法於靜慧．謂衆曰．示生非生．應滅非滅．生滅洞澈．乃曰眞常．賜號曰元覺導師．〕長干之元寂．〔博通經藏．保大中講法華經．賜號明教大師．兼賜紫．〕　長慶之文遂．〔於楞嚴經悟道．〕智海之法泉．〔問衆曰．吾本住蔣山．今詔住智海．赴智海．留蔣山．孰是．衆無對．乃索筆書偈．端坐而逝．言南唐已危也．〕　淨德之智筠．〔嘗曰．吾不能投身巖谷．滅迹市廛．而出入禁庭．重煩世主．吾之過也．遂辭歸河中府．後主賜號達觀禪師．〕　又有木平．〔後主召見於百尺樓．平曰．此宜望火．當時未諭．後淮甸江干．烽燧四舉．果如其言．〕　蓋當時君臣方營醉飽．世外人固憂心忡忡也（時又有僧應之閩人王姓子能文章習柳公權書舉進士黜於有司遂爲僧保大中詔寫楞嚴經既成賜紫居奉先院辭右街僧籙司性善音律嘗以贊禮之辭寓於樂譜笙笛簫管與鐃鼓鈴鐸翕如繹如惟其聲少下而終歸梵音贊念協律今曰吹鼓經自應之始又有泉州人清稟參悟雲門入澄心堂爲後主集諸方語要凡十年出住瑞州之洞山）

宋元時金陵佛法寖衰名僧亦少

【同治上江志】宋僧佛果（鄧子常奏賜紫住蔣山法席之盛學者至不能容）建炎初賜號圓悟禪師慧新紹興初（止普光菴）皈依輻輳清逃（臨邛人住蔣山之東堂幼讀法華了然悟會）嚴正寡言（飯訖告衆合掌趨寂）皆僧之寡者過若元僧大訢（大龍翔集慶寺文宗潛邸也使居之階大中大夫賜使衣黃所謂笑隱也）則僧之榮幸者也

明太祖微時嘗爲鳳陽皇覺寺僧即位後頗右釋教南京諸寺每季考試僧官

【待徵錄】明五大寺每季考於禮部取楞嚴法華等經命題其考卷皆四股八比入選者稱詞部爲老師同輩爲敝寅充僧錄等官有耳疑刻其試卷黃虞部曾見之承恩寺僧以善爲夤緣不准與考三大刹寺首儀從甚都領衆數千人升某爲首座某爲維那儼如銓部榜文見梵刹志野獲編池北

偶談。

靈谷報恩天界稱金陵三大寺。賜田贍僧最饒。統中寺小寺甚多。

【金陵梵刹志】洪武十六年正月二十一日天界善世禪寺住持行椿具奏荷蒙聖恩。欽賞上元縣丹陽鄉靖安湖熟鎮田地二十九頃有零。溧水縣永寧鄉相國圩田三十七頃有零。溧陽縣永城等鄉黃蘆壩埄西趙三圩田三十九頃有零。每頃田奉聖旨差鴻臚寺序班李真等官幷旗校到各縣地方一一丈量東西四至分明。造成文册。還與他天界善世禪寺歲收租米供衆。免他夫差。欽此。

【金陵梵刹志】洪武二十六年九月初七日僧錄司左善世弘道等。於奉天門奉聖旨着前府都督陳遜前去采石對過鰣魚洲等處官蘆場內撥與天禧天界能仁靈谷雞鳴五寺。就着他各寺管事僧跟隨前去認他地方。欽此。

永樂中雕刻經板印布頒賜各寺。

【續釋氏稽古錄】永樂十八年間刻大藏經板二副。南京一藏六行十七字。北京一藏五行十五字。

【白下瑣言】報恩寺藏經板。明初頒賜令廣印行。其目錄條規具載金陵梵刹志。是爲南藏。他處或殘缺。皆詣寺補印。宏覺靈谷鷲峯所藏。亦此本也。近封崇寺住持敬璽請印北藏全部。計費數千金。

今叢林北藏。僅此一部而已。若嘉慶間水月菴改建正覺寺。亦有北藏。迺頒賜之物也。

厥後名僧輩出。

【同治上江志】初兵之下金陵也。龍翔寺僧星散。有奉化僧懷信者。趺坐不去。兵以爲異。皆投仗拜。太祖幸其寺。改寺名曰天界。又有僧曰道成。洪武中聘主其寺。面奏不會佛法。獨究隻履單傳之旨。文皇時命於鍾山說法。聽者萬人。慧曇（天台人。俗姓楊。母夢吞明珠而生。）通貫華嚴諸經。詔住天界寺。（特授演梵善世大禪師。）洪武三年奉使西域卒。（招諭吐蕃也。）最後有大巇（喜讀內典。一日看人登樹大悟。）魏國公徐宏基迎主天界高提祖印。廣度羣品。又有僧曰碧峯。少學佛。脇不沾席者三年。自是入定或累日。（嘗趺坐大樹下。溪水橫溢。人疑其死。七日水涸。競往視之。趺坐如故。）太祖詔問佛法及鬼神情狀。稱旨。正統中得二僧曰智瑛永慈。瑛字雲溪。行頭陀行。爲諸僧負米薪力作。已而有悟。素不識文字。後乃能詩。慈徧參諸方。得悟妙諦。（太監袁誠延主東山翼善寺。）南洲（住報恩寺。）著金剛經注解附錄（二卷。）如愚（住碧峯寺。）注法華經（以佛心印佛言。支分節解。妙旨環生。顧璘朱之蕃序之。）其以詩鳴者。若雪梅（居報恩寺。）忘所（住永壽寺。每引五經正義以說經。）寬悅（字鶴臞。住普德寺。有蒹山藏草。）笠居（居淨明寺。）以悟稱者。若古心（住棲霞寺。）洪恩（字雪浪。住長干寺。以無師智。得大辯才。盡掃訓詁。單題本文。拈示言外之旨。）道盛（通百家言。多發前人所未發。住棲霞中峯。）清公（住永寧寺。掩關參悟。不與人接。）廣德（日誦經史。一日聞佛蹤王城學道事。遂出家。開解妙諦。嘗曰。凝禪狂慧。若品行不高。何足以寄斯道。）大成（住棲霞門。風峻絕。再振洞宗。）劫定（住長干寺。言論侃侃。）觀衡（住清涼寺。）智旭（住祖堂。二僧之母。皆夢大士送子而生。皆出家說經。直抉元妙。）守心（住宏濟寺。戒行精嚴。）定林。（本名周安。爲周生執巾屨之役。聞諸儒講說。生故。乃從楊道南講學。破寺中。尋投雪松披剃。改今名。闢華嚴閣於牛首。焦竑記之。）此諸僧雖無可稱。然尚幸其安釋子分也。德勝。誅茅龍江雙忠祠。鍵關十年。寫華嚴諸經四大部。（字純湛。）此僧之不求聞達者。德清（字憨山。）住報恩寺。棄之之龍門。再之登州。卒以建造事得罪。徙邊。此僧之好事者。清掃葉僧（按爲龔賢。）不知何許人。苦志修行。自建樓於清涼山顛。樓以名傳。與杜茶邨友善。茶邨贈以詩。鐵漢。住牛首東峯。蓄二猿自隨。有所須。猿輒解意。與桐城方拱乾善。特搆一軒曰坦軒。方來。卽居之。方字坦菴也。人比之徐孺子榻。（見池北偶談。）　指南。徽州人。販帛客也。船失風。獨得免。遂薙髮爲僧。行天台教。養生有得。行腳不怠。初至上元。徧游沿江諸山。得朝元洞。芟荊榛。携一蒲團。坐臥其中。諸毒蟲惡獸。悉辟去。飢茹朽葉。或食石泉。久之。山下居民以爲異。乃共構茅屋數椽於洞口。饋以蔬米。亦不卻。嗜豆腐。一器立盡。數十年顏色不少變。　石舸語山新安宦家子。又兄弟也。父殉流寇。並祝髮永壽寺。專精宗乘。兼工詩。善書畫。高閑松風。石牀花雨。泊如也。其能詩者則若溥純字樹居。雨花山僧也。戒行精潔。報定字竹堂。住天界寺。山水寄興而吐屬清新。松崖字明鑑。住香水庵。有道行。宗門推之。登標字蒲潤。住高座寺。愼舉止。能文章。　行舉字介庵。全椒人。居承恩寺。喜游。詩數千首嘗覽補陀九華諸勝。弟子禹疇。篤行好學。亦工詩。　海岳字中州。本丹徒儒家子。住持清涼寺。戒行精嚴。工詩。登黃山。有木蓮花賦。數千言。皆典雅精麗。年八十餘終。　雪墩上元人。九歲祝髮普德寺。繼主講席。說楞嚴維摩諸經。闡微抉奧。遠近咸讚慕焉。著有法華科拾集。鍾影堂詩鈔。　與洞字默默。住永濟寺。語言樸訥。不誦經典。九十餘鬚髮不變。或詢以長生之術。大抵勸人葆攝精氣神爲養生主。壽百數十歲。　道成江寧人。康熙間得法毗陵永寧寺。乾隆初主席華嚴庵。卽徐中山王之別墅也。敗瓦頹牆。精修不懃。開堂接衆。粥魚梵唄。隔水相聞。　其異者則古林二僧。其名亦不詳。亦不知何許人。一爲常住收飯。曰飯頭。一爲常住種菜。曰園頭。寺衆藐之。無與言者。獨二僧相與往來。一日飯頭收飯罷。沐浴趺坐。顧鄰舍僧曰。煩致信庵後園頭兄。吾逝矣。恐不及待。鄰僧急告園頭。方執鋤钁士。問之徐曰去幾多時。答以未久。園頭曰。然則吾將追之。遂擲鋤而逝。〔此乃康熙年間之遺事〕又有道興江寧人。康熙甲子寺遭祝融之厄。道興不知所之。時粵東山谷中火光四起。居民驚集。但見深林一僧趺坐而已。咸問所從來。告以故。且言來募屋材。衆皆諾之。任其取足。旬日間忽大雨如注。木隨水入江。逕達古林。殿宇得以重整。〔乾隆中有楚僧達宗。梵行清卓。亦修整鷲峯寺。置齋田贍行脚。人稱曰西齋老人。弟子脫凡紹其志。道光中廿延年爲建大殿。蔡世松記之〕嘉慶間有僧鏡澄。〔兩般秋雨庵載其能爲詩。〕居水月庵。佐制軍百齡禽方榮升。佐淮商立崇義書塾。老人清節諸善堂。十九年百齡爲奏建正覺寺。〔在門東石橋。今毁〕此僧名而俠行者。道光中有僧玉潔。上元人。住華藏庵。〔庵本宋犨龍書院。明宣德間改剏。久圮。潔募修之。〕修龍池祩之漸教。所謂淨土也。作詩百八首。以自明其學等級之次第。

洪楊亂後。諸寺毁滅殆盡。後來規模十不及一。惟靈谷寺較完好耳。清季石埭楊文會以居士學佛。以爲末法世界全賴流通經典。乃於金陵創刻經處。開祇洹精舍。弘法四十餘年。流通經典至百餘萬卷。

【楊仁山居士事略】石埭楊文會。生於道光丁酉年十一月十六日丑時。生平好讀奇書。凡音韻曆算天文輿地。以及黃老莊列。靡不領會。嗣於皖省書肆中得大乘起信論一卷。病後檢閱他書。舉不愜意。讀起信論。乃不覺卷之不能釋也。賡續五徧。窺得奧旨。由是徧求佛經。一心學佛。乙丑來金陵。得經書數種。明年移居寧。以爲末法世界。全賴流通經典。普濟衆生。于是發心刻書本藏經。俾廣流傳。乃就金陵差次。擘畫刻經事。癸酉歲屏絕世事。家居讀書。是歲參考造像量度及淨土諸經。延畫家繪成極樂世界依正莊嚴圖。十一面大悲觀音像。並搜得古時名人所繪佛菩薩像。刊佈流通。以資供奉。戊寅曾惠敏奉使使歐洲。隨赴英法。期滿假歸。仍以刻經爲事。乃于東瀛購得小字藏經全部。閉戶誦讀。庚寅夏走京師。禮旃檀佛像。並求藏外古德逸書。適居士內弟蘇少坡隨使節東渡。則寓書南條文雄君。廣求中國失傳古本。厥後由海外得來藏外書籍二三百種。因擇其最善者。亟付剞劂。甲午與英人李提摩太君譯大乘起信論。譯成英文。以爲他日佛教西行之漸。乙未晤印人摩訶波羅于滬瀆。緣其乞法西行。興復五印佛教。志甚懇切。居士於是提倡僧學。手訂課程。著初學課本。俾便誦讀。一以振興佛學。一以西行傳教。庶末世佛法有普及之一日。丁酉年築室于金陵城北延齡巷。爲存經板及流通經典之所。丁未秋就刻經處開佛學學堂。曰祇洹精舍。冀學者兼通中西文以爲將來馳往天竺振興佛教之用國文英文同志任之佛學居士自任之就學者緇素二十餘人日有進益未及兩稔因經費不給而止宣統庚戌同人創立佛學研究會推居士爲會長月開會一次每七日講經一次聽者多歡喜踴躍辛亥秋逝居士弘法四十餘年流通經典至百餘萬卷印刷佛像至十餘萬張而願力所弘所屬望于將來者更無有窮盡也著有大宗地玄文本論略注四卷佛教初學課本陰符道德莊列發隱諸書久已風行海內又等不等觀雜錄論孟發隱各若干卷

文會沒弟子歐陽漸創支那內學院宏揚法相學遠近從游者頗衆金陵佛學其復興乎

【內學院十四年院錄】分設兩院第一院在南京城內半邊街第二院在南京城內韓府街總分學事二科學科設研究部向學部法相大學部事科設編刻流通部其辦事組織分院事辦公處學院處編校流通處事務處

【內學院十四年院錄】本院法相大學特科原在第二院開辦十六年三月以後軍隊駐入院內歷久不去至十六年暑假滿二年暫行停辦其成績優秀之學子分別留院工讀同時第一院因經濟關係向學部取消研究部亦停頓至十七年春學友漸集各種講習積極進行研究部頗復舊觀惟

大學特科．一時尚無續辨之望．

道教

南京之有道觀．始於漢之仙鶴觀．尚在佛寺之前．其以術名者．以葛洪

【江寧府志】葛洪字稚川．句容人．元從孫．究覽書籍．尤好神仙導養之法．從鄭隱學煉丹．後師事鮑元．元以女妻洪．尋止羅浮山．著述不輟．自號抱朴子．因以名書．剋期而逝．舉屍火棺．輕如空衣．晉書有傳．

陶宏景爲最．

【江總陶隱居集序】若夫德行博敏．孔室四科．經術深長．鄭門六藝．丹陽陶先生備斯矣．至如紫臺青簡．綠帙丹經．玉版祕文．瑤壇經牒．靡不貫彼精微．殫其旨趣．蓋非常之絕伎．命世之異人焉．

【黃注陶貞白集序】弘景秣陵人．圓通謙謹．雖位望隆重．而方外之志．終身不忘．是故其言有足取者．弘景又有答武帝問山中何所有．嶺上多白雲．只可自怡悅．不堪特贈君．題壁云．甫夷任散誕．平林坐談空．不意昭陽殿．忽作單于宮．皆可取．

舊有正一全眞兩派。

【同治上江志】今劍池山房。（故朝天宮。）道家曰正一教。宗張道陵寇謙之呂用之林靈素陶仲文妄誕之尤者也。洞神宮道家（全眞堂崇霄道院同。今此二院已燬。）曰全眞。其始創於金咸陽王嚞。嚞傳邱長春。長春傳十八弟子。以淵靜爲學。無禳禬巫祝之習。督教嚴。揮斥正省身克己禪宗之臨濟也。元遺山辛敬之亟稱之。

道觀之可觀者。僅數處而已。

【白下瑣言】名山諸勝。僧占居多。惟雨花臺呂祖閣。朝天宮飛霞閣二處。高踞峯巔。萬家烟火。一覽而盡。最爲勝境。羽士主之。虎踞關之隱仙庵。丹桂蔭庭。乾河沿之不二庵。白蓮盈沼。以及靈應觀小桃源諸處。皆可遊覽者也。

回教

佛教之外。最盛者推回教。明洪武二十一年建淨覺寺於三山街。以居西域歸附之人。爲南京有回教之始。正統元年徙甘涼寄居回教於江南。凡五百戶。五

百年來守其本教不肯少變。〔元寧鄉土志〕

【元寧鄉土志】江寧回教有改團買索哈迷諸姓散居於石城三山二門之間七家灣浮橋二處尤多。（七家灣者指七家回教宰牛者所居以所出牛皮製皮箱皮韝干皮市街賣後訛為評事街。）所建清眞寺（俗謂禮拜寺。）亦分地段皆以阿渾（俗稱為老師父）主之教門人於四民最善賈凡售玉器氈皮諸貨下至糕餅茗荈率為其人性最剛勁喜拳勇結交羣少年動以豪俠自矜謂之教門中人蓋齊民中十之一二云。

【新京備乘】婚姻之禮喪葬之制皆依教規行每日向西禮拜勿啖豕戒飲酒牛肉為回民重要食品操刀之役猶假老師父南京老師父之數約一百餘。

天方書之譯述始於明初馬沙亦黑等。

【明太祖翰林編修馬沙亦黑馬哈麻敕文】洪武初大將入胡都得圖籍文皆可考惟祕藏之書數十百册乃乾方先聖之書我中國無解其文者聞爾道學本宗深通其理命譯之今數月所譯之理知上下察幽微其測天之道甚是精詳於戲乾方之書秘書非爾安能名於中國爾非書安能名不朽之智人特命爾某為翰林編修汝其敬哉。

清康熙時上元劉智居清涼山十年。迻譯尤多。皆南京之產物也。

【楊斐菉天文典禮擇要解序】數百年來。獨未有人焉爲之細譯而詳解之。故致此耳。劉子介廉。天才俊朗。逸思雕華。幼習天方之經。長攻儒者之學。既而旁搜博採二氏歐羅巴之文。靡不悉心殫究。鍵戶清涼山中十經寒暑。繙閱既多。著作益富。見中華天方之人兩相遇而不能相通。因慨然曰。譯其文而解其義。俾中外翕然同風。是殆余之責也。夫遂舉我朝典禮。譯爲天方文字。使遠至者知彬雅明備。如此其矞矞皇皇。既爲樂之。又取天方之禮。譯爲漢文。委曲繁重。盈尺而不能竟其緒。恐讀者難之。復於禮中擇其倫常食用吉凶之最切要者。詳爲解釋。

【金鼎劉介廉先生墓碑】先生諱智。字介廉。晚自號一齋。上元劉氏。世習天方之學。父漢英先生。有文行。嘗喟然嘆曰。天方經典。析理甚精。惜未有漢譯。俾廣其傳於東土也。時先生方總角受書。竊聞緒論。已默識之。年十五。篤志劬學。於經史百家之籍。靡不硏究。凡八年。乃進而讀天方經典。又六年。將從事繙譯。忽復不敢自信。則又進而讀釋藏經三年。道經一年。又進而讀西洋書百三十七種。由是怡然渙解。乃操筆著述。且譯且誦。朝作夕思。屏棄人事。舉凡當世聲色利祿之途。視之若浮雲之過太空。而飄風之入吾耳也。久之。又以爲未足。復裹糧負笈。歷齊魯燕趙。走京師。與朝士賢大夫游。

相與討論學術。折而至湘楚。入秦隴。訪求遺經宿學。南下武林。上會稽。尋岣嶁碑。再登天童及大嵩珠山。觀滄海。而學識益大進。雍正庚子應兗州太守馬公之招。謁孔林。心愾然有所感。遂辭而歸。蓋至是而涉獵之富。登覽之遠。足以尊所聞而副所志矣。方其求天方經典原本也。得至聖實錄全帙於河南朱仙鎮寨底。得吳氏藏經數十册於京師某氏。皆西文旁行。自元代入中國。藏於秘府。至明季流寇之亂。始流傳人間。其書多言天算輿地之學。爲世所罕觀。既又得人鏡格致全經諸書於秦中。於是本教中故籍雅記。集略沓備矣。先生自少至老。所著書數百卷。其先刊行者。曰天方典禮二十卷。天方性理五卷。既又著五功釋義一卷。字母解義一卷。晚年始著至聖實錄年譜一書。轉博採天方羣籍。臚列至聖生平事蹟。頗仿紫陽綱目之例。年經事緯。凡涉於政教刑法禮樂陰陽五行風俗疆域人物。輯錄無遺。蓋數十年心力之所萃。垂老而成之者也。先生晚歸金陵。居清涼山掃葉樓十餘年。閉戶覃思。一時名公賢士。無不知金陵劉居士者。乾隆中天子開四庫。採訪天下古今遺書。而天方典禮。遂得收入存目中。提要稱其習儒書。援經義。文頗雅贍。嗚呼信矣。先生墓在聚寶門外。粵匪之亂。全家殲焉。譜牒無徵。其世自漢英先生以上。殆不可考。先生生平歲月。亦不能詳。以年輩計之。自康熙中葉。迄乾隆初年。享壽蓋五六十歲。有遠孫德坤。今爲金陵淨覺寺掌教。能善承先志。

繼介廉之學於不朽云。光緒丙午鄉人士集資葺先生墓。凡砼壙若干丈。華表二。石坊一。碑一。而屬鼎爲文以志之。乃卽其犖犖可記者著於碑。俾知吾教中大賢邱壟之所在。又欲使後之人有所考鏡觀感焉。

耶教

耶教傳金陵。自明萬歷間利瑪竇王豐肅始。名公巨卿。如徐光啓等。皆與瑪竇交善。其教大盛。金陵亦于是時立教堂。

【艾儒略大西利先生行蹟】泰西利先生瑪竇者。大西歐羅巴意大利亞國人也（略）比抵南都。未逢知己。心殊悵然。一夜夢入一宮殿。莊嚴宏敞。有金扁額顏其上。醒而自思曰。是殆天主所默示者乎。今日雖鬱鬱於此。聖教終有興起之日也。乃舍南都而轉江右焉（略）越二十六年戊戌。王大宗伯忠銘者。素聞利子名。將入京。欲攜偕往。過韶州。遂攜郭子仰鳳。共到豫章。偕利子之京都。而韶州聖堂。則後來會士麥利修石鎮予龍精華居之。利子向在端州時。畫有坤輿一幅。爲心堂趙公（名可懷）所得。公喜而勒之石。且加弁語焉。然而尚未知利子。時方開府姑蘇。而王宗伯偕利子止居南都．趙公餽禮物．並其前所得輿圖以獻．王公奇之示利子．方知利子作也．因作書以復趙公曰．圖畫坤輿之人．今在是矣．趙公喜出望外．即具車從邀利子．相得相懽．利子出天主聖像．俾趙公瞻仰．趙公曰．是不可褻觀也．遂於常所拜天之處．設高臺香燭．稽首敬禮焉．乃顧謂利子曰．是像非常眞天地萬物主之像矣．嗣後遍請當道諸公．同爲瞻仰．且留利子談論．旬餘不倦．而王公已先行矣．趙公命衙官護送之京師．適關白倡亂．朝鮮多事．未有朝見之機．利子復同郭子南回．時冬日河凍．暫留郭子於山東．獨回蘇州．與故人瞿太素之南都．時王大宗伯正官南都．大司寇趙公．大司徒張公．少司寇王公．少宗伯葉公．羣慕利子名．皆投刺過謁．迭爲賓主．理學名儒李公心齋．禮部都諫祝公石林．尤深相契合．雅有留駐意．而郭子自山東回．相與共謀築室矣．戶部劉公斗墟者．見利子問曰．聞子欲卜宅居此．信乎．利子曰．然．公曰．昔於洪武岡嘗構數椽．（據外人記載利子宅在正陽門內崇禮街西營三鋪）不意爲魔所據．吾子若不懼魔．甘心售之．毋論値也．利子曰．吾自少奉天地眞主．受庇良多．況天主聖殿．爲魔所極畏者．不必懼也．因偕劉公往觀．殊愜意．損貲買之．是日於廳間立臺．奉天主聖像於其中．以聖水洒淨一室．夜同郭子及鍾念江等居之．魔絕無影響．至次日．相知諸公過訪問安．見其帖然無恙．俱詫爲奇．劉公論及此事．曰．吾昔構此居．於堪輿兇應趨避之術．備極詳細。顧何以人不能居而魔居焉。乃知邪不勝正。堪輿擇日之俱誕也。抑此室將爲至人所居。故魔守之耶。太史王公順庵者。博學多聞士也。尚未知利子來東意。素有志於度數曆法之學。欲往從利子。先遣張養默就利子受業。張子好學稱才士。既久習利子。始知其東來實欲奉揚天主聖教。故不屑以曆數諸學見長也。厥後張子於渾儀度數諸學。既有通曉。喟然歎曰。彼釋氏之言天地也。但聞一須彌山。而日月繞其前後。日在前爲晝。在背爲夜。其言日月之蝕也。則云羅漢以右手掩日而日蝕。左手掩月而月蝕。言地在須彌山四面。分四大部。而中國居其南。天地之可形像測者。尚創爲不經之談。況不可測度者。其空幻虛謬可知也。今利子之言天地也。明者測驗可據。毫髮不爽。即其粗。可知其細。聖教之與釋氏。孰正孰邪。必有辨之者矣。大司徒吳公左海。亦交利子。見坤輿圖而悅之。溫陵卓吾李公在南都。過訪利子。談論間。因識天學爲眞。賦詩爲贈。汝南李公素以道學稱崇奉釋氏。多有從之者。一日與諸公論道。多揚釋氏。抑孔孟。時劉公斗墟在座。矍然曰。吾子素學孔孟也。今以佞佛故。駕孔孟之上。何也。不如大西利子奉天主眞教。航海東來。其言多與孔孟合。明辨釋氏之不正。李公始知有利子。乃往邀焉。時有僧三槐者已先在座。而利子偕瞿太素至。三槐悍然居上。利子以謙承之。三槐乃問利子曰。吾聞子知天文之學。有諸。利子曰。頗識其略。三槐曰。子之考日月也。或上天看日月乎。抑日月下而與之目接乎。利子曰。我非上天。亦非日月下也。我存日月之像於心。照此像可知日月矣。三槐欣然曰。若此。則子能造日月於心矣。何人不可以造天地乎。利子答曰。是不然。有日月矣。而我見之。因所見而生是像於心。非無日月。而我能自造日月也。譬之鏡。然懸之空中。物咸照焉。即天地日月亦入照矣。然必先有物。而後照有像。非無其物。而鏡能自造其物也。衆人稱善。三槐理屈。不能對。時諸公復辯論心性善惡不一。利子默然不答。或謂利子未析其義也。利子集合衆論。具言人性爲至善之主所賦。寧復有不善乎。且貶萬物一體之說。人咸深賞其言。萬曆二十八年庚子。遂與同會龐順陽以禮科文引躬詣闕廷。貢獻方物（略）大宗伯徐公玄扈博學多才。欲參透生死大事。惜儒者未道其詳。諸凡玄學禪學。無不拜求名師。然於生死大事。究無着落。心終不安。萬曆二十八年庚子到南都。見利子而略道其旨。回家得一奇夢。如見圓堂中間設有三臺。一有像。二無像。天主預爲默啓三位一體降生妙義焉。尚未解其意。三十一年癸卯。又至南都。入天主堂。訪論天學之道。至暮不忍去。乃求實義諸書。於邸中讀之達旦不寐。立志受教焉。羅子（名如望）與講經旨。覺十誡無難守。獨不娶妾一款爲難耳。先生止有一子。尚未有孫。欲納側室以廣嗣也。羅子不允曰。有子無子。一憑主命。烏可以此犯誡。先生躊躇良久。毅然堅決。不可犯誡。惟聽主命。

遂欣然受洗。

【明史外國傳】意大利亞居大西洋中。自古不通中國。萬曆時其國人利馬竇至京師。自瑪竇入中國後。其徒來益衆。有王豐肅者居南京。專以天主教惑衆。士大夫暨里巷小民。間爲所誘。禮部郞中徐如珂惡之。其徒又自誇風土人物。遠勝中華。如珂乃召兩人授以筆劄。令各書所記憶。悉舛謬不相合。乃倡議驅斥。四十四年與侍郞沈㴶給事中晏文輝等合疏斥其邪說惑衆。且疑其佛郞機假託。乞急行驅逐。禮科給事中余懋孳亦言。自利瑪竇東來。而中國復有天主之教。乃留都王豐肅陽瑪諾等煽惑羣衆。不下萬人。朔望朝拜。動以千計。夫通番左道。並有禁。今公然夜聚曉散。一如白蓮無爲諸教。且往來壕鏡。與澳中諸番通謀。而所司不爲遣斥。國家禁令安在。帝納其言。至十二月。令豐肅及迪我等俱遣赴廣東。聽還本國。命下久之。遷延不行。所司亦不爲督發。四十六年四月。迪我等奏。臣與先臣利瑪竇等十餘人。涉海九萬里。觀光上國。叨食大官十有七年。近南北參劾。議行屏斥。竊念臣等焚修學道。尊奉天主。豈有邪謀。敢蹈惡業。惟聖明垂憐。候風便還國。若寄居海嶼。愈滋猜疑。乞并南都諸處陪臣。一體寬假。不報。乃怏怏而去。豐肅尋變姓名。復入南京。行教如故。朝士莫能察也。其國人東來者。大都聰明特達之士。意專行教。不求利祿。其所著書。多華人所未道。故一時好異者咸尙之。陽瑪諾。波而都瓦爾國人。

【客座贅語】利瑪竇。西洋歐邏巴國人也。面皙虬鬚。深目而睛黃如貓。通中國語。來南京。居正陽門西營中。自言其國以崇奉天主爲道。天主者。制匠天地萬物者也。所畫天主。乃一小兒。一婦人抱之。曰天母(中略)利瑪竇後入京。進所製鐘及摩尼寶石於朝。上命官給館舍而祿之。其人所著有天主實義及十論。多新警。而獨於天文算法爲尤精。鄭夾漈藝文略載有婆羅門算法者。疑是此術。士大夫頗有傳而習之者。後其徒羅儒望者來南都。其人慧黠不如利瑪竇。而所挾器畫之類亦相埒。

自康熙後。天主教漸衰。道光以來。耶穌教盛行。今南京耶穌教徒有二千三百餘人。教會八。會堂二十三所。

教會	教堂	所在地
中華聖公會	聖保羅堂	太平路門帘橋
同上	道勝堂	下關挹江門外

同上	道勝外堂	浦鎮金湯門大街
來復會		城北大石橋
遼東宣教會	聖潔堂	大香爐
美以美會	城中會堂	估衣廊
同上	福音堂	水西門講堂街
同上	福音堂	上新河
貴格會	靈恩堂	螺絲轉灣
同上	靈恩堂分堂	下關寶塔橋
同上	靈恩堂分堂	蔣王廟
同上	靈恩堂分堂	三道高井

中華基督教會	沛恩堂	戶部街
同上	長老宗福音堂	紅紙廊
同上	自立會	門東半邊營
同上	城南會堂	門西雙塘
同上	益友社	府東街
同上	漢中會堂	漢西門四根桿子
同上	城南會堂	顏料坊
神召會	福音堂	三道高井欣欣園
基督會	基督教堂	興中門外大街
同上	基督教堂	南門花市大街

同上	基督教堂	鼓樓南街

從事辦學校.

校名	地址
金陵大學	鼓樓
金陵大學附屬中學	乾河沿
金陵女子文理學院	陶谷
附屬實驗中學	陶谷
金陵神學院	漢西門黃泥巷
金陵女子神學	五台山
聖公會中央神學	武廟藍家莊

赫德聖道女校	估衣廊韓家巷
進德聖道女學院	漢西門四根桿子
婦女半日學校	花市街基督會
中華女子中學校暨附屬小學	鼓樓保泰街
青年會中學校	府東街
匯文女子中學校	乾河沿
育羣初級中學及附屬小學	
聖保羅小學校	太平路門帘橋聖公會
道勝小學校	海陵門外聖公會
崇文小學	興中門外大街

益智小學校	戶部街中華基督教會
匯文小學	講堂街美以美會
智德小學	紅紙廊南長老會
半邊營小學校	門東長老會
益智第二小學校	門西雙塘長老會
明德小學校	漢西門四根桿子長老會
匯文女小學校	富民坊美以美會
畬清女小學校	
鼓樓小學	鼓樓基督會
信德女子工藝學校	三道高井欣欣園神召會

半日女小學校	顏料坊長老會

建醫院。

鼓樓醫院。美以美北長老基督三會合辦。

創諸會社。爲其職志焉。

男青年會	府東街
女青年會	碑亭巷
基督教會社	花市大街基督會
南京基督教家庭研究會	
基督教女子服務社	花市大街
靈光報社	慈悲社

唯愛社南京分社	社址未定
南京基督教協進會	估衣廊韓家巷

附南京市宗教人數統計表

教別	男徒數	女徒數	合計
佛教	一、三八九	一七、五一三	三〇、九〇二
道教	二一六	八九	三〇五
回教	一八、〇八八	一二、七二五	三〇、八一三
耶穌	一、二七七	一、一一〇	二、三八七
天主	一八三	九三	二七六
其他	五九	二五	八四
合計	三三、二一二	三一、五五五	六四、七六八

南京佛寺表

吳	建初寺 赤烏十年建 在古宮城南七里 康僧會		
晉	建初寺 竺法達 竺法曠 支曇籥 帛尸黎密 道儒 瓊法師	長干寺 晉初建 在古秣陵縣東 大長干里 竺慧達 釋尙	高座寺 尸黎密寺 甘露寺 成康中造在石子岡東 帛尸黎密
宋	建初寺 僧伽跋摩	長干寺 曇頴 佉吒	高座寺
齊	建初寺 明徹 僧佑	長干寺 法獻	高座寺 慧遠
梁	建初寺	長干寺	高座寺 寶誌 雲光
陳	建初寺	長干寺	高座寺
隋	建初寺 智矩	長干寺	高座寺
唐	建初寺	長干寺	高座寺 中孚
五代	建初寺	長干寺	高座寺
宋	前法性寺 後法性寺 石佛院	天禧寺	高座寺 慧新
元	前法性寺 後法性寺 石佛院	慈恩旌忠寺	高座寺
明		大報恩寺 雪梅 溥洽 永隆 南洲	高座寺 永寧寺 西域僧 古谿
清		大報恩寺 昌法 覺明 通匯	高座寺 登標 溥純
民國		大報恩寺	

竺道生											
白馬寺 支道林	白馬寺 釋法平 僧饒 曇籥	白馬寺 釋法安 釋曇平	白馬寺 智靖								
延興寺 康帝褚皇后建在運瀆西岸	延興寺	延興寺	延興寺	延興寺	廢						
建福寺 康帝時何充建	建福寺	建福寺	建福寺	建福寺	廢						
莊嚴寺 塔寺 永和四年謝尚捨宅造在竹格港	謝鎮西寺 曇無讖	謝鎮西寺 慧次 僧寶 僧智	謝鎮西寺 智宗	興嚴寺	興嚴寺	興嚴寺	興嚴寺	興嚴寺	興嚴寺	興嚴寺	
棲禪寺 蔡謨立	棲禪寺	棲禪寺	棲禪寺								
何皇后寺 穆帝時何皇后立在西州橋側											
建興寺											

在運瀆南高驛橋西渚	彭城寺 升平五年彭城王純之造在秣陵縣東南	東安寺 支遁 慧持	祇洹寺 今新橋西	瓦官寺 興寧二年造在三井岡 智顗 竺法汰 僧數 僧道一
	彭城寺 釋道淵 僧弼 僧覆	東安寺 慧嚴 道淵 道猛 那跋摩 法恭	祇洹寺 那跋摩 曇摩密多 僧苞	瓦官寺 僧導 求那跋摩 寶懿
	彭城寺 釋道遠 釋道盛 寶興 慧開	東安寺 曇智	日塔寺 釋超辯 釋惠基	瓦官寺
		東安寺	白塔寺	瓦官寺
			日塔寺	瓦官寺 僧洪 道祖 遂宗
			白塔寺	瓦官寺
			長慶寺	瓦官寺
			奉先寺	吳興寺 昇元寺
			保寧寺	崇勝戒壇院
			保寧寺	崇勝戒壇院
			廢	上瓦官寺 下瓦官寺
				上瓦官寺 下瓦官寺
				上瓦官寺

一二一九

波提寺 咸安二年	臨秦寺 王坦之立	安樂寺 王坦之造秦淮水北慧受	新亭寺 太元五年立新亭岡竺法義	中寺 太元五年造在鎮淮橋左	冶城寺 太元十五年造在治城山竺僧法	太后寺
波提寺		安樂寺 道慧	中興寺 法穎 求那跋摩 僧導	中寺 曇光	冶城寺 僧瑾 釋通	
波提寺		安樂寺 惠令 法仙 法最 慧始	中興寺 僧印 僧鍾	中寺 法安	冶城寺	
波提寺			中興寺 寶亮	中寺 僧慈 僧懷	冶城寺 智順 智秀	
波提寺					冶城寺	
廢						

寺近冶城												
法王寺隆安三年建鳩摩羅什									天禧寺下院僧演	併入大報恩寺		
白塔寺在烏衣巷												
枳園寺王邵所建在明故宮東南智嚴	枳園寺智嚴	枳園寺法匱法楷										
越城寺在越城												
開福寺在冶城東南	景福尼寺徙天竺山前	景福尼寺	景福尼寺	景福尼寺	景福尼寺	景福尼寺	永福寺	永福寺	永福寺	永[illegible]寺		
歸善寺在雞籠山東												
鬬場寺在鬬場里佛馱	鬬場寺法顯慧遠	安明寺釋法瑗釋法暢										

一二二一

跋陀羅 慧觀	崇明寺 義熙中造在破塢村 僧慧	延賢寺 義熙中立在鍾山側 法意	青園寺 晉恭思皇后褚氏所造在覆舟山下	禪衆寺 在寮戰巷後	護身寺 在御街東	耆闍寺 東晉時立在雞籠山西
釋慧詢 釋法莊	崇明寺	延賢寺 杯度和尚 智斂 法岡	龍光寺 竺道生			耆闍寺
		延賢寺	龍光寺			耆闍寺 道登
		延賢寺	龍光寺			耆闍寺
			龍光寺			耆闍寺 廩安
			龍光寺			廢
			月燈禪院			
			月燈禪院			
						普緣寺
						普緣寺

招提寺在石頭城北	簡靖寺	天寶寺在玄武湖南	長壽寺在湖灘後				
招提寺		天寶寺	長壽寺	祈澤寺景平元年建在祈澤山	平陸寺景平元年許桑捨宅建伽䟦摩	高臺寺景平元年置高臺寺後改南鄉山	闕寶寺景平元年立佛䭾什
招提寺		天寶寺	長壽寺	祈澤寺		高臺寺	闕寶寺
招提寺僧慧琰集		天寶寺	長壽寺	祈澤寺		高臺寺	闕寶寺寶誌
		天寶寺	長壽寺	祈澤寺		高臺寺	
		天寶寺	長壽寺	祈澤寺		高臺寺	
		天保寺	長壽寺釋元素	祈澤寺會昌中廢		高臺寺	
		天保寺		祈澤寺		高臺寺	
		均慶院移細雨花臺		祈澤治平寺		高臺寺	
		均慶院		祈澤治平寺		高臺寺	
		均慶院		祈澤治平寺		高臺寺	
				祈澤寺			

道林寺	竹林寺	迦毗羅寺	定林寺
道林寺 元嘉初建在鍾山南畺良耶舍	竹林寺 元嘉元年造在毗舍闍林園華側慧益	迦毗羅寺 當今北門橋一帶	定林寺 元嘉元年造在鍾山下十三年曇摩蜜多別建上定林寺於山西人呼爲下院求那跋摩曇無讖
道林寺		迦毗羅寺	廢
道林寺		迦毗羅寺	
		迦毗羅寺	
		迦毗羅寺	
		迦毗羅寺	
		眞際寺	
		寶戒寺	

嚴林寺 元嘉二年立在秣陵縣東南四十五里 僧僧招賢	宋興寺 一名興教建在長干里南	報恩寺 元嘉二年建在南門外	青園尼寺 元嘉二年王景琛建在覆舟山下 尼業首	南園寺 穎法師	龍華寺 釋曇超
		報恩寺	青園尼寺 尼淨秀	南園寺	龍華寺
		報恩寺			
		報恩寺			
		報恩寺			
		報恩寺 會昌中廢 玄寂			
		奉先寺 報慈院			
		能仁寺			
		能仁寺			
		能仁寺 改建天竺山東 無隱			

僧念	南林寺 梁王妃捨宅造在中興里	永豐寺 元嘉四年謝方明造去縣七十里	崇福寺 元嘉十年賜名在南門外	宋熙寺 元嘉十年建在鍾山之陽	伽羅多	哆	曇瑞	善居寺 元嘉中置在鍾山之右
	南林寺	永豐寺	崇福寺	宋熙寺				
	南林寺	永豐寺	崇福寺	宋熙寺 法願 慧念				
	南林寺	永豐寺	崇福寺					
	廢	永豐寺	崇福寺					
		永豐寺	崇福寺					
		永豐寺	崇福寺					
		永豐寺	崇福寺					
		永豐寺	崇福寺					下雲居院

竹園寺 元嘉十一年造在秣陵里檀橋尼慧濬	鐵索羅寺 元嘉十一年名在城門外尼鐵索羅	上定林寺 元嘉十二年建在鍾山曇摩蜜多法願僧遠慧彌法獻僧鏡	靈鷲寺 杯庵道人	王國寺	延壽寺 元嘉二十二年置
	翠靈寺 妙果寺	上定林寺 僧柔法通僧佑	靈鷲寺 僧審慧高		延壽寺
	妙果寺	上定林寺 傅大士 弘			延壽寺
	妙果寺	上定林寺			延壽寺
	妙果寺	上定林寺			廢
	妙果寺	上定林寺			延熙寺
	妙果寺	上定林寺			
	瑞相院	定林寺 乾道中移方山			
	瑞相院	定林寺			
	瑞相院	定林寺			

烏衣寺　在烏衣巷　慧叡　慧義
齊福寺　元嘉三十年造
天竺寺　元嘉中建在今銅井鎮　求那跋陀羅
禪岡寺　孝建二年蕭惠開造在南岡下
司徒寺　何尚之造
法輪寺　何尚之造在覆舟山下　釋志道
南澗寺　在南澗

烏衣寺　曇遷　曇憑
天竺寺　僧賢
禪岡寺
司徒寺
法輪寺
南澗寺　顯亮

司徒寺

司徒寺

上道岡 大莊嚴寺 大明三年路太后造在宣陽門外 曇斌 道慧 僧璩	幽棲寺 大明三年建在幽棲山	何園寺 慧亮	靈曜寺 在蔣山西 道圓	多寶寺 法穎	北多寶寺 慧亮 慧整	長樂寺 在臺城南 慧詢
大莊嚴寺	幽棲寺	何園寺 慧隆	靈曜寺 僧審 道慧 志道	多寶寺 宏光	北多寶寺 慧忍	長樂寺 法珍 僧響 僧猛 法寶
大莊嚴寺	幽棲寺		靈曜寺 智秀 僧盛	多寶寺		長樂寺
大莊嚴寺	幽棲寺		靈曜寺			長樂寺
大莊嚴寺	幽棲寺		靈曜寺			廢
大莊嚴寺 惠忠	祖堂寺 光啓中廢 懶融		靈曜寺			
	延壽院		靈曜寺			
	幽棲寺		靈曜寺			
	幽棲寺					
	幽棲寺					
	幽棲寺					
	幽棲寺					

覺世	藥王寺 大明七年建	棲元寺 建平王宏捨宅爲寺在雞籠山東北 慧曜	新安寺 大明中建在雞鳴橋北 道欽 法瑤	外國寺 摩訶	禪林寺 大明中黃修儀及南昌公主造立精舍泰始三年賜號禪林在縣東三里
慧淵		建元寺 僧審	新安寺 僧遠 法瑤 曇度 僧辯	外國寺	禪林寺
			新安寺		禪林寺
			新安寺		禪林寺
					廢
					惠日寺

湘宮寺 泰始中明帝捨故宅建在青溪中橋北	興業寺 近青溪獄首橋	永安寺 泰始二年建	天保寺 泰始中建	正勝寺 泰始六年建 法願	興皇寺 泰始中建在建陽門外 道猛 道堅 慧鸞 慧數
湘宮林 宏充 法鮮 曇準	興業寺	永安寺	天保寺 僧盛 法瑗 慧文 超勝		興皇寺
湘宮寺 慧興 智倩 法願	興業寺	永安寺			興皇寺 智藏
湘宮寺		永安寺			興皇寺 惠朗法師
湘宮寺		永安寺			
湘宮寺		永安寺			
湘宮寺		歸寂塔院			
湘宮寺 徙清化市北		歸寂塔院			
		歸寂塔院			

僧訓道明 靈根寺泰始中僧瑾造在鍾山側 靈基寺僧瑾造 延祚寺在冶城後岡上 閑心寺張永造在婁湖苑道營 正覺寺昇明二年建在新亭 龍淵寺昇明中僧遠築在小丹
靈根寺法瑗 法常 智興 靈基寺法瑗 智林 敬遺 光讚 慧韶 延祚寺 閑心寺慧佑 正覺寺法悅 龍淵寺
靈根寺遷慧 令受 靈基寺 延祚寺
延祚寺
延祚寺
天保寺羅睺和尚
天保寺
正覺寺 正覺寺移在正西隅
正覺寺 正覺寺
廢
塔 廢

陽牛落山	靈味寺 在鍾山側 曇宗 曇光	天王寺 在梅岡	曠野寺 在新亭	隱靜寺 在滄波門外				
	靈味寺	天王寺	廢	隱靜寺	建元寺 建元元年造在青溪上	毗耶離寺 求那毗地	正觀寺 求那毗地造在秦淮水側	齊衆造寺 僧遠
	靈味寺 寶亮	廢	曠野寺 僧寶	隱靜寺	建元寺 僧護 僧韶		正觀寺 伽婆羅	
			曠野寺	隱靜寺				
			曠野寺	隱靜寺				
			禪居院	隱靜寺				
		奉光院 寶光塔院	崇果院	隱靜寺				
		寶光塔院	崇因寺	隱靜寺				
		普光寺	崇因寺	隱靜寺				
		寶光寺	崇因寺	隱靜寺				
				廢				

崇聖寺尼慧首
孔子寺在長樂橋當今馬道街左近
大仁寺在長樂橋東孔子巷
與福寺道儒慧芬
洞玄寺永明元年置法可
山茨寺周彥倫立在鍾山側法紹慧照僧拔
太昌寺僧宗造
隱靈寺

宗教

齊安寺 齊武帝捨舊宅建在秦淮南	普宏寺 智稱僧溫	禪靈寺 永明七年在秦淮運瀆之交	集善寺 世祖造在鍾山西	法雲寺 在竟陵王子良邸在雞籠山旁	石室寺 在鍾山後岡僧侯
齊安寺		禪靈寺	集善寺	法雲寺	
齊安寺			集善寺	法雲寺	
齊安寺			集善寺		
齊安寺			義章院 法雲寺		
齊安寺			法雲寺		
妙淨寺			廢		
妙淨寺					
廢					

一二三五

棲霞寺 永明七年明僧紹捨宅爲寺在攝山明法師法度	草堂寺 周顒隱居之所在鍾山鄉 慧約	齊隆寺 竟陵王子良立在廣明門側 法境	齊熙寺	齊古寺 在石城東北六十里	勝善寺 建武二年立
棲霞寺	草堂寺	宣武寺	齊熙寺 道琳	齊古寺	上雲居寺
棲霞寺 智顗 法響 慧峰	草堂寺			齊古寺	上雲居寺
棲霞寺 慧侶 保恭 慧覺 元崇 智聰 慧曠	草堂寺			齊古寺	上雲居寺
功德寺 大德玭 律師	草堂寺 會昌中廢			齊古寺	上雲居寺
妙因寺				齊古寺	上雲居寺
普因寺 棲霞禪寺嚴因崇報寺虎穴寺	隆報寶乘禪寺			樂林院	
虎穴寺	隆報寶乘禪寺				
棲霞寺 古心	草堂寺 移仁慈鄉唐家渡				
棲霞寺	草堂寺				白雲寺
棲霞寺					

在鍾山右	法音寺	慧廓	慧眼寺 江蒨之造在同夏里	
智度寺 天監元年立在青溪邊	新林法王寺 天監二年造在新林	永建寺 天監二年造在雁門山	无垢寺 天監二年改造在鳳凰山南	
		永建寺	无垢寺	
		永建寺	无垢寺	
			无垢寺	
		隱靜院	无垢寺	
		隱靜院	无垢寺	
			无垢寺	
			无垢寺	

佛窟寺天監二年徐度造在牛首山	佛窟寺	佛窟寺	佛窟寺法融智嚴慧方法智智威慧忠文素僧徵文曉	佛窟寺	崇教寺	崇教寺	佛窟寺弘覺寺永傑	弘覺寺	弘覺寺
仙窟寺在天闕山									
虎窟寺在牛首山									
常樂寺在牛頭山前	常樂寺	常樂寺	資善院	福昌院					
敬業寺天監四年盧法震造									
淨居寺天監四年劉威造在南郊外	淨居寺	淨居寺	天福寺會昌中廢	淨住院	靜居寺	靜居寺	靜居寺		
小莊嚴寺天監六年立									

在定陰里度法師	光宅寺 天監六年武帝捨宅為寺在同夏里僧正法悅曇瑗	蕭帝寺 武帝立在同夏里雲法師	明慶寺 天監六年于曇朗造在蔣山僧曇尚禪師	涅槃寺 天監七年在建康縣北二十里僧寵
		蕭帝寺		
		蕭帝寺		
		法光寺		
		法光寺		
	光宅寺 治平中重建於新寧鄉	鹿苑寺		
	光宅寺	鹿苑寺		
	光宅寺	迴光寺		

翠微寺在涅槃寺後	皇宅寺天監八年造在蔣陵	本業寺天監九年造在蔣山里	吉山寺天監間創在秦北鄉	解脫寺天監十年造在太清里	資福院　淨名院在東山寶誌	幕府寺在幕府山達摩	同行寺
		本業寺	吉山寺	解脫寺	淨名院	幕府寺	同行寺
		本業寺	吉山寺	解脫寺	淨名院	幕府寺	同行寺
		本業寺	吉山寺	解脫寺	淨名院	幕府寺	同行寺
		本業寺	吉山寺	寂樂院	淨名院	幕府寺	秀峯院
		本業寺	吉山寺	寂樂院	淨名寺	幕府寺	寶林寺
		本業寺	吉山寺	百福院	淨名寺	幕府寺	
		本業寺	廢		翼善寺	幕府寺	
					翼善寺	幕府寺	

天監中造在幕府山	法清寺 天監中建在湖孰	永慶寺	白塔寺 天監中造在冶城北		勒善寺 天監十三年造在冶城山	開善寺 天監十三年造在玩珠峯前	寶誌 智藏 僧副 警詒 智遠
	法清寺					開善寺	
	法清寺					開善寺	
會昌中廢	法清寺					寶公院 開善道場	
	法清寺					開善道場	
紹興中移鳳凰山西	昭文精舍					太平興國寺	慧勲 懷深 普宗 曇華 賢元 善直 法泉 良策
	昭文書院					太平興國寺	清遠 妙高
	法清院	永慶寺 洪武中重建				蔣山寺 靈谷寺 洪武十四年改鍾山東麓	智順 東溟 梵琦 樸隱 清濬 道謙
	法清院	永慶寺				靈谷寺	
						靈谷寺	

慶雲寺在攝山僧慧興	慶雲寺						
杜桂寺天監中造在杜桂村	杜桂寺	杜桂寺	杜桂寺	杜桂寺	香林寺移赤山西	香林寺	香林寺
觀音寺天監中置在貴干村	觀音寺	觀音寺	觀音寺	觀音寺	廢		
資聖寺武帝置在白都山前	資聖寺	資聖寺	資聖寺	資聖寺	資聖寺	資聖寺白都院	
佛壇寺在上公山					佛龕院慈相院	佛龕院慈相院	
永泰寺武帝時建在吉山南	永泰寺	永泰寺	永泰寺	淨果寺	淨果寺	淨果寺	永泰講寺
天光寺在同夏里							
							居頂淨戒

				建陵寺									
				棲隱寺									
				惠日寺天監十八年造在建康西尉定陰里	惠日寺								
				大愛敬寺普通元年造在鍾竹澗	大愛敬寺	大愛敬寺	愛敬禪院	廣孝禪院	壽寧寺開寶七年移入城				
				神山寺昭明太子造									
				永明寺普通元年造在秣陵縣東南五十里	永明寺	永明寺	廢						
				果願尼寺普通元年造在建康縣東北五十里									
				須陀寺									

				普通元年造在建康縣東北十七里									
				頭陀寺普通二年造在靖安鎮	頭陀寺	頭陀寺	頭陀寺	頭陀寺	天王院				
				猛信尼寺普通三年造在秣陵東南五十里鋪山西北			猛信尼寺上元二年重建						
				福靜寺普通三年造在鍾山後	福靜寺	福靜寺	福靜寺	丁緣塔院					
				靜福寺普通中建	靜福寺	靜福寺	靜福寺	延福禪院					
				梁衆造寺普通五年造在建康縣東北五十里									

宗教

建業寺　慈覺寺昭明太子建　善覺寺普通五年造在太清里　同泰寺大通元年造在宮城北掖門外　北寺同泰寺之前院　清玄寺大通元年建在城北二十五里　圜居尼寺大通元年造在秣陵縣四十五里　禪巖寺

清玄寺大中中重建

淨居寺　圓寂寺　千院院　清眞寺

法寶寺　清眞寺

清眞寺

清眞寺

一二四五

大通元年造在秣陵縣南三十五里	法苑寺　廣化寺　大通五年造在秣陵縣南九十里	大心寺	華嚴寺	方樂寺　在建康城東北六十里	東林寺	蔣山頭陀寺	大同元年造在蔣山北高峯頂陀巖曇智	爲福尼寺
						蔣山頭陀寺		
						蔣山頭陀寺		
						蔣山頭陀寺		
				方樂寺　南唐昇元元年重建		蔣山頭陀寺		
				方樂寺		普濟寺　治平中徙置山下		
				常樂院		普濟寺		
						普濟寺		
						普濟寺		

大同元年造

本願尼寺 大同元年造

平等寺 大同二年造

普光寺 大同二年造在建康縣西北八十里

化成寺 大同二年造在秣陵縣西南七十里

慈恩寺 大同二年造在建康縣西北二十五里

善業尼寺 大同二

年造在秣陵縣西南五十里	寒林寺 大同二年造在秣陵縣東南三十五里	金口寺 大同二年建在秣陵東南八十五里金口里	福興寺 大同二年建在秣陵縣西南百里塘埔東銀湖上	天中寺 太子綱建	一乘寺
		金口寺	福興寺		一乘寺
		金口寺	福興寺		一乘寺
		金口寺	福興寺		一乘寺
		靈鷲院	福興塔院		
		隆教院	殊勝寺		
			福興院		
			福興院		

大同三年造在丹陽縣東南六里 法才

凹凸寺

歸來寺

飛流寺 在鍾山

甘露鼓寺 敬脫法師

梁安寺

宣業寺

福成寺

定果寺

靈光寺

履道寺 大同十一年建在秣陵縣東南二十五里

渴寒寺 大同十

一年建在秣陵縣東南二十五里

山齋寺 謝舉捨宅爲之在烏衣巷

到公寺 到溉捨宅爲之在秦淮河上

最公寺 僧寶

幽巖寺 太清元年建在秣陵縣南四十里

青山幽巖寺 承聖二年造在青山

儀香尼寺 太清元

年造在秣陵縣東南五十里
靈隱寺 太清二年造在秣陵縣東南五十里
宣明寺
天皇寺 隋文帝造

天皇寺
懷安寺 陳初建在臺城側
禁福尼寺
國勝寺 天嘉元年立在横山北
楊都寺 智愷
棲靈寺
大皇寺

天皇寺
國勝寺

天皇寺
國勝寺

國勝寺

國勝寺

國勝寺 徙南門外落澗

禎明元年復建未畢焚	寶田寺在白土岡北	證聖寺在運瀆東南		寶城寺在建康縣東北四十五里	義和寺	四无畏寺		
		證聖寺		寶城寺				
		證聖寺		衡陽寺			多福寺天寶元年造在神泉鄉玉鏡園師	山海院天寶間造在滄波門外丁墅
		證聖寺木平和尙		衡陽寺			多福寺	山海院
		證聖寺	木平寺	衡陽寺			多福寺	山海院
				衡陽寺			多福寺	山海院
				衡陽下院			多福寺	山海院

宗教

延祥寺聖湯院（在韓滉建湯山西）	永泰寺（開成間建在安鄉）	淨相院（天祐中建在銅山鄉）	紫草寺（在道德鄉）	龍泉寺	妙意菴（在烏龍潭側）	
延祥寺	永泰寺	泗州塔院	紫草寺	龍泉寺		興教寺（石城清涼大道場吳順義中造在石頭城文益悟空法）
延祥寺	永泰寺	淨相院 後黎寺	紫草寺	龍泉寺		清涼廣惠禪寺
延祥寺	永泰寺	後黎寺	紫草寺	龍泉寺		
延祥寺	永泰寺	後黎寺	紫草寺	通善寺		清涼寺
					妙意菴	清涼寺（海岳掃葉僧）
						清涼寺

一二五三

燈文遂	崇孝寺楊吳時造在嘉瑞坊					
	景德寺	後陽寺開寶八年賜額在祁門鄉後陽村	天寧寺治平二年建在高橋門外	吉祥寺治平二年賜額在城南二里	清修寺治平中賜額在皈善鄉	牛山邾寧寺元豐七
		後陽寺	天寧寺	吉祥寺	清修寺	牛山寺
		後陽寺	天寧寺	吉祥寺		牛山寺
						牛山寺
						牛山寺

宗教

年建	護烈菴延祐中創在城蒲塘	普濟寺政和中建在黃龍山	光相院在高橋門外	英臺寺在新林市	建昌院在南鄉	慈光院在章林村	安平院在下橋村	西林寺紹定間建在山北鄉
	廣惠院			英臺寺	建昌院	慈光寺	安平院	西林寺
	廣惠院	普濟寺	光相寺	英臺寺遷西善橋	建昌寺	慈光寺在張橋村	安平寺	西林寺

一二五五

封崇寺（在斗門橋北）
秀峯院（在鳳凰山西）
法濟寺（在上元縣治東北）
治平寺（在江寧縣治西南）
大悲寺（在炳靈公廟）

封崇寺
月印庵（大德中建在雨花台麓無可大師）
普照菴（至大間建在南城外無盡）

封崇寺
月印庵
普照菴

宗教

龍翔集慶寺 至順元年建在城中閃駕橋北笑隱墨芳

龍泉寺 至正初建在滄波門外白巖嶂白巍仙祥雲

天界寺 洪武二十一年徙城外南城鳳凰山宗泐碧峯夾復宗罣戒資行孚中覺原白菴廣慧清遠介菴雪軒

龍泉寺

佛國寺 古華藏庵在蔣山西畔

三禪寺 在節鄉

桂陽寺 在滄波

天界寺 報定

佛國寺

一二五七

門神泉鄉

慈仁寺 古戒壇菴在姚坊門外

崇化寺 古高峰院在北城李岡

梵惠寺 原在鍾山白水洼洪武初移姚坊門外

三山寺 在三山麓

佑聖菴 在南城孝義村

安隱寺 古安隱院在雨花臺北

德恩寺 古普光

崇化寺

寺在南城馴象街

興善寺洪武元年造在太平門內

千佛寺洪武初造在聚寶門內

江東門積善寺洪武初造在江東門外典牧所

智安寺洪武初建在新亭鄉

般若寺洪武初建在天王山

五雲菴國初建

在聚寶門內

寶林菴 國初徐達建在聚寶門外三里

雞鳴寺 洪武二十一年建在雞籠山

接待寺 洪武三十一年建在江東門外濟川衛

普濟菴 洪武間建在朝陽門外留守衛

西天寺 國初建在重譯街玭的答禪師

雞鳴寺

雞鳴寺

碧峯寺 洪武中建，在安德街，碧峯非幻

棲隱寺 洪武間建，在泰南鄉

真如寺 洪武間創，在葛仙鄉

觀音閣 永樂間建，在朝陽門外三里

佑國寺 永樂間建，在淮清橋

三塔寺 永樂間建，在神策門外瀋陽左衛

華嚴寺 永樂間釋弗妙建在安德門外

唱經樓 永樂間仁孝皇后建在北門橋

唱經樓

普惠寺 永樂間始建爲唱經樓在三山門外

靜海寺 洪熙年間在盧龍山麓

靜海寺

鳳儀寺 宣德元年立在鳳西鄉

外鷲峯寺 宣德間建在小安德門外

天隆極樂寺 宣德間造在安德鄉	
弘濟寺 正統初建在燕子磯	永濟寺
嘉善寺 正統間僧法通建在鐵石山	嘉善寺
金陵寺 正統中建在定淮門內	金陵寺
靜明寺 正統中建在安德鄉	
普德寺 正統間創在聚寶門外一里半	普德寺 雪墩
寧海寺	

正統中建在聚寶門外三十里	廣興寺 景泰二年建在安德鄉	承恩寺 景泰中建在鹹功坊	普利寺 景泰間建在三山門內	鷲峯寺 天順五年建在鈔庫街南青溪上	永興寺 成化初建在下梅花岡西首	花嚴寺 成化中
		承恩寺 行舉 懶巢				

宗教

一二六五

建在皈善鄉獻花崖

光華寺 成化間創在陡門橋南

外承恩寺 正德間創在大北鄉

惠應寺 正德中建在梅岡

安隱院 正德間造在聚寶門外三里

祝禧寺 正德中造在安德鄉

一葦菴 萬曆初建在城內上浮橋

銅井院 在朝陽門內柳樹灣

十方律院 在朝陽門內

吉祥菴 在柳樹灣

迴龍菴 在柳樹灣

龍華菴 在東城水關

雙橋門圓通菴 在雙橋門外錦衣衛

慈憫菴 在東城曾灣

觀音庵 在太平門內八府橋

普濟菴 在太平門外半里牧馬所

清果寺 在牧馬所紅沙窰 ｜ 清果寺

梵惠院 在城外興武衛赤馬窰

茱亭菴 在城外牧馬所玉臉窰

地藏菴 在城外牧馬所涼馬窰

廣惠寺 在上方門外

東霞寺 在上方門外崇禮鄉

外永福寺在上方門外泉水鄉
天隆寺在高橋門外丹陽鄉
淳化鎮積善菴在高橋門外清風鄉
華嚴菴在城外道德鄉
登臺寺在城外盡節鄉
吳讀庵在高橋門外土橋
許村菴在高橋門外清化鄉
一眞菴

宗教

在儀鳳門外一里半

金川門積善庵 在金川門外三里

伽藍庵 在城內留守右衛

獅子窟 僧瑞麟建在鷹揚倉後

定林庵 僧定林建在斗門橋

淨樂庵 在城內北門橋

虎賁左衛正覺庵 在城內西城虎賁左衛

淨土菴 在城內府軍衛

驍騎衛千佛菴 在城內驍騎右衛左所

留守正定菴 在城內留守衛

大中正定菴 在城中大中橋

亭子菴觀音菴 在城內

傘菴觀音菴 在城內錦衣衛

普賢菴 在城內通賢橋

吉祥菴

在城外白土山

觀音寺　在觀音門外篘橋

中和菴　在石城門外二里

報國菴　在城外典牧所小圩

圓通菴　在聚寶門外安德街

資福寺　在聚寶門外建業鄉

永寧院　在聚寶門外二里

大慧菴　在聚寶

門外馴象街

到彼菴　在聚寶門外通濟街

慈善寺　在聚寶門外安德鄉

興福寺　在聚寶門外安德鄉

德勝寺　在聚寶門外安德鄉

德壽寺　在聚寶門外安德鄉

懋德菴　在聚寶門外左墅村

妙明寺　在聚寶

宗教

一二七三

門外葛仙鄉

明性寺 在聚寶門外山南鄉

衲頭菴 在聚寶門外山南鄉

葛塘寺 在聚寶門外泰南鄉

慧照菴 洪武年建在通濟門內百川橋　慧照菴

石洞菴 明徐魏國公建在上元門　石洞菴

普光菴 永樂間建在鼓樓西北　菩提場

水草菴	萬曆間建在通濟門外	水草菴
藥師菴	崇禎間建在復成橋北	藥師菴
濟生菴	余大成建在烏龍潭南	濟生菴
棲賢菴	在謝公墩	棲賢菴
四松菴	在龍蟠里	四松菴
紫竹林	崇禎間建在書閣山西麓	紫竹林
文昌閣	在府學東南	文昌閣
集賢菴	在府學	集賢菴

西

浴賢菴　在成賢街

浴賢菴

匡即菴　清初建在城北馬鞍山

大隱菴　順治十七年建在神策門內

慈願菴　乾隆十三年建在蘆政大街

華嚴堂　僧海玉建在鼓樓東北

妙相菴　僧默汝建在薛家巷後

皇化寺　在鍾山

西嶺下

白雲寺

蘇來閣在鍾山頂

放生菴

護生菴在龍蟠里

普濟菴僧妙峯建在復成橋北

華嚴菴章如意造在武學後

水塔菴

水鏡菴在東倉

大佛菴在鼓樓西北

大悲菴在五臺山

地藏殿

地藏殿

張姓捐建在清涼山

地樓僧朝宗建在北門橋西

旃檀林在吉兆營西

圓通菴

紫霞菴在鍾山

覺靈菴在姚坊門外

石洞菴在幕府山北

善司菴在清涼山

觀音菴在西華門西

毗盧禪寺光緒中

毗盧禪寺

首都志 卷十四

一二七八

建在舊督署東

南京玄觀表

漢	仙鶴觀在仙鶴門外	永樂觀劉謙光捨宅建在城東北七十里		
吳	仙鶴觀	永樂觀	洞玄觀赤烏二年建在方山麓葛仙公	
晉	仙鶴觀	永樂觀	洞玄觀葛稚川	
宋	仙鶴觀	永樂觀	洞玄觀	玄武觀在玄武湖上
齊	仙鶴觀	永樂觀	洞玄觀	
梁	仙鶴觀	永樂觀	洞玄觀	
陳	仙鶴觀	永樂觀	洞玄觀	
隋	仙鶴觀	永樂觀	洞玄觀	
唐	仙鶴觀	永樂觀	洞玄觀	
五代	仙鶴觀	永樂觀	洞玄觀	
宋	仙鶴觀	崇虛觀	崇眞觀	
元	仙鶴觀		崇眞觀	
明	仙鶴觀		洞玄觀	
清	仙鶴觀		洞玄觀	
民國				

崇元館 建元中修						
崇元館						
崇元觀	玄眞觀 陳宣帝建					
崇元館	玄眞觀					
崇元館	玄眞觀	鴻禧院 寶曆二年建				
崇元館	玄眞觀	鴻禧院	紫極宮 楊吳時建在治城山山宗說方清迪景元範	女冠觀 南唐保大七年建在越王臺下	玉虛觀 南唐保大間建在方山	寶華宮 南唐昇
崇元觀	玄眞觀	華陽觀	天慶觀 祥符宮	修眞觀 太平興國二年移在治城西	玉虛觀	寶華宮 淳熙七
			玄妙觀 永壽宮		玉虛觀	
			朝天宮 楊宗玄 周玄初 張仲修 鄭鍊師 劉眞人 喻眞人 尹蓬頭		玉虛觀	
			朝天宮		玉虛觀	
			朝天宮			

元中建在方山							
年移南門外	報恩光孝觀崇寧二年建在府治西南	清眞觀政和中建在大羅源	洞神宮景定四年建在淮清橋	隆恩祠在靈應山	通靈觀在七家灣	清源廟在雨花臺側	敬思菴在鳳凰門外西
			洞神宮	隆恩祠	通靈觀	清源廟	敬思菴
			洞神宮	靈應觀	通靈觀	清源廟	敬思菴
				靈應觀		清源觀	

京村

楊塘菴在鳳凰門外西林村

上清院至元間建在雨花臺

圍林菴至元元年建在小丹陽

楊塘菴

圍林菴

楊塘菴

盧龍觀洪武初建在盧龍山

碧霞廟洪武初建在神策門外五里

二郎廟國初建在城中

神樂觀國初建在洪武

盧龍觀

眞武行宮

門外

玉宸道院 洪武徐魏國建在城內

旗纛廟 洪武二十五年建在城內中城

三清廟 洪武間建在城內中城

天妃廟 洪武年建在上新河北岸

眞武廟 洪武八年建在定淮門外

三官堂 永樂九年造在定武橋

玄真觀 永樂十八年建在城外中和橋	玄真觀
龍江天妃宮 永樂間建在城外獅子山下	天妃宮
玄帝廟 宣德四年建在江東門外上新河南岸	
朝真觀 正統十二年建在淳化鎮	朝真觀
龍都東嶽廟 正統間建在上方門外	
炳麟公廟 天順七	

年建在城內新橋

四聖堂 天順間建在城內長春巷

佑聖觀 成化二年建在江東門外上新河北岸

太玄菴 成化年建在鳳臺門外桃紅地

靈濟道院 正德初建在高橋門外土橋

天王廟 正德十年建在城外善世橋西

南

玄帝祠　嘉靖三十三年建在城外駟象街

九天廟　嘉靖間建在城內中城

三官廟　嘉靖年建在定淮門外一里

梁塘菴　隆慶元年建在牛首山

修眞菴　萬曆三十年建在三山門外

玄帝廟　在城內北門橋

移忠觀 在安德門外木龍亭

大勝關天妃廟 在安德門外大勝關

黄鹿觀 在通濟門外十五里

大壯觀 在坡山

棲眞觀 正統八年建在安德鄉

北極閣 清初建在雞籠山上

東嶽廟 乾隆年建在乾河沿小桃源

叢霄道院　在大錦衣倉西

不二菴　在乾河沿牛畝圈側

首都志卷十五

人表

江南山水清淑之氣．扶輿旁薄．鍾於人物．負奇節偉行雄才異能者．後先彪炳．何可勝數．仕宦寓公．亦多名流．茲就載於府志者舉其名。至其文行豈弟之實．史傳方志及陳氏通傳詳之矣．學者可展覽焉．

名宦

漢　李忠

晉　温嶠　褚裒　劉惔　庾龢　羊曼

宋　劉穆之　謝方明　蕭摹之　何尚之　羊元保　劉秀之　袁粲

齊

劉懷慰

梁

王志　王仲　杜稜

陳

袁樞　徐陵

唐

盧祖尙　顏眞卿

宋

楊克讓　賈黃中　馬亮　張詠　薛映　丁謂　薛顏
王隨　李若谷　張奎　張方平　李宥　劉湜　包拯
王琪　梅摯　馮京　呂溱　傅堯俞　陸佃　曾肇
蔣靜　沈錫　李彌遜　呂頤浩　權邦彥　葉夢得　趙鼎
張燾　張浚　陳俊卿　洪遵　李稙　劉珙　張杓
徐誼　葉適　黃度　趙善湘　吳淵　董槐　馬光祖
姚希得　胡旦　蘇易簡　呂蒙正　段少連　滕宗諒　沈遘
楊邦乂　元絳　李及

元

岳天禎

明　楊元杲　鄭沂　顧佐　薛均　鄺埜　魯崇志　于冕
樊瑩　吳雄　王震　王爌　柴奇　孫懋　劉自強
汪宗伊　方良曙　徐申　黃承元　姚思仁　徐必達　談自省
劉之鳳　劉餘祐　王公亮　寇天敍　楊琛　衛一鳳　李覺斯
徐石麒　錢士貴　張瑋　金蘭　龐嵩　李棠　趙其昌
林春　郎文煥　陳聯璧　余若楠　劉大川　彭期生

清　李正茂　林天擎　趙廷臣　陳開虞　于成龍　施世綸　陳鵬年
王光謨　沈孟堅　丁易（以上江寧府）

漢　蔣子文

宋　江秉之　顧憲之　陸徽

齊　劉元明　孫廉　王沈　王摛

梁　樂法才　褚球　江革　劉沼　孔奐

陳　司馬申　蕭引

唐　卜吉光

宋　吳嗣復　李闢之　方楷　趙時僑　曹之格　鍾蜚英　葛邲

趙壘之　程洙　程顥

元　田賢

明　陳奐　姜德政　王定安　馬良　白思齊　程熷　袁鑑

房韞玉　林大黼　賈應龍　隋吉

清　郭士賢　趙聯捷　唐開陶　（以上上元）

宋　蘇頌　葉義問　張孝伯　劉屋　王鐙

元　王蒙　梅鼎　吳德　陳益

明　張允昭　張士彬　張安仁　紀肅　王愷　張德中　李襄

胡讜　劉傅　袁陽　朱宗　王誥　崔尙義　何价

金傑　雷學尹　祝朝用　劉必達　田有年　郭廷幹　黃光涵

馬應祥

清 侯嘉繙 馮光聚（以上江寧）

右見嘉慶江寧府志

清 百齡 松筠 孫玉庭 蔣攸銛 陶澍 陳鑾 裕謙

李星沅 曾國藩 馬新貽 沈葆楨 向榮 張國樑（虎坤元）

温紹原 賀長齡 陸言 陳繼昌 李璋煜 唐鑑 祁宿藻

沈兆澐 吳葆晉 呂燕昭 周以勳 趙炳言 蘇廷玉 俞德淵

徐青照 沈濂 趙德轍 馮柏年 聯璧 孫炳煒 王世豐

沈迺棪 歐陽晉 温綸湛 張五典 葉申薌 武念祖 保先烈

龔善思 李映棻 劉同纓 徐上達 張泰運 陳栻 夏慶保

傅瑨 劉大烈 周璞 范仕義 張行澍 張志鴻 周嘉福

右見續纂江寧府志

儒林

吳 唐固

元　張鋆

明　陳遇　金潤　沈鍾　李登　賈必選

清　張怡　方苞　翁荃　程廷祚　戴祖啓

右見嘉慶江寧府志

清　秦承業　陳懋齡　陳暘　孟志韶　談粹　胡鎬　父培

姚璋　吳官德　吳紹棠　王履泰　竇寅　周鯤　芮培進

陳宗彝　父繼昌　子汝翼　楊大堉　父勳　兄大功　子壡

右見續纂江寧府志

先正

清　董教增　父以學　子斯壽等　孫宗遠　方維句　從弟受疇　葉世倬

朱桂楨　鄧廷楨〔伯高祖熯　高祖煊　父巨源　子爾恆〕　何汝霖

路鴻休〔汪　檥　鴻休弟鵾　族子增　管　霈　蔣　乾

乾曾孫紹和　增從子聲揚　聲和〕

端木廷楨〔父長淑　子煋等　孫均等　從孫坦　族人從恆
從恆子大申〕
伍光瑜〔曾祖遵亮　祖庭祚　父士祿　章沅　光瑜子長齡長華等
吳翼元　長華子承欽　從子承平等　光瑜從子思樹〕
劉綬汝〔子喬　族人塏　九韶　與孫　國光
國光子諟　恩逵　陳瑞衍　思逵族士傑　人龍　宋必華
朱熻　陳榮　徐碩　周書〕
梅鉽〔弟鈐　鈁　鏐　子法　幸　從子沖
沖子曾濦　車研　研父敏來　戴衍祜　衍祉　岳夢淵
徐煜　研弟碩等　子廷雋　孫楙功等　謝舉元
研族子持謹　張承烈　承烈父謙　子秉模　秉楷〕
方道希〔子惟敬　從子超　惟寅　惟寅曾孫恩露　惟敬孫先甲
宗人若夔〕

人表　一二九五

王廷享〔從父安修　先　著　嚴　元　廷享從兄天印　弟廷言
從子麟生　鳳生　陳慶蓀　廷享子煊　嘉　鏞〕

陶紹景〔周際昌　際昌曾孫恩　紹景孫渙悅　孫　溶　燕以勻　陳　淳
阮　坦　孫　韶　韶子若霖　渙悅子定中　汪雲官〕

陳文樞〔子光炎　陳克廣　克鳴　克寬　克家　王嘉言
光炎子瑞朝　宗人大鈞〕

朱紹曾〔伯高祖墉　叔曾祖元律　祖松年　弟續曾　族父濤　濤曾祖堂
堂子熲　熲子逢年　濤孫桂楷　紹曾元孫則彥〕

周發春〔談羽儀　羽豐　何士容　楊若偕　劉志鵬　曹言路
發春子之桂　之桐　之桐子開麒　吳　模　模孫坦　溫肇江
肇江子應懷　曹　庚　庚子含暉　含暉子森　士蛟　范承祖
承祖弟承典　承典子先凱　承典從弟承恩　陳　經
經子汝筠　汝　梅　汝梅子之驥　姚天麟〕

涂逢豫〔從父學詩　陳嘉謨　陳製錦　吳近光　逢豫子長發　汪　沁
沁子鑒　廷梓〕
黄鵬年〔祖昇遇　父純熙　孫德符　從弟恩蔭　恩蔭子榮曾　寧　楷
朱本楫　朱上池　萬保廷　榮曾子家達等〕
汪　本〔父遇開　弟鳴　恩　孫汝式　從孫鎮甲　金德榮
鳴子鈞　嘉鎔　嘉鎔子復　汝桂　項廷桂　恩子鼎〕
胡　鐘〔兄鋐　子瀠　澄　孫嘉楷　嘉霖　嘉彬〕
葉世經〔從子德豫　德中　周　鎔　錢　棫　張永清〕
吳　球〔子介寶　陳公綬　公綬子春祁　陳炳文　介寶子綸紱〕
李光裕〔弟光昱　光業　光晉　子登甲　從子鈞善　登鎮
孫璪　瑾　李師韓　師韓子芝〕
黄　鎔〔父思恕　吳　鎮　鎔子晉元　蔡之銘　之銘伯祖殿先
父元春　范敦仁〕

焦以厚〔謝豫度等　以厚從弟以永　以永子若鈞　從子若鈐
若鈐子子元　光俊　族子子安　子洵　子洵從子長齡〕
徐統緯〔從兄統綱　子國寶　從子國棟〕
陳廷碩〔弟廷頎　從子寶儉　從弟廷桂　廷桂從子燦勳等　燦勳從弟寶廉
薄彭齡〕
秦耀曾〔弟繩曾　象曾　從孫熾盛　熾盛族父德慶〕
龔　涵〔曾伯祖鏡　鏡子元超　元超從弟元忠　琛　元忠子如舍
涵從弟林　渤　彬　涵子賜書　賜書族兄錕　錕弟芝　芝子長華〕
蔡世松〔子宗茂　嚴駿生　徐　銑　葉聲揚　覲　揚　鄭彤書
陳士安〕
侯雲松〔兄雲錦　弟雲倬　子敦復　董　進　何瑞芝　沈　琮
馬士圓　陳太占　崔　溥　朱福田〕
司馬文〔從兄亶　弟　庠　高　子鍾　鄭廷杰　張　敔

敔祖遇隆　遇隆子若谷　敔兄敉等　敉子迺耆等　高子鈞）

周國祥　（子葆元　王世培　陳崑玉）

張師說　（父　齊　弟師鄺　師益　師式　師游
師鄺子春源　春源子介福　師式子曾　金　綬　鄭光煒　周鴻覃
寶　俠　唐大沛　曾弟錫蕃　曾子鳳儀　鳳儀子逢新）

何　輝　（子友衡　孫其興　桂芬　易長華　長楨　管　鏞
桂芬子忠萬）

楊　春　（子煊）

章樹屏　（祖松　父彭齡　子琮　孫桂如　曾孫秦履　元孫鼎
卜　熊　熊子官等）

田　腴　（子普豐　從子成豐　孫寶雙　寶書　劉恩奎
寶書從兄寶泉　成豐子寶瑚　寶琛　甘可貞　寶雙子晉階）

張廷珏　（馮蔭祉　廷珏子德鳳　德鳳子兆登）

甘國棟〔父邦欽　子延年　鶴年　孫煦　煦從弟炘　鰲
烜　國棟從孫灼〕
陳　授〔父奎　兄志凝　子維藩　維垣　維屏　維翰
維藩子元晉等　維屏子元宇〕
吳岐鳳〔弟岐豐　子繼昌　從子元昌　鼎昌　吉昌等
元昌子邦瀍〕
夏　昂〔子塏　墺　程亮祖　夏澍　江文熙　昂族孫鉞〕
丁　鼇〔父楷　子塤　垣　埴　培　壇
墫　孫金科　鈞　金和　金鎔　金榜
金聲　金詔　金相　曾孫有年　有年族弟逢年〕
孫必顯〔周名揚　必顯從子學端　學端子祖瑞　夏宗彝
祖瑞弟瀛　宗人昌經　念謀　念揚　承熙　介尊
王振聲〕

方中矩〔孫毓瑾 杜王臣 吳 襄 關啓勳 啓勳從子玉堂
莊允升 中矩子爲楫 爲模 孫廷熞 曾孫培蔭等
元孫傳勳 爲楫季弟爲梅 爲梅子廷煊 從子廷炘
廷炘子培仁 爲梅從弟爲柏〕

吳應佺〔子晉康 葛國玢 國玢子光 王鳳藻 鳳藻子壽恭 汪 鎔
鎔子本源 聞尊賢 尊賢子殿邦 殿颺 臧志仁 阮紹文
屋 楊 澐 澐從弟溶 金紹鵬 紹鵬從子殿〕

陳順年〔子德齡 德齡從子世芳 族子銓 德齡孫印干 衍吉
秦嵩年 梁增修〕

汪 照〔父楨 子坤 均 森 紹祖
均族子松崖〕

吳又新〔弟銓 銓子本淵 本淵子兆模 兆棠 兆模子榮曾〕

秦朝選〔程慶芝 慶芝子傳厚 陸長發 長發父錦源 朝選子學誠

學誠子士先　士科〕
冷宜南　〔子夔言　宗人向陽　高　鶴　鶴子善慶　劉雲俶　周肇元
張子雲　滕　祀　旭〕
朱養烈　〔鄭　鈉　養烈子性堂　孫期銘　期保　朱啓鑑　啓鐄〕
林　潤　〔父捷　張　基　基子鏻　錀　孫兆勳
從孫錫恩　潤子端　林　睿　睿子森等　必　昌〕
葉光弈　〔弟之槐　子昱　豐　孫庭鑾　庭鈺　田種鈺
張葆和〕
淩　霄　〔子志鈺　志珪　馬功儀　功儼　何　詠　周葆濂
吳繼曾　許鳴九　鳴九子庚　胡大猷〕
黃家炳　〔子墉　墉從子鼎　鼎子光燮　光裕　劉葆恬
光裕弟鐸　吳　湘〕
羅　笏　〔子震亨　晉亨　蔣師軾〕　魏家驊

右見續纂江寧府志（魏家驊新益）

敦行

漢 防廣

晉 顏含

宋 陶季直

齊 陶子鏘 朱年

梁 江紑 徐雄

元 傅霖 王子清 顧童子

明 周琬 姚金玉 徐佛保 張福緣 徐鎮童 馮天孫 楊佐
黃潤 沈得安 嚴分保 邵佛定 劉文縉 劉天命 徐昱
顧夢采 張繼宗 李景星 龍景華 蕭春 陳謨 陳世
丁禮 陳敦化 顧暘 盧雍 謝芳 吳珵 王昌
蔣繼蕃 趙時振 鄭濂 姚珉 姚淛 張可度 余彥

清

趙拱辰　劉廷訛　馬遇伯　阮鳴韶　殷之禮　王潢　宰應文
蔣尙彬　王之卿　董宣　黃阿囘　陳鏞　倪壽　汪元孫
韓范
路汝捷　徐孝子　徐陞　郭耀祖　羅秉倓　鄧林楨　徐鵬
馮驥　劉玉佩　賈重任　高官蔭　易芳　諶琸　朱之卿
張岍然　李西岡　朱文謙　方力新　劉公良　鄭士貴　張超特
錢士揚　程煒　普宏烈　郁瑞　吳天明　李況　唐仲熊
金大咸　端木心寅　焦以衍　單理　張銓　張大韶　張世琛
劉毓桂　顧釆臣　徐炳南　郭鴻　丁夢橙　徐夢南

右見嘉慶江寧府志敦行一

梁

張松

宋

秦熹　王進德

明

周祓　李疑　陳義　龎玉　王指揮　何岳　伍儒

清

姚讓　楊朝宗　趙善繼　李曉　焦文傑　沈九思　鄺典
馬上圖　劉體德　徐鯨　卜璠　錢自強　鄭宗化　翟鞏
張之斗　曹臺望　韓國楨　王承芳　武扃　蔣凡　黃老人
胡陽生　朱之元　吳紳　陳漢　黃開宗　笪成教　黃嘉善
黃捷　朱純德　呂貴祥　田種義　邵御龍　蔡時智　呂垓
謝文表　王渤　蔡澤　周德卿　李國琦　王時中　翁興吉
羅必顯　張玉衡　李仍治　高爵　羅織袞　伍嘉炳　何允謙
張光臣　張英　吳永錫　高尚賓　程應文　杜宏　王琮
談禮　尹文元　芮秉理　錢應忠　馬埏　楊遇春　楊錡
陸又賢　朱希洛　程京尊　王裕　王廓　王蔚　陳圻
葉恆福　張祥盛　陶廣　林筠

右見嘉慶江寧府志敦行二

清

楊銓〔祖國弼　從祖肅鳴　王文德附〕

黃以旂（葉　怡　汪　炯　王家栩）

胡　昭（汪玉堂　馮　原　李　桐　吳舜年　高澤瀛）

諶命夔（夏　泉　張光裕　王建初）

倪之鏕（陳　寶　傅　晳　王元泰　馮宏松　鏞）　鄒　森

甘　福（弟遐年）　汪　熙（孫繼聲　馮鑑泉）

王肇元（蔡懋鏞　翁模墉　傅遇年）

王景芬（弟景琛　本　源　葆　恬　周椿年）

蔡　琳（朱以均　恩　海）　徐世清（林兆熊　汪傳授）

張爲玉（倪　某　孟　翁）

右見續纂江寧府志孝友

清

孫金相（陳　朝　蔡觀潮　方明峻　于經劬　王鑅桂　父岑
弟荃）

藍嘉瑨（徐　煜）　李恆豐（馮鶴年　鈞　年）

陳茂桐（子熙　王永林）　汪挺元（陶　樑　秦學奎）
陳興楨（子松齡　哈尙階　陳　鐸　張士鳳）
陳　裕（陶淑宇　洪　選　趙純義　俞　泰　鄧鍾杰　子雲麟）
孫如琦（子景堯　景禹　景稷　楊芳杲　吳世銓　子孝友
江自重　子遴宜　天敍）
楊士梁（子德明　孫丙文　曾孫遷善　張　鉅　沈　翁）
鄭　耘　蕭大椿
李長春（弟錫琳　李豐年）　吳復成（何帥孟）
吳清江（吳雲章　鍾有海　湯裕昭　父耘圃　楊　暄）
閔文昭（杜寶田　蔣恩元　王紹裘　王芝田　李鏡江　鄭鳴岐
王鍾華　陶德鐘　談學恭）
陳世德（弟世溶）　虞化鵬（王言經　子文鈞）
章　霖（孫長春　張　釗　梁德昌　張　進　父從盛）

李國均（子春華　英華　程紱　朱發聯）
李　銓（楊學震　蔡洪基　祖誥）
張鏞基　石文溶
李祖芳（楊正興　子大生　大成　大鵬　大淮）
張恆順
張朝棟（陳錦鯉　荀朝軾　孫曰炳　谷鳳鳴　李　林）
右見續纂江寧府志義行

忠義

晉　王　諒　欒道融
齊　顏見遠
宋　秦傳序　陳　遘　秦　鉅　汪立信
明　張　益　王一居　湯永勳　董仲揆　張可大　姚九疇　梁志仁
劉　旋　潘可大　陳廣孕　徐有聲　汪　偉　胥自修　吳可箕

張良佐　王廷佐　劉　統　楊光弼　唐自綵　劉世勳　張名揚
焦潤生　陳六奇　朱家梁　李開光　陳萬策　黃金璽

清　劉　斌　王仁錫　卜世儼　顧來鶴　姜　山　梁　堉　哈國瓏

右見嘉慶江寧府志

仕績

漢　張　磐　抗　徐

晉　紀　瞻　薛　兼　陶　璜　甘　卓　張　闓　陶　回

梁　陶季直　丁咸序

南唐　邊　鎬　周　宗

宋　陳承昭　孫繼鄴　秦　羲　邵　亢　盧　鑑　張　頡　王　綸
秦　梓

明　周　楨　金　紳　楊　勉　李時勉　姜　璿　王　麟　丁　璿
王興宗　倪　岳　王　徽　龍　夔　李　旻　朱　銓　鄭　禮

羅　麟　丁　鏞　詹　昂　梅　純　潘　珩　吳彥華　吳文度
李　昊　邵　清　淩雲翰　楊　銳　金　逵　李　熙　何　遷
管　景　景　暘　王以旂　何　鉞　童　時　尹　鳳　司馬泰
廖文光　朱潤身　伊敏生　史　瑄　沈　向　余　光　沈　越
許　穀　阮　屋　金光初　蔡屏周　路伯鐣　吳自新　程國祥
卜有徵　卜履吉　薛應和　姚履素　俞　彥　王之藩　李在公
王承印　陸　朗　林時敏　錢　源　余大成　淩世韶

清

朱之翰　史允琦　胥庭清　陳嘉善　魏　博　胡順志　楊士元
皮大夔　路汝前　徐　惺　吳煥然　施　鴻　陶　敬　黃大鵬
吳　伯　陳　祥　吳樹聲　王　霖　周天成　楊以寧　王　鐸
孫　元　陳昌會　陳大音　董三策　張宗仁　蔡　謹　張　嵩
王嘉會　陳士芳　徐元肅　葉　均　方觀承　戴　翼　朱　瀾
王銘琮　范　鏊　龔孫枝　高　城　方裕曾　金　鍾　冷震金

王友亮　司馬騊　蔣師轍

右見嘉慶江寧府志

清

許　恆　李文在　朱　展　洪　湘〔倪　鑛　周斯才　斯才弟情〕

姚錫華〔朱彥華〕方　俊〔父奇瑞　郭長華〕羅鳳儀〔兄鳳藻

從子榕〕陳士奎〔張熙麟〕張學權〔劉嘉桂〕伍慶祥　梅纘高

戴鼎元〔馬修良〕孫文友

右見續纂江寧府志

文苑

齊　顏　協

梁　紀少瑜

隋　諸葛穎

唐　庾　抱　王昌齡〔舊唐書作京兆人新唐書作江寧人〕冷朝陽　項　斯

南唐　盧　郢

宋　刁衎　洪湛

元　楊剛中　楊翮

明　夏煜　李莊　陶元素　蔣浤　顧璘（從弟瑮）　任彥常

蔣誼　謝承舉　陳元慶　楊成　徐霖　盛時泰　焦竑

顧源　陳芹　朱之蕃　顧起元　周暉　黃居中　陸潤

清　張正綱　朱圻　劉思敬　倪粲　紀映鍾　白夢鼐　胡任輿

方舟　劉捷　牛建章　王嵚　程嗣章　吳啓昆　李鄴

戴瀚　葛祖亮　和風翔　秦大士　鄒森　方步瀛　嚴長明

談樸升　周榘　陳毅　陶湘　談泰　汪兆虹　胡本淵

右見嘉慶江寧府志

清　管同（祖霈　父文郁　子嗣復）　梅曾亮　許宗衡　馬沅

金鼇（翁覲宸　張燦堂　陶兆福）　朱緒曾（孫鈴　朱金牧）

甘熙（弟元煥　張[illegible]　顧槐三　龔元藻　龔炳孫　楊得春）

談承基　嚴觀　張寶悳　車持謙（楊輔仁）　王章　顧遜之

（孔繼曾　袁廷璜）　楊大堉　汪士鐸　端木埰　淩煜　孫文川

蔡琳　金和　盧崟　顧雲　鄧嘉緝　秦際唐　楊長年

田曾　陳作霖（弟作儀）　王德楷　周鉞

右見續纂江寧府志（楊大堉以下新益）

隱逸

梁　陶宏景

唐　韋乍

宋　吳思道　辛思順　侯遺

元　孫轍　袁當時　王元吉　王顯　賀確

明　龍暄　倪誠　金振　金琮　史忠　朱慶期　孫石

張正蒙　張風　方登　顧源　張之斗　房宏中　孫自修

黃周星　鄧良材　楊廷俊　金呂　黃宗洙

清　紀青　余遴　謝璣　王應憲　程邃

右見嘉慶江寧府志

流寓

唐　李白

南唐　李建勳

宋　王安石　鄭俠　文復之　張栻

明　史謹　杜環　周瑄　陳壽　唐時　張文峙

清　杜濬　黃國琦　章宸　熊賜履　梅瑴臣　林古度　余懷

吳日炅　何采　周在浚　高辰　黃文煥　王宏祚　沈用濟

韓錦　王澤宏　徐文治　朱卉　袁枚　蕭一暘

右見嘉慶江寧府志

清　方體（住上浮橋）　孫星衍（住舊王府）　張敦仁（住中正街）　唐仲冕（住壽星橋）

汪正鋆（住城北石橋）　宋端己（住吉兆營）　熊寶泰　方凝（住望鶴岡）

包世臣（住綢市口） 馮啓蓁（住欣欣園） 吳廷棟（住新廊） 馬壽齡（住候駕橋）
劉毓崧（住許家巷） 戴　望（住飛霞閣） 薛時雨（住龍蟠里） 楊文會（住延齡巷）

右見續纂江寧府志（薛時雨以下新益）

技藝

漢 沈建

晉 扈謙

隋 耿詢 顧德謙 徐熙 艾宣

宋 朱杰 王生 劉虛白 李士雲

元 蔡槐

明 嚴景 貝琳 陳遠 周文銓 鄭之彥 孟繼孔 蔣武
姜濬 司馬隆 謝儒 李尙元 王奇 周相 李槐
吉兆來 金璿 易光明 楊守吉 王元標 史忠 陳子野
邢有都

清

胡正言　顧惺　田林　吳九思　黃日炳　龔賢　僧大振
劉琳　談志學　尹懷聖　陳卓　吳遠度　樊會公　鄒方咎
蔡霖滄　李又李　武忠伯　高畏生　陳宗范　黃中瑾　鄒典
謝與輝　施瑄　談志鳳　楊峻　秦漣　周鐸　周琦
汪然　張昌祚　陳其璣　汪炳文　崔瑤　程家珏　王度
常敬五　張復純　高倫　曹賢　隨霖　陳凱　況烈文
徐峋　胡沅　伍宏杰　吳思忠　周魁　章廷芳　諶永恕
蔡誥

右見嘉慶江寧府志

列女

元　李成妻周氏

明　汪某妻王氏　薛雙兒妻卞氏

清　府庠生陳亦新妻宋氏　黃從善妻高氏　監生鄧雲路妻傅氏　王嘉捷妻偖氏　高爵妻

明 何氏 監生周超妻李氏 周某妻王氏 監生吳日琦繼妻薛氏 劉鶴妻倪氏 張灑妻周氏 庠生徐彤妻金氏 舉人張烈亨妻楊氏 王彭年妻趙氏 黄子裕妻余氏 庠生路門妻王氏 庠生劉時舒妻陳氏 庠生汪兆虹妻楊氏 杜鴻升妻劉氏

以上上元孝婦

清 劉承恩妻林氏 姜文燮妻劉氏 胡鍾茂妻柳氏 劉玉佩妻陳氏

庠生黄驥妻王氏 馬世榮妻方氏 陳堅言妻陶氏 陳朝佐妻張氏 徐季弼妻張氏

淩文皋妻俞氏 朱星環妻裴氏 淩友三妻王氏 歐陽枚妻呂氏 顧彩臣繼妻王氏

以上江寧孝婦

明 李氏女 趙氏女 許吳儒女 陳氏女 趙祚昌妻顧氏 周繼序妻余氏 沈無咎妻何氏

清 施氏女 談其章妻張氏 庠生顧清妻王氏 候選府經歷管文海妻施氏

以上上元孝女

明 知府趙俊女 千戶張卿女 邵逵妻錢氏 雷肇元妻沈氏

清　王源女　進士劉思敬女　李氏女　許氏女　王德潤女　南陵教諭黃長齡女　徐與仁妻陳氏

以上江寧孝女

元　萬戶府知事闞文興妻王氏　趙宗澤妻衛氏　趙棟妻夏氏　趙楷妻劉氏

明　安陸侯吳復妾楊氏　庠生汪宗妻柴氏　武定橋烈婦　陳伯妻黃氏　王烈婦　錦衣指揮黃賓妾王氏　江濟烈婦　黃烈婦　杜鍵妻黃氏　趙某妻楊氏　岑明俊妻趙氏　陳無過妻諸氏　楊阿三　太學程有綸次妻劉氏　庠生胥庭治妻任氏　內江庠生馬豸妻楊氏　庠生孫某妻程氏　張國權妻魏氏　史可模妻李氏　曹宏昌母陳氏妻錢氏　楊會春妻趙氏　楊楚妻夏氏　庠生吳知錫妻楊氏　南陽府丞鄭完我母石氏妻王氏　靖東將軍魏豹妻屠氏

清　某氏　夏士英妻方氏　王某妻汪氏　武進卞湛聞妻張氏　楊嗣珩妻何氏　馮克章妻李氏　楊錫妻李氏　易大年妻趙氏　某妻王氏　監生梁國義妻鎖氏　汪二妻王氏　王某妻吳氏　王子英妻姜氏　黃溥妻伍氏　陳相妻某氏　張士淮妻嚴氏　劉燮妻鄧

氏　芮秉理妾楊氏　殷符萬妻袁氏　趙國棟妻錢氏　歙縣上舍金某妻趙氏　孫璉妻崔氏　丁宗孔妻馬氏　蔣寄玉妻梁氏

以上上元烈婦

宋　江東制置使謝枋得妻李氏

明　陳貴妻唐氏

清　武進隨達妻張氏　王子英妻姜氏　金升妻許氏　李鄴妻陳氏　詹某妻周氏　監生方道樞繼妻王氏　余黼文妻陳氏　郭義里妻張氏　陳嘉銓妻李氏　顧彩臣妻周氏　張某妻畢氏　詹士俊妻周氏　劉維永妻夏氏　庠生常復妻劉氏　秦應瑚妻方氏　陳德明妻徐氏　庠生鄧宗洛妻陳氏　吳元煜繼妻周氏　任烈婦張氏

以上江寧烈婦

明　蔡丑女　都司母承恩女

清　王烈女　王氏女　王氏女　胡氏女　執鞭者女　姜氏女　王氏女　陳氏女　程氏女

以上上元烈女

清　朱氏女　史氏女　汪氏女　杭氏女　趙氏女　任氏女　易氏女　李氏女　楊氏女

以上江寧烈女

宋　劉虎妻王氏

元　劉英傑妻吳氏　張宜妻周氏　王元壽妻楊氏　劉祐妻馬氏

明　都指揮陳忠妻王氏等一百一人

清　李謝妻王氏等九百七十五人

以上上元節婦

明　陸阿葛妻倪氏等四十六人

清　監生王蒼虬妻陳氏等五百六十人

以上江寧節婦

明　徐妙錦等五人

清　向氏女等五十六人

以上上元貞女

明 薛氏女

清 李氏女等四十一人

以上江寧貞女

宋 趙定母

明 尚書倪岳妻盧氏 太僕陳沂繼室馬氏 張羽王妻周氏 姚淑 陳南塘忠夫人沈氏

清 貢生黃叔瑛妻呂氏 張謙妻倪氏 胡培妻陳氏

以上上元江寧才淑

右見嘉慶江寧府志

仙釋

吳 康僧會

晉 支遁 竺法汰 竺道壹

宋 杯度 求那跋摩 慧琳 慧嚴 慧議 僧導 智嚴

曇遷 竺道生

齊　釋慧約　智稱

梁　釋寶誌　菩提達摩　雲光　傅宏　法悅　曇瑗　智寂

陳　桓闓　王知遠　智顗　道宗

唐　智巖　慧方　法持　智威　慧忠　守亮　元素

曇玭

五代　劉得常

南唐　僧休復　僧應之　僧深　僧智明　僧清稟　潘扆

女寇耿先生　文益　太平和尚　靜照　譚紫霄　法泉　清護

匡逸　僧行言　法燈

宋　佛果　清遠　郡圃老卒　慧新　贊元

明　周顛　張中　冷謙　張三丰　慧曇　宗泐　懷信

碧峯　劉淵然　焦姑　沈野雲　智瑛　定林　古心

守心　憨山　潘爛頭　大艤　道盛　觀衡　廣德

智　旭　大　成　尹蓬頭　毛海泉　雪梅和尚　南洲法師　劫　定
清公禪師　永　正　德　勝　暈頭陀　寬　悅　如　愚　周萬象
問希言　唐古峯　道　清
雪　墩　錢靜嵩　古林二僧　道　興　溥　淳　根　定　海　岳
松　崖　登　標　道　成　釋海岳　釋指南　釋行犖　海　月
道士龔采芝　殷一誠
右見嘉慶江寧府志

清

藝文

一　公藏板籍

南京公家藏書。如兩漢之郡學。吳之太學。其所庋藏。無可考矣。東晉之初。漸鳩聚書籍。著作郎李充以荀勖舊簿校之。其見存者有三千一十四卷，其後中朝遺書。稍流江左。宋元嘉八年。祕書監謝靈運造四部目錄。大凡六萬四千五百八十二卷。元徽元年祕書丞王儉又造目錄。大凡一萬五千七百四卷。齊永明中祕書丞王亮監謝朏又造四部書目。大凡一萬八千一十卷。齊末兵火延燒祕閣。經籍遺散。梁初祕書監任昉躬加部集。又於文德殿內列藏衆書。華林園中總集釋典。大凡三萬三千一百六卷。而釋氏不與焉。梁武敦悅詩書。下化其上。四境之內。家有文史。元帝克平侯景。收文德之書及公私經籍。歸於江陵。大凡七萬餘卷。〔據隋書經籍志〕

五代之季。江南經籍尙盛。宋開寶初。李氏歸命。皆輦以入汴。天聖七年。丞相張士遜出守江寧。建府學。請全賜國子監書。紹興初舊書無復存者。葉夢得爲守。補刊六經。後七年復至。徧售經史諸書。藏紬書閣。後閣燬於火。十六年以高宗御書石本藏府學御書閣。而經史子集之僅存者皆附焉。景定二年留守馬光祖復求國子監書之全．以惠多士．元初兵火．殆無一存．今就景定志部目．計其種數如下．

御書石本	十二種三十八卷
經書	一百七十八種（原以種作本）
史書	四十三種
子書	三十二種
理學書	二十六種
文集	一百二十種
圖志	十八種
類書	十九種
字書	十四種
法書	八種

醫書　十三種

書板　六十八種。一萬九千九百九十六版。

元集慶路學書籍。則景定志所云賜書板刻置買者兵火散失殆盡。歸附後。於諸路裒集及捐學計續刊設職收掌。所買經史子集圖志諸書。視他郡亦略全備。〔十七史書板計總二萬三千張。史記一千八百一十九。前漢二千七百七十五。後漢二千二百六十六。三國志一千二百九十六。晉書二千九百六十五。南史一千七百七十三。北史二千七百二十一。隋書一千七百三十一。唐書四千九百八十一。五代史七百七十三。雜書板金陵志四百八十。貞觀政要二百。朱子讀書法一百七十。南唐書一百八十。禮部玉篇二百七十。集慶志一百三十五。修辭衡鑑五十六。農桑撮要五十八。救荒活民書一百五十。曹文貞公詩集二百八十五。憲臺通紀五百一十五。陳子廉先生詩二十。魯齋先生詩解大學二十九。樂府詩集一千三百八十。厚德錄六十。刑統賦六十三〕

明南京國子監書板。因元集慶路儒學之舊也。洪武永樂朝。凡再釐整，至成化初。諸書亡數逾二萬篇。御史董綸補之。弘治初始作樓貯板。嘉靖七年祭酒張邦奇。司業江汝壁再補之。祭酒林文俊司業張星繼其役。乃呈於朝。助教梅鷟編次書目。書板佚於雍乾之間。其僅存者與清廷所頒官刻之書。同淪於咸豐太平軍之役。今就鷟書目。計其種卷。而附以南京六部官刊書之可考者。（藍志云。尊經閣舊寄貯明國學經史書樓所藏十三經二十一。史通鑑綱目通典會典通考通志諸書板。後漸殘缺。以至於盡惟二十一史板以屢修尚存。陳志云順治十七年布政使馮如京修二十一史板。武志云。玉海存布政使司署。按南都文淵閣書籍燬於正統間。又按永樂大典纂於永樂元年。五年書成明實錄及舊京詞林志謂定都北京以後。移貯文樓嘉靖間重錄正副二本。隆慶初告成仍歸原本於南京。舊志未言藏庋之地。當考。

制書類　十九種八十九卷

經類　六十一種七百一十一卷

史類　五十四種三千八百四十卷

子類　二十五種二百五十六卷
文集類　二十四種九百六十四卷
類書類　九種一千三百三十六卷
韻書類　九種一百二十四卷
雜書類　七十四種六百一十卷
萬歷以後續刊　三十一種
南京六部官刊書　十一部

【古今書刻】

南京國子監

孝經集解　孝經明解　孝經註疏　玄宗孝經　魯齋孝經
范氏孝經　大學義疏　大學明解　大學叢說　大學白文
魯齋大學　中庸白文　中庸叢說　論語白文　論語註疏
論語旁通　論語考證　孟子白文　孟子節文　文公四書

小學註疏　小學訓疏　周易註疏　周易本說　周易本義
周易音訓　復齋易說　尚書釋文　尚書註疏　尚書表註
尚書會選　周易程傳　周易啓蒙　詩傳註疏　詩經集傳
春夏辨疑　春秋綱領　春秋公羊傳　春秋穀梁傳　春秋諸國統紀
春秋本義　春秋正文　左氏註疏　春秋或問　左氏集解
息齋春秋　儀禮經傳　儀禮註疏　儀禮　禮書
樂書　周禮句解　周禮集說　書經補遺　小學白文

以上經書

顏子　曾子　列子　老子　孫子
武經七書　太玄經　温公太玄註　太玄索隱　揚子法言
文中子註　說苑　太極圖說　周子書　朱子三書
諸儒鳴道　朱子大全　程氏遺書　朱子語略　近思錄

以上子書

史記　前漢書　後漢書　兩漢會要　兩漢詔令
蜀本末　諸葛武侯傳　三國志　晉書　南史
宋書　南齊書　梁書　陳書　北史
魏書　北齊書　周書　隋書　唐書
貞觀政要　五代史　南唐書　吳越春秋　子由古史
呂氏春秋　資治通鑑　通鑑綱目　通鑑音釋　通鑑問疑
通鑑紀事本末　通鑑外紀　通鑑釋文　宋史　通鑑前編
元史　遼史　金史　宋遼金統論　通鑑考異
史略　讀史管見　歷代帝王統論　百將傳　將鑑論斷
讀史會編　宋名臣奏議　通志略

以上史書

雅頌正書　詩譜　詩序註　陳先生詩集　檜庭詩稿天台丁復撰
選詩演義　樂府詩集　六朝樂府　文則　文法

文選　歐文　晦菴文集　文章正宗　續文章正宗
宋文鑑　國朝文類　朱子行狀　淮陽獻武王詩　會稽三賦
逃虛子集　南唐蒲先生叢稿　鳴秋後集　文章辨體
皇明文衡　曾文質公集　白沙詩教　唐音　古今會編
羅圭峯文集　甘泉文集　元文類　懷麓堂稿　戴石屏詩集
陽明文錄　古廉詩集　圭峯續集

以上詩文集

玉海　文獻通考　天文志　大事記通釋　博古圖
爾雅　爾雅註疏　五禮新儀　禮編　文公家禮
家禮儀節　鄉飲酒禮圖　祭禮從宜　了齋年譜　河防通議
金陀粹編　釋文三註　新序　玄教　壽親養老書
金陀續編　困學紀聞　讀書叢記　東萊讀書記　讀書法言
讀書工程　禮部韻　玉篇　廣韻　韻府羣玉

書學正韻　眞西山讀書記　毛晃韻　存古正學　廟堂忠告
牧民忠告　風憲忠告　憲臺記　南臺備記　國語
諭俗編　斷獄律文　唐刑統　刑統賦　夢葉錄
洗冤錄　厚德志　許氏說文　白虎通　論衡
營造法式　算法　農桑衣食　農桑撮要　栽桑圖
篆書體　六書統　洪武正韻　六書正訛　百忍箴
東萊法源　黃氏日抄　草木子　杜氏通典　兩漢詔令
皇明政要　脈訣刊誤　草韻　平宋志　昭潭志
金陵舊志　金陵新志圖　集慶志　象臺志　容州志
龍川鄉飲志　柳州志　賓陽志　蒼梧志　景定建康志
建武志　長安志　斟鄩志　瑞陽志　桂林志
臨川志　玉融志　救荒活民書　風俗通　古文苑
大觀本草

以上雜書

大明令　大明律　大誥三篇　存心錄　永鑑錄

孝慈錄　勸善書　洪武禮制　大明官制　五倫書

資世通訓　古今列女傳　水馬驛程

以上本朝書

四箴字體　千文　虞世南百家姓　鮮于眞草千文　趙孟頫千文

九成宮帖　率更千文小字帖　草韻

以上法帖

應天府

句容志　茅山志　草韻　文選六臣註　左傳註解

禮記纂言　南畿通志　宋明臣言行錄　近思錄

淸康熙乾隆時嘗頒書籍於行宮縣學。茲列其部數於後。而以鍾山書院舊藏書籍附焉。（雍正朝總督查弼納送存鳳池書院舊藏書籍。無考。）

行宮圖書（利濟巷及棲霞山兩處）　三十七部

欽頒縣學圖書（舊藏尊經閣毀于嘉慶時）　四十三部

縣學官刊書板　七部

織造署官刊書板　欽定全唐詩

鍾山書院存書　三十二部

太平軍平定之後。會城多立書局。蓋兩江總督曾國藩規之。先是國藩既克安慶。與弟國荃開局軍中。賓禮儒雅。校刊王氏夫之遺書。同治三年復江寧。以書局自隨。明年北征。署總督李鴻章繼梓五經。又明年國藩還鎮。刊馬班以下諸史。迨三涖江南。鉛槧之役益繁矣。馬新貽魁玉何璟張樹聲李宗義等踵事剞劂。勒有成書者。爲卷一千四百有奇。鴻章又別開聚珍書局。流布羣籍。今都其種卷之數如左。（書局初設於鐵作坊。後移於江寧府學之飛霞閣。同治四年監察御史烏程周學濬督理局事。七年刑部主事丹徒韓弼元繼之。同治六年江寧知府六安涂宗瀛提調局事。八年江蘇候補道涇縣洪汝奎繼之。　聚珍書局刱於同治六年。主局事者爲江蘇題補道臨川桂嵩慶。）

江南官書局刊書（板今歸中央圖書館籌備處）

經部　十八種一百六十九卷

史部　十七種一千二百七十三卷

子部　九種一百九十六卷

集部　七種一百三十九卷

聚珍書局刊書　二十五種七百十三卷（內有砌字本五種）

于時大難初平。公私儲籍灰滅。寒畯艱於得書。同治十年分巡江寧鹽法道孫衣言上議都府。取湖北浙江蘇州江寧四書局新刊經籍。藏於惜陰書院。而達官寓公又各出善本益之。統名曰勸學官書。約一百二十部。俾本籍士子之無書者。得詣書院借讀。事領於官。而簿鑰出納則紳士掌之。（附章程　一書院樓房三間。度藏書籍。凡借書者隨同典書者稟明山長。上樓開櫃。事畢。即局鎖以杜盜竊。一每屆夏令。典書之人公同曬晾。一凡一切大小文武現任致仕官員。并外來僑寓仕宦。概不准借。一凡借書大部八本一次。小部每部一次。繳還不得逾十日。不得污損。必素識循謹方正之廩生出具保結。

清季創辦圖書館。迄至今日。蔚然繁興。藏書之法。聚書之方。日新而月異。用以輔翼政教。意至善也。茲詳其規模大者。其小者但列其名焉。

江蘇省立國學圖書館。

沿革

【國學圖書館小史】圖書館址。舊爲盋山園。一名博山園。道光中兩江總督陶澍所置。後以倡導古學。即園立惜陰書舍。兼祀陶侃。以彰祖德。咸豐中。燬于兵。同治五年始復修建。至光緒初。陸續增葺。並祀文毅。改書舍爲書院。光緒癸卯。廢書院。興學堂。改惜陰書院爲上元高等小學堂。其規模已異於昔。端方奏辦圖書館。初儲書於成家灣之自治局。既遂撥款。即小學堂址改建後樓。定名爲江南圖書館。戊申五月。小學遷讓。七月由工料總局估工。九月興工。宣統元年五月續估錫背。是年九

國學圖書館鳥瞰

國學圖書館善本甲庫內景

月工竣實支銀三萬四千七百六十一兩有奇翌年十一月十八日開辦閱覽制定規章江蘇之有大規模之公開圖書館實自是始鼎革之際委辛漢接替改名江南圖書局民國二年七月二日復改名爲江蘇省立圖書館至民國八年改稱江蘇省立第一圖書館以蘇州學古堂之書亦設館而稱第二也至十六年九月改名爲第四中山大學國學圖書館十七年二月第四中山大學改名江蘇大學是年五月又改名中央大學本館亦隨之一再改名

藏書

【國學圖書館小史】本館儲書以購自錢唐丁氏者爲大宗丁氏之書宋刊僅四十種元刊不逮百種（目見小史）視百宋千元良不逮矣然經臚三傳史備晉唐亦云難得而其書之可貴者猶有數種一爲四庫修書底本如李杞周易詳解兪汝言春秋平義之類（詳目見小史）一爲名人精寫稿本如厲鶚東城雜記武林石刻記之類（詳目見小史）又有日本高麗各地刊印之本（總計表見小史）而近代名臣大儒校勘家收藏家所藏之書尤指不勝僂自明以來收藏家如范氏天一閣項氏萬卷堂祁氏淡生堂毛氏汲古閣錢氏絳雲樓曹氏靜惕堂朱氏潛采堂黃氏千頃堂王氏池北書庫顧氏秀野草堂錢氏述古堂曹氏楝亭趙氏小山堂吳氏瓶花齋孫氏壽松堂王氏十萬卷

樓。馬氏小玲瓏山館。汪氏開萬樓。鮑氏知不足齋。黃氏士禮居。吳氏拜經樓。袁氏五硯樓。何氏蝶隱園。許氏鑑止水齋。嚴氏芳茉堂。張氏愛日精廬。陳氏稽瑞樓。馬氏漢晉齋。袁氏臥雪樓。馬氏漢唐齋。汪氏藝芸精舍。瞿氏恬裕堂。蔣氏別下齋。勞氏丹鉛精舍。郁氏宜稼堂。朱氏結一廬。李氏瞿硎石室之書。輾轉流遂。著之掌錄。少或一二種。多至數十百部。故論館中善本。直接得之丁氏。間接卽爲明清兩朝藏書家之結晶。宜世人之以丁氏之書歸之本館爲得所也。丁氏書外。有武昌范氏書四千五百餘種。所藏書以集部爲多。其後以負公帑。舉書以償。其藏書之印。有木樨香館范氏藏書及月槎之印石湖詩孫等。雖與丁氏書合併。不相溷也。此外又有宋教仁所遺書。以其身後書無所歸。由江蘇省署發交本館儲藏。其書雖皆普通習見之本。不足珍異。然爲民國偉人之遺。亦足增歷史之價值矣。壬癸之後。館費支絀。增購書籍。寥寥可數。僅于民國九年七月江蘇省署撥款二千元。購收山陰薛氏一鶚家藏名人手札七十六册。多清代同光間軼聞。如彭剛直王壬秋諸公。與曾文正之書。亦足資史家攟摭。備學者之要删焉。館中別儲書畫八箱。印有書畫目一册。南陵徐氏所藏也。徐氏亦負公款。舉書籍字畫以償。其書籍由江督咨送京師圖書館。字畫則歸本館。都四百四十五件。中多贋鼎。間有精品。披沙揀金。不逮什一。光緒辛丑劉忠誠張文襄會奏變法。設編譯書局于寧垣。

編譯新書。以開風氣。宣統二年四月改是局爲江蘇通志局。所藏東西書籍。則歸之此館。都東西文書籍五百三十六種。七百有九本。館中藏書兼羅寄譯。自是始也。編譯自印之教科書。亦歸於館。書藏官書。有端方請頒之會典及圖書集成。並調集各省官局書籍。其後淮南書局裁併江南書局。所儲木板。亦歸本館經管。故館之西樓。尙儲岑刻唐書板片全份。其餘淮南局板。亦每種酌抽其一。庋之後樓。圖書館之初設也。議者不知其重要。有議歸併志局之舉。嗣又以志局併入本館。其中離合亦有可言。民國元年九月。通志局稿件書籍。均移交南京圖書局保存。至七年三月。志局復興。館存之志稿及志局各書。復行移交。均載在館中儲册。厥後志局未能刻期蕆事。而經費支絀。復經裁撤。志局所藏江蘇籌防局財政局各檔案。又運交本館。計藏于館中西樓者百數十箱。迄未整理。別儲標籤。分寄于後樓下。爲目五厚册。十六年秋。按目清檢。爲蟫蠹所損不可辨識者百一。其完善而極有關係者。如南洋海軍沿海要塞圖籍。均載之書目。附之書庫云。

國立中央大學圖書館

沿革

【國立中央大學圖書館概況】本館歷史。當以南京高等師範圖書室爲起點。民國四年秋。高師成立。學生數僅百二十八。於口字房東樓下闢圖書室一間。中西書籍。僅數千册。書架八具。尙覺休休有容。嗣後學校逐年發展。圖書逐漸加增。迄東南大學時。寧河齊燮元氏承太翁孟芳先生之命。以十五萬元。建築圖書館之用。十一年春度地於校之前方西偏。從事興築。十三年四月行開館禮。館舍以鋼骨水泥造成。可避火患。佔地六千四百方尺。十六年四月國民革命軍抵京。派員接收斯校。組織第四中山大學。旋更名曰江蘇大學。復於十六年五月名爲國立中央大學。本館名稱。亦隨校名變改。故今曰國立中央大學圖書館。

藏書

【國立中央大學圖書館概況】本館現藏中文書籍約八萬册。（照本年（民國二十二年）八月十二日統計實數爲七萬九千三百二十二册）。西文圖書四萬四千二百八十九册。另有中文雜誌一百五十餘種。西文雜誌三百八十餘種。

金陵大學圖書館

沿革

【金陵大學圖書館概況】金陵大學成立於民國前一年。由匯文基督宏育三書院合併而成。匯文基督均有圖書故本館雖形已肇於合併之前惟時書籍無多爲用蓋微自三校合併後由恆謨君主其事功用漸顯民國二年克乃文君來華長館務克君曾任美國普林斯敦大學圖書館參考部主任蓋富於經驗之學者也本館事業因是益見進步十年秋美國農部派員來華與本館合作編製中國古農書索引十一年進本館爲大學行政單位之一十二年秋添設農業圖書研究部十六年秋於大學文理科添設圖書館學系克君於十六年春歸國由劉國鈞君代理館長翌年劉君調任文理科科長李小緣君繼之

藏書

【金陵大學圖書館概況】中文書以地志及叢書爲大宗現有地志一千七百餘部一萬七千餘册叢書二百餘部一萬五千餘册各約占中文書總數四分之一類書亦不弱主要者略備計共七十種五千餘册對於古農書及動植物書搜集尤勤各種版本廣事羅致其難得者不惜借鈔以足之然就普通論本館爲經費所限不能置善本唐鈔宋刊僅有影印本惟元明刻本清代殿本家刻精本以及日本本高麗本等亦略備焉西文書長於農林生物理化文學社會學歷史等而尤可寶貴者則爲各學術團體之贈予其中最要者爲(一)卡納基國際和平基金刊物（關於國際法政治

法律經濟等〕（二）華盛頓卡納基學社刊物．〔關於自然科學〕（三）華盛頓斯密司孫學社刊物．〔關於自然科學〕（四）國際聯盟刊物．

南京市立圖書館

沿革

【南京市立圖書館概況】本館創始於民國十六年六月．原名南京特別市立第一通俗圖書館．館址在平江府佈道所．館長以現任教育局長兼任．委顧天樞爲主任．時以經費短絀．館舍逼仄．勉應市民需要．內容未能充實．十七年七月較事擴充．因改稱南京市立第一圖書館．館址遷至夫子廟貢院街．主任爲周蘭孫．十八年八月教育局增加社教設施．仍復原名．十九年四月就本市社教整個之規畫．改稱南京特別市立民衆圖書館．七月又更稱南京市立民衆圖書館．館址遷入泮宮場地．開展閱覽人數日增．而經費尙然如故．設備內容僅求通俗而已．二十一年六月．市府爲擴充本館計．以市立圖書館籌備處．民衆科學館．合併爲一．改委歐陽瑞驊爲主任．經濟充足．設備漸裕．善本巨帙．月有所增．二十二年九月分類整理事竣．奉令更稱今名．

藏書

【南京市立圖書館概況】本館現有圖書．計有一萬餘種．約五萬册．公報雜誌二千餘種．五萬餘册．報章三十種．按自裝訂成册者．凡六百餘册．表列如下．

類別	種數	册數
普通圖書	八二七	一三六〇九
經學	一三三	一九八七
哲學	四〇五	七六〇
宗教	一九二	四四六
自然科學	六一〇	一三九七
社會科學	二五三三	六〇六五
應用科學	九六四	二六六一

史地	一一四二	九八九四
語文	二四五四	七一八一
美術	四一二	一〇九二
革命文庫	七〇二	二四三二
西文部	四三六	四八二
兒童讀物	八九一	一三六四
圖書總計	一一七〇一	四九三六一
公報雜誌	二〇六八	五〇九八八
報章	三〇	六一五
全部總計	一三七九九	一〇〇九六四

國立中央圖書館（在籌備期中）
國民政府文官處圖書館
國民政府主計處圖書館
行政院圖書館
立法院圖書館
內政部圖書館
外交部圖書館
教育部圖書館
實業部圖書館
交通部圖書館
鐵道部圖書館

最高法院圖書館
資源委員會圖書館
中央黨部圖書館
市黨部圖書館
江蘇省立南京民衆教育館圖書館

二　私家藏書

世家儒族．當全盛時．物力滋殖．崇尚文雅．多以藏庋相高．茲最錄其尤有名者．

梁王筠．

【南史王筠傳】筠字元禮．一字德柔．其自序云．余少好抄書．老而彌篤．雖遇見瞥觀．皆卽疏記．後重省覽．懽興彌深．習與性成．不覺筆倦．自年十三四．建武二年乙亥．至梁大同六年．四十載矣．幼年讀五經．皆七八十遍．愛左氏春秋．吟諷常爲口實．廣略去取．凡三過五抄．餘經及周官儀禮國語爾雅

山海經本草並再抄子史諸集皆一遍未嘗倩人假手並躬自抄錄大小百餘卷不足傳之好事蓋以備遺忘而已

沈約

【南史沈約傳】好墳籍聚書至二萬卷都下無比

謝弘微

【南史謝宏微傳】謝密字弘微名犯所繼內諱故以字行弘微家素貧儉而所繼豐泰惟受數千卷書國吏數人而已

蕭統

【南史昭明太子傳】引納文學之士賞愛無倦恆自討論墳籍或與學士商推古今繼以文章著述率以爲常于時東宮有書幾三萬卷名才並集文學之盛晉宋以來未之有也

徐鍇

【陸游南唐書】徐鍇字楚金會稽人與兄鉉號二徐酷嗜讀書隆寒烈暑未嘗少輟久處集賢朱黃

不去手。精小學。故所讎書尤審。江南藏書之盛。爲天下冠。鍇力居多。

明焦竑　萬軸樓

【明詩綜】其藏書之富。幾勝中籍。多手自抄撮。

清黃虞稷　千頃堂

【金陵通傳】黃虞稷字俞邰。江寧人。父居中字明立。號海鶴。萬曆十三年舉人。除上海教諭。轉國子監丞。擢黃平知縣。不赴。自晉江來居金陵。家馬路街。構千頃堂以藏書。　虞稷七歲能詩。年未二十。博洽羣書。康熙中以諸生薦博學鴻詞。廷試授檢討。纂修明史及一統志。在館十餘年。乞假歸里。益務收藏。有書數萬卷。著有千頃堂書目。

【丁丙善本書室藏書志】千頃堂書目三十二卷〔舊鈔本〕泉州黃虞稷俞邰所錄。皆有明一代之書。經部十一類。爲易。爲書。爲詩。爲三禮。爲春秋。爲孝經。爲論語。爲孟子。爲經解。爲四書。爲小學。史部十八門。曰國史。曰正史。曰通史。曰編年。曰別史。曰霸史。曰史學。曰史鈔。曰地理。曰職官。曰典故。曰時令。曰食貨。曰儀注。曰政刑。曰傳記。曰譜系。曰簿錄。子部十二門。乃儒家。雜家。農家。小說家。兵家。天文家曆數家五行家醫家藝術家類書釋家道家。集部八門。則別集制誥表奏騷賦詞典制舉總集文史也。每類後附宋金元人之書。殆補三史藝文志之闕。故不及五代以前撰著。張廷玉等撰明史藝文志。往往據以採錄。則其賅贍可知矣。俞邰崇禎末流寓金陵。家富藏書。至今遺籍流落人間。得者視同球璧。金陵朱氏家集云。南仲公朱廷佐入吳郡庠。與周忠介友善。南渡後而折馬阮。不求仕進。手寫古今書目。爲黃俞邰龔衛圃所得。以備史料。千頃堂書目蓋即參取南仲公書目而成。公之原書不可得見。特附記之。

丁雄飛　心太平庵

【金陵通傳】丁雄飛字菡生。耆古樂善。積書數萬卷。每出。必擠簏囊載圖史以歸。烏龍潭心太平庵。立古歡社。與黃虞稷互相考訂。其古歡社約序云。予生有書癖。初識之無。便裁寸楮裝小册。閒保姆諺語。或韓女歌詞。挽人書之。藏襟袖閒。九歲就外傅。師每日拈十題。令作破。予總一册。時秋葵正茂。私識曰。丁先生葵窗新藝。王父見而大笑。十三歲隨先君子宦溫陵。固文藪也。雖閉署中。先君子日搜典籍。予得肆披閱。燈燼雞鳴。率以爲常。凡手錄者。童子錄者。雖未等身。然已盈笥。十九歲自溫陵返．積有金數鋌．一至虎林虎丘．見書肆櫛比．典册山積．五內震動．大叫欲狂．盡傾所蓄以易之．授室後．內子有同癖．結褵十日．遂出奩中藏四笏畀予．向書隱齋得數抱而返．自後簪珥衿裾．或市或質．銷于買書寫書兩事．內子欣然也．予是時積書幾二萬卷．後先君子西去．遺書二十廚．取而匯焉．分十二部．得廚四十．藏心太平庵中．庵凡三楹．兩楹爲書所踞．中一楹置長几．胡列丹黃．具香茗．予危坐披翻．湘簾不卷．而神思靜穆．豁豁然融融然與書俱化．閨中三婦．俱弄筆墨作楷．有會心者指而錄之．蓋已合掌佛前．願終其身老是蠹魚間矣．因慨天下之同予癖者甚少也．時同里有陶汝成者．性孝友．爲人慷慨．善解紛．足不踰四尺．兩目如電．笑聲若雷．耆書與雄飛同．金陵書賈雲集．雄飛五日一探．十日一訪．每往．汝成必先在．雄飛撰述極富．著有尊儒帖．烏龍潭志．清涼山志等書．計九十八種．所積書有古今書目十卷．尤多秘本．

孫星衍　五松園

【白下瑣言】金陵昔多寓公．隨園而後．享林泉之樂．極觴詠之娛者．莫如陽湖孫伯淵．始僑居舊內之五松園．園有古松五株．故名．

【續纂江寧府志】孫星衍字淵如．一字季逑．陽湖人．築五松園于舊王府東北隅．極水木明瑟之致．隔道南爲祠以藏書．所謂孫祠書目也．平津館岱南閣板皮其中．句曲山大徐篆書石皆銜於壁．

【邵懿辰四庫簡明目錄標注】孫氏祠堂書目七卷．岱南閣刊本．

甘福　津逮樓

【續纂江寧府志】甘國棟．字遴士．江寧人．家有津逮樓．積書至十餘萬卷．子福．字德基．號夢六．生平嗜學慕古．蓄書極富．至今談收藏者．猶稱甘氏津逮樓焉．

朱緒曾　開有益齋

【陸心源開有益齋讀書志跋】上元朱述之先生．諱緒曾．道光初舉人．一目十行．無書不覽．藏書甲於江浙．累官浙江秀水孝豐知縣．有循聲．其書仿郡齋讀書志之例．而精核過之．

三　南京掌故書目

方志部

乾道建康志十卷　宋史正志

慶元建康志十卷　宋吳琚
景定建康志五十卷　宋周應合
祥符江寧圖經　宋無名氏
集慶路續志　元戚光
至正金陵新志十五卷　元張鉉
南畿志六十四卷　明聞人詮
留都錄　明瞿銑
南京錄　明趙永
正德南京志稿　明龔弘丞　許廷光
正德上元縣志　明管景等
正德江寧縣志二卷　明劉雨纂修　管景等增

萬曆應天府志三十二卷　明程嗣功

萬曆應天府志　明陳舜仁修

萬曆上元縣志十二卷　明李登等

萬曆江寧縣志十卷　明李登　盛敏耕　顧起元等

江南通志七十六卷　清倪粢朱之翰等

江南通志二百卷　清徐孝常　王元衡　程廷祚等

康熙江寧府志三十四卷　清張怡

康熙江寧縣志十四卷　清戴本孝

康熙上元縣志二十四卷　清唐開陶

乾隆江寧縣志二十六卷　清王箴輿

乾隆上元縣志三十卷　清何夢篆

嘉慶江寧府志五十六卷　清姚鼐

道光上元縣志二十六卷　清陳栻等

同治上江兩縣志二十九卷　清莫祥芝甘紹盤

續纂江寧府志十五卷　清汪士鐸

史部

編年類

金陵通紀十卷續四卷　清陳作霖

雜史類

建康實錄二十卷　唐許嵩

建康實錄　缺名

洪武聖政記一卷　明宋濂

國初事蹟一卷　明劉辰

翦勝野聞一卷　明徐禎卿

姜氏祕史　明姜清

東朝志　明王泌

革朝志　明許柏卿

革除逸史二卷　明朱睦㮮

建文朝鮮彙編二十卷　明屠叔方

革除遺事六卷　明黃佐

革除遺事節本六卷　前人

江南見聞錄一卷　缺名

金陵野鈔十四卷　明顧苓

弘光朝僞東宮僞后及禍紀略一卷　清戴名世

盾鼻隨聞錄五卷　清俞泰生

金陵癸甲摭談一卷　缺名

江蘇兵事紀略二卷　清陳作霖

傳記類

龐氏族譜　明龐玉宣

王氏家乘　明王儆

貝氏家譜　明貝[illegible]

朱氏家譜　清朱濬

以上家譜之屬

蔣子文傳一卷　梁吳操〔宋志〕

陶先生傳序三卷　宋賈嵩〔宋志〕

周顛仙人傳　明太祖

孝行十紀　明孔尤鵬

建文帝後紀一卷　清邵遠平

明道先生紀績三卷〔一作四卷〕　清章秉法

以上事狀之屬

王氏江左世家傳二十卷　宋王褒〔隋志〕

丹陽尹傳十卷　梁元帝〔隋志〕

草堂傳　梁元帝〔文選北山移文注〕

建文元年京闈小錄　明董紀　方孝孺

金陵人物志略六卷　明陳鎬

名公象記　明顧起元
東晉人物略　明何開遠
南國賢書六卷　又前編二卷　明張朝瑞
王謝世家二十四卷　明屠叔方
金陵先賢祠記贊一卷　明安鏡湖
江左儀壺錄　明無名氏
金陵書品　明無名氏
明代帝里人物略二十四卷　清路鴻休
先進人文略　清戴衍善
金陵節孝備考　清孫金相
上元江寧忠義祠祀輯補三卷　清金鰲

畸人傳三卷　清談泰
江寧祠祀鄉賢彙傳二卷　清胡沛
郭雲川庸行圖說　清董教增
金陵忠義孝悌祠傳贊二卷　清甘熙
大魁考　清陳寶田
續金陵節孝備考　清王鏻桂　方明峻
十五國人物志〔又作十三州人物志內列金陵志二卷〕　清龔翰
以上緫錄之屬
留都士女表　明張大用
以上人表之屬
顧氏小史十卷　明顧起元

談氏族考一卷　清談泰

家傳一卷　清謝眴

以上雜錄之屬

地理類

江南治水記一卷　明陳士爌

金陵水利論　清金濬

運瀆橋道小志一卷　清陳作霖

以上水道之屬

幕阜山記　晉葛洪〔見直齋書錄解題〕

攝山志二卷　明金鑾

棲霞小志一卷　明盛時泰

棲霞志　明金九梧

攝山志八卷　明棲霞寺僧興源

攝山志略六卷　清張怡

攝山志八卷　清陳毅

獻花巖志二卷　明陳沂〔江蘇省立國學圖書館書目不分卷〕

牛首山志二卷　明盛時泰

牛首山志　明張用鼎

清涼山志　明丁飛雄

清涼散一卷〔一名清涼小志〕　清周桀〔未刻見待徵錄〕

盋山志八卷　清顧雲

石城山志一卷　今人陳詒紱

大城山志　明盛時泰

方山小志　明盛時泰

湖熟志　明丁飛雄

湖熟志　明李一白

湖熟小志　清金鰲

後湖志十一卷　明趙官

後湖黄册志六卷〔千頃堂書目別刻附錄一卷〕　前人〔見明志〕

後湖志十卷　明萬文彩

莫愁湖志六卷〔同治上江志作四卷〕　清馬士圖

以上山川之屬

六朝宮苑記二卷　唐許嵩〔見宋志〕

建康宮殿簿　唐張著

南朝宮苑記一卷　宋無名氏（見宋志）

建康宮闕簿　宋無名氏

南京上林苑志　明無名氏

金陵宮闕都邑圖　明顧起元

故宮遺錄一卷　明蕭洵（知不足齋叢書第十一集第四册）

以上專志之屬一（宮殿）

丹陽記　晉山謙之

金陵覽古考三卷　宋楊守備

上元古蹟　宋石邁

臺城古蹟圖　宋無名氏

洪武京城圖志　明無名氏
嘉靖金陵古今圖考　明陳沂
金陵紀勝二卷　明盛時泰
金陵名勝錄　明王萬祺
金新選勝十二卷　明孫應嶽
應天府名勝　明曹學佺
金陵勝概記　明周士彪
金陵紀勝三卷　明蔣主忠
皇明京都景八卷　明無名氏
金陵識古錄　清程嗣章
金陵考古略　清蘇亭叔

金陵圖詠一卷　清焦桂芳

三峯圖經六十詠　清嚴觀

金陵覽勝考　清周寶偀

鳳麓小志四卷　清陳作霖

金陵勝蹟志十卷　今人胡祥翰

以上專志之屬二（古蹟）

金陵寺塔記三十六卷　唐僧清澈（見唐志）

京師塔寺記七卷　唐僧景宗（見高僧傳）

金陵梵刹志五十三卷　明葛寅亮

金陵道觀志十三卷　明無名氏

諸寺奇物記　遯園居士

南朝佛寺志　清孫文川　陳作霖

棲霞寺記一卷　唐僧靈湍

棲霞寺志二卷　明寺僧可浩

棲霞寺志　明金鑾

棲霞寺志三卷　明文伯仁

靈谷寺志十六卷　清吳雲

靈谷寺志　清馬益

重修靈谷禪林志十四卷　清甘熙

靈谷禪林志十五卷　清謝元福

祈澤寺志一卷　明盛時泰

重修祈澤寺志四卷　清金鰲

高座寺志　清王槩

雨花臺志　清雨花山僧海湛

天界寺志　明無名氏

吉山永泰寺志　清王延銓

瓦官寺志　清無名氏

承恩寺緣起碑版錄一卷〔附詩存一卷〕　清寺僧定志

方山香茅宇志　明盛時泰

以上專志之屬三〔寺觀〕

金陵名祠志　明葛寅亮

清忠祠錄一卷〔附清忠初錄一卷閩忠傳志一卷〕　明葉向高

王文成公祠志二卷　明無名氏

藝文

金陵名園記　清張怡

以上專志之屬六（園亭）

南徐州記二卷　宋山謙之（隋志）

揚州記　齊劉澄之（世說新語注）

京都記　齊陶季直

秣陵記二卷　梁樊文深

荆揚二州遷代記四卷　梁任昉（唐志）

分吳會丹陽三郡記三卷　前人（唐志）

江乘記　隋無名氏（景定志）

金陵六朝記一卷　唐尉遲偓

金陵地記六卷　唐元廣之（宋志崇文書目作黃元之撰）

六朝事蹟編類十四卷（一作二卷） 宋張敦頤

六朝事類別集十四卷 宋吳彥夔（宋志）

金陵遺事三卷 宋錢維演（宋志）

金陵遺事 宋朱舜庸

金陵百詠一卷 宋曾極

金陵雜志 明楊循吉

帝里書 明湯鐸

金陵世紀 明陳沂

烏衣佳話八卷 明王兆雲

金陵圖詠不分卷 明朱之蕃

金陵雅遊編不分卷 明余孟麟

金陵舊事十卷　明焦竑〔竑墓志作六卷竑序金陵瑣事作二卷〕

南都野記　明司馬泰〔呂志作陳沂撰今依客座贅語〕

留都錄五卷　明周暉

尙白齋客談　前人

金陵瑣事四卷續瑣事二卷再續瑣事二卷　前人

瑣事剩錄八卷　前人

客座贅語十卷　明顧起元

建康風俗記一卷　明王可立

古金陵篇　明王太

留都見聞錄二卷　明吳應箕

靈谷紀遊稿一卷　明朱書

舊京遺事　明無名氏

建康古今記十卷　清顧炎武

金陵私乘八卷　清張怡

江南星野一卷　清葉燮

金陵志餘　清孔自來

金陵地圖考二十卷　清汪中

金陵雜詠一卷　清王友亮

六朝故城圖考六卷　清史學海

白下餘談一卷　清劉旂錫

金陵見聞雜著　清劉樹聲

續金陵瑣事　清王官德

金陵見聞録六卷　清陳毅
同學書院志　清寧楷
六朝地理考　清陳懋齡
鍾山憶　前人
金陵雜詠　清何紹基
金陵待徵録十卷　清金鰲
金陵舊聞　清朱緒曾
白下瑣言十卷　清甘熙
金陵物產風土志　清陳作霖
東城志略一卷　前人
鍾南淮北區域志三卷　今人陳詒紱

金陵歲時記一卷　今人潘宗鼎
新京備乘三卷　今人陳迺勳
新南京　南京市政府
科學的南京　中國科學社
國都南京的認識　中央執行委員會宣傳部
以上雜記之屬
金陵名山記　明陳沂
金陵冬遊紀略　明羅洪先
以上遊記之屬
政書類
南臺備記二十九卷　元孛元岱

京學志八卷　明焦竑

舊京詞林志六卷　明周應賓

南京翰林志十二卷　明董其昌（明志）

南京錦衣衛志二十卷　明張可大

南京詹事府志二十卷　明劉昌（明志）

南雍舊志十八卷　明吳節（明志）

南雍新志十八卷　明無名氏

南雍申教錄十五卷　明王材（明志　開有益齋集作瞿銑撰）

太學儀節二卷　前人

南學再蒞錄一卷　前人

南雍志二十四卷　明黃佐

南雍條約一卷　前人

南京國子監條例類編　明瞿銑

南京國子監條例　明王倎

留都武學志五卷　明徐伯徵

京學志　明何琪枝　張禮化

南京吏部志十五卷　明汪宗伊

留銓志餘二卷　前人（明志）

南京戶部志二十卷　明王崇慶（明志）

南京戶部志二十卷　明謝彬（明志）

南關志六卷　明薛僑（明志）

南京兵部車駕司職掌五卷　明祁承㸁　王志堅　趙昌期

南京兵部車駕司職掌　明俞汝爲（明志）

南樞新志四卷　明李邦華（明志）

留樞參贊考　明無名氏

參贊行事　前人

南京刑部志四卷　明龐嵩

南京刑部志二十六卷　明江山麗（明志）

南法司駮稿六卷　明李祐

南京工部志十八卷　明朱長芳

南京工部職掌條例五卷　明劉汝勉

船紀四卷　明沈啓南

南京都察院志四十卷　明施沛

南京都察院志四十卷　明徐必達〔明志〕

留臺雜記八卷　明符驗

留臺雜考八卷　明無名氏

南垣論世考　明無名氏

南京欽天監志八卷　明施瑞寔

南京大理寺志十七卷　明無名氏

南京太常寺志十三卷　明汪宗元

南京太常寺志四十卷　明沈若霖

南京太常寺典簿廳新纂便覽　明無名氏

南京光祿寺志四卷　明無名氏

南京鴻臚寺志四卷　明桑學夔

南京尚寶司志二十卷　明潘煥宿

南京行人司志十六卷　明翁逢春

鍾山書院志八卷　清金芝

鍾山書院志十六卷　清湯椿年　金增

鍾山書院講學錄　清德沛

金陵歷代建置表一卷　清傅春官

首都警察概況　首都警察廳

以上職官之屬

文廟禮樂志十卷　明黃居中

文廟紀略四卷　清宗觀

金陵祀典　清程京蕚

以上儀制之屬

金陵樞要一卷　唐王豹（宋志）

六朝進取事類　宋王漻

南樞志一百七十卷　明張少任

以上雜錄之屬

目錄類

焦氏藏書目二卷　明焦竑

羅氏書目四卷　明羅鳳

千頃堂書目三十二卷　清黃虞稷

津逮樓書目十六卷　清甘福

南雍書目一卷　明梅鷟

江寧王府書目　明無名氏

善本書室題跋　清丁丙

善本書室藏書志錄六卷附錄一卷　同上

羣碧樓善本書錄六卷寒瘦山房鬻存書目七卷　今人鄧邦述

范氏歸館書目　國學圖書館

宋氏宜秋館書目　同上

江南圖書館書目　江南圖書館

江南圖書館善本書目　同上

江南圖書館善本裝箱書目殘存　同上

江南圖書館外樓裝箱書目　同上

南京圖書館書目二編附書畫目錄　南京圖書局

江蘇第一圖書館覆校善本書目　江蘇第一圖書館
八千卷樓藏書未歸江蘇省立國學圖書館書目　國學圖書館
江南圖書館撥存江蘇通俗教育館書目　江南圖書館
江蘇通俗教育館書目　江蘇通俗教育館
江蘇省立南京民衆教育館圖書部雜志目錄　南京民衆教育館
南京市立圖書館圖書目錄　南京市立圖書館
中國科學社圖書館外國書目　中國科學社圖書館
建設委員會圖書館中日文圖書目錄　建設委員會圖書館
孟芳圖書館圖書目錄　孟芳圖書館
國立中央大學圖書館目錄　中央大學圖書館
河海工科大學圖書館中文書目初編　今人陳從野

金陵大學圖書館中文地理書目　今人萬國鼎

金陵大學圖書館方志目　今人萬國鼎　宜興儲瑞棠

金陵女子大學圖書館書目　今人曹祖彬

盋山宋本書影　國學圖書館

盋山元本書影　同上

國學圖書館小史　今人柳詒徵

江蘇省立國學圖書館概況　國學圖書館

孟芳圖書館落成紀念　孟芳圖書館

金陵大學圖書館概況　今人李小緣

國立東南大學圖書部規程　東南大學圖書館

國立中央大學圖書館中文圖書編目規則　今人桂質柏

金石類

諸寺碑文四十六卷　梁鍾山寺僧僧祐

建康二鐘記一卷　陳姚察〔陳書本傳〕

金陵古今石考一卷　明顧起元

江寧金石記五卷待訪目二卷　淸嚴觀

金陵古碑抄　淸王煡

梁石記一卷　淸莫友芝

子部

雜家類

金陵泉品一卷　明盛時泰

金陵諸山形勢考　明無名氏

金陵水利論　同上

秦淮廣記　清繆荃孫

集部

別集類

六朝詠史詩　唐孫元晏

金陵覽古詩二卷　南唐朱存

金陵百詠一卷　宋曾極

金陵雜興一卷　宋蘇泂

建康集八卷附補遺紀年略一卷　宋葉夢得

建康賦　宋崔敦禮

金陵訪古詩一卷　宋袁陟

金陵覽古詩　宋馬之純

金陵覽古詩　宋陳軒

金陵賦　宋黃渫

金陵百詠　元陳宮

金陵賦　明黃琮

兩京賦二卷　明余光〔明志〕

兩都賦二卷　明盛時泰

金陵古跡詩　明陳弘世

金陵覽勝詩一卷　明章恩

白門缶音集　明錢志立

秣陵名勝詠　明湯沐

白下集十一卷　明黃姬水

使金陵稿一卷　明李先芳

金陵百詠　明陳環

白門新詠　謝明雒

金陵集一卷　明鄔汝翼

秦淮社草　明袁小修

兩都賦二卷　明桑悅〔明志〕

兩都賦二卷　明黃佐〔明志〕

金陵圖詠一卷　明朱之蕃

金陵臥遊六十詠一卷　明顧起元

金陵百詠　清周在浚

金陵覽古詩　清余賓碩
金陵四十景詩　清張漢昭
棲霞紀遊一卷　清董進
金陵覽古詩一卷　清唐一麟
金陵賦一卷　清金澤茂
金陵雜事詩　清查慎行
冶城絜養集　清孫星衍
金陵雜詠　清陳友亮
秣陵集六卷表一卷圖一卷　清陳文述
金陵訪墓詩　清劉廷鑾
秣陵集　清谷起鳳

長干棹歌一卷　清汪廷儒

金陵賦　近人程先甲

總集類

南都英華　明司馬泰〔呂志作陳沂撰此依千頃堂目〕

金陵風雅四十卷　明姚汝循

金陵雅游篇　明余光焦竑朱之蕃余孟麟顧起元〔問源樓書目屬孟麟今依客座贅語〕

雨花臺詩集　明雨花山僧澄心

燕子磯集三卷　明薛甲

金陵社集詩八卷　明曹學佺

金陵古蹟詩選　清汪暘

白門風雅集　清龔琛

金陵名勝詩鈔四卷　清李鰲
秦淮詩鈔二卷　前人
金陵詩匯二十六卷　清朱緒曾
金陵文徵五卷　清張師鄘
青溪酬唱集　清彭金度
金陵唱和詩一卷　清葉誾
金陵唱和詩一卷　清袁士達
莫愁湖風雅集三卷　清釋恆峯

圖部

南京城市全圖　商務印書館
首都城市實測圖　南京市土地局

新南京地圖　蘇甲榮
南京警察區域全圖　江蘇省會警察所
首都道路系統圖　南京土地局
由南京至鎮江南北岸水陸地勢圖　缺名
金陵下關沿江形勢圖　清孫梅生
金陵砲臺總形圖　缺名
金陵烏龍山砲臺圖　同上
烏龍山砲臺圖　同上
五龍山砲臺全圖　同上
五龍山六百分之一平圖　同上
五龍山砲臺平面圖　二百分之一　同上

烏龍山砲臺立看側面全圖　同上
五龍山砲臺側面立看全圖　同上
烏龍山砲臺俯看平面全圖
五龍山砲臺側看立面全圖　同上
五龍山砲臺正面俯看之圖　同上
五龍山　山嘴砲臺平面圖　同上
金陵幕府山砲臺圖形　同上
幕府山砲臺圖　同上
幕府山東砲臺圖　同上
幕府山西砲臺圖　同上
金陵下關東西砲臺圖　同上

下關東西砲臺圖　同上
下關添築明暗砲臺立面全圖　同上
下關砲臺圖　同上
下關砲臺平面俯視全圖　同上
下關砲臺立面側視全圖　同上
獅子山砲臺圖　同上
金陵獅子山砲臺圖形　同上
獅子山砲位圖　同上
金陵清涼山砲臺圖形　同上
清涼山砲臺圖　同上
金陵鍾山砲臺圖形　同上
鍾山砲臺圖　同上

金陵雨花臺砲臺圖形　同上

雨花圖砲臺圖　同上

沙洲圩平圖　同上

沙洲圩五百分之一平圖　同上

沙洲圩六百分之一平圖　同上

沙洲圩砲臺平面俯看全圖　同上

沙洲圩砲臺側面立看全圖　同上

沙洲圩砲臺地盤全圖　同上

金陵三工丈尺細圖　同上

增築孩蹊山砲臺圖　同上

金陵省城古蹟全圖　缺名

鍾山書院舊制圖　缺名

雜誌論文

雜史類

金陵癸甲摭談補　白蕉　人文月刊三卷二期

建文遜國事考　孟森　國立北平圖書館館刊五卷六號

建文遜國考疑　倫明　輔仁學志三卷二期

金陵教案始末　張維華　齊大月刊一卷二三期

太平天國宗教化的軍事與政治　余人牧　文社月刊三卷一册

太平天國之宗教政治　陳訓慈　史學雜志一卷六期二卷一期

太平天國之宗教　余人牧　文社月刊二卷九期

洪楊卮談　謝興堯　北平晨報藝圃二十年一月至四月

庚子拳禍東南互保之紀實　惜陰　人文月刊二卷七期

地理類

三國時代疆域考　鄭璜　史地叢刊第一輯

金陵史勢之鳥瞰　張其昀　東方雜誌十三卷十五號

首都之地理環境　張其昀　地理雜誌三卷二至四期

明淸間金陵之都市生活　張其昀　史學雜誌一卷一期二期

江寧地志大綱　胡煥庸　王維屏　方志月刊七卷一期

南京發現新石器時代遺址　衞聚賢　東方雜誌二七卷一號

關於葛洪古塚的通信　黃仲琴　傅斯年　顧頡剛　中央語歷學研究所週刊三卷二八期

南京明故宮發掘古物記　繆鳳林　史學雜誌一卷六期

首都設計餘談　古力治　方治月刊六卷一期

金陵覽古　朱楔　國風半月刊八號十號十一號

金陵新詠　蔣成堃　廈大週刊十一卷十五期

鷄籠山觀象臺故址與建氣象臺記　胡煥庸　地理雜誌二卷一期

政書類

三國吳兵考　陶元珍　燕京學報十三期

太平天國制度之研究　丁紀曾　史地叢刊第十輯

右制度之屬

南朝太學考　柳詒徵　史學雜誌一卷五期六期二卷二期三四合期

南監史談　柳詒徵　國學圖書館第三年年刊史學雜誌三四合期

支那內學院院訓釋上篇　歐陽漸　內學第三輯

棲霞鄉村師範服務社會之實況　質夫　棲霞新村二期

棲霞鄉師十七年度的擴充教育事業計劃書　黃作舟　棲霞新村七期八期

棲霞鄉師十六年度之回顧　質夫　棲霞新村七期一〇期

本校史略　黃同義　棲霞新村二一期二五期

本校農民教育館計劃草案　質夫　棲霞新村一一期

本校實小未來之計劃　靈谷　棲霞新村二一期

我們友農社的計劃　質夫　冶愚　棲霞新村一二期

爲南京棲霞鄉村師範告遠近鄉教同志書　黃同義　農業週報四六期

到曉莊後　浙大農週五卷一五六至一六〇頁

曉莊中心小學之創設及其問題　陸靜山　教育雜誌二一卷五期

曉莊學校改進鄉村社會努力…農民運動之一斑　張眞如　農林新報一八四期一八五期

曉莊學校的一瞥　長虹　村治月刊二期

曉莊學校與中心小學　王秀南　中華教育界一八卷九期

曉莊反動與教育　周化南　江蘇黨務週刊一五期

解散曉莊師範的原因和經過　胡漢民講　中央週報九八期　江蘇黨務週報一五期

參觀南京曉莊學校之所見　梁漱溟　農林新報七卷一八一至一八二頁一九七至一九八頁

參觀曉莊鄉村師範以後對於改進江西鄉村教育之芻議　黄源澂　伍農二期

參觀曉莊鄉村師範記　鮑國樑　教育與職業一〇七期

東南大學教育科附設昆明學校概況　沈子善　新教育九卷八二三至八四〇頁

燕子磯鄉村小學參觀記　張宗麟等　中華教育界一五卷四期

赴寧參觀鄉村小學校記　儲記　義務教育二五期

南京堯化門小學概況　教育與職業一〇三期

南京高等師範學校創設江寧縣沙洲圍鄉村農業學校緣起及簡章　教育與

職業二三期　中華教育界十卷六期

南京高師附設江寧縣沙洲圩鄉村農校之調查　金海觀　中華教育界一〇卷七期

右教育之屬

南京特別市糧食業登記規則　建國月刊二卷二期

南京糧食狀況種類價格輸入出數量及救濟辦法說明表　建國月刊二卷二期

十七年南京市農產及日用品零售市價　江蘇農工公報五期

南京市農產品及日用品零售市價指數說明圖表　江蘇農工公報第三期

南京市農產品及日用品零售市價指數圖　江蘇農鑛公報一期

南京市農產品及日用品零售市價總指數圖　江蘇農鑛公報一〇期

南京市農產品與日用品零售市價指數比較圖　江蘇農鑛公報一期

南京市農產品與日用品零售市價指數比較圖　江蘇農鑛公報一〇期

南京糧食批發物價指數表　工商公報一三至一九期
南京零售物價表　工商公報一一至一九期
南京零售物價指數表　工商公報一〇至一九期
南京零售物價指數表　工商半月刊
十七年南京特別市北門橋重要農產品及日用品零售物價表　江蘇農礦公報一〇期
十七年南京特別市北門橋重要農產品及日用品零售市價數比較　同上
南京上新河木業調查記　瞬初　湖南實業雜誌一三四期
南京之木竹市況　曹學思　中華農學會會報三卷四期
首都醬業調查表　桂步駿　工商公報一三期
首都醬業調查錄　湖南實業雜誌一四二期
南京之牛皮運銷近況　中外經濟月刊二一八期

南京絲業調查　工商半月刊三卷一期
南京絲織業之近況　經濟半月刊一卷四期
南京城内之農業概況　中外經濟周刊二二八期
南京城内農業概況調查及統計　統計月報一卷九期
首都附近農場之調查　新農通訊一期
蘇省金陵道屬農業調查略述　原頌周　中華農學會報三八期
江寧縣農業的調查　張心一　統計月報一卷四期
江寧天德農場十四軍年度務概況　東大農學三卷三期
棲霞附近各村概況調查表　棲霞新村一五期
南京農田之使用水利法　中外經濟周刊一〇三期
南京蠶桑實業　國際公報二卷一三期

南京蠶業關於繅絲之概況　中外經濟周刊一二二期
南京蠶絲業之概況　伯海　農事月刊八期
南京桑園蠶戶之概況　中外經濟周刊一二六期
南京之蠶絲及絲絨業　東暉譯　上海總商會月報六卷一期　安徽實業雜誌二卷
江蘇陶吳鎮之蠶業　謝與農　農聲八二期
江寧縣北固鄉曉莊一帶近五年蠶桑情形之調查　旭韜　農林新報七卷五六八頁五八六至五八七頁
南京城內外桑園之調查　張文明　中大農學院旬刊四期
南京之西瓜栽培　農業週報五六期
南京桃園之近況　中外經濟周刊二二六期
南京中山門外桃園概況　農林新報八期三五一至三五二頁
幕府山森林調查報告　建設季刊四期

湯山森林調查報告　建設季刊四期
牛首山森林概況　陳雪塵　林學第一期
牛首山森林調查報告　建設季刊四期
南京果樹園藝之一斑　雷樹枏　東大農學一卷八期
南京市各鄉秋收之調查　統計月報二卷一二期
南京菜園所用之肥料來源　中外經濟周刊一一六期
江寧三山圩民國十五年農作之報告　嚴恆敬　嚴必康　農林新報八六期八九期
南京天寶樹木公司之狀況　中央經濟周刊一〇九期　國際公報三卷二四期
南京羣蜂之越冬　徐受謙　農林新報九八期四頁　養蜂報二〇期五至六頁
南京養蜂事業之調查　農林新報六三期
江蘇南京宜養蜂之事實　徐受謙　華北養蜂雜誌一四期

南京之魚鈎　江蘇實業雜誌七一期

南京之養魚事業　中外經濟周刊一〇二期

南京漁業之概況　中外經濟週刊一三五期

南京魚類之調查　張春霖　科學一四卷五一八至五二九頁

南京牛乳房之調查　唐啓宇　金陵光一〇卷四期

南京乳牛場之調查　錢履中　盧潤孚　東大農學二卷五期

江寧農民之統計　世界月刊二期

右實業之屬

報告江寧嚴家圩信用合作社的經過　嚴恆敬　農林新報一四六期

南京城北豐潤農村信用合作社參觀　徐國棟　東大農學三卷三期

江寧縣合作事業概述　周其行　蘇農二卷三期

江寧縣合作事業之觀感　周其行　江蘇合作二二期
首都合作社之發展近況　工商半月刊一卷一期

右合作事業

關於首都人口的幾個統計　社會雜誌一卷一期
首都全市人口　中國建設一卷二期

右雜錄之屬

洪秀全命薛之元鎮守浦口詔　文獻叢編十五輯
太平天國敕諭　文獻叢編十五輯
太平天國文件之未經發表者　洪業　燕京大學圖書館報第一期第三期

右詔令之屬

兩江總督張人駿奏勸業會佈置情形摺　東方雜誌六年十三期

兩江總督端江蘇巡撫陳會奏創辦南洋第一次勸業會摺　東方雜誌六年四期

調任兩江總督端方奏南洋勸業會請降宣示綱要摺　東方雜誌六年九期

農工商會奏議覆南洋等籌設勸業會及賽物免稅等摺　東方雜誌六年九期

右奏議之屬

金石類

攝山石刻補記　向達　東方雜誌二十六卷六號

首都志卷十六

歷代大事表

年代	民國紀元	公曆紀元	記事
黃帝			屬江南
唐			屬揚州
虞			屬揚州
夏			屬揚州
商			屬揚州

	民元前	公元前	
周武王十三年	三〇三三	一一二二	以江南地封周章國號吳
孝王十三年	二八〇八	八九七	大雹江凍
靈王二年	二四八一	五七〇	楚公子嬰齊伐吳克鳩茲至衡山（今名橫山在江寧縣東南）。
敬王二十四年	二四〇七	四九六	吳夫差立因山鑄冶立冶城
元王四年	二三八三	四七二	越滅吳范蠡築城于長干（今名越城）
安王二十三年	二二九〇	三七九	越遷於長干
安王二十六年	二二八七	三七六	越太子諸咎弒其君翳越人旋殺諸咎立孚錯枝
顯王三十六年	二二四四	三三三	楚滅越置金陵邑　金陵之名始此
秦始皇二十四年	二一三四	二二三	滅楚
二十六年	二一三二	二二一	秦幷天下以金陵地屬鄣郡

二十七年	二一三一	二二〇	開馳道（在今江寧句容縣境）
三十七年	二一二一	二一〇	帝東巡會稽過丹陽（即今小丹陽在江寧縣境）至錢唐還從江乘度遂置江乘縣（今江寧句容縣界）以望氣者言鑿鍾阜斷長隴以通流改金陵爲秣陵縣
西楚霸王元年	二一一七	二〇六	項籍滅秦江南北地皆屬楚立英布爲九江王鄣郡屬焉
漢高帝三年	二一一五	二〇四	英布以國歸漢
五年	二一一三	二〇二	項籍亡楚地悉定以其地封韓信爲楚王
六年	二一一二	二〇一	執韓信歸立劉賈爲荆王鄣郡屬焉
十一年	二一〇七	一九六	劉賈爲英布所殺立兄子濞爲吳王鄣郡屬吳
惠帝五年	二一〇一	一九〇	夏旱江竭
呂后三年	二〇九六	一八五	夏江溢
八年	二〇九一	一八〇	夏江溢

景帝三年	二〇六五	一五四	吳王濞反軍潰奔丹陽保越城復走丹徒東甌王誘殺之
四年	二〇六四	一五三	徙汝南王劉非爲江都王治吳故地
元朔元年	二〇三九	一二八	劉非薨子建嗣推恩分封子敢丹陽侯胥行胡孰侯纏秣陵侯尋皆薨國除
元狩二年	二〇三二	一二一	劉建有罪自殺地入漢
元鼎二年	二〇二六	一一五	詔以江南水潦振救飢民
元封二年	二〇二〇	一〇九	更鄣郡爲丹陽郡秣陵胡孰江乘丹陽皆屬焉郡置太守縣置令長
五年	二〇一七	一〇六	置十三部刺史丹陽郡隸揚州
宣帝本始四年	一九八一	七〇	以黃霸爲揚州刺史
地節二年	一九七九	六八	何武代黃霸爲揚州刺史
新莽始建國元年	一九〇三	公元九	改江乘曰相武秣陵曰宣亭

東漢光武建武三年	一八八五	二七	傅俊將兵徇江東揚州悉定郡縣各皆復舊
六年	一八八二	三〇	李忠爲丹陽太守起學校　任光繼之墾田增多時鮑永爲揚州牧誅鋤強橫百姓安之
章帝建初中			張禹爲揚州刺史
順帝陽嘉元年	一七八〇	一三二	揚州六郡妖賊章河等寇四十九縣殺傷長吏
漢安二年	一七六九	一四三	冬十二月揚徐盜賊攻燒城寺殺略吏民
建康元年	一七六八	一四四	秋八月揚徐盜賊范容周生等寇略城邑
桓帝建和二年	一七六四	一四八	揚州饑遣四府掾分行賑給
靈帝中平中			何進遣毋邱毅募兵丹陽
獻帝初平元年	一七二二	一九〇	曹操夏侯惇詣揚州募兵討董卓刺史陳溫太守周昕與兵五千人
三年	一七二〇	一九二	揚州刺史袁術使吳景攻周昕奪其郡

興平元年	一七一八	一九四	揚州刺史劉繇逐吳景
二年	一七一七	一九五	袁術表孫策爲折衝校尉行殄虜將軍將兵助景策先攻彭城相薛禮下邳相笮融於秣陵未克乃由小丹陽轉攻湖孰江乘皆下之還定秣陵融因殺禮併其衆奔豫章策轉戰而東遂盡有江表之地
建安元年	一七一六	一九六	江淮饑人相食
三年	一七一四	一九八	曹操表孫策爲討逆將軍封吳侯
五年	一七一二	二〇〇	孫策卒　弟權嗣屯吳
十三年	一七〇四	二〇八	劉備使諸葛亮詣權亮過秣陵駐馬以觀形勢
十六年	一七〇一	二一一	孫權自京口徙治秣陵改爲建業念兄策功作廟朱橘南沓湖孰江乘爲典農都尉
十七年	一七〇〇	二一二	城石頭沿淮築堤曰橫塘夾淮立柵曰柵塘置烽火於石頭城南
二十四年	一六九三	二一九	封孫皎子胤爲丹陽侯
二十五年	一六九二	二二〇	權徙都武昌呂範領丹陽太守鎭建業

二十六年	一六九一	二二一	徙丹陽郡治建業魏册命權爲吳王
吳大帝黃武元年	一六九〇	二二二	吳王權改年號曰黃武　置揚州牧以呂範爲之高瑞領丹陽太守改鍾山爲蔣山
二年	一六八九	二二三	徙丹陽郡治蕪湖
三年	一六八八	二二四	秋魏師出廣陵徐盛作疑城自石頭至江乘相接一夕成又大浮舟艦於江魏人憚退
四年	一六八七	二二四	秋地連震
七年	一六八四	二二八	揚州牧呂範卒葬建業
黃龍元年	一六八三	二二九	夏四月丙申權即皇帝位於武昌秋九月還都建業
二年	一六八二	二三〇	詔立都講祭酒以教學諸子
嘉禾二年	一六七九	二三三	帝征魏使太子登留守　秋九月隕霜殺菽
四年	一六七七	二三五	秋七月雨雹又隕霜

五年	一六七六	二三六	春立錢監鑄大錢一當五百　三月張昭卒　夏大旱
赤烏元年	一六七四	二三八	春鑄當千大錢
二年	一六七三	二三九	立洞玄觀於方山以居葛玄
三年	一六七二	二四〇	夏四月始治城郭　冬十一月民饑開倉廩振之　十二月使郗儉鑿城西南爲運瀆
四年	一六七一	二四一	春正月大雪平地深三尺鳥獸死者大半　是年鑿青溪塹潮溝
五年	一六七〇	二四二	夏四月旱　是年大疫
七年	一六六八	二四四	扶南獻樂人置扶南署以習樂
八年	一六六七	二四五	秋七月將軍馬茂謀于苑中弑帝事覺誅　八月遣陳勳收三萬人於方山南截淮立埭（即方山埭）
九年	一六六六	二四六	罷大錢
十年	一六六五	二四七	改作太初宮　爲胡人康僧會立建初寺　江東有佛寺自此始

十一年	一六六四	二四八	春二月地震　三月新宮成　夏四月雨雹
十三年	一六六二	二五〇	太子和與魯王霸交構廢和處故鄣賜霸死
太元元年	一六六一	二五一	秋八月大風拔樹三千江海涌溢水深八尺　十二月詔省繇役減征賦除民所患苦
神鳳元年	一六六〇	二五二	夏六月帝殂太子亮即位秋七月葬蔣陵諸葛恪爲太傅輔政　冬十二月丙申大風雷電
少帝建興二年	一六五九	二五三	冬十月大饗武衞將軍孫峻伏兵殺諸葛恪於殿堂峻自爲丞相
五鳳元年	一六五八	二五四	夏大水
二年	一六五七	二五五	夏大旱　冬十二月作太廟
太平元年	一六五六	二五六	春二月朔建業火　秋九月孫峻卒其從弟綝輔政殺大司馬滕允
二年	一六五五	二五七	春正月甲寅大雨震電乙卯雪大寒　夏四月帝始親政
三年	一六五四	二五八	秋八月沈陰不雨帝與太常全尚等謀誅綝九月綝廢帝爲會稽王尚書桓彝死之己未迎琅邪王休於會稽冬十月己卯休至即帝位改元永安十一月風四反五復蒙霧連日十二月戊辰臘百僚朝賀詔武士縛綝誅之己巳詔置學官立五經博士

景帝永安二年	一六五三	二五九	春正月震電三月詔勸農桑禁浮江賈作
四年	一六五一	二六一	夏五月大雨水泉溢
五年	一六五〇	二六二	秋八月壬午大雨震電水泉溢是年分置故鄣郡以溧陽以北六縣爲丹陽郡還治建鄴
六年	一六四九	二六三	冬十月建業石頭小城火燒西南百八十丈
七年	一六四八	二六四	秋七月癸未帝殂丞相濮陽興左將軍張布言於朱太后廢太子𩅦立故太子和子皓爲皇帝改元元興冬十一月殺興布十二月葬景皇帝於定陵
後主甘露元年	一六四七	二六五	秋七月帝弑朱太后於苑中九月徙都武昌使御史大夫丁固將軍諸葛靚鎮建業
寶鼎元年	一六四六	二六六	冬十月永安山賊施但等劫永安侯謙作亂至建業丁固諸葛靚敗之於牛屯謙自殺十二月帝還都建業
二年	一六四五	二六七	夏六月起昭陽宮
建衡二年	一六四二	二七〇	春三月天火燒萬餘家死者七百人
鳳皇二年	一六三九	二七三	夏殺侍中韋昭又鋸殺司市中郎將陳聲

天册元年	一六三七	二七五	皓殺中書令賀邵
天璽元年	一六三六	二七六	立石刻於巖山紀吳功德
天紀二年	一六三四	二七八	衛尉岑昏表修百府開大道又鑿甘寧塞後爲直瀆
三年	一六三三	二七九	晉大舉來伐
四年	一六三二	二八〇	春三月丙寅殿中親近數百人殺倖臣岑昏壬申晉龍驤將軍王濬以舟師入石頭皓出降明日晉鎭東大將軍司馬伷入屯太初宮遣使送皓於京師封歸命侯
晉武帝太康元年即天紀四年	一六三二	二八〇	夏四月平吳除其苛政改建業爲秣陵又分秣陵爲臨江縣
太康二年	一六三一	二八一	春二月丹陽地震揚州刺史周浚自壽春移鎭秣陵是歲更臨江縣爲江寧分秦淮水北爲建鄴南爲秣陵復置江乘湖熟二縣
三年	一六三〇	二八二	秋九月吳故將莞恭帛奉反攻殺建鄴令遂圍揚州徐州刺史稽喜討平之
四年	一六二九	二八三	冬揚州大水
八年	一六二五	二八七	秋八月丹陽地震

九年	一六二四	二八八	春正月地又震
十年	一六二三	二八九	改丹陽太守爲內史冬十二月丹陽地震
惠帝元康五年	一六一七	二九五	夏六月揚州大水詔遣振貸冬十二月丹陽雨雹尋大雪
六年	一六一六	二九六	夏五月揚州大水
八年	一六一四	二九八	秋九月又大水
永寧元年	一六一一	三〇一	寧遠將軍王邃鎭石頭殺趙王倫所署揚州刺史郗隆
大安二年	一六〇九	三〇三	夏五月義陽蠻張昌反遣其將石冰攻破揚州冬十二月丙寅揚州秀才周玘等起兵討冰
永興元年	一六〇八	三〇四	廣陵度支陳敏與玘合攻建鄴石冰走死揚州平
二年	一六〇七	三〇五	秋揚州刺史曹武殺丹陽內史朱逵冬十二月右將軍陳敏反逐揚州刺史劉機丹陽內史王曠遂據江東
懷帝永嘉元年	一六〇五	三〇七	春丹楊內史顧榮等密圖斬敏三月江東平秋七月已未以瑯邪王睿都督揚州江南諸軍事假節鎭建鄴睿因吳舊城修居之

三年	一六〇三	三〇九	夏大旱江竭
四年	一六〇二	三一〇	夏四月江東大水
愍帝建興元年	一五九九	三一三	避帝諱改建鄴爲建康
四年	一五九六	三一六	冬十一月西京不守瑯邪王睿出師露次移檄討賊
元帝建武元年	一五九五	三一七	春三月瑯邪王睿即晉王位備百官立宗廟社稷於建康冬十二月始立太學置史官是歲揚州大旱
大興元年	一五九四	三一八	春三月丙辰晉王即皇帝位夏六月旱帝親雩改丹楊內史曰尹冬十一月乙卯雷震暴雨新作聽訟觀
二年	一五九三	三一九	二年春三月立郊邱於建業之巳地夏五月揚州蝗毀籬門始築北堤以壅北山之水肄舟師於後湖
三年	一五九二	三二〇	夏五月庚寅地震六月大水秋七月丁亥立懷德縣以處瑯邪國人詔優復之後名費縣是歲創北湖築長堤
四年	一五九一	三二一	夏五月旱秋七月大水八月黃霧四塞
永昌元年	一五九〇	三二二	永昌元年春正月大將軍王敦反於武昌夏四月前鋒至攻石頭右將軍周札迎降奮威將軍侯禮死之敦遂據石頭帝使司空王導等攻之敗績敦擁兵不朝殺征西將軍戴淵護軍將軍周顗夏四月還屯武昌六月旱秋七月丙寅大風拔木屋瓦皆

			飛八月暴風壞屋拔御道樹冬十月京師大霧是月大疫閏月己丑帝崩庚寅太子紹即皇帝位是月大旱川谷竭
明帝太寧元年	一五八九	三二三	春正月癸巳黃霧四塞京師火二月庚戌葬元皇帝於建平陵（在雞籠山陽不起墳）乙丑黃霧四塞丙寅隕霜壬申又隕霜殺穀三月丙戌隕霜殺草夏四月王敦下屯于湖自領揚州牧五月京師大水二年夏四月庚子京都雨雹燕雀死六月丁卯詔討王敦加司徒王導大都督假節秋七月壬申朔敦遣其兄含及錢鳳等犯京師帝出次南皇堂癸酉將軍段秀等大破之於越城王敦聞敗憤惋而死其黨沈充自吳興趣建康與含合乙未夜渡淮攻宣陽門兗州刺史劉遐臨淮太守蘇峻自南塘橫擊大破之丙申賊夜遁丁酉帝還宮
三年	一五八七	三二五	三年夏四月己亥雨雹自正月不雨至於六月八日戊子帝崩於東堂己丑太子衍即皇帝位九月癸卯庾太后臨朝稱制中書令庾亮參輔朝政辛丑葬明皇帝於武平陵（亦在雞籠山陽）
成帝咸和元年	一五八六	三二六	春二月丁亥大酺五日賜鰥寡孤老米人二斛京師百里內復一年夏五月大水冬十月庚辰赦百里內五歲以下刑十一月壬子大閱於南郊石聰入寇加王導大司馬假黃鉞出次江寧俄而賊退解大司馬自六月不雨至於是月是歲修石頭城
二年	一五八五	三二七	夏四月旱五月戊子京師大水又大火冬十月歷陽太守蘇峻反十二月辛亥陷姑孰庚申京師戒嚴
三年	一五八四	三二八	春正月丁未峻濟自橫江二月庚戌至蔣陵覆舟山尚書令卞壼帥六軍與戰於西陵敗績丙辰峻攻青溪柵壼及二子眕盱苦戰皆死之庾亮奔尋陽峻入臺城殺丹楊尹羊曼黃門侍郎周導廬江太守陶瞻焚掠宮府三月丙子太后庾氏以憂崩壬申葬明穆太后於武平陵夏五月乙未峻逼遷帝於石頭丙午征西大將軍陶侃平南將軍溫嶠入援次於蔡洲庚午與峻戰於白木陂斬峻賊黨奉其弟逸爲帥於是嶠等乃立行臺
四年	一五八三	三二九	春正月賊將匡術以苑城歸順嶠將毛寶入守之右衛將軍劉超御史中丞鍾雅謀奉帝奔義軍爲蘇逸所殺逸攻臺城焚太極東堂祕閣皆盡賁力戰郤之城中大饑米斗萬錢二月大雨霖丙戌諸軍攻石頭賊棄城遁竟陵太守李陽追斬蘇逸帝出

			幸溫嶠舟時宮闕灰燼以建平園爲宮衆議遷都司徒王導不可乃止秋七月丹陽大水詔復遭賊郡縣租稅三年
五年	一五八二	三三〇	二月己巳會稽太守王舒表獻銅漏刻詔置端門西塾之西五月旱且饑疫六月癸巳初稅田畝三升秋九月造新宮繕苑城
六年	一五八一	三三一	春正月丁巳會州郡秀孝于樂賢堂徙建康縣治所於宣陽門外御街西夏四月旱先是以江乘置南琅邪〔今鄉邪鄉〕南東海南蘭陵南東平等郡至是分江乘西置臨沂縣〔在長寧鄉〕與復〔治宮城之北〕陽都即邱〔治與臨沂同〕同隸南琅邪
七年	一五八〇	三三二	夏五月大水冬十二月庚戌帝遷於新宮
八年	一五七九	三三三	正月辛亥朝萬國于新宮始於覆舟山立北郊
九年	一五七八	三三四	夏六月大旱
咸康元年	一五七七	三三五	二月揚州諸郡饑遣使振給夏四月石虎游騎至歷陽京師戒嚴帝觀兵廣莫門尋報賊退先是琅邪寄治江乘之金城是歲以內史桓溫請詔割江乘立郡
二年	一五七六	三三六	春三月旱詔免繇役夏四月丁巳雨雹秋七月揚州饑開倉振給冬十月新立朱雀浮航
三年	一五七五	三三七	春正月辛卯立太學於淮水南夏六月旱僑置廣川魏郡高陽堂邑諸郡於京邑以處流寓〔晉書地理志〕尋省高陽堂邑
五年	一五七三	三三九	秋七月始興公王導卒是歲始用磚壘宮城

六年	一五七二	三四〇	秋七月乙卯詔朔望聽政於東堂冬十一月癸卯復瑯邪比漢豐沛
七年	一五七一	三四一	春正月戊戌皇后杜氏崩夏四月丁卯葬恭皇后於興平陵實編戶王公以下皆正土斷白籍
八年	一五七〇	三四二	六月癸巳帝崩於西堂（成帝紀）甲午母弟瑯邪王岳即皇帝位秋七月丙辰葬成皇帝於興平陵（亦在雞籠山陽）
康帝建元元年	一五六九	三四三	夏五月旱二年秋九月戊戌帝崩於式乾殿（康帝紀）己丑太子聃即皇帝位褚太后臨朝攝政冬十月乙丑葬康皇帝於崇平陵（在鍾山之陽不起墳）
穆帝永和元年	一五六七	三四五	六月癸亥地震
二年	一五六六	三四六	冬十月地震
三年	一五六五	三四七	夏四月地震秋九月又震
四年	一五六四	三四八	夏五月大水冬十月地震
六年	一五六二	三五〇	夏五月大水是歲大疫
七年	一五六一	三五一	秋七月甲辰濤水入石頭溺死者數百人冬十月雷雨震電

八年	一五六〇	三五二	九月罷太學生徒以助軍興
九年	一五五九	三五三	三月旱夏五月大疫秋七月丁酉地震有聲
十年	一五五八	三五四	正月丁卯地又震夏五月江西流民郭斂等叛於堂邑京師震駭吏部尚書周閔屯中堂
十一年	一五五七	三五五	夏四月壬申隕霜乙酉地震丁未地又震是歲江表始有金石之樂
升平元年	一五五五	三五七	正月壬戌朔帝始親政
二年	一五五四	三五八	夏五月大水冬十一月地震
三年	一五五三	三五九	代丹陽尹庾龢表除重役六十餘事
五年	一五五一	三六一	夏四月大水五月丁巳帝崩於顯陽殿庚申琅邪王丕即皇帝位秋七月戊午葬穆皇帝於永平陵（在幕府山陽）
哀帝隆和元年	一五五〇	三六二	春正月甲寅減田租畝收二升夏四月旱詔出輕繫振困乏
興寧元年	一五四九	三六三	夏四月甲戌揚州地震湖瀆溢

二年	一五四八	三六四	三月庚戌朔大閱戶口令所在嚴士斷謂之庚戌制是年徙陶官於淮水北以其地施僧爲寺名瓦官
三年	一五四七	三六五	春司徒會稽王昱與大司馬桓溫會於洌洲共議北討（桓溫傳）二月丙申帝崩於西堂丁酉琅邪王奕即皇帝位
海西公太和元年	一五四六	三六六	夏四月旱
二年	一五四五	三六七	先是哀帝嘗召支遁講法禁中至是還山
三年	一五四四	三六八	夏四月雨雹大風折木
五年	一五四二	三七〇	夏六月京師大水浸及太廟朱雀大航纜斷三艘流入大江冬十一月丁未大司馬桓溫入京師己酉廢帝爲東海王立丞相會稽王昱冬十一月己酉會稽王即皇帝位改元咸安桓溫出次中堂辛酉還鎮姑孰
咸安元年	一五四二	三七〇	壬午濤水入石頭是歲竺法汰止瓦官寺講經帝親臨聽之帝嘗立波提寺侍中王坦之遣臨奉安樂二寺面淮水釋教於是甚盛
簡文帝咸安二年	一五四〇	三七二	夏六月己未帝崩於東堂是日太子昌明即皇帝位冬十月丁卯葬簡文皇帝於高平陵（在鍾山陽）十一月甲午妖賊盧悚入雲龍門游擊將軍毛安之等誅之
孝武帝寧康元年	一五三九	三七三	春二月大司馬溫入朝詔迎勞於新亭既而溫拜高平陵遇疾歸姑孰未幾薨三月京師風火大起癸丑除丹陽竹格等四航稅秋八月壬子崇德褚太后臨朝攝政
三年	一五三七	三七五	秋九月帝講孝經於通天觀

太和元年	一五三六	三七六	春正月皇太后歸政秋九月除度田收稅之制王公以下口稅米三斛蠲在役之身
二年	一五三五	三七七	二年春閏三月壬午地震甲申暴風折木發屋夏四月己酉雨雹五月丁丑地震六月己巳暴風揚沙石
三年	一五三四	三七八	三年春二月乙巳作新宮帝移居會稽王邸起朱雀門三月乙丑雷雨暴風發屋折木夏六月大水秋七月辛巳帝入新宮
四年	一五三三	三七九	春正月辛酉詔郡縣遭水旱者減租稅三月大疫夏六月大旱秋八月乙未暴風揚沙石
五年	一五三二	三八〇	夏四月大旱五月大水
六年	一五三一	三八一	春正月立精舍於內殿引諸沙門居之夏六月揚州大水饑（孝武帝紀）秋九月辛未衞將軍謝安習水軍於石頭
七年	一五三〇	三八二	置東冶亭爲餞送所
八年	一五二九	三八三	春二月癸未黃霧四塞秋八月秦苻堅入寇京師震恐帝禱佛於鍾山冬十月冠軍將軍謝玄等破秦軍十一月詔衞將軍謝安勞還師於金城十二月初開酒禁增民稅米
十年	一五二七	三八五	二月立國學於太廟南夏四月太保謝安出鎭廣陵帝祖之於西池五月大水秋七月旱饑八月太保安以疾還京師丁酉薨
十一年	一五二六	三八六	夏六月己卯地震是歲立宣尼廟於丹楊郡東南詔封孔靖之爲奉聖亭侯

十二年	一五二五	三八七	春正月壬子暴風發屋折木夏四月己丑雨雹
十三年	一五二四	三八八	夏六月旱冬十二月戊子濤水入石頭毀大桁殺人乙未大風晝晦
十四年	一五二三	三八九	是歲琅邪王道子移揚州治所於東第
十五年	一五二二	三九〇	京師地震者三
十六年	一五二一	三九一	春正月詔徐廣校祕閣四部見書凡三萬六千卷是歲帝爲沙門法新立治城寺
十七年	一五二〇	三九二	夏六月癸卯京師地震甲寅濤水入石頭毀大桁乙卯大風折木秋八月新作東宮冬十二月己未地震是歲自秋不雨至於冬
十八年	一五一九	三九三	春正月癸卯朔地震二月乙未地又震秋七月旱
二十年	一五一七	三九五	春二月作簡文宣太后廟於太廟道西
二十一年	一五一六	三九六	春正月造清暑殿夏四月新作永安宮丁卯雨雹五月大水秋九月庚申張貴人弑帝於清暑殿辛酉太子德宗即皇帝位以會稽王道子爲太傅攝政冬十月甲申葬孝武皇帝於隆平陵（在鍾山陽）大雪
安帝隆安元年	一五一五	三九七	春正月己亥朔會稽王道子歸政（安帝紀）夏四月甲戌兗州刺史王恭舉兵清君側甲申賜尚書左僕射王國寶死斬建威將軍王緒於市恭兵乃罷

二年	一五一四	三九八	秋七月王恭復舉兵反廣州刺史桓元等應之恭前鋒劉牢之襲斬恭以降馳赴京師桓元等自石頭退走
三年	一五一三	三九九	冬十一月畿內盜賊紛起內外戒嚴加會稽王道子黃鉞世子元顯領中軍將軍以備之
四年	一五一二	四〇〇	夏四月地震六月旱九月癸丑地震
五年	一五一一	四〇一	夏六月妖賊孫恩犯京師譙王尚之帥師入衛恩退走是歲饑禁酒
元興元年	一五一〇	四〇二	元興元年春正月會稽世子元顯自爲征討大都督討荆州刺史桓玄二月丙午帝餞之於西池未發玄遂舉兵反丁卯敗王師於姑孰譙王尚之齊王柔之並死之己巳鎮北將軍劉牢之叛降於玄辛未六師潰壬申入京師斬元顯於市改元大亨夏四月玄出屯姑孰
二年	一五〇九	四〇三	春二月大風雨冬十一月桓玄遷帝於永安宮十二月壬辰篡位國號楚改元永始以帝爲平固王遷於尋陽戊戌玄入建康宮尋移居東宮開東掖平昌廣莫諸門
三年	一五〇八	四〇四	二月己丑朔夜濤水入石頭敗大航殺人大風吹朱雀門樓上層墜地乙卯建武將軍劉裕起義兵於京口三月戊午破桓玄兵於江乘己未又破之於覆舟山桓玄走庚申裕入石頭城立留臺具百官丁卯遷鎮東府丙戌留臺推武陵王遵承制夏四月己丑入居東宮五月壬午益州義軍誅玄傳首京師是月樂賢堂壞秋七月戊申永安皇后何氏崩八月癸酉祔葬穆章皇后於永平陵
義熙元年	一五〇七	四〇五	春三月甲午帝至自江陵夏四月劉裕還鎮京口戊辰帝餞於東堂冬十二月己未濤水入石頭夜濤水又入石頭是歲師子國獻玉像詔置瓦官寺與戴逵手製佛像五軀及顧愷之維摩圖世號三絕

三年	一五〇五	四〇七	春二月己丑除酒禁夏五月大水
四年	一五〇四	四〇八	春正月徵劉裕爲揚州刺史入居東府輔政冬十一月辛卯朔西北方疾風發拔樹十二月戊寅濤水入石頭
五年	一五〇三	四〇九	春三月乙亥大雪車騎將軍劉裕表伐南燕夏四月帝餞於西堂
六年	一五〇二	四一〇	春二月裕克南燕送慕容超於京師斬之海賊盧循乘虛襲建康夏四月癸未裕還京師五月壬申大風拔北郊樹甲戌又風發屋折木裕發民治石頭城乙丑盧循至淮口內外戒嚴築查浦藥園廷尉三壘以拒之庚辰參君沈林子等敗賊於南塘秋七月庚申循自蔡洲南走裕還東府治水軍冬十二月追破賊於左里而還
七年	一五〇一	四一一	春正月劉裕至京師帝大宴於西池
八年	一五〇〇	四一二	秋八月皇后王氏崩九月癸酉葬僖皇后於休平陵庚辰太尉劉裕自將擊荊州刺史劉毅以前將軍諸葛長民監留府事冬十月克江陵斬毅是歲起樓於石頭曰入漢
九年	一四九九	四一三	春正月京師大火燒數千家二月乙丑海太尉裕潛還東府三月丙寅朔殺諸葛長民戊寅復申庚戌土斷制夏四月罷臨沂湖熟皇后脂澤田以賜貧人弛湖池禁五月辛巳大水是歲秣陵縣移治京邑之鬭場柤社之間
十年	一四九八	四一四	春城東府起府舍三月戊寅地震夏五月丁丑大水西明門地穿涌水出毀門扇及限
十一年	一四九七	四一五	春正月辛巳太尉裕自將擊荊州都督司馬休之以中軍將軍劉道憐監留府事有盜夜襲治亭高陽內史劉鍾討平之二月裕克荊州休之奔秦秋七月京師大水壞太廟八月裕還建康是歲京師所在火起

十二年	一四九六	四一六	秋八月太尉裕伐後秦以世子義符監留府事
十三年	一四九五	四一七	秋八月克長安送姚泓於建康斬之閏月壬戌裕班師至彭城
十四年	一四九四	四一八	冬十二月戊寅裕使王韶之弑帝於東堂琅邪王德文即皇帝位
恭帝元熙元年	一四九三	四一九	春正月庚申葬安皇帝於休平陵是歲秣陵移治揚州府禁防參軍處（在宮城南八里小長干巷）是歲廬山周續之至都講禮於安樂寺月餘還山
二年	一四九二	四二〇	夏六月壬戌宋王裕至建康廢帝爲零陵王
宋武帝永初元年	一四九二	四二〇	夏六月甲子宋王裕自立爲皇帝幽零陵王於故秣陵縣冬十二月辛巳朔帝臨延賢堂聽訟是時丹楊領縣八建康（今城）秣陵（今秣陵關）丹陽（今小丹陽）湖熟（今湖熟鎮）江寧（今江寧鎮）皆隸焉其陽都即邱費三縣並割臨沂及建康爲士隸南琅邪郡又省廣川隸魏郡
二年	一四九一	四二一	二月己丑策試秀孝於延賢堂夏四月己卯朔詔列在淫祀自蔣子文以下皆除之秋七月己巳地震九月己丑弑零陵王冬十一月辛亥葬晉恭帝於沖平陵是歲帝聽訟於華林園者三聽訟於延賢堂者一
三年	一四九〇	四二二	春正月乙丑詔興國學復徵周續之至都夏五月癸丑帝崩於西殿是日太子義符即皇帝位秋七月己酉葬武皇帝於初寧陵（在鍾山）
少帝景平元年	一四八九	四二三	春二月丁丑太皇太后蕭氏崩於顯陽殿三月壬寅孝懿皇后祔葬興寧陵

二年	一四八八	四二四	春正月乙巳大風天有五色雲夏五月甲申司空徐羨之中書監傅亮廢帝爲營陽王迎宜都王義隆而立之秋八月丁酉宜都王即皇帝位於中堂改元元嘉
文帝元嘉二年	一四八七	四二五	春正月丙寅帝始親政
三年	一四八六	四二六	春正月丙寅下詔暴徐羨之傅亮之罪誅之遣中領軍到彥之等討荆州刺史謝晦帝率六軍繼發至蕪湖而還二月己卯禽晦送都伏誅夏五月丙午帝臨延賢堂聽訟自是每歲三訊徐羨之兄子佩之謀以明年正會作亂事覺冬十二月壬戌收斬之
四年	一四八五	四二七	春二月乙亥朔曲赦都邑百里內夏五月京師疾疫遣使存問給醫藥死者賜以棺器是歲旱
五年	一四八四	四二八	春正月甲申帝臨玄武館閱武戊子大火遣使巡慰振賜夏六月庚戌京邑大水己卯遣使檢行振贍（文帝紀）
六年	一四八三	四二九	春正月丙寅雷且雪
七年	一四八二	四三〇	冬十月庚午立錢署鑄四銖錢
八年	一四八一	四三一	閏六月揚州旱（文帝紀）是年即邱入陽都
九年	一四八〇	四三二	春京邑雨雹

十一年	一四七八	四三四	夏五月邑大水（文帝紀）六月丁未省魏郡以其民併建康
十二年	一四七七	四三五	夏四月丙辰京邑地震六月丹陽大水都下乘船己酉賜遭水民米是月斷酒秋八月乙亥原遭水郡縣諸逋負是歲詔自今有欲鑄銅像興造塔寺精舍皆先列言須報乃得爲之
十三年	一四七六	四三六	春正月癸酉帝有疾不朝會（文帝紀）三月己未彭城王義康矯詔殺司空檀道濟是日建康地震是歲丹楊尹何尙之招聚生徒徐秀何曇等慕道來游謂之南學詔太史令錢樂之更鑄銅儀
十五年	一四七四	四三八	秋七月辛未地震是歲召豫章處士雷次宗至京師開儒學館於雞籠山
十六年	一四七三	四三九	使丹楊尹何尙之立玄學率更令何承天立史學司徒參軍謝元立文學并雷次宗儒學爲四學閭閻講誦相聞江左風俗於斯爲美省費縣入建康臨沂
十七年	一四七二	四四〇	秋七月皇后袁氏崩九月壬子葬元皇后於長寧陵冬十月戊午誅太子詹事劉湛出彭城王義康爲江州刺史十一月丙戌詔揚南徐二州諸逋負優量申減
十八年	一四七一	四四一	春三月雨雹
十九年	一四七〇	四四二	春三月壬寅帝臨儒學賜諸生帛有差閏五月京邑雨水丁巳遣使巡行振卹是歲立國子學
二十年	一四六九	四四三	春正月於臺城東西開萬春千秋二門二月甲寅帝閱武於白下冬十二月壬午詔置藉田
二十一年	一四六八	四四四	春正月己亥帝始耕藉田夏六月京邑連雨水丁亥詔所司賑給百姓柴米

二十二年	一四六七	四四五	秋七月武陵王駿討緣沔蠻移一萬四千餘口於京師秋九月乙未開酒禁冬十月浚淮起湖熟廢田千頃
二十三年	一四六六	四四六	夏六月築北堤立玄武湖築景陽山於華林園秋九月己卯帝幸國子學策試諸生
二十四年	一四六五	四四七	春正月蠲建康秣陵二縣今年田租之半夏六月京邑疫癘丙戌詔給醫藥是月以貨貴制大錢一當兩
二十五年	一四六四	四四八	正月積雪冰寒詔險行建康秣陵貧弊之室賜以米薪夏四月己巳新作閶闔廣莫二門改先廣莫門曰承明開陽門曰津陽己卯罷當兩錢
二十七年	一四六二	四五〇	春二月魏軍來侵三月戊寅以軍興罷國子學冬十一月魏主引兵南下庚午至瓜步建康震懼命領軍將軍劉遵考等沿江防守
二十八年	一四六一	四五一	丁亥魏軍退三月大旱夏四月京師疫使巡省給醫藥秋猛虎入郭內爲災
二十九年	一四六〇	四五二	春二月乙卯雷且雪三月大風拔木飛瓦壬午京邑大火風雷甚壯夏五月丹楊霖雨傷禾稼都下大水六月遣部司巡行賜樵米給船
三十年	一四五九	四五三	三十年春二月癸卯太子劭弒帝於合殿太子左衞率袁淑左細仗主卜天與死之是日劭自立爲皇帝改元太初三月省揚州立司隸校尉癸巳葬文皇帝於長寧陵乙未武陵王駿起兵於西陽以討劭夏四月辛酉至新林甲子大敗劭衆於新亭己巳武陵王即皇帝位壬申改新亭爲中興亭五月丙子克宮城劭及同逆皆伏誅曲赦京邑二百里內并蠲今年租稅秋七月辛酉詔省細作并尚方彫文塗飾貴戚競利悉皆禁絕冬十月癸未帝聽訟於閱武堂
宋孝武帝	一四五八	四五四	春正月鑄四銖錢是月起正光殿二月庚午荆襄二州刺史南郡王義宣反三月癸亥內外戒嚴以義宣諸子藏匿建康秣陵諸縣界免丹楊尹褚湛之官建康江寧縣

孝建元年			令皆下獄夏五月義宣等於梁山敗走己未解嚴罷南蠻校尉遷其營於建康冬十月戊寅詔建仲尼廟
二年	一四五七	四五五	春八月詔弛諸苑禁假貧民
三年	一四五六	四五六	春二月丁丑詔朔望臨西堂視事夏六月帝聽訟於華林園秋熒惑守南斗詔廢西州使揚州刺史西陽王子尚移治東城以厭之
大明元年	一四五五	四五七	春正月庚午京邑雨水辛未使檢行賜樵米夏四月京邑疾疫丙申使按行賜醫藥死者斂埋五月癸未帝聽訟於華林園自是歲三臨訊秋九月建康秣陵二縣各置都官從事一人司水火劫盜
二年	一四五四	四五八	夏四月辛丑地震南彭城民高闍等謀作亂事發秋七月甲辰伏誅江寧令蘇寶生坐死
三年	一四五三	四五九	春二月乙卯以揚州爲王畿夏四月南兗州刺史竟陵王誕據廣陵反秋七月車騎大將軍沈慶之討平之梟首級爲京觀於石頭南岸詔王畿下貧之家蠲租一年九月壬辰築上林苑於玄武湖北甲午移南郊壇於牛頭山西移北郊壇於鍾山北原冬十一月甲子立皇后蠶宮於西郊
四年	一四五二	四六〇	春三月甲申皇后始親蠶夏四月癸卯以南瑯邪隸王畿辛酉詔都下疾疫遣使存問振恤冬十二月辛丑帝幸廷尉寺宥繫囚丁未幸建康縣放獄囚
五年	一四五一	四六一	春二月癸巳帝閱武於玄武湖西夏五月起明堂於國學南秋七月京邑雨水詔巡行賜薪米九月丁卯帝幸南瑯邪原繫囚閏月丙申初立馳道自閶闔門至朱雀門又自承明門至玄武湖冬十一月壬辰詔平治王畿庶獄十二月甲戌制民戶輸布四匹是年省陽都入臨沂

六年	一四五〇	四六二	春正月辛卯丁未策秀孝於中堂夏四月庚申新作大航門五月置凌室於覆舟山秋七月甲申地震冬十月詔上林苑內邱墓許還葬壬申葬宣貴妃於龍山爲妃立寺曰新安是歲祖沖之表上曆法詔置華林學省
七年	一四四九	四六三	春正月帝閱水師於玄武湖夏四月風吹初寧陵隧口左標折鍾山通天臺倒秋八月丁巳詔尚書訊王畿刑獄乙丑帝幸建康秣陵縣訊獄囚乙卯幸廷尉訊獄囚癸丑幸江寧縣訊囚遂幸姑孰於行所訊丹陽諸縣囚十二月癸亥還宮減所過田租是年以王畿之內郡屬南徐州
八年	一四四八	四六四	春二月壬寅詔以去歲旱出倉米付建康秣陵二縣遣宜贍恤夏閏九月庚申帝崩於玉燭殿是日太子子業即皇帝位秋七月丙午葬孝武皇帝於景寧陵乙卯罷南北二馳道秋八月己未皇太后王氏崩京師雨水庚子詔隨宜振恤九月乙卯文穆皇后祔葬景寧陵冬十月庚辰原揚南徐二州去年逋租十二月壬辰以王畿諸郡復爲揚州去歲及是歲大旱京邑米升百餘錢餓死者十六七
前廢帝永光元年	一四四七	四六五	春二月庚寅鑄二銖錢官鑄每出人間即模效之更薄小有來子錢鵝眼錢綖環錢等十萬錢不滿一掬商貨由是不行秋八月癸酉帝自率兵殺太宰江夏王義恭尚書令柳元景尚書僕射顏師伯改元景和庚辰以石頭城爲長樂宮東府城爲未央宮甲申以北邸爲建章宮南第爲長楊宮丙戌原瑯琊等郡逋租己丑復立南北二馳道辛丑賜新安王子鸞死發殷貴妃墓壞新安寺己酉詔內外戒嚴討徐州刺史義陽王昶昶奔魏戊午解嚴十一月壬辰帝自將兵殺寧朔將軍何邁賜太尉沈慶之死壬寅赦揚南徐二州戊午帝被弑於華林園華光殿己未湘東王彧令賜豫章王子尚山陰公主死葬廢帝於秣陵郊壇西十二月丙寅湘東王彧即皇帝位改元泰始戊寅罷二銖錢禁鵝眼綖環錢先是廢帝未弑時晉安王子勛起兵於尋陽帝即位猶不肯罷四方所在響應
明帝泰始二年	一四四六	四六六	春正月甲午中外戒嚴丙午帝出頓中興堂壬子崇憲太后路氏崩三月壬子斷新錢專用古錢癸丑赦揚南徐二州囚繫夏五月甲寅葬崇憲太后於修寧陵六月京

			師雨水丁卯詔檢行賜卹秋八月建安王休仁大破賊諸州皆平九月癸巳六軍解嚴冬十月戊寅以立太子曲赦揚徐二州是歲京師屢大風
三年	一四四五	四六七	春閏三月庚午京師大雨雪遣使巡行振賜丙辰詔崇寧陵禁內墳遷徙者給直蠲復其家
四年	一四四四	四六八	曲赦揚南徐諸州
五年	一四四三	四六九	春三月丙寅帝幸中堂聽訟是歲集羣臣講易
六年	一四四二	四七〇	秋九月戊寅立總明觀徵學士以充之冬十一月己酉帝幸東堂聽訟
七年	一四四一	四七一	帝大殺諸弟以故第爲湘宮寺
泰豫元年	一四四〇	四七二	春正月戊午帝有疾令皇太子昱會萬國於東宮三月己未賜揚州刺史王景文死夏四月己亥帝崩於景福殿庚子太子即皇帝位五月戊寅葬明皇帝於高寧陵六月京師雨水詔賑恤二縣貧民
後廢帝元徽元年	一四三九	四七三	秋八月京師旱是歲顧憲之爲建康令甚得人和
二年	一四三八	四七四	夏五月江州刺史桂陽王休範舉兵反即日內外戒嚴侍中蕭道成出屯新亭壬辰休範自新林步上攻壘越騎校尉張敬兒詐降斬其首歸其別將杜黑騾等猶不知渡淮而南白下石頭皆潰東府降賊由承明門入屯中堂道成遣羽林監陳顯達等入衞大破之於杜姥宅斬黑騾等餘黨悉平丁酉解嚴詔建康秣陵二縣收斂諸屍

三年	一四三七	四七五	春三月戊辰京邑大火己巳大水遣使檢行振賜夏四月丙戌帝幸中堂聽訟五月乙卯京師雨雹
四年	一四三六	四七六	秋七月戊子建平王景素據京口反己丑內外纂嚴中領軍蕭道成屯玄武湖遣驍騎將軍任農夫等討平之乙未解嚴丙申原京邑二縣逋調
五年	一四三五	四七七	夏四月給事黃門侍郎阮佃夫謀廢立事覺誅之五月戊申地震秋七月戊子帝被弒於仁壽殿蕭道成議迎立安成王準入居朝堂壬辰安成王即皇帝位改元昇明葬蒼梧王於秣陵郊壇西甲午領軍將軍蕭道成出鎮東府輔政丙申詔罷省御府二署冬十二月荊州刺史沈攸之舉兵討蕭道成壬申司空袁粲亦舉兵於石頭道成遣軍襲擊粲戰敗死之閏月己巳道成出頓新亭
順帝昇明二年	一四三四	四七八	春正月沈攸之兵潰丙子解嚴道成還鎮東府
三年	一四三三	四七九	春三月齊公道成以石頭爲齊世子宮名聽事爲崇光殿外齋爲宣德殿夏四月壬辰齊王道成廢帝爲汝陰王
齊高帝建元元年	一四三三	四七九	夏四月甲午齊王道成自立爲皇帝幽汝陰王於故丹陽縣五月弒汝陰王六月乙酉葬宋順帝於遂寧
二年	一四三二	四八〇	春正月魏師南侵南郡王長懋鎮石頭夏五月立六門都牆六月癸未詔昔歲水旱曲赦州楊等郡除其逋調秋七月南郡王長懋移鎮西州冬十一月乙巳帝幸中堂聽訟
四年	一四三〇	四八二	春正月壬戌詔修建學校二月庚辰詔原京師囚繫除逋貲三月壬戌帝崩於臨光殿是日太子賾即位庚辰詔振卹京師二岸貧窮夏四月庚寅奉高帝梓宮歸葬於武進癸未詔雨水頹降遣所司振恤二岸居民六月戊戌詔剋日訊京都囚振賜建康秣陵二縣貧民秋九月丁巳以國哀罷國子學是歲沈約直壽光省校四部圖書

武帝永明元年	一四二九	四八三	春正月甲子築青溪舊宮作新婁湖苑三月丙辰詔原京師繫囚遣三署軍徒振卹都邑鰥寡夏五月丁酉殺車騎將軍張敬兒是年移琅邪城於白下
二年	一四二八	四八四	春正月竟陵王子良鎮西州秋八月詔降宥京師獄及三署見徒戊申幸玄武湖閱武甲子詔掩埋京師毀發墳墓疾病窮困詳加沾賚
三年	一四二七	四八五	春正月以南郊赦都邑三百里內振卹二縣貧民是月詔復立國學夏五月省總明觀秋七月辛丑詔丹楊所領及餘二百里內見囚同集京師八月乙未帝幸中堂聽訟是夏琅邪郡旱百姓芟除枯苗至秋擢穎大熟
四年	一四二六	四八六	春正月辛卯帝幸中堂策秀才閏月辛亥始耕藉田戊午幸宣武堂講武三月辛亥幸國學講孝經臨沂縣麥不登刈爲馬芻秊夏更苗秀癸巳詔揚南徐二州戶租三分二取見錢一分取布以爲永制
五年	一四二五	四八七	夏四月以殷祠詔減京邑罪六月京師水詔隨宜振賜秋七月戊申詔貸丹楊屬縣逋租九月己丑帝幸孫陵岡商飈館登高冬十月初起新林苑是歲竟陵王子良開西邸於雞籠山招集學士
六年	一四二四	四八八	春正月壬午詔二百里內囚同集京師遂命皇太子長懋於元圃園宣猷堂錄囚原宥各有差秋九月帝幸琅邪城講武冬十月庚申帝初臨太極殿讀時令十一月丙戌士霧竟天如烟入人眼鼻三日乃止先是祖冲之造千里船日行百餘里至是又造水碓磨
七年	一四二三	四八九	春正月辛亥以南郊故普賜京邑貧民夏六月丁亥帝幸琅邪是歲揚州刺史豫章王嶷以疾還第世子廉代鎮東府帝數幸嶷第以宋長寧陵隧前路乃徙其表闕麒麟於東岡時劉瓛吳苞均聚徒講學諸生朝聽瓛夕聽苞
八年	一四二二	四九〇	夏四月己巳京邑陰雨十七日六月丙申大雷雨有黃光竟天乙酉都下大風發屋秋八月丙寅詔以霖雨氾濫遣中書舍人二縣官長振卹
九年	一四二一	四九一	春正月辛丑以南郊原遣都下見囚秋八月都下大水司徒竟陵王子良開倉振救立廨收養給醫藥九月戊辰帝幸琅邪城講武賜觀者酒肉是歲建棲霞寺於攝山以居明僧紹

十年	一四二〇	四九二	夏四月敕爲豫章王嶷起集善寺冬十月乙丑帝幸玄武湖講武敕太子家令沈約撰宋書十一月戊午詔以霖雨遣所司振賜京邑居民是歲陶弘景辭歸句曲山
十一年	一四一九	四九三	春正月癸丑詔原遣京師見囚丙子皇太子長懋薨於東宮崇明殿敕以東田殿堂爲崇虛館夏五月戊辰詔以水旱故京師二縣橫斷酒六月壬午詔霖雨既過遣振賜京邑居民秋七月丁巳詔風水爲災遣沾卹二岸居民時有沙門齋赤火至都下療疾禁之不止戊寅帝崩於延昌殿寧朔將軍王融欲立竟陵王子良不果太孫昭業即位收融付廷尉賜死
鬱林王 隆昌元年	一四一八	四九四	夏四月戊子竟陵王子良薨秋七月壬辰西昌侯鸞弑帝於壽昌殿西弄追廢爲鬱林王迎立新安王昭文丁酉新安王即皇帝位改元延興以宣城郡公鸞鎭東府九月鸞大殺諸王冬十月辛亥宣城王鸞廢帝爲海陵王而自立改元建武十一月癸酉詔省新林苑民地悉以還主乙酉立皇考景皇廟於御道西避兄諱改鳳莊門爲望賢太極東堂畫鳳鳥題爲神鳥而改鸞鳥爲神雀是月弒海陵王
明帝建武二年	一四一七	四九五	春正月辛未詔降京師繫囚己卯詔埋京師被發墳壠北魏寇邊丁酉內外纂嚴詔太尉陳顯達往來新亭白下以壯聲勢三月甲申解嚴夏四月己亥朔詔三百里內獄訟同集京師克日聽覽六月甲午殺領軍蕭諶冬十月丁卯詔罷東田毀興光樓十二月丁酉詔修晉帝諸陵增守衛
四年	一四一五	四九七	春正月丙辰殺尚書令王晏
永泰元年	一四一四	四九八	夏四月會稽太守王敬則反以奉南康侯子恪爲名子恪詣建陽門自歸五月前軍司馬左興盛斬敬則傳首建康秋七月己酉帝崩於正福殿是日皇太子寶卷即皇帝位
東昏侯	一四一三	四九九	秋七月建康大風十圍樹及官舍民屋皆偃拔京師地震丁亥濤水入石頭漂殺緣淮居民詔賜死者材器并振卹八月乙巳蠲京邑今年調稅帝殺右僕射江祏侍中

永元元年			江祀乙卯揚州刺史始安王遙光據東府反丙辰詔曲赦都下中外戒嚴假領軍將軍蕭坦之節督軍討平之未幾殺坦之衞尉劉暄亦賜死冬十月乙未殺司空徐孝嗣鎮軍將軍沈文季十一月江州刺史陳顯達舉兵於尋陽十二月至采石京邑震恐甲申顯達潛軍渡淮襲宮城乙酉臺軍敗之於西州斬顯達是時大雪梟顯達首朱雀桁而雪不集
二年	一四一二	五〇〇	春二月詔平西將軍崔慧景伐壽陽帝屏除出瑯邪城送之丁未至廣陵還兵內向奉南徐州刺史江夏王寶玄至京師甲子入樂遊苑東府石頭白下新亭諸城皆潰衞尉蕭懿將兵入衞大破慧景軍於淮水南夏四月慧景走死殺寶玄乙丑曲赦京邑六月庚寅帝於樂遊苑內會如三元京邑女人放觀秋八月甲申後宮火燒屋三千餘間帝乃大起芳樂玉壽等殿冬十月殺尚書令蕭懿信至襄陽懿弟雍州刺史衍起兵與荆州西中郞長史蕭穎胄共奉南康王寶融爲主移檄建康數帝罪惡
三年	一四一一	五〇一	春正月丙申朔帝興宮人於閱武堂元會皇后正位閹人行儀帝戎服臨視三月丁未南康王即皇帝位於江陵改元中興六月京邑雨水遣所司振賜竟陵王故防閤人桑偃謀立巴陵王昭胄事洩皆死秋七月甲午新除雍州刺史張欣泰殺中書舍人馮元嗣制局監楊明泰於中興堂遣前南譙太守王靈秀詣石頭迎建安王寶寅向臺城至杜姥宅衆潰殺欣泰等寶寅自詣草市尉赦之八月辛未以太子左率李居士督西討軍事屯新亭九月蕭衍軍進頓江寧冬十月甲戌征虜將軍王珍國敗績於朱雀航南衍軍追至宣陽門戊寅寧朔將軍徐元瑜以東府降己卯光祿大夫張瓌棄石頭走壬午蕭衍鎮石頭命諸軍合圍宮城十二月丙寅帝被弒於含德殿侍中張稷遣送帝首詣石頭己卯大司馬蕭衍入屯閱武堂丙戌入鎮殿中下令京邑二縣掩埋戰骨
和帝中興二年	一四一〇	五〇二	春正月戊戌帝在江陵宣德皇太后王氏臨朝入居內殿二月辛酉焚東昏侯淫奢異服六十二種於都街夏四月辛酉梁王衍廢帝爲巴陵王
梁武帝	一四一〇	五〇二	夏四月丙寅梁王衍自立爲皇帝詔凡後宮樂府西解暴室諸婦女一皆放遣戊辰弒巴陵王辛未士斷南徐諸僑縣以所居里（今長樂鄉）置同夏縣癸酉詔公車府謗木肺石旁各置一函以達幽隱五月乙亥夜盜入南北掖燒神虎門總章觀害衞

天監元年			尉張弘策前軍司馬呂僧珍捕斬之秋八月戊戌置建康三官是歲大旱米斗五千人多餓死初立長干智度二寺
二年	一四〇九	五〇三	夏多癘疫冬十一月雷電大雨晦是夜又雷
三年	一四〇八	五〇四	春三月隕霜殺草是歲多疾疫
四年	一四〇七	五〇五	春正月詔建國學開五經館置博士各一人館有數百生二月立建興苑於秣陵六月庚戌立孔子廟是歲大穰米斛三十初置敬業寺
五年	一四〇六	五〇六	夏四月甲寅初立詔獄詔建康三官興廷尉分掌獄事號建康爲南獄廷尉爲北獄五月置集雅館以招遠學六月庚戌太子統出居東宮秋八月辛酉作太子宮冬十一月甲子京師地震是歲置淨居寺
六年	一四〇五	五〇七	春三月庚申朔隕霜殺草秋七月戊戌大風折木京師大水因濤入加御道七尺九月丁亥改閱武堂爲德陽聽訟堂爲儀賢後朱異於儀賢堂講老子聽者千餘人是歲帝捨宅爲光宅寺先於小莊嚴寺造無量壽佛像
七年	一四〇四	五〇八	春正月戊戌作神龍仁虎闕於端門大司馬門外二月新作國門於越城南五月都下大水六月復皇考建陵皇后脩陵五里內居民改陵監爲令是歲置涅槃寺
八年	一四〇三	五〇九	秋九月皇太子統釋奠於國學
九年	一四〇二	五一〇	春正月庚寅新作緣淮塘北岸起石頭迄東冶南岸起後渚籬門迄三橋三月己丑帝幸國子學乙未詔皇太子以下皆入學冬十二月癸未帝幸國子學策試冑子是歲置本業寺於蔣山里
十年	一四〇一	五一一	作宮城門三重樓及開二道爲宣德皇后作解脫寺於太清里

十一年	一四〇〇	五一二	春三月丁巳以旱故曲赦揚徐二州是歲築西靜壇於鍾山
十二年	一三九九	五一三	春二月辛巳新作太極殿夏四月京邑大水六月癸巳新作太廟
十三年	一三九八	五一四	春二月丁亥帝始耕耤田
十四年	一三九七	五一五	初於東宮中立慧義殿爲集法之所
十六年	一三九五	五一七	夏四月甲子宗廟以麪代牲冬十月去宗廟薦脩始用蔬果起至敬殿景陽臺置七廟座每月再設淨饌夏四月丁巳帝於無礙殿受佛戒是歲置惠日寺時帝溺情內教都下佛寺凡五百餘所
普通元年	一三九二	五二〇	秋七月己卯江溢
二年	一三九一	五二一	春正月辛巳詔置孤獨園於京師三月庚寅大雪平地三尺夏四月乙卯改作南北郊丙辰徙藉田於東郊五月癸卯琬琰殿火延燒屋三千間
三年	一三九〇	五二二	春正月京師地震冬十一月造猛信尼寺時帝子正德正則與董暹夏侯洪公行劫掠謂之打稽
四年	一三八九	五二三	冬十二月戊午始鑄鐵錢
五年	一三八八	五二四	置衆造寺

六年	一三八七	五二五	十二月壬辰京師地震夏四月南州津改置校尉是年京師米貴帝迎達摩至都應對不合乃折蘆渡江去時傅弘居鍾山定林寺建經輪藏雲光居法雲寺講經花墜皆號高僧
大通元年	一三八五	五二七	春開大通門三月辛未帝幸同泰寺捨身甲戌還宮是歲置閩居尼寺藏法師於開善寺講說門徒數百
二年	一三八四	五二八	魏亂夏四月元彧等來奔六月彧聞魏亂定先還
中大通元年	一三八三	五二九	夏六月京師疫甚帝於重雲殿爲百姓設救苦齋秋九月癸巳帝幸同泰寺設無遮會因捨身羣臣以錢一億萬奉贖冬十月己酉帝還宮是歲置禪巖寺
二年	一三八二	五三〇	夏四月癸丑帝幸同泰寺設平等會庚申大雨雹秋八月庚戌帝幸德陽堂餞魏汝南王悅還北
三年	一三八一	五三一	夏四月乙巳皇太子統薨秋七月修繕東宮新太子綱權居東府冬十月己酉帝幸同泰寺說大般涅槃經七日而罷十一月乙酉又幸寺說摩訶般若波羅蜜經七日而罷
四年	一三八〇	五三二	春二月揚州刺史邵陵王綸有罪廢爲庶人秋九月太子綱移還東宮
五年	一三七九	五三三	春正月辛卯南郊有神光圓滿壇上戊申京師地震二月癸未帝幸同泰寺發摩訶般若經題七日而罷夏五月戊子京師大水御道通船是歲置法苑寺
大同元年	一三七七	五三五	春三月丙寅帝幸同泰寺設無遮會夏四月再幸鑄十方銀像並設無礙會是歲置頭陀寺萬福尼寺本願尼寺嚴樓觀是歲省江乘湖熟
二年	一三七六	五三六	二年春二月戊寅帝幸同泰寺設平等會秋九月再幸設無礙會冬十月壬午又幸亦如之十一月辛亥京師地震是歲置慈恩普化化成福興善業寒林等寺

三年	一三七五	五三七	夏五月癸未帝幸同泰寺鑄十方金像設無礙會秋八月辛卯幸阿育王寺設無礙法喜食冬十月丙辰京師地震是歲嘰初置乘寺及玉清觀
四年	一三七四	五三八	秋七月詔以東冶徒李允之降如來眞形大赦九月帝閱武於樂遊苑冬十二月國子助教皇侃來獻禮記疏義是歲置洞靈觀
五年	一三七三	五三九	秋七月扶南國貢生犀
六年	一三七二	五四〇	夏四月癸未詔晉宋齊諸陵勤加守護冬十一月己卯曲赦京邑
七年	一三七一	五四一	春二月乙卯京師地震冬十一月丙辰立士林館於宮城西以延學者
九年	一三六九	五四三	是歲自新亭鑿渠通新林浦置江潭苑後未成而罷
十年	一三六八	五四四	春三月帝幸蘭陵夏四月還宮放所經縣邑租調
十一年	一三六七	五四五	是歲置履通湯寒二寺
中大同元年	一三六六	五四六	春三月庚戌帝幸同泰寺大會講三慧經夏四月丙戌解講設法會大赦改元是夜同泰寺浮圖災六月辛巳竟天有聲如風水相薄秋七月丙寅詔通用足陌錢先是帝鑄五銖及女錢二品並行禁諸古錢普通中更鑄鐵錢由是私鑄者多物價騰貴建康以九十爲陌名曰長錢

太清元年	一三六五	五四七	春二月東魏侯景以河南十三州內附三月庚子帝幸同泰寺設無遮會捨身羣臣以一億萬錢奉贖夏四月丁亥帝還宮秋九月癸卯王遊苑成是歲置幽巖寺儀香尼寺
二年	一三六四	五四八	夏五月兩月夜見秋八月魏降將侯景反於壽陽九月戊辰地震冬十月侯景襲據歷陽平北將軍臨賀王正德以船濟景辛亥景遂至建康興正德合軍渡淮乘勝至闕下石頭白下二城皆潰十一月景立正德爲帝改年正平辛酉賊攻陷東府城南浦侯推握節死之升害中軍司馬楊曒癸亥戎昭將軍江子一與弟子四子五戰死於承明門外邵陵王綸自鍾離入援破賊於鍾山愛敬寺乙酉敗潰奔京口十二月癸巳侍中羊侃卒于城中侯景引玄武湖水灌城丙辰司州刺史柳仲禮前衡州刺史韋粲等並來赴雄信將軍裴之高自蔡州遣船渡之共推仲禮爲大都督
三年	一三六三	五四九	春正月丁巳朔韋粲與賊戰於青塘敗績死之庚辰邵陵王綸等復至會於航南癸未鄱陽王嗣等攻賊東府城前柵破之戊辰有流星長三十丈墮武庫天門太守樊文皎戰死二月侯景以軍饑請和己亥盟於西華門外旣而景運東城米糧乃背盟復舉兵向闕百道攻城丁卯宮城遂陷景入見帝於太極殿己巳矯詔解外援軍降正德爲侍中大司馬夏四月己丑京師地震丙申又震五月丙辰帝以憂崩於淨居殿是日太子綱即皇帝位癸丑景殺臨賀王正德永安侯確謀誅景不克死之冬十月丁未地震十一月葬武皇帝於修陵
簡文帝大寶元年	一三六二	五五〇	春正月戊寅月晝見丙午侯景逼帝幸西州三月甲申又請帝禊飲於樂遊苑自春迄夏大旱人相食冬十月乙未侯景又逼帝幸西州是月盜殺武陵侯諮於廣莫門南康嗣王會理等謀襲景景收殺之
二年	一三六一	五五一	春侯景築城於大航名曰捍國秋八月戊午侯景廢帝爲晉安王幽於永福省而立豫章王棟改元天正冬十月壬寅景弑帝於永福省十一月己丑復廢豫章王而自立
元帝承聖元年	一三六〇	五五二	春二月湘東王繹遣征東將軍王僧辯等討景三月庚辰由姑孰進軍張公洲辛巳乘潮入淮丁亥與賊戰於西州之西大破之景儀同盧暉略以石頭降僧辯入據之景棄臺城東走是夜軍士遺火焚太極殿及東西堂戊子僧辯逆太宗梓宮升朝堂

			宣猛將軍朱買臣沈隊章王棟於水夏四月羊鵾殺景於胡豆洲曝尸建康市乙丑葬簡文皇帝於莊陵冬十一月丙子湘東王繹即皇帝位於江陵
二年	一三五九	五五三	春正月乙丑詔司徒王僧辯討湘州南徐州刺史陳霸先代鎭建康九月庚午僧辯還鎭
三年	一三五八	五五四	冬十月魏師圍江陵辛未徵王僧辯入衛命陳霸先代鎭揚州十一月江陵陷帝爲魏人所戕王僧辯陳霸先共迎晉安王方智爲太宰承制
敬帝紹泰元年	一三五七	五五五	春二月癸丑晉安王即梁王位三月齊送貞陽侯淵明來主梁嗣五月王僧辯與會於江寧浦納之丙午即皇帝位改元天成以晉安王爲太子秋九月壬寅司空陳霸先襲殺王僧辯於石頭丙午淵明遜位冬十月晉安王即皇帝位辛未陳霸先東討震州刺史杜龕等留侯安都杜稜宿衛丙子譙秦二州刺史徐嗣徽等乘虛襲據石頭丁丑霸先還都十一月庚辰齊遣淮州刺史柳達摩等助嗣徽入於石頭甲辰霸先敗嗣徽於冶城嗣徽往采石迎齊援十二月丙辰霸先又大敗齊兵達摩等入保石頭求和庚申與盟於城門外送齊人北歸
太平元年	一三五六	五五七	春二月甲子詔司空陳霸先有軍事可騎馬出入三月壬午詔雜用古今錢夏五月齊兵由蕪湖南侵於秣陵故治渡淮癸卯內外戒嚴六月甲辰齊兵潛至蔣山龍尾丁未斜趨幕府山壬子大雨齊軍晝夜立泥中乙卯司徒霸先與戰於北郊壇大破之追奔至臨沂辛酉解嚴冬十一月乙卯起雲龍神虎門
二年	一三五五	五五七	春正月壬寅帝朝萬國於太極東堂夏四月己卯鑄四柱錢一當二十壬辰改四柱錢一當十丙申復閉細錢冬十月戊辰陳王霸先廢帝爲江陰王
陳武帝永定元年	一三五五	五五七	冬十月乙亥陳王霸先自立爲皇帝幸華林園聽訟庚辰詔出佛牙於杜姥宅設無遮會帝親出闕前膜拜

二年	一三五四	五五八	春三月乙卯幸後堂聽訟夏四月乙丑弑江陰王五月乙未京師地震辛酉帝幸大莊嚴寺捨身壬戌羣臣表請還宮秋八月辛亥帝幸治城寺送臨川王蒨討王琳未幾追還冬十月乙亥帝幸大莊嚴寺發光明經題甲子再幸設無礙會捨乘輿法物羣臣備法駕奉迎還宮丙寅帝宴羣臣於太極殿東堂
三年	一三五三	五五九	春正月戊申詔臨川王蒨省揚南徐二州獄訟夏閏四月丙午帝崩於璿璣殿甲寅臨川王蒨即皇帝位秋八月甲申葬武皇帝於萬安陵
文帝天嘉元年	一三五二	五六〇	夏六月壬辰詔葬梁元帝於江寧辛丑國哀周忌帝臨於太極前殿赦京師殊死以下秋八月癸未帝臨景陽殿聽訟丁酉幸正陽堂閱武是歲詔逐食流移不問僑舊悉著籍同土斷法
二年	一三五一	五六一	冬十二月甲申立始興王廟於京師
三年	一三五〇	五六二	春閏二月甲子改鑄五銖錢一當鵝眼之十
四年	一三四九	五六三	夏四月辛丑設無礙會於太極前殿六月賜司空侯安都死秋九月癸亥曲赦京師
五年	一三四八	五六四	秋七月丁丑曲赦京師九月城西城
六年	一三四七	五六五	秋九月新作大航冬十二月癸亥曲赦京師
天康元年	一三四六	五六六	春正月癸酉帝崩於有覺殿是日太子伯宗即皇帝位夏六月丙寅葬文皇帝於永寧陵

廢帝光大元年	一三四五	五六七	春中書舍人劉師知尚書僕射到仲舉謀遣司徒安成王頊還東府事發收師知下獄殺之秋八月賜仲舉死
二年	一三四四	五六八	冬十一月甲寅太傅安成王頊廢帝爲臨海王殺始興王伯茂
宣帝太建元年	一三四三	五六九	春正月甲午安成王頊自立爲皇帝
二年	一三四二	五七〇	春三月丙申皇太后章氏崩於紫極殿夏四月戊寅武宣皇后祔葬萬安陵夏六月辛卯大兩雹
三年	一三四一	五七一	秋八月辛丑皇太子叔寶釋奠於太學
四年	一三四〇	五七二	冬十一月已亥地震十二月丁卯詔作東宮
五年	一三三九	五七三	夏六月治明堂秋九月壬辰晦夜明
六年	一三三八	五七四	夏四月乙未焚監豫州陳桃根所上織成羅紋錦被裘於雲龍門外六月已酉改作雲龍神虎門
十年	一三三四	五七八	夏四月庚申大雨雹六月丁卯大雨震大皇寺剎莊嚴寺露盤重陽閣東樓千秋門外槐樹鴻臚府門秋八月戊寅隕霜殺稻菽九月乙巳立方明壇於婁湖戊申以始興王叔陵兼王官伯臨盟甲寅帝幸婁湖誓衆時彭城喪師通國搖心故爲是盟冬十月戊寅罷南琅邪郡立建興郡領同夏江乘湖熟臨沂等六縣屬揚州其建康秣陵江寧等縣仍隸丹楊郡

十一年	一三三三	五七九	秋七月辛卯初用大貨五銖錢秋八月丁卯帝閱武於大壯觀冬十二月江北諸州盡沒於周其民並自拔還京師癸酉遣開遠將軍徐道奴鎭柵口前信州刺史楊寶安鎭白下
十二年	一三三二	五八〇	春正月戊戌以任忠爲平南將軍督緣江軍防夏四月己卯大雩壬午雨六月壬戌大風壞皋門中闥秋八月甲戌大雨霖九月癸未東南有風水聲三夜乃止冬十月癸丑大雨雹雷震十一月己未詔原丹楊建興二郡田稅
十三年	一三三一	五八一	秋九月癸亥夜大風發屋拔樹大雷震雹
十四年	一三三〇	五八二	春正月甲寅帝崩於宣福殿乙卯始興王叔陵斫傷太子叔寶於哀次長沙王叔堅救之叔陵馳還東府謀舉兵皇后柳氏召右衞將軍蕭摩訶討斬之及新安王伯固丁巳太子叔寶即皇帝位太后柳氏居柏梁殿決庶務帝創愈乃歸政爲甲戌設無礙會於太極前殿九月丙午帝設無礙會於太極殿捨身及乘輿御服
後主至德元年	一三二九	五八三	春二月癸巳葬宣皇帝於顯寧陵冬十二月戊午夜天開內作青黃色聲如雷
二年	一三二八	五八四	起臨春結綺望仙三閣
三年	一三二七	五八五	冬十二月己未詔修復仲尼廟十二月辛丑皇太子允釋奠於先師是歲殺右衞將軍傅縡
四年	一三二六	五八六	秋九月甲午帝幸玄武湖肄水戰宴羣臣賦詩
禎明元年	一三二五	五八七	春正月乙未地震是歲殺太市令章華

二年	一三二四	五八八	夏五月丁巳大風激濤入石頭淮渚暴溢漂沒舟乘冬十月己酉帝幸莫府山大校獵十一月丁卯詔於大政殿訊獄是月隋遣晉王廣衆軍來伐
三年	一三二三	五八九	春正月隋吳州總管賀若弼自北道廣陵濟京口廬州總管韓擒虎趣橫江濟采石自南道將會弼軍戊辰內外戒嚴辛巳弼進據鍾山頓白土岡隋晉王廣遣總管宇文述自六合濟據石頭以爲兩軍聲援甲申衆軍與弼合戰敗績弼乘勝至樂遊苑燒宮城北掖門是日擒虎自新林至石子岡鎮東大將軍任忠迎降引入南掖門帝自投於井隋軍執之斬陳貴妃張麗華牓於中橋丙戌晉王廣入據京城斬施文慶沈客卿暨惠景陽朗徐析等五人於石闕下以謝江南
隋文帝開皇九年	三二三	五八九	春正月平陳詔遣使者巡撫之建康城邑幷平蕩耕墾于石頭城置蔣州廢丹楊郡三月己巳陳後主與其羣臣發建康晉王廣班師留王韶於石頭防遏委以後事
十年	一三二二	五九〇	冬十一月蔣山李悰舉兵反自稱大都督以應高智慧等江表自東晉以來世族陵駕寒門時牧民者盡變更之士民嗟怨故陳之故境皆反詔上柱國內史令楊素討平之移江寧縣治於冶城
煬帝大業二年	一三〇六	六〇六	春正月併省州縣省建康同夏秣陵三縣入江寧又廢臨沂丹陽湖熟三縣
三年	一三〇五	六〇七	夏四月改州爲郡蔣州復名丹楊郡
十一年	一二九七	六一五	冬十一月餘杭賊劉元進攻丹楊右屯衛大將軍吐萬緒濟江破走之
十三年	一二九五	六一七	冬帝命起丹楊宮將遜於江左未及而難作
恭帝義寧二年	一二九四	六一八	吳興太守沈法興起兵攻丹楊諸郡皆下之自稱江南道大總管

唐高祖武德元年	一二九四	六一八	夏五月唐王淵即皇帝位
二年	一二九三	六一九	秋九月和州賊帥杜伏威請降授東南道行臺尚書令時海陵賊帥李子通渡江攻沈法興法興奔吳郡于是丹楊諸郡皆降於子通伏威遣輔公祏將兵攻子通丹楊克之伏威乃徙居焉
三年	一二九二	六二〇	以江寧溧水二縣置揚州析置丹陽安業溧陽三縣更江寧曰歸化
五年	一二九〇	六二二	秋七月丁亥杜伏威入朝留輔祏公守丹楊
六年	一二八九	六二三	秋八月壬子揚州東南道行臺僕射輔公祏據丹楊反國號宋王雄誕不從縊殺之修陳故宮居之詔趙郡王孝恭及嶺南道大使李靖往討是歲省安業入歸化
七年	一二八八	六二四	春三月李靖兵至丹楊公祏棄城走死分捕餘黨悉平之是歲更揚州爲蔣州
八年	一二八七	六二五	改蔣州爲揚州廢行臺置大都督府更歸化縣爲金陵冬十二月檢校揚州大都督襄邑王神符始自丹楊徙州府於江都自是揚州之名始專歸於江北
九年	一二八六	六二六	徙金陵縣於白下邨曰白下縣與句容延陵隸潤州丹陽與二溧隸宣州
太宗貞觀元年	一二八五	六二七	分天下爲十道宣潤二州並屬江南道
七年	一二七九	六三三	移白下縣於治城東

八年	一二七八	六三四	秋七月江淮大水
九年	一二七七	六三五	更白下縣曰江寧是時釋法融於幽棲寺入定有百鳥獻花之異因開南宗一派號牛頭宗
武后光宅元年	一二二八	六八四	秋九月柳州司馬徐敬業舉兵揚州以匡復爲辭業據金陵使崔洪渡江修石頭冬十月大總管李孝逸平之分軍三百人守石頭尋置爲鎮仍徙縣倉以實之
中宗神龍二年	一二〇六	七〇六	移石頭倉於治城
開元四年	一一九六	七一六	升江寧縣爲望縣
二十一年	一一七九	七三三	分江南爲東西道潤州屬江南東道
天寶元年	一一七〇	七四二	置丹陽郡於潤州（今鎮江丹陽）領句容江寧等六縣
肅宗至德元載	一一五六	七五六	封顏眞卿爲丹陽縣尹冬江陵府都督永王璘反東至當塗
二載	一一五五	七五七	春二月淮南采訪使李成式等討之璘軍潰其別將渾惟明奔江寧是歲以江寧縣置江寧郡領江寧句容溧水當塗四縣
乾元元年	一一五四	七五八	冬改江寧郡爲昇州置浙江西道節度使兼江寧軍使領昇潤宣歙等十州治昇州

二年	一一五三	七五九	夏詔天下臨江帶郭各置放生池始江州迄昇州凡八十一所刺史顏眞卿勒碑記之
上元元年	一一五二	七六〇	冬十一月江淮都統劉展反濟江襲下蜀昇州刺史侯令儀棄城走丙申展陷昇州
二年	一一五一	七六一	春正月平盧節度使田神功討斬之餘黨悉降廢江寧置上元縣
寶應元年	一一五〇	七六二	廢昇州上元復隸潤州是歲江東大疫死者過半
代宗大歷五年	一一四二	七七〇	行營防禦使張萬福討平盧叛將許杲於當塗杲移軍上元因北走楚州死
德宗建中二年	一一三一	七八一	夏以浙江西道爲鎭海軍治潤州
四年	一一二九	七八三	朱泚亂長安鎭海軍節度使韓滉築石頭五城穿井百所毀上元佛寺道觀四十餘區以其材繕館第數十起建康抵京峴以備巡幸
貞元二年	一一二六	七八六	夏六月江溢
六年	一一二二	七九〇	夏浙西旱
八年	一一二〇	七九二	秋八月江淮大水害稼遣官宣撫賑貸

順宗永貞元年	一一〇七	八〇五	秋江浙旱
憲宗元和二年	一一〇五	八〇七	冬十月鎭海節度使李錡反遣牙將庾伯良治石頭葺爲其將張子良所執獻江東平
三年	一一〇四	八〇八	江南旱
四年	一一〇三	八〇九	春江南旱饑遣使賑恤
七年	一一〇〇	八一二	潤州水害稼
穆宗長慶二年	一〇九〇	八二二	冬十月詔江淮旱損令所在觀察使取常平義倉據時估減糶以惠貧民
三年	一〇八九	八二三	冬十二月浙江觀察使李德裕奏去管內淫祠一千一十五所
寶曆元年	一〇八七	八二五	秋浙西旱
文宗太和四年	一〇八二	八三〇	江南大水害稼出官米賑給
八年	一〇七八	八三四	夏江淮旱冬十月浙西水災

武宗會昌元年	一〇七一	八四一	秋江南大水
宣宗大中十二年	一〇五四	八五八	秋八月潤州水害稼
懿宗咸通七年	一〇四六	八六六	江淮大水
九年	一〇四四	八六八	江淮旱蝗
僖宗中和四年	一〇二八	八八四	江南大旱饑
光啓二年	一〇二六	八八六	感化牙將張雄馮宏鐸將兵度江襲白下號天威軍因襲據蘇州
三年	一〇二五	八八七	夏四月雄遣兵將趙暉入據上元五月宣州觀察使秦彥將兵救淮南過上元暉邀擊之暉以上元爲西州大治壘城而居之不與雄通問冬十一月戊午雄攻上元拔之
昭宗大順元年	一〇二二	八九〇	置昇州於上元以張雄爲刺史
景福二年	一〇一九	八九三	秋七月雄卒馮宏鐸代之
乾寧三年	一〇一六	八九六	宏鐸以昇州附淮南楊行密

天復二年	一〇一〇	九〇二	宏鐸爲宣州田頵所敗棄城走淮南因取昇州
三年	一〇〇九	九〇三	秋九月寧國節度使田頵襲昇州刺史李神福時擊鄂頵得其妻子以書招神福神福斬使者還軍討平之
昭宣帝天祐六年（淮南不從梁正朔仍稱天祐）	一〇〇三	九〇九	淮南左右牙都指揮使徐溫以金陵形勝戰艦所聚乃自領昇州刺史留廣陵遣假子知誥爲昇州防遏使兼樓船軍使往治之
九年	一〇〇〇	九一二	夏淮南以徐知誥爲昇州刺史知誥選用廉吏修明政教以宋齊邱爲謀主
十一年	九九八	九一四	始城昇州建大都督府
十四年	九九五	九一七	十四年夏四月昇州刺史徐知誥治府舍城市正盛五月鎭海軍節度使徐溫行部至昇州愛其繁富乃移鎭海軍治所於昇州自居之是歲析上元南十九鄉當塗北二鄉置江寧縣
吳惠帝武義元年	九九三	九一九	淮南始建國號曰吳
二年	九九二	九二〇	秋七月改昇州大都督府爲金陵府拜徐溫爲尹冬十二月金陵城成建紫極宮於治城故址
睿帝順義二年	九九〇	九二二	以同泰寺之半置臺城千福院

四年	九八八	九二四	建興教寺於石頭
乾貞元年	九八五	九二七	冬十月大丞相徐溫卒子知詢代爲金陵尹
二年	九八四	九二八	冬朝於廣陵知誥留之以弟知諤爲金陵尹
太和三年	九八一	九三一	冬十二月知誥歸鎭金陵如徐溫故事
四年	九八〇	九三二	春二月作禮賢院於府舍聚圖書以延士大夫宋齊邱上勸農桑策略知誥決行之野無閒田秋八月廣金陵城是歲鍾山陽積蝗尺許有數千僧啗之立盡
五年	九七九	九三三	夏宋齊邱勸知誥徙帝都金陵知誥乃繕府治爲宮徙都統府於蠶城
六年	九七八	九三四	春正月乙未知誥移居都統府虛府舍以俟車駕二月帝諭知誥罷遷都使還居府舍甲申金陵大火乙酉又火是歲東海王徐溫孫景邁建報先院於金陵
天祚元年	九七七	九三五	冬以知誥爲天下兵馬大元帥封齊王
二年	九七六	九三六	春正月建大元帥府冬十一月詔以金陵府爲西都
三年	九七五	九三七	春正月知誥始建齊國改金陵曰江寧牙城曰宮城廳堂曰殿三月以受册命赦境內更名誥秋八月齊王誥廢帝爲讓皇

南唐烈祖昇元元年	九七五	九三七	冬十月甲申齊王誥自立爲皇帝改齊明門爲乾元門
二年	九七四	九三八	夏五月丁卯廣濟倉災焚米三十萬石作渾天儀六月改吳興閣爲昇元閣瓦官寺爲昇元寺高麗使貢方物冬十月丙子立太學壬辰命吳王璟勒步騎八萬講武銅駝橋
三年	九七三	九三九	春二月己卯帝御興祥殿改國號曰唐復姓李更名昇三月庚午作南郊行宮千間五月作北郊於玄武湖西秋七月放珍禽奇獸於鍾山自五月不雨至於閏七月
四年	九七二	九四〇	冬十月以齊王璟讓儲位赦殊死以下京師賜酺寅戌帝幸東都十二月丙申還宮是歲改崇英殿曰延英凝華內殿前曰昇元後曰雍和興祥殿曰昭德積慶殿曰穆清
五年	九七一	九四一	冬十一月定民稅以肥瘠爲準
六年	九七〇	九四二	春正月金陵大水秦淮溢築隄爲斗門以疏導之
七年	九六九	九四三	春二月庚午帝殂於昇元殿三月己卯朔齊王璟即皇帝位改元保大秋七月使弟齊王景遂居東宮景遂固讓不許冬十一月壬寅葬烈祖於永陵
元宗保大三年	九六八	九四四	秋八月帝幸飲香亭觀蘭
六年	九六五	九四七	秋閏七月丁丑夜有彗出東方
七年	九六四	九四八	春正月帝召大臣宗室赴內香宴齊王景達改長慶寺曰奉先以資烈祖冥福

九年	九六二	九五〇	冬十一月我師平湖南遷馬氏之族於金陵
十年	九六一	九五一	春二月始行科舉尋罷是歲大旱命權務減徵之半
十一年	九六〇	九五二	春三月金陵大火逾月夏秋旱蝗淮流可涉民饑是歲復行科舉
十二年	九五九	九五三	自去年八月不雨至於三月大饑疫
十三年	九五八	九五四	冬十一月周人來侵十二月以安定郡公從嘉爲沿江巡撫是歲天裂東南
十四年	九五七	九五五	春三月以奉使請割地故斬李德明於都市
十五年	九五六	九五六	冬十二月金陵大火一日數發
交泰元年	九五四	九五八	割江北地與周和下令去帝號稱國主用周正朔
周世宗顯德六年	九五三	九五九	夏六月城金陵秋七月鑄當十大錢未幾罷之
宋太祖建隆元年	九五二	九六〇	春正月周殿前都點檢趙匡胤稱皇帝江南遂臣於宋是月始鑄鐵錢

二年	九五一	九六一	春二月國主遷於南都使太子從嘉監國夏六月乙未國主殂秋七月太子從嘉嗣立於金陵改名煜八月國主梓宮至金陵丁未殯於萬壽殿冬十二月置龍翔軍以教水戰
三年	九五〇	九六二	春正月戊寅葬元宗於順陵
乾德二年	九四八	九六四	春二月始行鐵錢冬十一月國后周氏殂
三年	九四七	九六五	春正月葬昭惠后於懿陵秋九月雨沙聖尊后鍾氏殂冬葬光穆皇后於順陵
五年	九四五	九六七	春命兩省侍郎諫議給事中中書舍人集賢勤政殿學士更直光政殿又置澄心堂於內苑清輝殿後引文士居之中書密旨皆由以出
開寶元年	九四四	九六八	命宮人窅娘以帛纏足舞金蓮上由是人多效之
二年	九四三	九六九	冬國主校獵於青龍山還憩大理寺錄囚原貸甚衆
三年	九四二	九七〇	春命境內崇修佛寺改寶公院爲開善道場又有報慈淨德等院
五年	九四〇	九七二	春二月下令貶儀制先是金陵殿閣皆用鴟吻自乾德以後宋使至則去之使還復設至是始去不復用
六年	九三九	九七三	江南饑宋屢徵國主入朝國主託疾不行

七年	九三八	九七四	冬閏十月宋遣大將曹彬等率師來伐十一月自采石以浮梁濟江十二月敗江南兵於白鷺洲金陵始下令戒嚴去開寶年號但稱甲戌歲
八年	九三七	九七五	春二月乙丑曹彬拔昇州關城夏四月壬戌敗江南軍於秦淮北國主殺其都指揮使皇甫繼勳十一月宋師百道攻城乙未白虹貫日金陵陷國主帥羣臣肉袒降將軍高彥馬誠信及弟承俊力戰死勤政殿學士鍾蒨右內史侍郎陳喬皆死之宮中圖籍萬卷盡焚吳越兵燒昇元閣避難其上者焚死殆數百人自是江南入於宋詔出米十萬石賑城中饑民以江寧府爲昇州江南令呂龜祥籍其圖書赴闕得六萬餘卷
九年	九三六	九七六	春正月曹彬遣送江南國主李煜於汴詔贖諸軍所虜人口還本主冬太宗即位改元太平興國取蔣山大鐘置太平興國寺是歲置江寧府上元縣監寨
太平興國二年	九三五	九七七	江南轉運使樊若水於昇州出銅處置官鑄錢即改鐵錢爲農器以給流民歸附者
八年	九二九	九八三	春二月詔禁江南民家私畜兵器秋七月江溢
雍熙二年	九二七	九八五	春三月江南饑許渡江自占夏四月遣使振之
三年	九二六	九八六	秋八月詔昇宣等州雍熙二年官以賑貸並蠲之立文宣王廟於冶城
淳化四年	九一九	九九三	春二月江南饑遣使巡撫
五年	九一八	九九四	置上元縣淳化縣江南疫

至道三年	九一五	九九七	旱除昇州今年秋税
眞宗咸平元年	九一四	九九八	江東轉運使陳靖請除江南二税外沿徵錢物二十四事
三年	九一二	一〇〇〇	江南旱振之
景德元年	九〇八	一〇〇四	秋閏九月江南旱遣使決獄訪民疾苦祠境内山川冬饑復振之是年改陶吳鋪爲金陵鎮
三年	九〇六	一〇〇六	置江寧縣秣陵鎮
大中祥符二年	九〇三	一〇〇九	夏四月戊子昇州火遣御史訪民疾苦蠲被火屋税
三年	九〇二	一〇一〇	秋八月以昇州亢旱火災遣内侍撫問醮禱
四年	九〇一	一〇一一	夏六月遣使安撫江南水災秋八月以知昇州兼江南東路安撫使詔葺太平興國寺及寶誌墖殿
五年	九〇〇	一〇一二	夏五月江淮旱給占城稻種教民種之冬十月遣知制誥陳堯咨詣蔣山祭寶誌公是歲除昇州牛租
六年	八九九	一〇一三	賜天禧寺額曰長干寺

七年	八九八	一〇一四	秋八月除江淮被災民租
天禧元年	八九五	一〇一七	夏六月知昇州丁謂請疏後湖爲塘陂以蓄水縱貧民漁採又乞減放後湖旱租五百五十餘頃皆從之秋八月詔太平興國寺歲度僧二人是歲改長干寺曰天禧塔曰聖感
二年	八九四	一〇一八	春改昇州爲江寧府建康軍節度治上元江寧二縣二月以皇子壽春郡王行江寧尹充建康軍節度等使封昇王
四年	八九二	一〇二〇	春二月癸未遣使安撫江淮饑民是歲改玄武湖爲放生池江淮稔
仁宗天聖元年	八八九	一〇二三	秋江南大饑官出粟以平價
四年	八八六	一〇二六	夏閏四月戊申減江淮歲漕米五十萬石
五年	八八五	一〇二七	秋七月江寧府江水溢壞官民廬舍遣使安撫振恤是歲鑿義井於天禧寺
七年	八八三	一〇二九	建江寧府學
明道元年	八八〇	一〇三二	江淮旱災官發米爲糜以哺流民
二年	八七九	一〇三三	詔發運使以上供米振江淮饑民死者官爲之葬

景祐元年	八七八	一〇三四	春二月減江淮漕米二百萬石是歲徙府學於古浮橋東北
慶歷三年	八六九	一〇四三	建業承李氏後版籍賦輿皆無法制江寧令蘇頌更定戶籍悉得其實
四年	八六八	一〇四四	昇州開寶寺塔災
八年	八六四	一〇四八	正月江寧府治火惟南唐玉燭殿僅存二月復繕治之
皇祐三年	八六一	一〇五一	夏知江寧府事始帶提轄本路兵甲盜賊公事兼屯禁兵秋八月江南饑遣使安撫
四年	八六〇	一〇五二	春三月丙辰詔蠲江南民所貸種糧
嘉祐元年	八五六	一〇五六	夏五月江溢
四年	八五三	一〇五九	詔江寧府置江南東路兵馬鈐轄
英宗治平四年	八四五	一〇六七	冬十月詔選禁軍駐劄江寧府增龍安港戰棹移巡檢廨宇止絕鹽賊
神宗熙寧三年	八四二	一〇七〇	冬十月詔江寧府織羅務自今並三班差人不用內侍十一月詔江寧府錄事參軍今後差職官知縣及奏舉縣令人充

五年	八四〇	一〇七二	秋閏七月分京東武衛軍權駐泊江寧府以備盜賊
六年	八三九	一〇七三	冬十月振江淮饑
七年	八三八	一〇七四	詔賜江寧府常平倉米五萬石以修水利
八年	八三七	一〇七五	春正月輟江南東路上供米給災傷州軍
九年	八三六	一〇七六	春判江寧府王安石請泄玄武湖水使民耕種從之秋八月詔發運司以所存上供米減直予江東民
元豐七年	八二八	一〇八四	夏六月王安石捨宅爲寺賜額報寧
哲宗紹聖二年	八一七	一〇九五	詔知江寧府事兼江南東路鈐轄
三年	八一六	一〇九六	夏六月庚申從勅令所言江寧上元二縣並行謁禁法
四年	八一五	一〇九七	春二月詔江淮巡檢依舊法招置士兵
徽宗大觀元年	八〇五	一一〇七	詔以江寧險固足守改江寧府爲帥府

三年	八〇三	一一〇九	詔江寧府管界巡檢今後並差大使臣是歲夏秋旱宜爲措置振濟詔減江寧府歲貢生白瓜子羅三之一
政和三年	七九九	一一一三	江東旱
重和元年	七九四	一一一八	江淮水詔有司還集流民
宣和二年	七九二	一一二〇	冬十月詔減省江寧府添差兵官人數
三年	七九一	一一二一	春睦賊方臘陷寧國旌德知縣劉延慶退守金陵未幾賊平夏五月詔江寧府帶安撫使並修江寧府城壁留兵分戍
五年	七八九	一一二三	夏詔江南提舉鹽事官於江寧府置司
高宗建炎元年	七八五	一一二七	夏五月江寧府禁卒周德叛執知府宇文粹中經制司屬官鮑詒遁討降之而桀驁如故新除尚書右僕射李綱行次江寧與權府事李彌遜謀磔之於市六月綱至行在請以建康爲東都葺城池治宮室積糧儲以備巡幸於是置沿江帥府江寧府帶本路安撫使乃以馬步軍總管繫銜是歲詔江寧府修建景靈宮
二年	七八四	一一二八	夏六月詔疏決建康繫囚戶部尚書葉夢得請以重臣爲宣撫使居江寧以備退保冬十二月詔江東武臣提刑於江寧府置司
三年	七八三	一一二九	春正月帝幸浙西以楊惟忠節制江東軍馬屯江寧府二月御營統制王亦將京軍駐江寧作亂焚天慶觀江東副使李謨率民兵禦之亦遂斧南門而去三月詔欲移蹕江寧府應江寧府預辦租頓等事是月苗傅等於臨安爲逆同簽書樞密院領江

			寧府事呂頤浩舉兵討平之夏五月帝幸江寧駐蹕神霄宮改江寧府爲建康府六月久雨不止甲戌帝入居建康府行宮秋七月丙戌皇太子旉薨攢於建康城中鐵塔寺西是月浙西制置使韓世忠屯蔣山以建康知府連南夫緩不及事逐之閏八月春聞金兵漸近遂幸浙西命尚書右僕射杜充領行營守建康冬十月東陽鎮添置巡檢一員十一月金人由馬家渡入犯遂陷建康江淮宣撫使杜充遁總領李梲知建康府事陳邦光皆降通判楊邦乂死之是歲置榷貨務都茶場於建康
四年	七八二	一一三〇	夏四月金人焚建康去統制岳飛敗之於靜安五月兀朮復趨建康飛追敗之於牛頭山時浙西制置使韓世忠以舟師扼黃天蕩兀朮乃傍治城西南鑿渠以遁秋九月置建康府路安撫大使
紹興元年	七八一	一一三一	置屯田局於建康詔收瘞暴骨修學校刊六經于學
二年	七八〇	一一三二	詔沿江修守備以府治爲行宮是歲江東西宣撫使置司建康
三年	七七九	一一三三	韓世忠駐建康江東漕臣月樁錢十萬緡以酒稅上供經制等鈔應副月樁錢自此始
四年	七七八	一一三四	秋七月知府事呂祉招置水軍三指揮是歲韓世忠移鎮江淮西宣撫使張俊鎮建康
五年	七七七	一一三五	詔修建康行宮及城壁
六年	七七六	一一三六	夏六月右僕射張浚會諸將於江上表請帝臨幸建康
七年	七七五	一一三七	春正月詔內侍於建康府元符萬壽宮爲道君皇帝修祈福道場置御前軍器局於建康三月辛未帝幸建康癸酉減建康流罪以下囚蠲建康府逋賦及下戶今年身丁錢丙子胡安國于行宮上所纂春秋傳乙酉賜少師劉光世第於建康夏四月癸

			巳築太廟於建康戊戌修濬建康城池秋七月建康旱疫詔所在給藥助葬冬十月久雨詔侍從官詣保寧寺祈晴是月知府事張澄請罷修府城減夏秋折帛從之是年築宜化渡城
八年	七七四	一一三八	春帝將還浙詔建康府兼留守司二月遂發建康是月減建康夏秋折輸錢蠲民戶逋租和市科調知府事葉夢得建紬書閣藏經史秋八月蠲江東月樁錢
九年	七七三	一一三九	春修建康府學又作小學於大門之東增教官一員置紬書閣以藏書重建晉卞壼祠
十年	七七二	一一四〇	建康大火延燒府治惟軍資庫及大軍庫無損
十一年	七七一	一一四一	春正月金人寇邊知府事葉夢得遣其子模守馬家渡金人退三月癸丑淮西宣撫使張俊歸屯建康號鐵山軍時淮西江東軍馬錢糧總領所亦移置於建康
十五年	七六七	一一四五	秋七月免建康民戶見欠官錢六萬餘貫冬十月免建康近年增起上供米額二萬四千餘石
十六年	七六六	一一四六	夏五月以御書石經本頒府學
十七年	七六五	一一四七	秋九月蠲江東月樁錢
十八年	七六四	一一四八	夏江東旱
二十五年	七五七	一一五五	封秦檜建康郡王

二十七年	七五五	一一五七	蠲江東積欠內庫錢帛鉅萬詔川馬不赴行在送江上諸軍建康得七百五十匹
二十九年	七五三	一一五九	夏六月詔截止建康起發冰段
三十一年	七五一	一一六一	春金人入犯帝命元樞葉義問督視軍馬冬十一月義問至建康虜騎已逼人民驚擾會中書舍人虞允文敗金於采石江中具捷以聞丙申天重陰詔起和國公張浚判建康府事十二月帝親征至建康詔建康添辟通判一員立江神廟於建康賜額佑德
三十二年	七五〇	一一六二	春詔立建康選鋒軍統領姚興廟賜額旌忠二月癸卯帝發建康如臨安冬十月除上元縣金陵鍾山慈仁三鄉灘江田租
孝宗隆興元年	七四九	一一六三	夏六月詔立建康府前軍統領王珙廟賜額忠節秋八月江東大水悉蠲其租
二年	七四八	一一六四	夏詔於石頭城置忠毅柵以處降人秋七月江東大水操舟行市
乾道元年	七四七	一一六五	開西園河道柵塞門令水入江先是知府事張孝祥創此議而汪澈繼成之
二年	七四六	一一六六	春二月振江東饑夏建康民朱端明等謀反事發斬之秋詔建康守臣招卹貧乏歸正人冬十二月詔笪橋酒庫撥蕭鷓巴軍管幹收息錢充犒賞用
三年	七四五	一一六七	秋九月以知府事史正志總沿江舟師十一月就令建康都統司招水軍五百人十二月江東蝗振之

四年	七四四	一一六八	春史正志請於建康府置船場增造戰棹又以蔡寬夫宅創貢院移放生池於青溪　冬十二月減江東明年夏稅和市之半
五年	七四三	一一六九	春詔建康修蓋牧馬官兵寨屋是歲重修府城及鎮淮飲虹二橋
六年	七四二	一一七〇	夏江東水閏五月詔放免被水民戶今年身丁錢冬十一月詔建康添置行宮酒庫一所
七年	七四一	一一七一	春江東旱振之夏五月詔移廬州軍酒庫於建康是歲宰相虞允文移馬司屯於建康
八年	七四〇	一一七二	秋七月詔放免建康府絹二千五百匹冬十一月詔建康府都統郭綱將戰馬就建康牧養
九年	七三九	一一七三	旱
淳熙元年	七三八	一一七四	春正月知建康府事始兼管內勸農營田使
二年	七三七	一一七五	大旱官爲蠲租平糶
三年	七三六	一一七六	重修府學立明道先生祠朱熹爲文記之
四年	七三五	一一七七	春正月詔沿江諸軍歲再習水戰

五年	七三四	一一七八	夏閏六月壬寅置建康府轉般倉
八年	七三一	一一八一	歲旱知府事范成大振之
十年	七二九	一一八三	知府事錢良臣請修築上元縣荒圩並寨地五百餘頃是歲建康旱
十一年	七二八	一一八四	建康大水詔振恤之始立養濟院
十三年	七二六	一一八六	春三月移采石水軍二千五百人屯靖安鎮
光宗紹熙元年	七二二	一一九〇	知府事章森築廂禁二軍新營兵民始不相雜
三年	七二〇	一一九二	知府事余端禮修廣貢院是歲江東水
四年	七一九	一一九三	秋八月振江東旱傷貧氏
五年	七一八	一一九四	振江東水災仍蠲其賦
寧宗慶元元年	七一七	一一九五	春正月詔江東荒歉收養遺棄小兒是歲建府學御書閣議道堂重修北門親兵寨

四年	七一四	一一九八	春正月丁卯詔有司寬恤江淮流民
六年	七一二	一二〇〇	振建康府旱是歲郡人朱舜庸修建康續志
嘉泰元年	七一一	一二〇一	振江東旱仍蠲其賦
開禧元年	七〇七	一二〇五	重建鎮淮飲虹二大橋
三年	七〇五	一二〇七	置沿江堡塢
嘉定元年	七〇四	一二〇八	秋八月發米振糶江淮流民
二年	七〇三	一二〇九	夏建康大旱蝗
三年	七〇二	一二一〇	建康旱蝗發廩振之仍蠲其稅
四年	七〇一	一二一一	增養濟二院於城南北
五年	七〇〇	一二一二	建冶城忠孝堂於卞壼側作晉元帝廟

八年	六九七	一二一五	夏江東旱蝗發帑廪振之開東門新河立范忠宣公明道先生祠六月詔除江寧民戶嘗科家業營運錢並和買綿絹錢三千七百餘貫秋七月創置唐灣水軍
九年	六九六	一二一六	秋九月詔江東被水甚者蠲其租是歲創漕司貢院於青溪西
十年	六九五	一二一七	秋七月開行宮後古珍珠河見水底有板乃止
十二年	六九三	一二一九	知建康府事始兼沿江制置使
十四年	六九一	一二二一	夏大水淮西總領岡碩立鄭介公祠於清涼寺冬十一月併唐灣靖安水軍爲一置統制統領各一員
十五年	六九〇	一二二二	知府事余嶸建平止倉於廣濟倉左
十六年	六八九	一二二三	秋九月詔振恤江淮被水貧民是歲重建貢院
十七年	六八八	一二二四	冬十一月詔增屯兵馬於建康以防江軍爲額
理宗寶慶三年	六八五	一二二七	創沿江制置司僉廳
紹定元年	六八四	一二二八	募效用軍

二年	六八三	一二二九	增收後湖田租逐爲額
端平三年	六八二	一二三〇	立義冢二所於覆舟山龍光寺以收江北戰骨
嘉熙元年	六七五	一二三七	府學置房廊始立貢士庫
淳祐元年	六七一	一二四一	修府學
二年	六七〇	一二四二	秋九月知府事杜杲薨卒於龍灣治礟於東陽
三年	六六九	一二四三	創張宣公祠於天禧寺增府學養士田閣舊租鐲新租
五年	六六七	一二四五	秋八月招策勝六軍其右軍中軍屯建康
六年	六六六	一二四六	知府事趙以夫修府學明德堂闢大成殿兩廊以妥從祀
七年	六六五	一二四七	廣親兵教場建指授堂鍔兵於馬鞍山下鐵冶溝旁招募精銳軍
十年	六六二	一二五〇	夏五月封吳淵爲金陵侯府學增先賢祠撥後湖田創義莊以助貧士重建明道書院

十一年	六六一	一二五一	知府事吳淵建錦繡堂於府治左鎮青堂於郡圃
十二年	六六〇	一二五二	淮西總領陳綺建翠微亭於石頭山
寶祐二年	六五八	一二五四	春三月蠲江淮今年二稅
三年	六五七	一二五五	冬十月減沙租課額三分之一倚閣元年夏稅秋苗折帛等錢
四年	六五六	一二五六	招募御前游擊軍並創軍寨於武定橋東罷諸酒坊吉凶青册額錢倚閣二年夏稅折帛等錢是歲沿江制置使知府事馬光祖閱水軍於龍灣
五年	六五五	一二五七	重建府治堂宇御賜忠實不欺之堂額甃御街及鎮淮飲虹二橋蠲上元江寧二縣欺隱稅額給借百姓錢本營運措置居養院以處無告之民創安樂廬以拯道涂疾患者冬大雪振軍民倚閣二稅
六年	六五四	一二五八	移平江府新招軍三千人駐建康鎮淮橋燬於火重建之上元知縣陳寅請以廢圃爲學宮
開慶元年	六五三	一二五九	創游擊新軍寨於西門內置安樂房以療其疾患
景定元年	六五二	一二六〇	濬建康城濠築羊馬牆創柵寨門甃城濬青溪修內外諸橋皆知府事馬光祖自書榜其他興建官署祠宇亭館甚衆蠲前政所出營運逋負減諸坊酒額葺義阡四所
二年	六五一	一二六一	秋八月周應合新修建康志成上元始建學十一月知府事姚希得以至節濟丙丁戶貧民雪寒又濟之

三年	六五〇	一二六二	春三月修諸城門砌錦繡坊街夏六月修行宮增轉般倉蠲減營運官錢逋貸倚閣上元苗稅冬寒撥米平價振糶至節歲節皆濟貧民
四年	六四九	一二六三	修社壇府學明道書院及諸廟祠官廨江寧始建學創招寧江新軍並遊寨倚閣上元江寧二縣苗稅蠲減營運息錢是歲上元江寧二縣經界民田
五年	六四八	一二六四	春給貧民錢修養濟院蠲減營運逋欠倚閣二縣秋稅收牛筋角欠數濟丙丁貧戶錢夏四月馬光祖復知建康創制司參機四廳於青溪南造先鋒馬寨船寨及和州屯田倉
度宗咸淳元年	六四七	一二六五	創無爲軍屯田倉代納五縣人戶夏稅設及幼局及平糴助糴倉庫增明道書院養士錢修行宮重建長千橋
二年	六四六	一二六六	招塡闕額軍改築礮藥庫於青溪上更廣濟倉爲廣儲創制司倉於左初設平糴倉修四義阡分命二縣簿尉主之是年大水饑發平糴米振糶
三年	六四五	一二六七	重建貢院於青溪南修南軒祠撥田爲修葺費創小學撥米一百石爲庖廩助設暫清館於龍灣蠲減河稅務歲額商稅錢一分
四年	六四四	一二六八	春正月創助糴西庫閏正月建康大風雷雨二月創南軒書院三月軍民病疫委官監醫給鹽粟夏四月代輸下五等戶夏稅放免夏稅市例錢秋九月代輸下戶秋苗冬十一月造銅斛並木斛焚舊弊斛於通衢
五年	六四三	一二六九	春正月禮高年創三至堂三月淮南民流入境分遣官屬振之
六年	六四二	一二七〇	江南大旱
九年	六三九	一二七三	免沿江旱澇屯田租

十年	六三八	一二七四	春正月詔減江東沙圩租米秋元丞相伯顏自鄂州南伐冬十月侍郎趙溍總兵巡江十二月詔建康振避兵流民
恭宗德祐元年	六三七	一二七五	春二月元兵屯雨花臺沿江制置使知府事趙溍棄建康城遁都統翁福徐王榮降元丞相伯顏平章阿朮入城於府治開省設建康路宣撫司江寧上元二縣皆設達魯花赤縣尹主簿縣尉等官受行中書省劄付句當時阿朮居明道書院儒人古之學等請伯顏給榜文還復書院遂設路學儒籍夏大疫伯顏開倉振饑給醫藥自是建康入於元
元世祖至元十三年	六三六	一二七六	春二月行中書省徙治揚州是歲江寧縣達魯花赤吳德以越城側故縣尉衙改縣治
十四年	六三五	一二七七	設江東道提刑按察司宣慰司皆治建康罷建康宣撫司改立總管府管錄事司江寧上元句容溧水四縣又設宣課提舉司平準行用交鈔庫
十六年	六三三	一二七九	設東西織染局於建康
十八年	六三一	一二八一	設淘金總管府於花林市下
十九年	六三〇	一二八二	詔民戶今年差發三分免一商稅三十分取一立養濟院是歲江南大水令所在振饑
二十年	六二九	一二八三	夏五月免江南稅糧三之二
二十二年	六二七	一二八五	立江淮行樞密院於宋建康府治宣慰司徙大軍庫內詔江南百姓典子官爲收贖田主所收佃客租課十分免一除醋課弛魚禁

二十三年	六二六	一二八六	行御史臺移治建康路
二十四年	六二五	一二八七	罷淘金總管府改立建康等處淘金提舉司
二十五年	六二四	一二八八	春正月詔選高僧開講於江南諸郡改天禧寺爲元興天禧慈恩旌忠教寺立財賦提舉司於宋轉運司故治
二十六年	六二三	一二八九	行御史臺移治揚州
二十七年	六二二	一二九〇	沿江建康等城置七萬戶府
二十八年	六二一	一二九一	春正月免江淮貧民逋租詔南方儒人可取者各路歲舉一人夏五月改按察司曰肅政廉訪司
二十九年	六二〇	一二九二	春三月行御史臺自揚州再移建康徙行樞密院於鎮江罷淘金提舉司幷入金銀銅冶轉運司管領
三十年	六一九	一二九三	行樞密院於江北河南行省下萬戶府撥軍二千餘名於龍灣教習
三十一年	六一八	一二九四	夏六月免江淮今年夏稅之半
成宗元貞元年	六一七	一二九五	夏五月建康水詔改天慶觀爲元妙觀毀所奉宋太祖神主

二年	六一六	一二九六	夏六月建康蝗振之
大德元年	六一五	一二九七	徙都新軍萬戶府自寧國路移鎮建康
二年	六一四	一二九八	春正月建康水振之仍弛澤梁之禁是歲罷金銀銅冶轉運司除建康路金額淘金戶幷入元籍當差
三年	六一三	一二九九	春正月免江南夏稅十之三二月革江東宣慰司是歲置惠民藥局
四年	六一二	一三〇〇	春建康旱秋八月儒學災惟存尊經閣及東西二教授廳九月振建康饑民冬十一月詔江南租稅普免一分十二月大雪踰尺再振建康饑民
五年	六一一	一三〇一	秋七月大風江漲損禾溺人冬十一月開後湖河道是歲重建廟學郡人王進德建明德堂
六年	六一〇	一三〇二	春三月詔免江南夏稅秋七月建康民饑以米二萬石振之
八年	六〇八	一三〇四	春正月詔江南佃戶私租十分減二是歲徙建康路廉訪使於寧國其建康簿書命監察御史鉤考
九年	六〇七	一三〇五	春二月詔免江南租稅十之二
十一年	六〇五	一三〇七	夏五月詔江南路夏稅免五分秋糧免三分是歲大旱民饑疫中丞廉道安總管岳天禎等勸富民出鈔振濟

武宗至大元年	六〇四	一三〇八	夏建康民饑疫官爲振濟秋七月詔免本路夏稅冬十月又免酒課十之三
二年	六〇三	一三〇九	春三月詔免江淮被災之家今年夏稅及逋負夏六月江寧上元蝗
四年	六〇一	一三一一	春正月免江南夏稅三分
仁宗延祐元年	五九八	一三一四	秋八月建康大水發廩減價振糶
二年	五九七	一三一五	春正月勅以江南行臺贓罰鈔振饑是歲罷行臺哈必赤百餘人皆恃勢擾民者
四年	五九五	一三一七	春閏正月免江淮夏稅十之三
七年	五九二	一三二〇	春三月免江淮夏稅十之三以前逋徵悉免之建帝師寺於保寧寺北
英宗至治元年	五九一	一三二一	郡人王霖立江東書院行省設山長蓋廣運倉於龍灣山前受諸路漕糧下海
二年	五九〇	一三二二	冬十一月詔免江淮今年包銀及官田租十之二
三年	五八九	一三二三	秋七月免江淮增科糧九月泰定帝登極冬十二月詔倚免江淮包銀三年

泰定元年	五八八	一三二四	春閏正月除江淮剏科包銀是歲懷王圖帖睦爾封藩建康
二年	五八七	一三二五	春正月蔣山太平興國寺災
三年	五八六	一三二六	建康路總管議開濬陰山運糧河道尋以勸士例禁罷役
四年	五八五	一三二七	夏四月建康饑振糧鈔有差
致和元年	五八四	一三二八	春二月圖帖睦爾建大崇禧萬壽寺於蔣山興國寺後秋八月各省科買軍需建康路得中旨優免九月圖帖睦爾即位改元天曆
文宗天曆二年	五八三	一三二九	詔即潛邸建大龍翔集慶寺設集慶萬壽寺營繕都司所屬有財賦提領所俱隸龍翔寺掌管改建康路爲集慶路是歲旱荒勸率上戶振濟
至順元年	五八二	一三三〇	春正月集慶路饑夏五月免江淮夏稅十之三是歲復立江淮財賦提舉司
二年	五八一	一三三一	詔改元妙觀爲大元興永壽宮亭爲飛龍亭
三年	五八〇	一三三二	冬十月免江淮夏稅十之二
順帝元統二年	五七八	一三三四	春三月獲劇盜王念二等於秦淮秋江寧旱營繕都司例革

至元元年	五七七	一三三五	修行臺江淮財賦提舉司例革
二年	五七六	一三三六	秋江寧旱
三年	五七五	一三三七	龍翔寺提領所例革并入善農提舉司
四年	五七四	一三三八	濬臺治後溝故道東緣青溪西通柵寨門至清涼寺下會秦淮河上元縣委官修砌接官亭東驛路
五年	五七三	一三三九	設常平倉於舊廣儲倉所上元縣挑濬龍光河自算子橋經石頭城下至馬鞍山秋九月大雨
至正元年	五七一	一三四一	立曹南王阿刺罕祠於集慶路柴市寶戒寺側仍撥賜官田二千頃革善農提舉司以所管龍翔寺田糧歸本寺
二年	五七〇	一三四二	春三月總管府災冬刱門樓房屋三十餘間移更鼓於西南隅樓新蓋察院及行臺門廡重修卞公祠天禧寺僧祿砌長千橋至上門堤街
三年	五六九	一三四三	秋八月蝗冬十月開濬後湖河道上至鍾山鄉珍珠橋下接龍灣大江又開濬陰山河道上至宦莊鋪下接毛公渡修蓋三皇廟醫學是歲張鉉纂修金陵新志成
七年	五六五	一三四七	冬十月集慶路盜起鎮南王博囉布哈討平之
九年	五六三	一三四九	秋七月大霖雨江溢漂沒民居禾稼

十五年	五五七	一三五五	滁州豪帥郭子興遣其將朱元璋率兵渡江取太平路擒義兵元帥陳埜先釋之復與行臺御史大夫福壽合滁州兵進攻集慶元軍拒戰於秦淮水上滁州兵失利元帥張元祐郭天叙皆戰死埜先追襲至葛仙鄉爲鄉兵邀殺其子兆先復聚兵屯方山
十六年	五五六	一三五六	春三月滁州兵復攻集慶降兆先之衆元行臺御史大夫福壽拒戰於蔣山敗績庚寅城陷興達魯花赤達尼達斯治書侍御史賀方俱死之朱元璋入改集慶路爲應天府置天興建康翼元帥府初居富民王綵帛家尋移元御史臺秋七月己卯諸將奉元璋爲吳國公置江南行中書省自領府事自是金陵歸於吳是歲上元縣還治淳化鎭
十七年	五五五	一三五七	上元縣還舊治
二十年	五五二	一三六〇	夏閏五月湖北陳友諒自太平犯應天徑衝江東橋未克轉趣龍江吳公督諸將拒擊於盧龍山大破之友諒遁遂復太平是月丁卯吳置儒學提擧司以宋濂爲提擧遣子標受經學冬十二月築龍灣虎口城
二十一年	五五一	一三六一	春二月乙亥吳置寶源局
二十二年	五五〇	一三六二	夏五月吳公閱兵三山門平章邵榮參政趙繼祖謀逆事覺伏誅
二十三年	五四九	一三六三	夏五月吳築禮賢館六月丁未忠勤樓災冬十二月戊午吳公閱武雞籠山還坐西苑諭諸將兵法
二十四年	五四八	一三六四	春正月丙寅朔諸將奉吳公爲王建百官罷翼元帥府置十七衞親軍指揮使司是歲繪塑功臣像於蔣子文卞壼廟

二十五年	五四七	一三六五	秋九月吳以集慶路學爲國子學
二十六年	五四六	一三六六	秋八月改築應天城作新宮於鍾山之陽建廟社
二十七年	五四五	一三六七	吳始稱元年春正月詔免應天等府田租一年夏五月己亥初置翰林院是年旱六月戊辰大雨秋七月乙亥王御戟門觀雅樂己丑雷震宮門獸吻得物若斧形而石質王命藏之秋八月癸丑圜丘方丘社稷壇成九月甲戌太廟成癸卯新內三殿成辛巳克平江執張士誠歸杖之於竹橋縊殺之冬十月壬子置御史臺甲子命諸將北征親祭神祇於北門之七里山十二月左丞相李善長帥百官勸進表三上乃許
明太祖洪武元年	五四四	一三六八	春正月乙亥吳王祀天地於南郊即皇帝位國號明丁丑宴羣臣於奉天殿二月丁卯祀孔子於國學戊申始祀社稷庚午命選國子監生侍太子讀書夏四月乙未始祫享太廟秋閏七月應天火延燒永濟倉秋八月己巳以應天爲南京冬十月置京畿都漕司濬後湖及龍灣河十一月辛丑建大本堂於宮中選儒臣教太子諸王是月始祀圜丘十二月己巳置登聞鼓辛巳築壇雞籠山祭前功臣胡大海等
二年	五四三	一三六九	春正月封京都城隍建羣神祀享所於南城外立十廟於雞籠山後乙巳立功臣廟丁未爲壇後湖祀馬神庚戌詔再免應天諸府今年租稅二月丙寅朔開元史局於天界寺壬午始耕耤田既又命皇后親蠶於北郊三月己巳令功臣子弟入學夏五月癸卯始祭方丘
三年	五四二	一三七〇	春三月庚寅免南畿今年田租夏五月丁未詔行大射禮是月旱帝齋戒六月戊午朔步禱山川壇露宿三日壬戌大雨丙子以克元捷奏至告於南郊丁丑告太廟是月移江南民田臨濠秋七月乙未寶源局火甲子鳳臺門軍營火延燒武德衛軍器局是月殺中書左丞楊憲八月京師大雨水振之戊子改應天知府爲府尹九月戊子京師城隍廟成冬十月丙辰詔儒生更直午門爲武臣講經十一月壬辰北征師

			還甲午告武成於郊廟大封功臣己亥設壇祭戰沒將士十二月甲子建奉先殿己卯賜勳臣田
四年	五四一	一三七一	春三月乙亥朔帝始策試貢士於奉天殿冬十月修京師城垣十一月癸亥南京大軍倉災
五年	五四〇	一三七二	春正月辛酉帝幸太平興國寺建法會甲午大風晦雨雪交作明日壽勅近臣於秦淮河然水燈二月壬辰南京火三日毁龍驤等六衞軍民廬舍夏四月戊戌始行鄉飲酒禮秋七月壬戌南京風雨地震九月免應天田租十二月丙戌南京定遠等衞火焚軍器局兵仗是月免南京濬濠作役
六年	五三九	一三七三	春正月置上元巡檢司甲子以舉人王璉等爲編修入文華堂肄業三月戊申大閱夏五月造渡淮浮橋六月修築京城秋八月建歷代帝王廟於京師冬十一月戊申雷霆交作
七年	五三八	一三七四	春二月擬建閱江樓停之夏四月上元縣民尹廣妻李氏一產三男給錢六千乳之秋八月甲辰朔帝祀歷代帝王廟冬十二月𧰼石灰山河
八年	五三七	一三七五	春正月辛酉增祀雞籠山功臣廟共一百八人三月立鈔法罷寶源局鑄錢秋七月辛酉改作太廟戊辰南京地震丁丑免應天府被災田租冬十二月戊子地又震
九年	五三六	一三七六	春大旱夏四月連雨冬十二月甲寅振畿內水災
十年	五三五	一三七七	秋七月置通政司八月庚戌改建大祀殿於南郊癸丑改建社稷壇於午門右是月選武臣子弟讀書國子監冬十月有虎入漢西門傷人十一月丁亥合祀天地於奉天殿
十一年	五三四	一三七八	秋八月免應天府秋糧是歲改南京曰京師

十二年	五三三	一三七九	春正月己卯始合祀天地於南郊己酉詔以雨雪經旬令有司給貧民鈔冬十二月徵天下老成之士至京師
十三年	五三二	一三八〇	春正月戊戌丞相胡惟庸謀反伏誅癸卯詔罷中書省廢丞相等官更定六部官秩改大都督府爲五軍都督府夏五月丙申釋在京及臨濠屯田輸作者是月罷御史臺六月丁卯詔罷王府工役丁丑置諫院秋七月己巳天壽節始受朝賀賜羣臣宴於謹身殿丙午置四輔官
十四年	五三一	一三八一	春正月癸丑令公侯子弟入國學夏建國學於雞鳴山下名國子監秋八月丙子詔求明經老成之士有司禮送京師冬十月以舊國學爲應天府學上元江寧二縣學省入甲寅免應天等府田租
十五年	五三〇	一三八二	春正月辛巳宴羣臣於謹身殿始用九奏樂三月壬辰免畿內稅糧夏五月乙丑帝釋奠於國學秋七月辛酉罷四輔官八月丙戌皇后馬氏崩庚午葬孝慈皇后於孝陵冬十月丙子置都察院十一月戊子置殿閣大學士
十年	五二九	一三八三	春二月丙申初命學校貢士於京師夏五月庚申免畿內田租六月辛卯免畿內養馬戶田租一年
十七年	五二八	一三八四	夏四月庚寅增築國子學舍秋七月丁巳免畿內今年田租之半
十八年	五二七	一三八五	春二月久陰雨雷雹三月乙亥免畿內今年田租
十九年	五二六	一三八六	夏六月甲辰詔賜耆老粟帛京師年七十以上賜爵里士八十以上賜爵鄉士秋九月丙子天雨粲冬十二月造通濟聚寶三山洪武等門新築後湖城幷廊房街道
二十年	五二五	一三八七	春二月壬午閱武夏六月免應天今年馬草冬十月徙建歷代忠臣漢蔣子文晉卞壼南唐劉仁贍宋曹彬元福壽等廟於雞鳴山陽

二十一年	五二四	一三八八	春二月戊辰歷代帝王廟火上元縣治亦災甲戌天界能仁寺災六月癸卯暴風
二十四年	五二一	一三九一	夏六月旱秋七月庚子徙富民實京師辛丑免畿內田租之半是歲割江寧沙洲屬江浦
二十五年	五二〇	一三九二	夏四月丙子皇太子標薨秋八月甲戌給公侯歲祿歸賜田於官
二十六年	五一九	一三九三	春正月乙酉涼國公藍玉以謀反誅夏四月大旱秋七月戊申選秀才張宗濬等分直文華殿侍皇太孫允炆
二十七年	五一八	一三九四	正月建漢壽亭侯廟於雞鳴山陽是月令以預備倉粟貸貧民秋八月京都新建酒樓成有醉仙重譯等名
二十八年	五一七	一三九五	秋九月丁酉免畿內秋糧
二十九年	五一六	一三九六	秋八月丁亥免應天等府田租
三十年	五一五	一三九七	冬十月乙未重建國子監先師廟成
三十一年	五一四	一三九八	夏閏五月乙酉帝崩於西宮辛卯太孫允炆即皇帝位是日葬高皇帝於孝陵冬十二月賜天下明年田租之半
惠帝建文元年	五一三	一三九九	春三月帝釋奠於先師甲午地震秋七月燕王棣舉兵反冬十一月帝爲罷齊泰黃子澄官仍留京師

二年	五一二	一四〇〇	秋八月癸巳承天門災
三年	五一一	一四〇一	春正月辛酉朔凝命神寶成告天地宗廟御奉天殿受朝賀丁丑享太廟告東昌捷復泰子澄官二月以燕兵不退復貶之
四年	五一〇	一四〇二	夏京師飛蝗蔽天五月辛丑燕兵至六合壬寅詔天下勤王甲辰遣慶成郡王如燕師請和六月乙卯燕兵自瓜洲渡江庚申至龍潭帝令清野民多自焚其屋辛酉命諸王分守都城連遣使如燕軍申前約皆不聽乙丑燕兵犯金川門左都督徐增壽謀內應伏誅谷王穗及李景隆叛納燕兵都城陷魏國公徐輝祖率兵迎戰敗績宮中火起帝不知所終燕王入遣中使出帝后馬氏屍於火中分命諸將守城還駐龍江己巳謁孝陵遂自立爲皇帝壬申以帝后屍爲建文皇帝葬之丁丑殺齊泰黃子澄方孝孺夷其族秋七月壬午朔大祀天地於南郊癸巳使建文諸子允熙等隨母妃呂氏居懿文太子陵園
成祖永樂元年	五〇九	一四〇三	春正月己卯朔帝御奉天殿受朝賀乙酉始享太廟癸卯始耕藉田三月京師淫雨壞城秋九月癸未命寶源局鑄農器給山東被兵窮民是歲始命內臣監京營軍
二年	五〇八	一四〇四	冬十一月甲辰帝御奉天門錄囚癸丑京師地震有聲
三年	五〇七	一四〇五	夏五月修蔣子文廟
四年	五〇六	一四〇六	春三月辛卯朔始釋奠於先師十二月辛亥甄寧王允熙邸第火王薨是歲南畿饑
五年	五〇五	一四〇七	秋九月乙卯帝御奉天門受安南俘

六年	五〇四	一四〇八	夏五月壬戌京師地震是歲府學災
七年	五〇三	一四〇九	春二月壬午帝北巡發京師皇太子高熾監國夏四月癸酉朔皇太子攝享太廟
八年	五〇二	一四一〇	春正月己卯皇太子攝祀天地冬十一月甲戌帝還京
十年	五〇〇	一四一二	冬十月戊辰帝獵於城南武岡
十一年	四九九	一四一三	春二月乙丑帝北巡發京師皇太子高熾監國冬十一月以野蠶繭爲衾命皇太子薦太廟
十四年	四九六	一四一六	秋九月癸卯京師地震癸未帝還京
十五年	四九五	一四一七	春三月壬子帝北巡發京師皇太子高熾監國
十六年	四九四	一四一八	江寧縣治火
十八年	四九二	一四二〇	秋九月己巳召皇太子於京師丁亥詔自明年改京師爲南京
十九年	四九一	一四二一	冬十一月以北征發應天等府丁壯運糧赴宣府

二十年	四九〇	一四二二	秋八月免南畿水災糧芻
二十一年	四八九	一四二三	秋八月免南京水災田租
二十二年	四八八	一四二四	夏六月壬申南京地震秋九月戊子始設南京守備以襄城伯李隆爲之是歲淫雨傷麥禾南畿饑
仁宗洪熙元年	四八七	一四二五	春二月戊申命太監鄭和守備南京夏四月壬子命皇太子瞻基謁孝陵遂居守南京五月庚辰召皇太子於南京是歲南京地震凡四十有二
宣宗宣德元年	四八六	一四二六	南京地震九
二年	四八五	一四二七	地震十南畿旱秋八月免南京被災稅糧
三年	四八四	一四二八	南京地震
四年	四八三	一四二九	春正月地又震二月己丑南京騶虞見
五年	四八二	一四三〇	春正月壬子南京地震辛酉又震
七年	四八〇	一四三二	秋免南畿水災稅糧是歲重建府學

八年	四七九	一四三三	南畿旱遣使賑卹是歲復振南京饑免稅糧
九年	四七八	一四三四	春正月乙卯申兩京寬卹之令秋七月南畿旱遣官捕蝗甲子敕南京各官行視災傷蠲減秋糧
十年	四七七	一四三五	春正月以戶部尙書黃福參贊南京守備機務夏四月南京蝗蝻傷稼
英宗正統三年	四七四	一四三八	南畿旱饑詔蠲逋賦
四年	四七三	一四三九	春三月癸酉增南京文武官軍俸廩秋江寧水七月庚戌免被災稅糧
五年	四七二	一四四〇	春二月南京大風雨壞北上門脊覆舟夏應天旱蝗六月免被災田糧冬十二月再免
六年	四七一	一四四一	夏五月以災異遣巡撫侍郎周忱等錄南京刑獄是年始定都北京
七年	四七〇	一四四二	春正月南京內府火圖籍器用皆空是歲南畿大旱
八年	四六九	一四四三	春二月己丑汰南京冗官夏南畿蝗秋應天饑七月辛未雷震南京西角門樓獸吻
九年	四六八	一四四四	秋七月應天大水

十一年	四六六	一四四六	夏六月南京山川壇災南畿旱
十三年	四六四	一四四八	龍潭江水奔潰
十四年	四六三	一四四九	夏六月丙辰南京風雨雷電謹身奉天華蓋三殿皆災詔振卹秋八月輸南京軍器於京師冬十一月侍郎耿九疇安撫南畿流民賜復三年
代宗景泰元年	四六二	一四五〇	夏四月大理寺丞李茂錄南京囚秋七月應天大水沒民廬
二年	四六一	一四五一	秋八月壬申南京地震
三年	四六〇	一四五二	又震秋八月振南畿水災免秋糧乙酉振南畿流民九月辛卯以南京地震命都御史王文巡視安輯乙未振南京被災州縣
四年	四五九	一四五三	南畿淫雨傷稼既又數月不雨
五年	四五八	一四五四	春正月南畿大雪連四旬三月撫卹南畿秋七月癸酉振南畿水災冬十二月免稅糧是歲南京大火
六年	四五七	一四五五	春二月大理少卿李茂等錄南京囚夏南畿旱饑冬十二月免被災秋糧
七年	四五六	一四五六	秋九月應天旱蝗

英宗天順元年	四五五	一四五七	春南京久不雨二月免被災秋糧冬十月乙巳南京地震
二年	四五四	一四五八	春暴風二月暴風拔孝陵樹鎩文陵殿獸脊多摧
三年	四五三	一四五九	南畿旱
四年	四五二	一四六〇	春三月免被災稅糧
五年	四五一	一四六一	春三月丁卯南京朝天宮災南畿連月旱傷稼秋七月丁未免被災稅糧
七年	四四九	一四六三	春正月乙酉南京西安門木廠火延燒皁牆
憲宗成化元年	四四七	一四六五	秋七月應天水甲子振南畿饑八月丁丑工部侍郎沈義等撫饑民
二年	四四六	一四六六	夏四月上元等縣饑民相食命戶部議振秋九月癸未南京御用監火
三年	四四五	一四六七	夏六月戊申雷震南京午門樓是歲旱
四年	四四四	一四六八	春夏不雨

五年	四四三	一四六九	春二月雷震山川壇具服殿獸吻是歲無麥
六年	四四二	一四七〇	秋七月免南畿被災稅糧
七年	四四一	一四七一	南京饑遣官巡視府學復燬提學御史嚴銓等重建
八年	四四〇	一四七二	秋七月南京大風雨壞天地壇孝陵廟宇江溢
九年	四三九	一四七三	春三月南京大風雨拔太廟社稷壇樹四月南京雨土秋七月免上元等縣去年秋糧
十年	四三八	一四七四	春二月南京奏冬春恆燠無氷雪三月免被災秋糧秋九月再免
十二年	四三六	一四七六	春正月南京地震有聲
十三年	四三五	一四七七	春二月南京鷹揚衛軍陳僧兒妻一產三男一女冬十一月癸亥南京大雷雨是歲南畿饑振之
十四年	四三四	一四七八	夏四月免被災秋糧秋八月丁未南京大風拔太廟樹
十五年	四三三	一四七九	夏四月免南畿被災秋糧秋八月辛卯大風拔孝陵木

十六年	四三二	一四八〇	免南畿被災稅糧
十七年	四三一	一四八一	春二月甲寅南畿地震猛虎近城殺人秋七月南京大風雨社稷及太廟殿宇皆搖水大溢甲戌免被災秋糧冬十一月丁酉江南大雨雪
十八年	四三〇	一四八二	春三月振南畿饑夏五月免被災稅糧冬十一月南京旱饑戊午南京國子監火十二月乙卯器皿廠火壬辰寧河王府火
二十年	四二八	一四八四	夏六月免南畿被災稅糧
二十一年	四二七	一四八五	夏四月亦如之五月南京大風拔太廟樹摧大祀殿及皇城各門獸吻
二十二年	四二六	一四八六	夏六月免南畿被災稅糧秋九月南京民饑
二十三年	四二五	一四八七	夏六月免被災秋糧
孝宗宏治元年	四二四	一四八八	春三月庚寅南京內花園火夏五月丙子南京震雷壞洪武門獸吻又壞孝陵御道樹六月己酉壞鷹揚街倉樓聚寶門旗杆冬十一月丁丑夜南京甲字庫火是歲南畿大旱應天饑
二年	四二三	一四八九	夏四月庚子雷毀神樂觀祖師殿乙未神樂觀火
三年	四二二	一四九〇	秋二月免南畿被災秋糧秋七月壬子驟雨雷壞午門西城牆南京旱

四年	四二一	一四九一	秋八月乙卯南京晦冥地震屋宇皆搖冬十一月庚辰振南畿災
五年	四二〇	一四九二	夏南畿水六月丁未免去年被災秔糧秋七月甲午振南京饑
六年	四一九	一四九三	夏四月辛酉夜南京舊內火五月乙未免南京被災秋糧秋八月壬申南京有黑氣東西百餘丈冬十月南京雨雪連旬十二月壬戌雷雨拔孝陵樹
七年	四一八	一四九四	春三月南畿蝗夏六月癸酉雷雨拔孝陵樹秋七月庚寅大風雨壞殿宇城樓獸吻拔太廟天地壇及孝陵樹九月大風落屋瓦是歲南京地凡六震以存留折銀軍米分振各屬
八年	四一七	一四九五	夏五月南京陰雨踰月壞朝陽門北城堵己未免南畿被災秋糧是歲南京地凡再震
九年	四一六	一四九六	地凡三震
十年	四一五	一四九七	免南畿被災稅糧
十一年	四一四	一四九八	亦如之
十二年	四一三	一四九九	夏五月亦如之秋八月又免夏稅
十三年	四一二	一五〇〇	冬十月戊申南京地震

十四年	四一一	一五〇一	閏七月戊戌振南畿水災免被災稅糧冬十月辛酉地震
十五年	四一〇	一五〇二	夏秋間大風雨孝陵神宮監及懿文陵樹木橋梁牆垣多摧拔七月南京江水泛溢湖水入城五尺餘九月丙戌地震冬十月丁卯又震是月免被災秋糧
十六年	四〇九	一五〇三	春二月庚申地震南畿饑秋九月丁丑振被災軍民冬十一月免被災秋糧
十七年	四〇八	一五〇四	春正月南京工部侍郎高銓振應天饑夏五月罷南京織造中官秋八月甲申免南畿被災夏稅
十八年	四〇七	一五〇五	應天衛旱九月甲午地震
武宗正德元年	四〇六	一五〇六	夏六月丙子南京暴風雨雷震孝陵白土岡樹秋八月乙卯復遣內官南京織造
三年	四〇四	一五〇八	江南旱秋九月癸亥振南京饑
四年	四〇三	一五〇九	冬大雪樹皆枯死
六年	四〇一	一五一一	振南畿饑
七年	四〇〇	一五一二	免被災稅糧

八年	三九九	一五一三	秋八月免南畿水災稅糧
十年	三九七	一五一五	冬十二月免南畿旱災秋糧
十一年	三九六	一五一六	秋八月戊辰南畿地震
十二年	三九五	一五一七	秋八月癸酉南京祭歷代帝王廟雷雨震死齋房吏冬十一月癸巳大風雪仆孝陵樹
十三年	三九四	一五一八	春應天大雨彌月漂室廬人畜無算正月振南畿水災夏四月甲子免被災稅糧
十四年	三九三	一五一九	十四年南畿饑甚寧王宸濠反於南昌與南京守備太監劉琅通兵部尚書喬宇預爲防守濠所伏死士三百餘人以次禽斬秋七月帝親征冬十二月丙戌至南京不入舊內居南門內之公廨
十五年	三九二	一五二〇	春正月帝謁孝陵備諸劇戲夏六月丁巳幸牛首駐西峰祠堂中諸軍夜驚秋閏八月癸巳受江西俘旋蹕丁酉發南京漁於龍江口
十六年	三九一	一五二一	南京旱
世宗嘉靖元年	三九〇	一五二二	春二月南京鍼綫廠火秋七月暴風雨江溢郊社陵寢宮闕城垣皆壞拔樹萬餘株江船漂沒甚衆冬十月辛卯振南畿饑免稅糧
二年	三八九	一五二三	春正月南京地震應天大旱饑遣侍郎席書振之仍鬻馬價秋七月南京大疫冬十一月免南畿被災稅糧

三年	三八八	一五二四	春正月丙寅朔南京地震二月庚戌地又震秋七月免南畿被災稅糧
五年	三八六	一五二六	冬十月壬子振南畿災免稅糧物料
六年	三八五	一五二七	減南畿馬價
八年	三八三	一五二九	秋九月免南畿被災稅糧
九年	三八二	一五三〇	應天大旱秋九月免被災秋糧
十一年	三八〇	一五三二	秋七月免南畿夏稅
十六年	三七五	一五三七	秋南畿水
十七年	三七四	一五三八	夏南京大旱
二十年	三七一	一五四一	春正月免南畿稅糧
二十二年	三六九	一五四三	冬十二月免南畿被災稅糧

二十三年	三六八	一五四四	夏秋南畿大旱民饑
二十四年	三六七	一五四五	夏又大旱饑冬立振武營
二十五年	三六六	一五四六	南畿旱
三十一年	三六〇	一五五二	秋八月乙丑南京試院火
三十二年	三五九	一五五三	南畿旱
三十四年	三五七	一五五五	秋七月丙辰倭賊自浙歷徽寧犯南京才七十二人南京兵與遇敗績二把總指揮朱湘蔣欽戰死南京戒嚴賊宿於板橋而去
三十五年	三五六	一五五六	秋九月免南畿被災稅糧
三十八年	三五三	一五五九	夏四月南京雨雹秋七月辛巳地震
三十九年	三五二	一五六〇	春二月丁巳南京振武營兵變殺總督糧儲侍郎黃懋官詔誅首惡秋七月江水漲至三山門秦淮民居有深數尺者冬大雪禽鳥多凍死大冰如花十二月地震
四十年	三五一	一五六一	秋七月南畿饑九月振之

四十一年	三五〇	一五六二	冬十月免南畿被災稅糧
四十五年	三四六	一五六六	春二月大風雨震報恩寺殿宇皆燬冬十二月大雨二十餘日民有凍死者
穆宗隆慶元年	三四五	一五六七	罷振武營
二年	三四四	一五六八	冬十月免南畿被災秋糧
三年	三四三	一五六九	秋八月振南畿水災冬免稅糧
四年	三四二	一五七〇	春正月火一夕數發冬詔應天府屬變賣種馬之半免蘆洲逋課
五年	三四一	一五七一	春二月壬子南京廣惠二倉火冬十月以水災蠲南京錦衣等衞所屯糧有差
神宗萬曆三年	三三七	一五七五	夏五月減里甲均徭驛傳坊夫等銀及革里甲朋役拾丁排門小夫諸名色著爲例
四年	三三六	一五七六	春三月雨雹冬十月雷是歲詔建表忠觀於台城東
五年	三三五	一五七七	春不雨井泉多竭

九年	三三一	一五八一	春正月辛巳裁南京冗官
十三年	三二七	一五八五	春二月丁未南畿地震江濤沸騰
十四年	三二六	一五八六	夏五月大雨旬餘城中水高數尺江東門至三山門行舟是歲應天府尹周繼重修縣學建文德板橋
十五年	三二五	一五八七	秋七月江南大水
十六年	三二四	一五八八	春三月南京旱疫
十七年	三二三	一五八九	夏六月乙巳南畿大旱發帑金振之
十九年	三二一	一五九一	是歲南畿大水
二十年	三二〇	一五九二	以倭警召募浙江義烏兵數千屯龍江關
十五年	三一五	一五九七	文德橋圮
二十八年	三一二	一六〇〇	修報恩寺塔

二十九年	三一一	一六〇一	南畿饑
三十年	三一〇	一六〇二	春二月魏國府災冬十月孝陵災
三十一年	三〇九	一六〇三	添設南中軍標營
三十三年	三〇七	一六〇五	冬十月鍾山有氣如匹練先白後黑妖人劉天緒謀亂南京兵部尚書孫鑛擒斬之
三十四年	三〇六	一六〇六	秋八月南京大火延燒十七處十月己卯南京行人司署燬
三十六年	三〇四	一六〇八	夏五月秦淮河竭十日後忽漲大雨半月餘平地皆水近江圩田盡沒秋八月庚辰振南畿饑冬十二月免其稅糧
四十年	三〇〇	一六一二	南畿洊饑應天府尹姚思仁重修都城隍廟
四十一年	二九九	一六一三	秋七月南畿大水
四十四年	二九六	一六一六	秋九月江寧蝗蝻大起禾麥竹樹皆盡南京工部尚書丁賓濬秦淮河
四十五年	二九五	一六一七	夏五月南京有鼠萬餘銜尾渡江食禾稼

四十七年	二九三	一六一九	鼠渡江如前
熹宗天啓三年	二八九	一六二三	秋七月辛卯南京大內左傍宮火冬十二月丁未地震
四年	二八八	一六二四	冬十二月癸卯南京地震如雷是歲振䘏江南水旱災民
六年	二八六	一六二六	夏四月丁丑命南京內守備搜括應天各府民財助殿工兵餉五月癸亥朝天宮災冬十二月戊申南畿地震
七年	二八五	一六二七	冬十月癸丑南京地震有聲
懷宗崇禎三年	二八二	一六三〇	秋九月戊戌南畿地震
五年	二八〇	一六三二	夏四月丁酉地又震
九年	二七六	一六三六	夏南畿大旱
十年	二七五	一六三七	春正月丙午南畿地震流賊張獻忠犯安慶南京大震夏南畿大旱
十一年	二七四	一六三八	春正月裁南京冗官夏六月南京旱蝗

十二年	二七三	一六三九	南畿饑
十三年	二七二	一六四〇	閏正月丙申南京日晦冥風霾大作夏五月南京旱蝗大饑斗米千錢冬十一月戊子南畿地震
十四年	二七一	一六四一	夏五月南京大疫有闔門纍斃者六月南畿大旱蝗民饑
十五年	二七〇	一六四二	春流賊陷和州南京戒嚴羣鼠渡江晝夜不絕
十六年	二六九	一六四三	冬十一月南京火藥庫火傷三十餘人
十七年（淸順治元年）	二六八	一六四四	春正月乙卯南京地震三月流賊李自成陷京師夏四月南京兵部尙書史可法誓師勤王次浦子口聞變乃還南京廬鳳總督馬士英以兵迎福王由崧於江上五月戊子朔福王謁孝陵駐蹕內守備府庚寅監國南京壬寅卽皇帝位於武英殿是月設勇衛營以太監李國輔監督秋七月丙戌福王祀高皇帝以下於奉先殿以崇禎帝后祔祭秋八月丁巳釋奠於孔子戊辰福王太后鄒氏至自河南九月福王御經筵庚戌開佐工事例冬十一月戊子南京西宮成賜名慈禧殿自五月不雨至於是月十二月有狂僧夜叩洪武門自稱烈皇帝下鎭撫司獄癸未布衣何光顯上書乞誅馬士英劉孔昭命戮光顯於市
宏光元年（順治二年）	二六七	一六四五	春正月乙酉朔南京大風拔木雪數尺癸巳大雷電雨雹甲午修奉先殿及午門左右掖門二月癸未誅狂僧大悲三月甲申朔有稱北來太子者至南京丙戌下中城兵馬司獄又有婦人童氏自言王妃下錦衣衛獄死是月寧南侯左良玉反夏四月福王詔督師史可法入援率草鞋夾復命同揚州己未左兵陷東流南京戒嚴命兵部尙書阮大鋮巡防江上丁卯福王選淑女於元暉殿是月清兵克揚州五月己丑渡江辛卯福王出通濟門奔太平士民出北來太子於獄擁登武英殿忻城伯趙之

			龍不聽立挾之出洪武門乙未清兵駐郊壇門之龍及魏國公徐允爵大學士王鐸等迎降丙申清豫親王多鐸入南京刑部尚書高倬死之癸卯獲福王拘於江寧縣尋執之北去江南亡
清世祖順治二年	二六七	一六四五	夏五月改南京爲江南省應天府爲江寧府改府尹爲知府治中爲同知設立經略招撫內院大學士秋七月設鎭國公撫國公各一員領旗兵駐防江寧遣內官正副二員陵戶四十名守明孝陵免江南本年稅糧十之七兵餉十之四明季無藝之徵悉罷之舉行鄉試江南省在江寧鄉試自是鄉試定爲子午卯酉年
三年	二六六	一六四六	春正月朱君兆謀內應明宗室朱盛瀝事露外罷江南省舊設部院二月改設昂邦章京一員領旗兵駐防三月壬子明唐王督師大學士黃道周不屈死秋八月再行鄉試
四年	二六五	一六四七	改經略招撫爲總督轄江南江西河南三省大量田畝
六年	二六三	一六四九	建駐防城改總督轄江南江西二省
七年	二六二	一六五〇	春二月乙未改明國子監爲江寧府學應天府學爲上元江寧二縣學裁江寧府馬政船政同知二員
八年	二六一	一六五一	歲祲上元知縣郭士賢請將各院罰贖銀兩盡數糴米入倉不足則以己俸益之
九年	二六〇	一六五二	總督馬國柱增修江寧府學立櫺星門及戟門改彝倫堂爲明倫堂設志道據德依仁游藝四齋以國子監坊爲江寧府學坊
十一年	二五八	一六五四	春正月辛丑以水旱故停江寧織造二年戊申免江寧去年被災額賦二月明定西侯張名振率衆自海泝江而上掠儀徵進至觀音門還登金山望祭孝陵江寧大震

十三年	二五六	一六五六	裁江寧府督鑄同知一員
十五年	二五四	一六五八	裁江寧府糧捕驛捕查驛各通判仍留南捕一員增設北捕一員
十六年	二五三	一六五九	夏六月明延平王鄭成功率海師薄江寧梁化鳳平之改神策門爲得勝門
十七年	二五二	一六六〇	重建駐防城起太平門東至通濟門東止重建方正學公祠
十八年	二五一	一六六一	改駐防總管爲將軍
聖祖康熙元年	二五〇	一六六二	裁操江都御史歸併總督兼管
三年	二四八	一六六四	改總督專轄江南一省
五年	二四六	一六六六	夏六月免上元江寧等衞節年未完黃快丁銀
六年	二四五	一六六七	裁江寧府推官一員修復明道書院立射圃以教士設水龍局江寧知府陳開虞修江寧府志延鄧旭白夢鼐爲纂修
八年	二四三	一六六九	冬十一月免江寧被災額賦

九年	二四二	一六七〇	設育嬰堂於三山門外與養濟院同宇
十年	二四一	一六七一	夏五月兵丁侯進孝訐告總督麻勒吉被逮江南士民羣集鼓噪保留之江南旱蝗總督麻勒吉捐俸購買蝻子遂絕歲不告饑冬十一月免上元被災額賦
十八年	二三三	一六七九	冬十二月免江南旱災額賦
十九年	二三二	一六八〇	江寧知府陳龍巖修府學文廟兩廡
二十年	二三一	一六八一	夏四月裁江寧府船政同知一員
二十一年	二三〇	一六八二	春正月復改總督轄江南江西二省總督于成龍禽斬巨盜魚殼南中風俗奢靡聞成龍至爭衣布褐布驟貴又建虹橋書院
二十二年	二二九	一六八三	江寧知縣佟世燕延戴本孝纂修縣志又修水次倉於觀音門冬十二月祭酒王士禎請飭督撫查明南監板令學臣收藏儒學尊經閣從之江寧知府于成龍（與總督同名）開濬府學泮池築屏牆時瀕江蘆洲多爲豪強所占成龍徧行查察以有課而無洲者爲坍江立予豁除有洲而無課者爲欺隱升科而薄其罰人皆稱平
二十三年	二二八	一六八四	秋九月免明年江南漕糧三之一冬十一月南巡至於江寧以將軍署爲行宮躬祭明太祖陵駐蹕大教場受臣民朝見
二十六年	二二五	一六八七	冬十一月蠲明年應徵地丁錢糧及本年未完租賦

二十七年	二二四	一六八八	春三月免康熙二十七年以前江南漕糧夏六月旱
二十八年	二二三	一六八九	春正月蠲江南積年民欠及一切地丁錢糧二月南巡至於上元以吉祥街織造署爲行宮允督臣傅臘塔奏免江寧號房篷塔地租銀八千兩定上元江寧爲大學額各三十名
三十年	二二一	一六九一	蠲江南歲運漕米以次逐府各免一年其江寧截留十萬石存貯駐防倉
三十二年	二一九	一六九三	夏瀕江水溢
三十三年	二一八	一六九四	冬十月江寧船廠政改歸管糧同知兼理免江南舊欠帶徵錢糧
三十五年	二一六	一六九六	冬十二月詔免上元水災額賦
三十八年	二一三	一六九九	南巡至於上元以織造府爲行宮免江南舊欠帶徵錢糧及三十四五六等年一應地丁雜稅遣尚書席爾達祭明孝陵又親往奠酒
四十二年	二〇九	一七〇三	春二月辛丑南巡至於上元以織造府爲行宮遣大學士馬齊祭明孝陵是歲錢鈺改建方正學祠
四十四年	二〇七	一七〇五	夏四月南巡至於上元以織造府爲行宮遣尚書徐潮祭明孝陵命翰林學士撰敘試士於秦淮棘院各賦詩二章取錢崇世等五人
四十五年	二〇六	一七〇六	春正月免上元江寧四十三年以前未完地丁銀米其已完在官者準本年流抵江寧織造曹寅捐修府學

四十六年	二〇五	一七〇七	春三月南巡至於上元駐蹕吉祥街行宮遣馬齊祭明孝陵又親謁明孝陵賚耆老帛肉有差免四十七年額賦夏旱上元知縣趙聯捷挑濬河道以工代振冬十二月免上元本年旱災地丁錢糧
四十七年	二〇四	一七〇八	春正月詔留湖廣江西漕米四十萬石於江寧等處平糶冬十月免江南明年地丁額賦幷停徵舊欠
五十一年	二〇〇	一七一二	冬十二月免江南明年地畝銀豁除歷年積欠是歲建考棚於江寧爲下江士子秋闈錄科之所
五十三年	一九八	一七一四	冬十二月蠲上元等縣被災額賦
五十四年	一九七	一七一五	修縣學尊經閣
五十六年	一九五	一七一七	免江南帶徵地丁屯衛銀其帶徵漕項銀及米豆各蠲半
五十八年	一九三	一七一九	春正月詔截留湖廣江西漕米四十三萬石分貯江寧等處備荒江蘇按察使李馥重建縣學靑雲樓（樓尹前明應天府周繼所立也）上元知縣唐開陶建預備倉
六十年	一九一	一七二一	上元知縣唐開陶修縣志成
世宗雍正元年	一八九	一七二三	春正月開登極恩科春鄉試秋會試增上元江寧學額各二十五名免康熙十一年至五十年未完地丁米豆蘆課銀
二年	一八八	一七二四	夏六月免江南逋賦總督査弼納改舊錢廠地爲書院名曰鍾山以課江南北士增拓貢院號舍建忠義節孝祠於學宮內

四年	一八六	一七二六	冬十二月詔免江寧被災額賦
五年	一八五	一七二七	二月壬戌振江寧水災饑民癸亥詔江寧駐防操練水師免上元雍正四年水災額賦江寧知縣孔毓珠建常平倉於渡船口
六年	一八四	一七二八	江寧知府林華年捐修江寧縣署
七年	一八三	一七二九	春三月詔有司防護明太祖陵上元知縣刁承祖以民實賦雜設雙鴛單以杜吏胥收多塡少之弊向例戶司借供給署中薪炭任意侵挪承祖悉革除之
十年	一八〇	一七三二	江蘇學使按臨江寧府屬始自句容移會城以下江考棚爲治所按察使移駐蘇州改其署爲驛巡道署秋七月增江寧水師守備一把總二歸將軍統轄駐於江口
十一年	一七九	一七三三	夏大水詔緩徵振饑建賢良祠於欽天山以祀陳鵬年張伯行
十二年	一七八	一七三四	移江寧養濟院於南城外佟園總督趙宏恩捐銀助之詔截留本年起運漕糧二十萬石於江寧等被水州縣開春平糶緩徵新舊條欠銀及南漕等米動支倉穀分別振濟
十三年	一七七	一七三五	春三月縣學新設灑掃會秋八月詔免上元水災額賦九月高宗登極免雍正十二年以前錢糧實欠在民者其有官侵吏蝕項一例寬免冬十月免各年漕項蘆課及學租雜稅等積欠銀十一月免雍正十二年以前耗羨銀十二月免雍正十二年以前帶徵漕項及本折銀米又詔業戶酌減佃戶之租
高宗乾隆元年	一七六	一七三六	夏上元江寧水詔酌免被災鄉村本年額賦是歲詔凡遇蠲免以奉旨之日爲始其奉旨之後部文未到之前如有已輸在官者准作次年正賦永著爲例

六年	一七一	一七四一	夏水
七年	一七〇	一七四二	兩江總督德沛每朔望躬蒞鍾山書院談藝
十年	一六七	一七四五	普免十一月地丁錢糧江寧知府沈孟堅禁秦淮夜游逐流妓之寓河房者
十六年	一六一	一七五一	春正月免江南乾隆元年至十三年逋賦三月帝奉太后南巡駐蹕江寧謁明太祖陵試士子於鍾山書院幷頒武英殿本十三經廿一史各一部存貯之是歲上元知縣藍應襲修縣志延何夢篆總纂江寧知縣袁枚亦繼爲之設局於故隋尙衣園後
二十一年	一五六	一七五六	春三月壬午詔減上元等縣低瘠田地額賦
二十二年	一五五	一七五七	春帝奉太后南巡駐蹕江寧試士子於鍾山書院加賑江南被災州縣免乾隆十年以前積欠漕項銀米及地丁耗羨加賑江南被災州縣截漕十萬石分儲備糶
二十六年	一五一	一七六一	詔截留冬漕分糶如二十二年例
二十七年	一五〇	一七六二	帝奉太后南巡駐蹕江寧謁明太祖陵詔試士子於鍾山書院增本年江南科試學額大學五名中學四名小學三名賑去年被災州縣幷蠲二十二年至二十六年節年因災緩徵及未完地丁各欠免江寧府附郭諸縣本年額賦
二十九年	一四八	一七六四	詔照例截留冬漕十萬石在駐蹕地方平糶

三十年	一四七	一七六五	免江寧府附郭諸縣本年丁銀三月帝奉太后南巡駐蹕江寧謁明太祖陵召試士子於鍾山書院免二十五年以前節年因災未完錢糧二十六七八等年地丁河驛二十八年以前因災未完漕項暨民借籽種口糧備築堤堰等銀及熟田地丁雜稅未完銀兩
三十四年	一四三	一七六九	夏五月裁江寧副都統缺
三十五年	一四二	一七七〇	太后萬壽普免錢漕江寧與焉
四十年	一三七	一七七五	建奎星亭於泮池側
四十三年	一三四	一七七八	普免錢漕江寧與焉建鳳池書院以課童生
四十五年	一三二	一七八〇	帝七旬萬壽普免漕糧春三月南巡駐蹕江寧詔截留冬漕十萬在駐蹕地方平糶謁明孝陵召試士子於鍾山書院便民河成
四十九年	一二八	一七八四	春正月詔免江寧各屬逋賦又以南巡恩命截留冬漕如前例加賑上元等縣災民兩月閏三月南巡駐蹕江寧祭明陵
五十年	一二七	一七八五	免江寧等府四十七年以前逋賦夏大旱
五十二年	一二五	一七八七	夏水給籽種口糧

歷代大事表　一五一五

五十四年	一二三	一七八九	江寧屢有火災總督書麟作水星鼎於南門城上以鎮之
五十六年	一二一	一七九一	詔緩徵四十八年至五十四年因災積欠銀米分四年帶徵
五十九年	一一八	一七九四	九月普免六十年錢糧一次
仁宗嘉慶元年	一一六	一七九六	普免天下錢糧賚老民絹綿米肉有差
二年	一一五	一七九七	建忠義孝弟祠于學宮立卹嫠局於龍王廟
三年	一一四	一七九八	夏五月修明孝陵及上元江寧兩縣學
四年	一一三	一七九九	免乾隆六十年以前積欠緩徵地丁耗羨及民欠籽種口糧漕糧銀兩
九年	一〇八	一八〇四	冬布政使康基田濬秦淮河
十年	一〇七	一八〇五	建雞鳴書院於府學以課童生
十一年	一〇六	一八〇六	縣學尊經閣災廿一史版及三段碑落星石皆燬布政使康基田重建之因立尊經書院以課生監

十四年	一〇三	一八〇九	冬十月以五旬萬壽賚老民綿絹米肉有差
十七年	一〇〇	一八一二	夏小旱井泉竭是歲江寧知府呂燕昭重修府志聘桐城姚鼐爲纂修
十八年	九九	一八一三	捕妖言朱毛里水月庵僧鏡澂以術見捕妖人方榮升黨類并獲審實磔之
十九年	九八	一八一四	夏大旱饑乾隆乙巳後第一奇災富民義捐振貧民十七萬口餘銀二萬奇存典生息備荒官亦發倉米出糶四城分設免徵錢糧十之六立老人堂於廻光寺清節堂於油坊巷又於剪子巷設崇義堂以課貧童
二十年	九七	一八一五	春三月板巷火有死者夏旱大疫建正覺寺於三條營（爲鏡澄也續纂江寧府志在十九年茲依通紀）
二十一年	九六	一八一六	貧院改鑿冰池於東龍腮牆外立救生總局於信府河草鞋夾黃天蕩皆設有紅船
二十二年	九五	一八一七	巡道方體濬運瀆新河用宋張孝祥言也
二十三年	九四	一八一八	小旱修上江兩縣學泮宮坊修浦子口敵臺
二十四年	九三	一八一九	六旬萬壽蠲十年至二十一年未完民欠錢糧米賚老民絹綿米肉有差二月朔府學大成殿災
二十五年	九二	一八二〇	小旱督署大堂及科房災改雞鳴書院爲奎光

宣宗道光元年	九一	一八二一	春詔賚年老軍民絹綿米肉有差夏山田旱給民口糧秋大疫
二年	九〇	一八二二	春加賞災民口糧與府學洒掃會增貢院西供給所號舍祀端木心寅於孝子祠
三年	八九	一八二三	夏水給災民振貲以義捐恤貧士重修下江考棚及大程子祠上元知縣武念祖重修縣志訓導陳栻主其事立上元江寧兩縣免簽快丁碑
四年	八八	一八二四	春加振水災饑民以義捐餘欵濬新開運瀆河藩署火案牘無存
五年	八七	一八二五	小水始置豐備倉
六年	八六	一八二六	夏清涼山翠微亭發蛟（清涼寺九間大殿沖倒三間牆壁俱圮水深數尺入城河）
八年	八四	一八二八	修南關石道自長干橋至鎮淮橋重建南門城樓
九年	八三	一八二九	江寧布政使賀長齡濬城內外河道整飭書院規約刊經世文編以教士
十年	八二	一八三〇	清涼門草場人劚地得鐵椎數十枚入縣庫冬十月緩徵上元等縣水災額賦
十一年	八一	一八三一	夏水紳民議閉上水關涵板六月免徵銀米十之四并給上元等縣災民口糧秋七月江寧布政使林則徐建議倡捐助振貲送留養收孩瘗棺捐衣勸糶養佃典牛借種籽禁燒鍋凡十二則秋八月地震是科鄉試以水改期九月武鄉試改次年三月

十二年	八〇	一八三二	三月靜海寺災明太監鄭三寶使西洋返時所造也夏五月緩徵上元等縣水災額賦及河灘學租總督陶澍建豐備倉於旱西門街廣豐備倉於羅寺轉灣秋七月裁江寧府照磨
十三年	七九	一八三三	夏水八月鈔庫街火文德橋闌圮溺死數十人九月振上元等縣水災再振上元等縣災民緩徵額賦十二月再振上元等縣水災江寧知府俞德淵移建鳳池書院於五松園疏支河至北門橋乾河壖而止建見山亭重修朝天宮得明永樂告天文石刻
十四年	七八	一八三四	春正月給上元等縣上年災歉口糧耔種連月雨甚夏四月緩徵上元等縣逋賦冬十一月緩徵上元等縣賦額
十　年	七七	一八三五	春正月展緩上元等縣被災逋賦秋八月以太后六旬萬壽蠲十年以前正耗民欠錢糧及因災緩徵帶徵銀數並借給耔種口糧牛具冬十一月緩徵上元等縣被災額賦
十六年	七六	一八三六	上元江寧兩縣學中重建青雲樓移建八蜡廟於欽天山
十七年	七五	一八三七	修上元江寧兩縣學魁星閣總督陶澍設惜陰書院於盋山以課舉貢生監經古安徽紳士殷上江考棚
十八年	七四	一八三八	上江兩縣學新建明德堂并志道等四齋
十九年	七三	一八三九	夏水
二十年	七二	一八四〇	給上元等縣水災口糧并修屋費鄉試改期如上年例是歲英人擾浙

二十一年	七一	一八四一	振上元等縣災民緩征新舊額賦
二十二年	七〇	一八四二	春二月展振上元等縣災民夏六月戊寅朔日食晝晦見星（午後非獨無所見一小時許漸明）英吉利以禁鴉片烟事擾海疆數年至是駛入長江己丑江寧閉城庚寅閉市城復啓城中大小戶皆徙至東南鄉癸巳紳民設保衛局防宵小內訌日夜梭巡乙未洋船抵草鞋夾是日復閉城秋七月辛亥英人占上元縣丞署（在觀音門）掠邁皋橋丙辰來議和庚午立和約乙亥去八月丁丑朔大水陸發平地四尺以桃源河決故辛卯撤保衛局九月城中大疫
二十三年	六九	一八四三	塞定淮門
二十四年	六八	一八四四	夏水秋八月裁龍江關查驗木植稅局
二十五年	六七	一八四五	太后七旬萬壽蠲免如例夏水
二十七年	六五	一八四七	英人與青浦民鬬乘輪至江寧訴於總督權辭撫之明日駛去
二十八年	六四	一八四八	秋大水
二十九年	六三	一八四九	六月大水街道行舟給振免徵秋大疫鄉試改期十月
三十年	六二	一八五〇	文童加試性理論一場

文宗咸豐元年 太平天國元年	六一	一八五一	免道光三十年以前民欠地丁錢糧
二年	六〇	一八五二	冬總督陸建瀛奉旨會剿太平軍於湖北巡撫楊文定移守江寧與布政使祁宿藻會辦團練設籌防局募勇萬人皆無賴松江提督福珠洪阿以其衆來助防十二月庚戌建瀛出師時戰事日迫居民譽前避地之害皆不動文定復禁人外徙城中男婦幾九十萬人
三年	五九	一八五三	春正月甲子陸建瀛遁同楊文定委印還蘇州福珠洪阿自雨花臺退入城癸酉太平軍至江寧鎮攻聚寶門乙亥太平軍繞城西南築壘二十四列舟自大勝關達七里洲日夜環攻清布政司祁宿藻憂憤卒二月乙酉城破將軍祥厚等退守駐防城旋敗死之太平軍遂屠駐防城死者四萬人戊子東王楊秀清入城奉天王洪秀全居督署諸官署則各王賜之〔秀清始居藩司署繼移將軍署終住黃泥巷史何二宅〕名江寧爲天京〔又謂之小天堂〕建號曰太平天國頒布奉天討胡檄設六官訂法律設曆法大建三十一日小建三十日節氣皆歸朔望立法十曰天條定幣制免錢糧兩年城中大宅盡毀樹木皆伐惟妙相菴爲石達開所據得無恙編查戶口命民入隊不允者聽澤民居之廣者驅婦女實其中名爲女館以女官統之〔亦有卒長司馬等名以粵楚悍婦爲之呼爲老姊妹〕丙申清欽差大臣向榮自九江帥師至江寧壁孝陵衛是爲江南大營壬寅清欽差大臣琦善率直隸陝西黑龍江馬步各軍自河南至揚州城外與直隸總督陳金綬內閣學士勝保分營城外是爲江北大營三月有外國輪船至下關來貨洋槍火藥與之聯教通款詔丞相林鳳祥李開芳北伐夏四月太平軍人在揚州者遣兵襲浦口五月出南門奪善橋秋七月琦軍於浦口立水勇局太平軍水師焚棲霞寺泝流至大勝關擊敗清兵遂焚板橋揚帆而上九月江寧四鄉創聯村法冬十月江寧廩生張繼庚謀翻城應清兵謀泄被捕是歲太平軍頒布天朝田畝制度並譯行舊遺詔聖書新遺詔聖書清江寧知府趙德轍寄治淳化鎮團練鄉兵又設立撫卹局
四年	五八	一八五四	春太平天國開男女科江寧人宛正龍張士義田玉梅以張繼庚前約謀變事敗玉梅逃免餘皆伏誅秋七月焚牛首山寺閏七月江寧將軍托明阿代琦善爲欽差大臣接統江北軍時楊秀清以糧絀驅婦女出城割稻於是脫難者甚衆太平軍於北

			江口設鐵鎖橫江旋爲清師所斷冬十月清向軍克雨花台石壘逼南門而營太平軍燒燬報恩寺塔防爲清兵所踞也
五年	五七	一八五五	六月江水溢本科鄉試九年於浙闈補之
六年	五六	一八五六	三月清都統德興阿代托明阿接統江北軍五月旱蝗江南北大饑江南大營潰向榮退保丹陽尋歿欽差大臣怡良署北王韋昌輝襲殺東王楊秀清昌輝旋爲天王所誅翼王石達開走安慶不返遂以安王洪仁發福仁達爲腹心冬十月清欽差大臣和春接統南軍駐句容境
七年	五五	一八五七	冬十月鎭江陷於清軍十一月和春復立營孝陵衞德興阿駐浦口
八年	五四	一八五八	天國以李秀成輔政後率軍出征時清軍圍金陵者八萬人築長濠自水西門迤東歷通濟太平諸門北達七里洲綿亙百餘里天王洪秀全患之秋七月悉銳出突長濠兵潰入城不復出十一月英公使額爾金巡長江道南京未通知砲台擊之是歲江知府鄭濟美設撫卹局及書院於淳化鎭以招徠士民本科鄉試於同治三年補之清與法訂天津條約闢下關爲商埠
九年	五三	一八五九	春欽差大臣和春以江寧長濠成奏免錢糧三月德興阿被劾罷江北不復置師以江南大營兼轄冬十月太平軍乘六合之勝取浦口是月江南鄉試借浙江舉行是歲太平軍大封將士爲王依干王洪仁玕請重訂曆法以第四十一年爲辝年
十年	五二	一八六〇	春三月忠王李秀成自杭州回師逕攻天京圍軍清江南大營再潰欽差和春及總統張國樑死之自是城外無清兵者二年六月清兩江總督曾國藩拜欽差大臣督辦江南軍務
十一年	五一	一八六一	清軍練洋槍隊以洋將爲統領助攻太平軍或勸天王亦估洋兵不從天王頒行欽定士階條例

穆宗同治元年 太平天國十二年	五〇	一八六二	夏四月勝保都興阿曾國荃會軍困天京天京乏食死者甚衆秋八月江南大疫閏八月忠王李秀成上書請棄天京不聽秀成自蘇率大軍二十萬援天京與曾國荃大戰
穆宗同治二年 太平天國十三年	四九	一八六三	天京益乏食令合城搓百草成團謂之甜露蓄以備食貴家坐甜露十擔夏曾國荃攻陷雨花台外城及聚寶門外石壘九座又會楊岳斌彭玉麐攻陷下關草鞋夾燕子磯各壘李朝斌成發翔劉連捷復會水師攻陷九洑洲清提督鮑超陸軍渡江會攻金陵天京附近各要隘悉沒入清軍
穆宗同治三年 太平天國十四年	四八	一八六四	春正月曾國荃攻陷鍾山天保城分兵扼太平神策門天京城圍復合五月天王仰藥死幼主福立夏六月曾國荃破天京大掠三日忠王死之幼主福走免旋爲清將所執送南昌被害死者十餘萬人免府屬四五六等年錢糧三年以前皆以兵災蠲除冬十月設善後局以總諸務立保甲局以清房產借給七縣牛粒籽種修貢院築駐防城里巷處見存旗兵八百餘名建江寧府城隍廟於金沙井浚江寧城內支河十一月舉行鄉試以穀貸郵農免其繳還從縣紳王延長請也
穆宗同治四年	四七	一八六五	春正月立昭忠祠於雞鳴山麓設粥廠立七屬縣招墾局重建下江考棚修程明道先生祠濬秦淮河二月興復鍾山尊經鳳池三書院改建鍾山書院於迴光寺故址裁湘勇駐金陵者留四營試武士月課以靖凱撤將士繕城墳濠勒銘於鈌口瘞枯骨設曾育堂於剪子巷清節堂於小油坊巷紳民復興救生局崇善堂夏四月總督曾國藩勦捻李鴻章攝其事五月移金陵書局於飛霞閣改建江寧府學於冶城山移織造機局於珠寶廊設種茶局於蚰山修清涼山翠微亭建江寧城北鼓樓戒碑設機器製造局於南門外西天寺故址延法國人馬德里爲教習又置存儲火藥局於石城門內濟生庵北軍械所於古城隍廟旁修豐備倉於旱西門牌樓大街重建江寧知府署權以爲總督行轅
五年	四六	一八六六	春二月復建惜陰書院於盋山麓以經古詩賦課士修雨花山方忠文公墓及烏龍潭顏魯公祠立卹嫠粥廠於東關頭法國立天主堂於豐富巷冬十一月曾國藩回總督任
六年	四五	一八六七	夏旱水涸建龍神廟於靈谷寺重建布政使司署始建鳳池書院於新廊增貢院西隅號舍修徐中山王墓坊建文津道濟二橋於新府學修縣學前文德木橋冬十一月曾國藩移督直隸

七年	四四	一八六八	春詔府屬暫行抵徵錢免從前水旱偏災水師陸師及金陵昭忠祠成設皇華館於水西門外冬增設育嬰堂於剪子巷
八年	四三	一八六九	總督馬新貽練新兵四營建江安糧道署巡道二署上元江寧二縣署夏水開東關以通淮流秋建縣學文廟於秦淮水北舊址修燕子磯學建火神八蜡廟於中正街移武廟於雞鳴山府學故址以水災設典牛局
九年	四二	一八七〇	春廣上元江寧二縣學額各五名以總兵王永勝欠餉報效恩也二月紳士王延晁石楷籌七縣會試公車費本銀二千餘兩存典生息設清江火藥局於草場製造火箭局於神木菴修三江營攔江新隄夏城中訛言奸拐迷人道中幾斷行人秋七月張文祥刺總督馬新貽改創水師設金陵營於草鞵夾以參將領之建上元節孝祠於烏龍潭側江寧節孝祠於雨花山冬閏十月曾國藩三督兩江修牛山寺南門外火挑築沙洲圩大堤浚北河口及大勝關河皆以防軍供役
十年	四一	一八七一	春正月凌遲張文祥於小教場濬秦淮河至東水關夏五月籌建駐防城兵房設桑棉局於城北妙相菴鹽巡道孫衣言立勸學官書局以書借願讀者修冶山卞忠貞公祠墓修曠觀亭夏四月建湖神廟於後湖蓮萼洲秋八月修莫愁湖水榭冬十一月重建總督署
十一年	四〇	一八七二	春二月曾國藩卒於任爲建民不能忘坊於蚵蚾磯府學文廟始習樂舞建將軍都統織造署設製造火藥局於通濟門外九龍橋設木釐局於上新河重修清遠樓建雨花山方公祠及木末軒冬建曾文正公祠於龍蟠里故四松庵址也
十二年	三九	一八七三	春二月立永廣學額碑及公車費記於府學設修船廠於巴斗山布政使梅啓照籌浚便民河即石皐橋下水也夏四月修明孝陵六月建萬壽宮於中正街移文昌宮於西華門建社稷壇於南門外三里店神祇壇於雙橋門先農壇於通濟門外修雨花山麓三忠祠改貢院街道大增平江府姚家巷號舍秋七月建祥厚劉同纓祠於雞鳴山西麓八月建馬新貽祠於龍蟠里
十三年	三八	一八七四	春三月上元知縣莫祥芝江寧知縣甘紹盤修兩縣合志延汪士鐸爲總纂設局於金沙井城隍廟立頤壽堂甘棠文塾建顧亭林先生祠於冶山設洋務局於碑亭巷臺灣有日本釁總督李宗羲設籌防局以綜治軍事增募勇營駐江寧四郭門外建

			礮臺於烏龍山沙洲圩分設火藥局於雞鳴山陰冬兩縣志告成十二月移城隍廟於府署北以金沙井遺基分前爲向（榮）張（國樑）二忠武公祠後爲崇善堂卹嫠局
德宗光緒元年	三七	一八七五	春飭發一切如道光咸豐元年例浚城南北各街道水溝冬沈葆楨來爲兩江總督改試武弁月課以洋鎗打靶江寧七屬始開辦大徵
二年	三六	一八七六	重造駐防城內響水馬家白虎小平教場中路各橋及浚小門前各水溝修浚金陵閘雙塘重濬長干橋修浦口敵臺夏旱有星晝見
三年	三五	一八七七	春立倉聖祠於冶山以史籀王次仲史游許慎配祀重建中和橋夏旱蝗濬城內河道挑後湖築隄以達湖神廟皆以工代振立捕蝗局竣事而徹秋減漕糧十之三
四年	三四	一八七八	春捕蝗子是年總督司道府縣共捐積穀三千五百石糵儲于紳富捐穀廣豐備倉內以紳士掌之
五年	三三	一八七九	春建甘棠文塾於華藏庵以課孤童建鍾山書院享堂以祀山長重建一拂清忠祠於清涼山以祀宋鄭俠重建祈澤寺防軍修城外濬江各圩隄
六年	三二	一八八〇	春建沈葆楨祠於龍蟠里築薛廬於烏龍潭上並建宛在亭於湖心本肥月亭故址建勞勞亭於石城門外江寧知府蔣啓勳續修府志延汪士鐸爲總纂秋不雨始設電綫局於南城外
七年	三一	一八八一	春重修礮臺增築下關數處重建石城橋創諸葛祠於蛇山靈應觀中以地近駐馬坡也又附祀陶淵明移鍾山書院於錢廠橋故址冬左宗棠來爲兩江總督設清丈局以理地基
八年	三〇	一八八二	春設水利局建陶澍林則徐祠於督院東紳士議每年續籌公車費左宗棠復捐益之共銀萬兩
九年	二九	一八八三	春恆雨建方正學祠於駐防城殉節處秋大風敗稼冬天有赤氣隨日出沒者累月

十年	二八	一八八四	春修九龍橋利涉橋內橋立明皋敬祠於雨花臺木末軒夏總督曾國荃以全權大臣赴上海與法議撫事不成遂歸江寧辦理防務使提督劉連捷召募湘勇屯於鼓樓北以次進防舉行保甲九月雪
十一年	二七	一八八五	春二月中法和議成江防始罷警是月杪大雨山水泛溢圩田淹沒冬十月丙戌夜有流星交織四下如雨如是者三日美英二國各立耶穌教堂於旱西門內四根桿子未幾美國又立醫院於城北乾河沿城中屢有火警
十二年	二六	一八八六	春江寧知府孫雲錦設奎光書院以課童生冬十二月大雪經月折木壞屋平地深五尺
十三年	二五	一八八七	春正月山水發衝圮東水關外石閘庚戌夜大霧四塞如烟中有硫磺氣恆雨夏四月黑廊大火秋八月沈陰不雨經月會匪錫子吉欲爲亂捕得誅之冬旱屢火十二月晦湖南流民求撫卹圍總督署傷數人始散是歲籌優拔貢入京盤費勒石縣前
十四年	二四	一八八八	夏旱五月訛言翦雞毛冬振布政使許振禕葺北極閣增修曠觀亭以其西爲陶貞白祠又建鐵柱亭懸洪武鐘於莫愁湖創曾公閣中正街立文正書院建左宗棠祠於一拂祠側劉公連捷祠於盧妃巷福珠洪阿祠於雞鳴山下
十五年	二三	一八八九	春正月有狼入城捕之不得二月乙酉雨雪木介夏五月旱秋八月雨潦
十六年	二二	一八九〇	春正月有狼入城獲之恆雨三月始課文正書院秋九月龍江關創設義渡十月城中屢火殺人江輪名上海者被焚於龍潭口死者無算十一月李桃繡球及棠花皆開壇水西門大街至行口石路并通官溝
十七年	二一	一八九一	春正月修城壇倉巷大街三月俄皇子過境訛言將焚教堂撥兵護之夏旱朝陽洞發蛟水秋蝗建曾國荃公祠於盧妃巷冬桃杏華是年城中屢火殺人
十八年	二〇	一八九二	夏旱修城垛起十三門城樓調官弁駐之秋飛蝗蔽天府屬皆荒挑城中河道冬奇寒河凍十日不解
十九年	一九	一八九三	秋疫八月陰雨傷稼開東水關濬城中河道冬旱

二十年	一八	一八九四	春重造利涉橋成夏大旱奇熱秋疫死甚衆設籌餉捐局總督劉坤一以日本侵朝鮮擾東三省北征
二十一年	一七	一八九五	春息告商捐開官銀號二月大雷雨二日奇寒又大雪三月雷雨雪同時並集夏四月日本和議成金陵解嚴遣撤各防營招新勇練地營習洋操開商務局創築馬車路自碑亭巷出儀鳳門造鐵橋於下關徧城行東洋車夏秋大疫九月大雪奇寒冬錢價騰貴歲暮通城罷市設水師學堂於儀鳳門
二十二年	一六	一八九六	春正月總督劉坤一回任二月上元知縣王芝蘭設四仲課以試諸生三月積陰彌月自強軍洋教習因爭操場爲練軍所傷移屯上海造新馬車大路自碑亭巷接至通濟門各鄉開礦設陸師學堂於三牌樓設儲才館以舊同文館擴充之冬連雨無雪
二十三年	一五	一八九七	春正月晴日中飛雪二月淫霖彌旬間作雷雹久寒不溫署江寧知府柯逢時考醫士推廣愛育堂醫局部文節餉裁兵勇四成夏六月大風大水低窪處皆漫溢開鑄銀元銅錢局於下浮橋冬溫無冰創辦郵政局
二十四年	一四	一八九八	春正月乙酉朔日食二月連陰大雪奇寒流民凍死無數舉行義振翠微亭火清涼山營官重修之自三月以後米價踊貴至五月每石七千文饑民劫米店各業罷市逮設五城平糶局乃止錮米捐禁米商出洋詔行新政廢時文改試策論創辦高等學堂以儲才學堂改爲之在陸師學堂側秋八月罷新政山圩田大熟十一月彗星見
二十五年	一三	一八九九	春創辦四鄉團練築馬車路至龍王廟修石城橋文德橋夏高等學堂罷改爲格致書院開金陵新關於龍江以巡道領之冬雨雪連綿兩月馬車路旁徧栽楊柳
二十六年	一二	一九〇〇	夏劉坤一回總督任拳匪起畿輔長江一帶與洋人立約代爲保護辦商團夏秋小旱以京師亂停是科鄉試九月大雷雨馬鞍山火藥局災死數十人古林菴全燬

二十七年	一一	一九〇一	春二月江水清五日是月的羅大風四日增築馬車路於貢院大功坊內橋夏四月麥大熟五月大雨五日寒江水陡漲舟行陸地瀕江圩皆破提督楊金龍冒雨救護散饑餅六月米陡貴設三城平糶局秋旱開江鄂編譯官書局於鍾山書院廢鍾山惜陰文正奎光四書院留尊經鳳池改名校士館開辦市房烟膏捐設局於行臺冬旱無冰闢道開師範學堂於毗盧寺
二十八年	一〇	一九〇二	春二月江水清三月闢課吏館夏五月開濟兵輪燬于龍江中米踊貴設平糶局於城隍廟秋小旱蝗蝻生八月狀元境大火九月總督劉坤一卒於任十月開府學堂於文正書院縣學堂於惜陰書院金陵新關前地陷數十丈傷人無算辛未晝大霧不見日設學務處於高井大街修明孝陵圍牆及享殿
二十九年	九	一九〇三	春正月日出入時赤氣亘天展中正街至旱西門馬車路下關地復陷入江數丈二月開三江師範學堂於江寧府署四月開高等學堂於鍾山書院開裕寧官錢局於評事街秋大有年開南洋官報局設將弁學堂於昭忠祠
三十年	八	一九〇四	春三月高等學堂圖書堂圮斃一人傷七人裁江寧織造缺夏接旱西門城設馬路端方來署總督與商會立議員移三江師範學堂於北極山下冬十月派各學生出東西洋總督端方餞之於高等學堂改格致書院為農工商礦實業學堂城中蒙學堂有恩裕幼幼養正謙益四所又議開四十所分為四區大有年十二月暖如初春旋大雷電暴雨經兩時許越十日雨雪嚴寒
三十一年	七	一九〇五	春二月山水暴發下關壞船無數南城崩設師範傳習所於貢院恒寒多雨設督練所於奇望街夏酷暑異常秋江潮泛溢開寧學會於明德堂後改學務公所自是各會演說多在縣學中設拼音學堂於毗盧寺改保甲為警察設站崗巡士
三十二年	六	一九〇六	春移商務局於復成橋內設商務學堂及商品陳列所以公車款設公立學堂於明德堂設江寧提學使司與蘇屬分治夏五月恆雨低處皆水米價大貴官設平糶局徵兵與警察閱誅二人合城疫大操於東郊與京江兵合演冬十一月雷振江南北被水災民改傳習所為師範學堂設於北極山下是年女學堂有毓秀及旅寧第一第二等名

三十三年	五	一九〇七	舉貢會考用小京官知縣生員會考用巡檢典史皆以提學使陳伯陶主試江寧府學設崇文小學堂於署旁箭道改簡字學堂（即拼音）爲江寧小學舊有元寧學堂改爲上元爪哇國有遣子弟來學者設暨南學堂於妙相菴以教之滬寧鐵路開至下關姚坊門一帶又開金川門支路入城造龍江鐵橋疏寶塔橋水道開四汊河冬十月總督端方飭各學堂舉行運動會設江寧自治局於七家灣將設圖書館購浙江丁氏書籍以實之
三十四年	四	一九〇八	春寒陰二月提督姜桂題率京兵防江駐浦子口夏淫雨六月酷旱六旬寧藩開辦諮議局籌議所開戒烟所於中正街
宣統元年	三	一九〇九	各縣投票選舉議員築公園開辦勸業會夏四月旱五月淫雨低處上水六月酷暑新開豐潤門於神策太平二門之間以通後湖八月諮議局成立開會四十日設出品勸業會於城隍廟十一月雷雨
二年	二	一九一〇	正月移出品會於韜園二月大雷雨三日旋大雪平地尺餘奇寒饑民劫米改編譯官書局爲江蘇通志局四城設平糶局四月開南洋勸業大會長星見六月大雨雷電以風除夕大雷雨
三年	一	一九一一	寶善源和大銀行倒商務大震銀錢皆荒夏秋之交大雨城中上水八月革命軍起義於武昌遠近皆響應九月二十一日蘇浙滬軍政府派兵會攻南京舉徐紹楨爲聯軍總司令十月十二日民軍下南京總督以下皆先期棄城走十三日程德全改任江蘇都督駐江寧十一月十日選舉孫總理爲臨時大總統
中華民國元年		一九一二	一月一日大總統孫文就任改用陽歷（以黃帝紀元四千六百零九年辛亥十一月十三日爲中華民國元年元旦）江蘇舉莊蘊寬代理都督三日民國臨時政府成立九日江蘇都督移駐蘇州十一日孫總統委徐紹楨爲南京衛戍總督暨聯軍總司令二月十三日孫總統辭職十九日參議院公舉袁世凱爲臨時大總統二十日參議院公舉黎元洪續任副總統三月十一日孫總統公布中華民國臨時約法四月一日孫總統公布參議院法孫總統解任任黃興爲南京留守仍總轄南洋各軍徐紹楨爲參謀總長二日參議院議決臨時政府遷北京五日徐紹楨辭職　議院議決還北京十一日贛軍在三牌樓北門橋譁變肆意焚劫次日下午弭平十四日南京留守公布南京留守條例二十一日南京遣散客軍六月一日南京留守貲

			興解職十四日江蘇都督程德全到寧接收八月一日浦口第一軍第一師兵變捕三十餘人斃之十月十日舉行國慶典禮十一月十九日應德閎為江蘇民政長十二月三日布告豁免從前地方官吏之公虧累款項四日莊蘊寬督辦浦口商埠事宜（原任督辦沈秉堃病故）二十九日南京下關江岸傾陷數丈
二年		一九一三	六月八日南京民國法政大學罷學七月十五日黃興入南京宣布獨立組織革命軍十七日江蘇都督程德全離寧二十五日應德閎兼辦江蘇軍務二十九日南京革命軍總司令黃興棄職出走都督程德全通電取消獨立八月八日何海鳴等據南京以討袁軍總司令名義宣布獨立旋被捕十一日駐南京第一師攻擊第八師宣布獨立何海鳴任臨時總司令九月一日張勳率北軍攻南京拔之焚淫擄劫十[illegible]九[illegible][illegible]十日秩序稍定三日免江蘇都督程德全任張勳為江蘇都督六日免江蘇民政長應德閎任韓國鈞為江蘇民政長十一日駐京日本公使以張軍入城時擊斃日僑三名向外交部提出要求十一月十二日除省議會國民黨籍議員十二月十六日任馮國璋署江蘇都督張勳為長江巡閱使
三年		一九一四	二月二十八日解散省議會三月十五日賠償南京商民損失一百五十萬圓五月三日赦去年革命人等三十一日取消國稅地方稅名目六月二日公布各省所屬道區域表江寧屬金陵道二十二日任命陳懋鼎為金陵關監督兼江寧交涉員十二月十日准以道尹作各縣審判上訴機關
四年		一九一五	六月十二日南京發生毆傷英人案十二月十一日袁世凱稱帝
五年		一九一六	三月二十三日廢洪憲年號五月十七日十七省代表會於南京討論袁世凱退位留位等事六月六日袁世凱病故八日南京會議罷十月一日省議會開會三十日馮國璋當選副總統十一月三日特任馮國璋領江蘇督軍事
六年		一九一七	三月十二日江寧機器局炸傷工人六月三日副總統馮國璋辭職七月四日張勳復辟副總統馮國璋總理段祺瑞下令討之六日馮國璋代理大總統職八日特任齊燿琳暫兼代江蘇督軍八月六日特任李純為江蘇督軍十五日任命盧永祥會辦江蘇軍務九月八日任命齊燮元為江寧鎮守使
七年		一九一八	九月四日北京國會選舉徐世昌為大總統

八年	一九一九	六月十六日全國學生聯合會成立
九年	一九二〇	五月七日任齊燮元幫辦江蘇軍務九月十六日特任李純兼長江巡閱使十八日江蘇省長齊耀琳罷特任王瑚爲江蘇省長十月十二日江蘇督軍李純自戕以齊燮元署督軍十一月二日江蘇省議會議員以議決廢止蘭行條例被毆三日特任齊燮元署江蘇督軍
十年	一九二一	九月一日特任齊燮元爲江蘇督軍
十二年	一九二三	一月七日江蘇省立學校校長因省議會減教育費與議員劉文輅鬨文輅控於法庭全省學生罷課攻擊省議會十二日江蘇省議會因學潮宣告休會全省學生代表在南京集議改造議會十月十三日南京兵變即鎭平
十三年	一九二四	八月十七日蘇皖閩贛四省迫浙江解散臧致平楊化昭軍二十日蘇人浙人謀江浙和平二十六日江蘇下全省動員令臧楊軍隊亦自浙西赴上海九月三日盧永祥齊燮元兩軍交鬨於安亭十月十三日盧永祥戰敗赴日本十一月十三日齊燮元在南京召集蘇浙豫鄂皖贛閩陝八省及海軍聯防會議川湘亦遣代表參與途通電中央政府中斷凡北京命令概不承認（時馮玉祥回京）十五日吳佩孚率各艦至南京齊燮元及省代表登艦會議吳旋去漢口十六日奉軍張宗昌部由津浦路南下二十四日段祺瑞就臨時執政十二月十一日臨時執政免江蘇督軍齊燮元職發江蘇督軍缺以江蘇省長韓國鈞暫兼督辦江蘇軍務善後事宜特派盧永祥爲蘇皖宣撫使十四日韓國鈞通電就督辦職
十四年	一九二五	一月七日盧永祥抵蚌埠張宗昌率奉軍第一軍進駐浦口盧永祥舊部第十師亦由江北開赴南京原駐南京之齊燮元舊部第二第六師及補充旅奉韓國鈞令悉調往鎭江江陰十日盧永祥張宗昌入南京十一日齊燮元孫傳芳宣言拒奉軍十三日派陳調元幫辦江蘇軍務善後事宜十四日盧永祥組織宣撫軍于南京十六日暫兼江蘇軍務善後事宜韓國鈞免特任蘇皖宣撫使盧永祥兼督辦江蘇軍務善後事宜二十八日齊燮元敗逃日本三月十二日孫總理薨于北京四月四日閣議以國葬禮葬孫總理於紫金山令盧永祥韓國鈞任其事十日盧永祥召集江蘇善後委員會會議二十一日臨時執政命胡敦復爲國立東南大學校校長二十四日華東運動會開會於南京五月二十日江蘇省長鄭謙到任七月十一日東南大學

			校長胡敦復未能到任由江蘇省長聘蔣維喬代理七月三十一日南京英商和記洋行與工人閧警察廳派警保護英水兵突上陸開鎗死傷工人多名八月三日盧永祥辭職江蘇省長鄭謙兼辦軍務善後事宜九日江蘇省長鄭謙以工人死傷抗議於英領事二十九日臨時執政令特任楊宇霆督辦江蘇軍務善後事宜九月五日執政府電令江蘇省長鄭謙停辦東南大學十四日東南大學代理校長蔣維喬解職鄭謙請教育部派員接收十月九日教育部所派東南大學籌備員秦汾由省長委為代理校長到校任事十日浙江孫傳芳襲長興十三日教育部任秦汾為東南大學校校長伍崇學為副校長秦汾旋辭職十五日孫傳芳就浙閩蘇皖贛聯軍總司令職以一二兩軍進上海四五兩軍進宜興自任第三軍駐嘉興聲討張作霖十八日楊宇霆鄭謙率奉軍渡江北走二十日孫傳芳抵南京令聯軍第二路渡江擊奉軍二十二日孫傳芳渡江督師移總司令部于浦口十一月二十五日臨時執政令督辦江蘇軍務善後事宜楊宇霆免職以孫傳芳繼十二月一日孫傳芳任陳陶遺為江蘇省長
十五年		一九二六	三月十二日孫總理陵舉行奠基典禮六月十四日南京五省會議不加入戰爭以重兵嚴防徐海邊境與山東軍各在境內會勦土匪八月八日國民軍總司令蔣中正行抵衡陽八月二十五日孫傳芳在南京召集會議決遣十萬人援江西分五路抗國民軍九月二十二日孫傳芳因南昌失率援軍赴九江十一月七日孫傳芳由湖口回南京宣布五省戒嚴十九日孫傳芳至天津迎奉魯軍南下十二月四日孫傳芳就安國軍副司令職於南京
十六年		一九二七	二月二十三日張宗昌抵南京直魯聯軍南下滬寧路二十八日孫傳芳張宗昌設聯合軍司令部於南京組七省聯軍三月十七日直魯軍執法處搜查東南大學殺學生二人十八日國民軍至秣陵關二十三日國民軍東路總指揮何應欽攻下鎮江從常州無錫軍西進會攻南京二十四日直魯軍退浦口豫伏城內之國民軍特派員韋杰運動警察開城迎國民軍二十五日南京由何應欽程潛督滁平賀耀祖四軍長鎮儀出示保護外僑生命財產四月九日張宗昌孫傳芳兩軍反攻江南國民軍總司令蔣中正赴南京坐鎮十七日浦口魯軍向南京開砲獅子山砲臺還擊之十八日國民政府成立二十一日下關浦口間連日砲戰日烈下關各機關悉移入城居民多避去二十四日浦口魯軍飛機向南京擲炸彈三十日南京浦口兩岸之砲戰發劇烈五月一日勞動紀念日南京由陳銘樞指導開會浦口革命軍與魯軍連日互相砲擊二日江蘇省政府在南京成立三日停用中央銀行鈔票十七日南京中央清黨委員會開始辦公二十四日南京國民黨中央執行委員會頒布總

年	公元	大事
		理紀念週條例，定每週月曜日上午爲舉行期，凡各級黨部各機關各軍隊須一律舉行。二十八日，蔣總司令赴前敵督師。七月二日，下關碼頭運同前方戰利品失慎，炸藥爆發，死傷三百餘人。七日，國民政府新組織軍事委員會。十八日，南京中央政治會議定九月一日實行裁釐條例，宣布關稅自主，並通過國定進口關稅暫行條例，裁撤國內通過稅辦法、出廠稅條例。二十七日，南京開歡迎凱旋將士大會。八月五日，南京商民協會發起擁護關稅自主大運動。十二日，蔣總司令下野。十七日，南京軍事委員會通電：蔣總司令未回任前，軍政軍令由本會負責處理，各部隊仍隸本會統一指揮。十九日，武漢中央黨部政府依擴大會議之議決遷都南京。二十三日，孫傳芳軍進攻南京。二十四日，譚延闓、孫科、李宗仁自九江乘艦赴南京，至大勝關與陳調元所率上駛軍隊相遇。適孫傳芳左翼軍隊在其地渡江，孫軍被阻不得渡。二十六日，孫傳芳右翼軍隊乘霧在棲霞山渡江，與國民軍第一軍在棲霞祠、龍潭間激戰。三十日，孫軍大敗。九月一日，孫軍殘部全退北岸，數日內繳孫軍槍械四萬，斃人萬餘。五日，南京英商和記公司駐英兵數十，江蘇交涉員向英總領事抗議。六日，汪兆銘及武漢中央委員來南京。十三日，汪兆銘下野。十五日，中國國民黨中央執監聯席會議在南京開臨時會，出席者二十人。二十日，國民政府委員及軍事委員會委員舉行就職典禮，閱兵於小營。二十三日，南京短波無綫電臺落成，通廣東洛陽、上海、寧波、廈門、菲列濱、東沙島等處。二十四日，南京開追悼討孫陣亡將士大會。十月一日，國民政府各部長就職。十一月二十二日，南京開討唐勝利慶祝大會，戒嚴司令部以市黨部與中央黨務學校不睦，出示止之。不及，游行隊至會場，與軍隊交鬨，開槍，死傷多人，全市戒嚴。二十六日，南京成立一一二二慘案後援會。
十七年	一九二八	二月二十一日，大學院訓令廢止春秋祀孔舊典。二十七日，任命蔣中正爲集團軍總司令。七月十一日，中央政治會議議決以劉紀文爲南京特別市市長。十七日，江蘇省政府委員會議決遷省政府於鎮江。八月一日，首都及各地同日舉行追悼陣亡將士大會。九月二十日，南京漢西門外第二集團軍委員搬運炸藥，炸燬百餘箱，死傷數十人。十一月十五日，國民政府合南京特別市政府拆除自神策門至太平門之城垣。二十八日，江寧民請改江寧爲模範縣。十二月五日，中央政治會議議決定民國二十年在南京開中華民國建國紀念博覽會。王正廷提議設立中央圖書館籌備處。六日，中央大學學生以對日外交請願於國民政府及外交部。十三日，首都反日會、省黨部等三十餘團體開市民大會，以促進外交，毀外交部部長王正廷宅。國民政府主席蔣中正訓戒羣衆於中央黨部，令各簽名以誌過。十四日，國民政府

			下令申諭反日示威運動令南京特別市政府督飭公安局嚴密查辦呈候處分並規定自後游行必須呈報批准方得舉行十五日首都及各地舉行衞生運動大會二十一日國民政府國務會議令內政部會同江蘇省政府及南京特別市政府勘定南京特別市區域江寧縣治暫不撤廢二十四日南京反日會等各團體又向國民政府及中央黨部請自動廢除中日一切不平等條約及釋放上次市民大會被捕者二十五日行政院會議議決築南京杭州綫南京蕪湖綫國道劉紀文提議以蘭爲首都市花
十八年		一九二九	一月一日勵志社開幕七日南京堯化門有土匪搶劫滬寧火車二十一日南京特別市市黨部成立二月江蘇省政府遷鎭江二十日江寧縣各區人民代表向中央政治會議請願改江寧縣爲模範縣三月五日國民政府令改南京特別市公安局爲首都公安局歸內政部直轄十二日孫總理逝世四周紀念全國致祭舉行植樹典禮十八日中國國民黨第三次全國代表大會開第一次正式會出席代表二百三十八人二十八日國民黨第三全代表大會閉幕四月二日首都中山大道竣工行開路禮十六日行政院會議准劉紀文請改南京特別市爲首都特別市五月二十六日孫總理靈櫬奉移南下全國於本日起一律下半旗七日人民於七日內臂纏黑紗停止一切娛樂及喜慶事二十八日總理靈櫬至京止中央黨部上海南京間本日起拍發傳眞電報二十九日中央黨部國民政府及各部舉行奉安公祭三十一日十八國公使及教廷代表赴中央黨部公祭祭後觀見國民政府主席六月一日奉安大典成二十三日首都建設委員會議定發行南京特別市興業公債三千萬元二十八日國民政府國務會議通過總理陵園管理委員會組織章程七月十三日孫科呈報國民政府定紫金山麓爲中央行政中區十六日首都建設委員會懸賞徵求中央政治區域圖案議以六百萬元建各部於紫金山南麓八月八日中法寧案結束二十六日南京軍械庫火損失炸彈二十餘萬砲彈二三千九月十九日美國海軍司令部應首都設計委員會之請以飛機攝製首都全圖工畢離京
十九年		一九三〇	一月十七日國民政府會議自本年十月十日起罷全國釐金及稅捐與釐金相類者三月十一日中國國民黨第三屆中央執行委員第三次全體大會行開幕禮於中央黨部十三日丹麥太子抵南京謁陵四月五日南京各校學生因三日和記廠工潮組織四三慘案後援會十七日首都建設委員會議決發行公債三十萬五月魏道明爲南京特別市市長六月二十六日柏林南京間傳眞電報試成十一月十二日中國國民黨第三屆中央執行委員會第四次全體會議開幕

二十年		一九三一	三月十一日中日寧案交涉賠償日本七十萬元五月五日國民會議開幕出席者除中央委員國民政府委員外代表凡四百五十餘人六月十三日中國國民黨第三屆中央執行委員第五次仝體會議開幕七月三日全國經度測量會開幕四日全國經度測量會議決以紫金山爲基點地址二十二日首都各界開反日護僑救國大會八月九日高等考試發榜錄取九十九名二十六日南京水西門外江隄潰水未入城二十七日南京沙洲圩潰決淹沒農田七萬餘畝災民三萬餘九月二十一日仝國遵國府通令下半旗停止娛樂宴會誌九月十八日日本強佔瀋陽之事二十三日首都市民大會請願國府對日宣戰二十六日上海各大學學生到京向中央黨部國民政府請願驅日兵出境及懲辦不力外交官發給槍械使全國學生武裝二十八日南京中央大學學生赴外交部請願十月三日南京城內日本商民離境十一月十四日國民黨四全代表大會第一次會議開幕二十六日請願學生齊集國民政府候蔣主席終夜未散二十七日得見蔣主席乃退十二月四日蔣主席連日接見學生分別訓話十日平濟學生到京中央大學教授向國府請願首都學生聯合游行十一日京各校抗日總示威游行在國府街捕市民九人各校代表會審之十二日中大學生決議︵一︶准朱家驊辭職︵二︶組織教授校務維持會︵三︶請教授收回提前放假令十四日上海大學示威團抵京十五日國府主席蔣中正辭本兼各職中常臨時會推選林森代國府主席北平學生示威團到中央黨部蔡元培陳銘樞延見被毆傷拘學生五人十七日各省市學生萬餘人在京聯合線示威中央日報館被搗毀學生受傷者十餘被捕者百餘十八日京衛戍部追學生示威團離京十九日首都各校復課二十二日四屆一中全會開會中委到九十人各部長總辭職陳銘樞暫維現狀二十七日首都各界在公共體育場舉行擁護和平統一大會電請蔣中正汪兆銘胡漢民即日蒞京共主中樞二十八日一中全會第四次會議選任林森爲國府主席
二十一年		一九三二	一月一日國府主席各院長部長舉行宣誓就職典禮九日馬超俊就京市長職二十四日中央大學全體教授停教索薪三十一日滬閘北戰事又作林森汪兆銘等晚抵開封政府移洛二月十六日汪兆銘蔣中正與留京中委會議於浦口二十日首都婦女募捐勞滬軍三月二十九日國聯調查團觀見林主席四月一日國府遞意見書於調查團晚調查團赴漢口十日市長石瑛就職五月二十一日長江水大漲水位達三十三尺二十四日京滬開始通車六月十二日國府主席林森由洛返

			京二十九日中央大學兼代校長段錫朋被學生毆傷行政院會議決解散中央大學七月八日汪兆銘請各地學術專家集京研究時局十日水西門外第一路軍軍械庫爆發損失甚鉅二十六日江水稍退八月九日行政院各部長全體辭職九月四日京市府禁止示威游行及一切羣衆運動十三日日本軍艦在首都示威十一月十二日中央廣播電台開幕二十九日國府明令政府十二月一日同南京十二月十六日三中全會開第一次大會十七日國府明令各機關停止慶賀新年黨史史料展覽會開會
二十二年		一九三三	三月十一日中山文化教育館舉行成立典禮四月十二日監察院彈劾京市長魏道明受賄瀆職六月十五日長江水位飛漲堤岸危十七日水漲不已水位之高數十年未有二十六日長江上游中游水勢漸退下游仍稍漲十月十日第五屆全國運動會開幕二十日舉行二屆高等考試第五屆全國運動會閉幕十一月二十日四中全會開幕二十六日二屆高等考試錄取一百一人
二十三年		一九三四	三月十六日首都新生活運動促進會成立六月一日京市民赴行政院請願制止徵收民地八日國府明令廢除苛捐雜稅是晚駐京日副領藏本失蹤日領事館請外交部跡之十一日當局懸賞萬元索藏本並舉辦戶口總檢查十二日日領須磨及參贊有野謁我外交當局要求徹查藏本行蹤日驅逐艦蕃號抵京十三日獲藏本於明孝陵十八日首都新生活運動會檢查中央黨部及外交實業交通各部二十九日監察院彈劾鐵道部長顧孟餘違法舞弊連日酷熱均在百零二度左右舉象成七月三十一日行政院通過旱災救濟辦法八月二十七日孔子誕辰舉行祀典十一月二十一日首都舉行防空大演習夜並演習燈火管理制二十二日首都繼續防空演習側重消防防毒工務救濟等科目十二月一日全國職教勞作展覽會開幕七日首都肅清烟毒委員會成立八日首都連日逮捕烟犯一千數百名勤令戒絕凡販賣鴉片及吸食白麪紅丸嗎啡者槍斃十日五中全會開幕首都及各地舉行剿匪勝利慶祝大會
二十四年		一九三五	四月八日京市長石瑛去職馬超俊繼任二十八日京市府呈請徵用民地應以收買爲原則

首都志圖

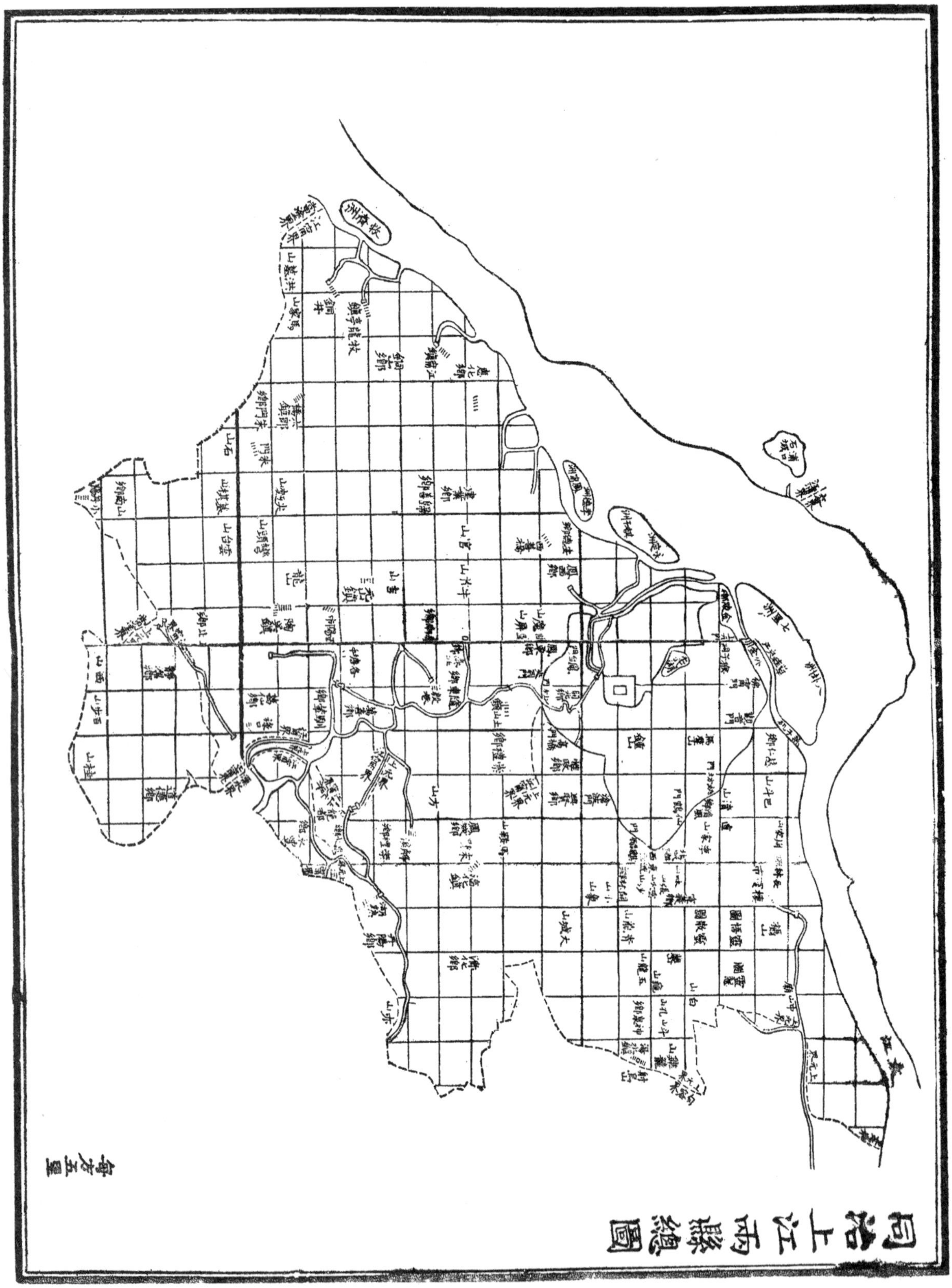
同治上江兩縣總圖

六朝故城考圖
金壇史若川學海譔　按原書六卷

外圍以宣陽門為中者晉曰苑城卽吳都城舊址
晉成帝所作新宮一曰台城
開二道門六朝舊城在秦淮北五里故淮上立浮航緩急則撤去
苑城南五門中公車次東升賢再東左披中之西明陽最西右披東面青
龍西白虎北元武白虎之外倉城苑城之外都墻南一門曰宣陽
內門以大司馬為中
內圍之次卽梁武帝所作宮城墻立重門
孫吳
吳無墻只設籬門
都城外城也周二十里十九步
都城皆設籬曰六籬門竹籬笆也

耆闍寺　建章宮　歸善寺　元圃　社苑　藥圃　雞籠山　元武觀　元武湖　震舟山　樂遊苑
社學　捷北曰陳　新宮
廣莫　延憙
大夏（夏大）
元宣平　武元
泰寶二寺　同後為法籹

市北
西州城東南禪靈寺渚卽運濆
孝義橋在此由西明闔閣出至
晉吳苑倉　太倉
永安宮
吳太初宮城也
吳黃龍元年自武昌從都於此
濠廣五尺深七尺台城卽苑城周八里此第一重五門
二重宮牆周五百七十八丈
新宮大小三千五百間
宮城三重宮牆
華林園　樓閣　景陽　天淵池
鳳莊　攡鸞披　明徹
顯陽宮　建康宮　賜讌宮　中端　華
張暢曰宋
梁曰太陽　晉曰車
鼓　應
武衛
謁者台　御史台　尚書舍
蘭台
宋以後太子宮
舊太子宮　太子清遊池　吳西苑
西披門　東披門
宋曰南披　陳曰端門
大司馬門　章門　馬司門
神龍關　虎仁關
橫街
宮東初晉
聽訟堂　晉之吳蘭宮　建業　陵陽　縣
客省　空陽　右尚方　元風觀　尚方門　宋改廣陽
蘭宮　開陽　朱曰津陽
清明　朱曰陽　太社　太廟
建故曰陽　黃陽曰建陽
東府城　湘宮寺
治城　西州城
御道長楊宮

晉苑城卽建康宮城吳之後苑也一曰建
平圍卽台城也　孫吳沿淮立柵曰柵塘
宋六門設竹籬齊高帝改立都墻建元二年
後增為十二門　宋以後太子宮三門中
門宋曰承華齊曰宣華東曰安陽西曰則
天諸城門更易不同令以其可知者著
之　肇域志大司馬門今西華門大街

大司馬門外卽御溝其南
御道之西鴻臚寺又西衛
尉府其南儀賢堂一曰中
堂卽聽訟堂也其西北曰
宗正南曰太僕其西六弩
署再西脂澤庫

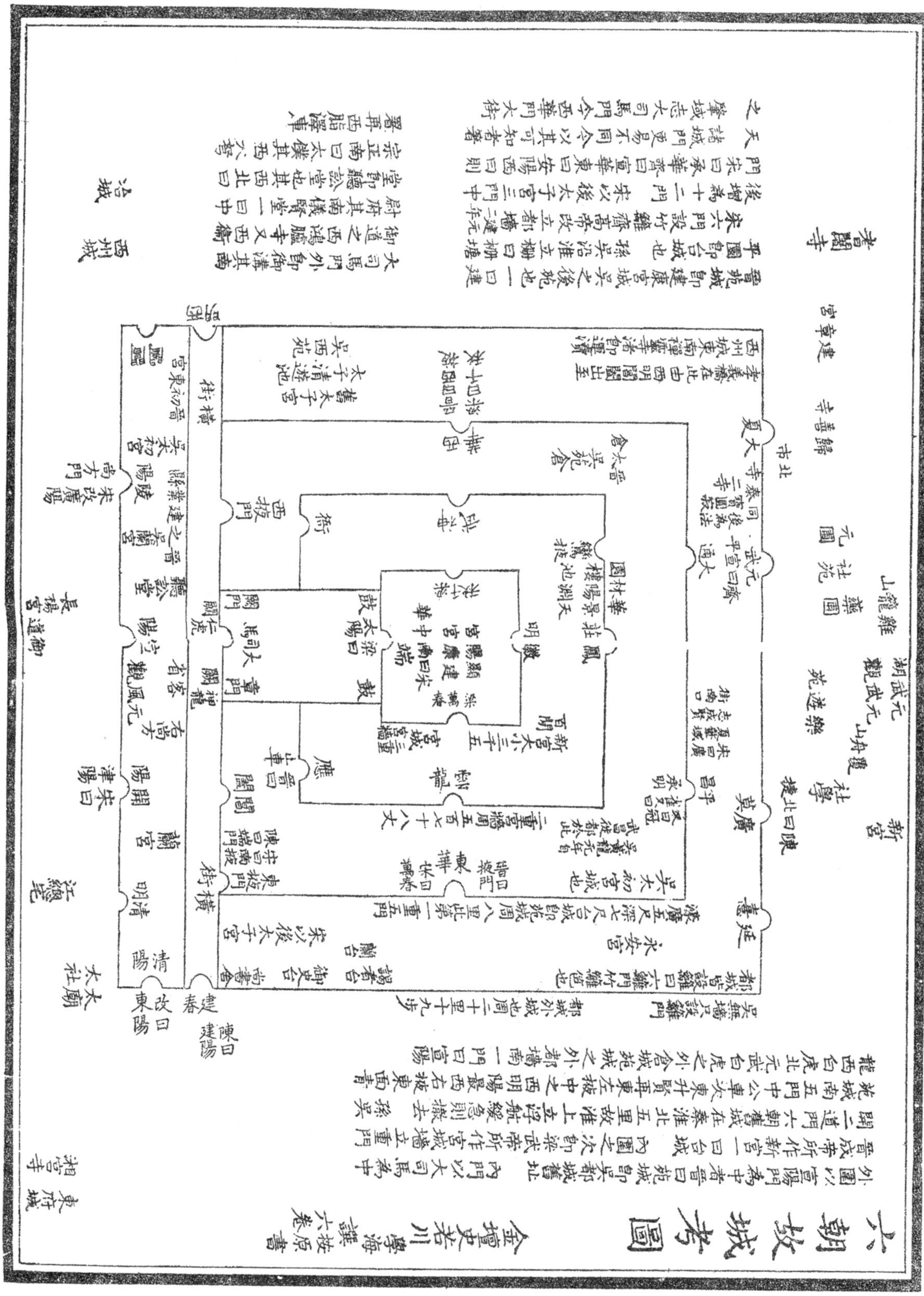

六朝宮城外圖　參之史學海本
大川
大江
大壯觀山
元武湖
石頭城
金陵邑
石頭倉
雞籠山
宣武城
鐘山
鐘山台日九
建康宮城
吳苑城
吳太初宮
昭明宮
陳安德宮
永安宮
博望苑
燕雀湖
久旅城
青溪
東府城
東冶亭
青龍山
摩無湖
祗園寺
靈禪渚
運渚
竹雜門
謝尚宅
秦淮夾立柵曰柵塘
朱雀航
驃騎航
東城航
南郊壇
十四航
方山埭
秦淮東源
秦淮南源
丹陽城
周處台
南岡
王舍五城
夏同
長干寺
長干里
王謝宅衣巷
土門岡
高座寺
梅岡
望國門
越城
躍馬澗
阜萊橋
張侯橋
張昭宅
今能仁寺
今天界寺
今碧峯寺
新林
新亭
江潭苑
板橋
下祖庵
渡扇
下水門
瓦官寺
瓦官閣
保寧寺
建初寺
三井岡
白鷺洲
陶官移北岸
潮溝入運瀆
清涼山
運瀆入江
幕府山
琅邪
衡陽山
攝山
羅落橋
破車峴
騎亭山
石江乘山
竹篠隱听

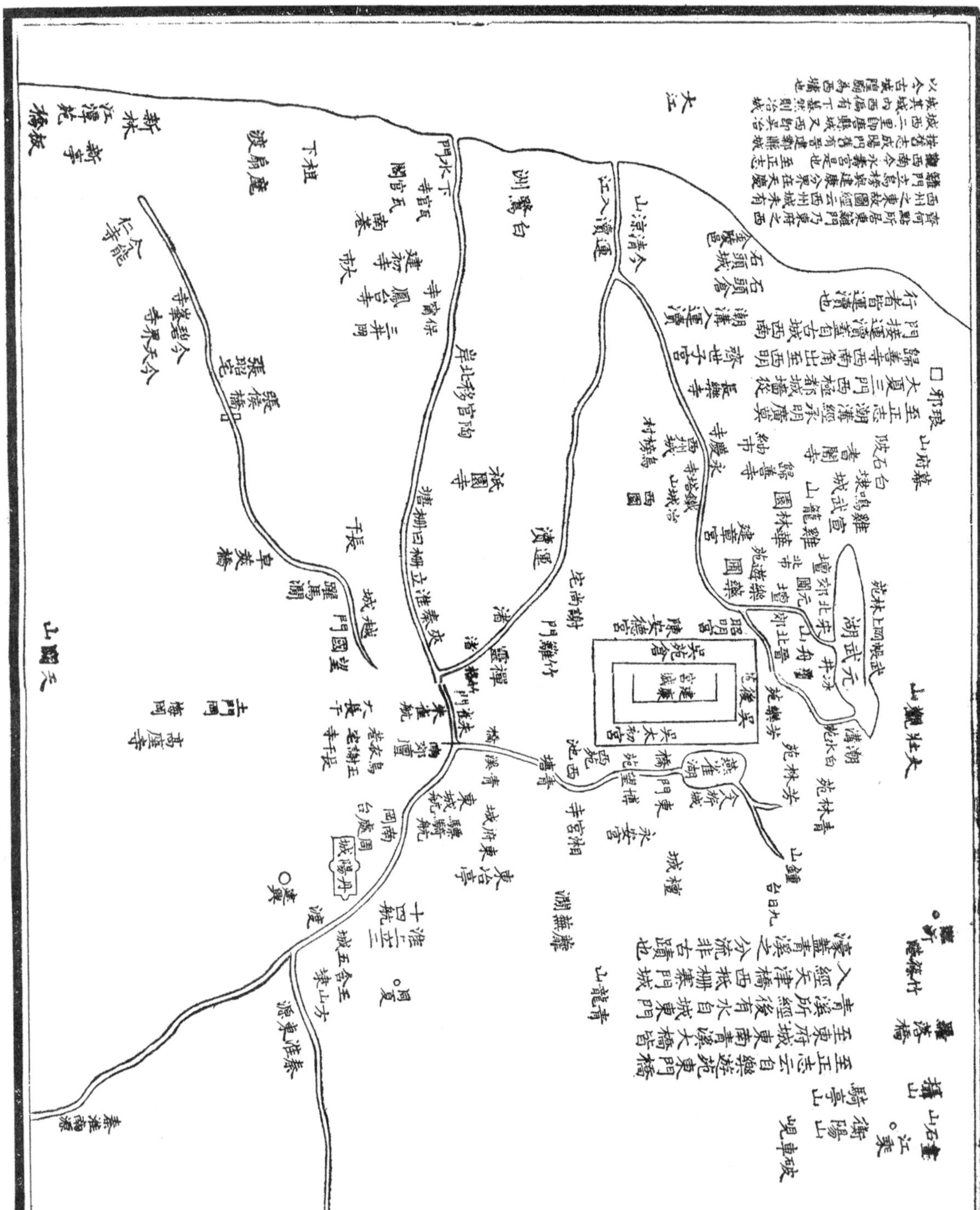

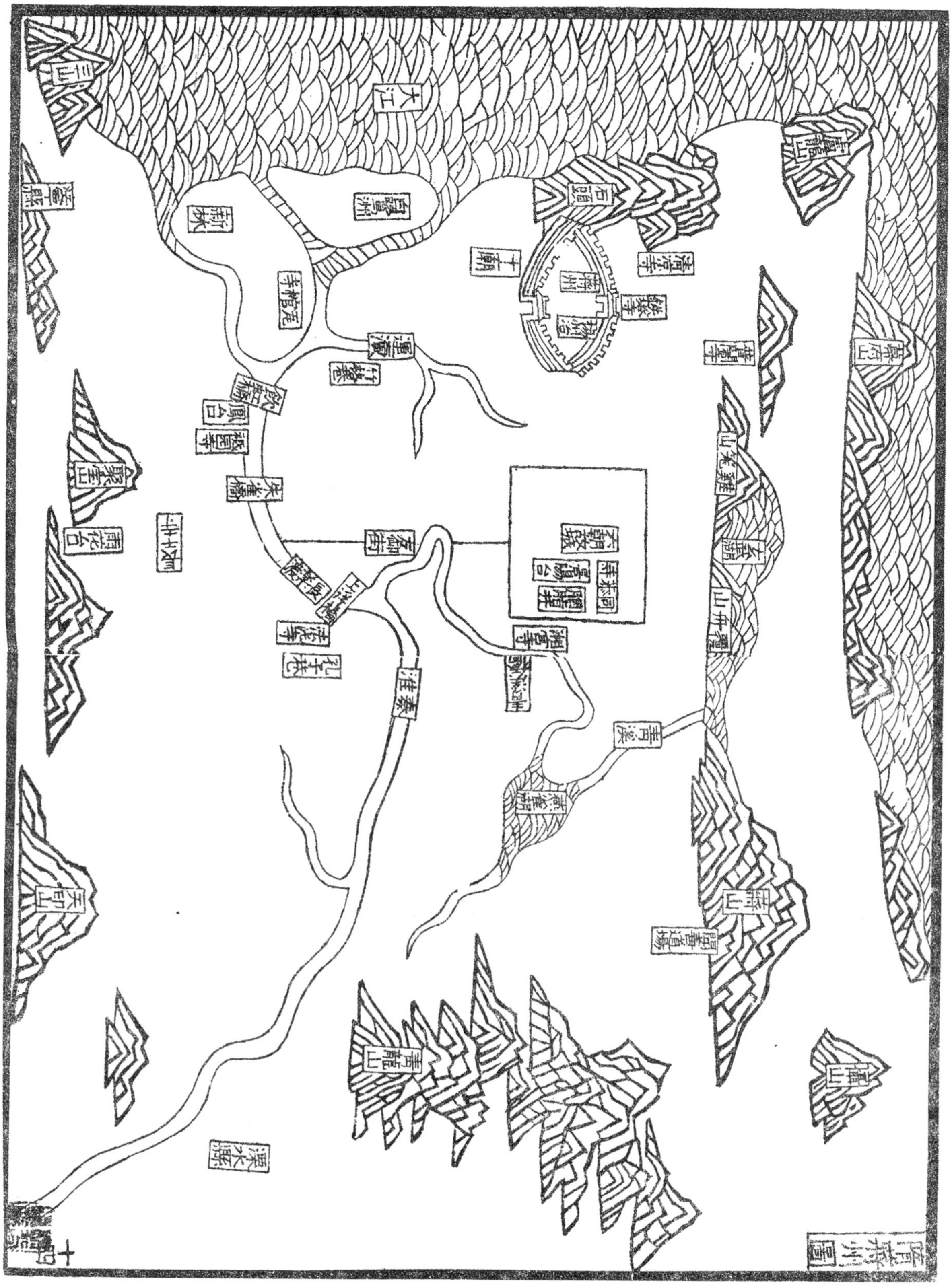
大江
三山
聚寶山
雨花台
天印山
青龍山
溧水縣
秦淮
朱雀橋

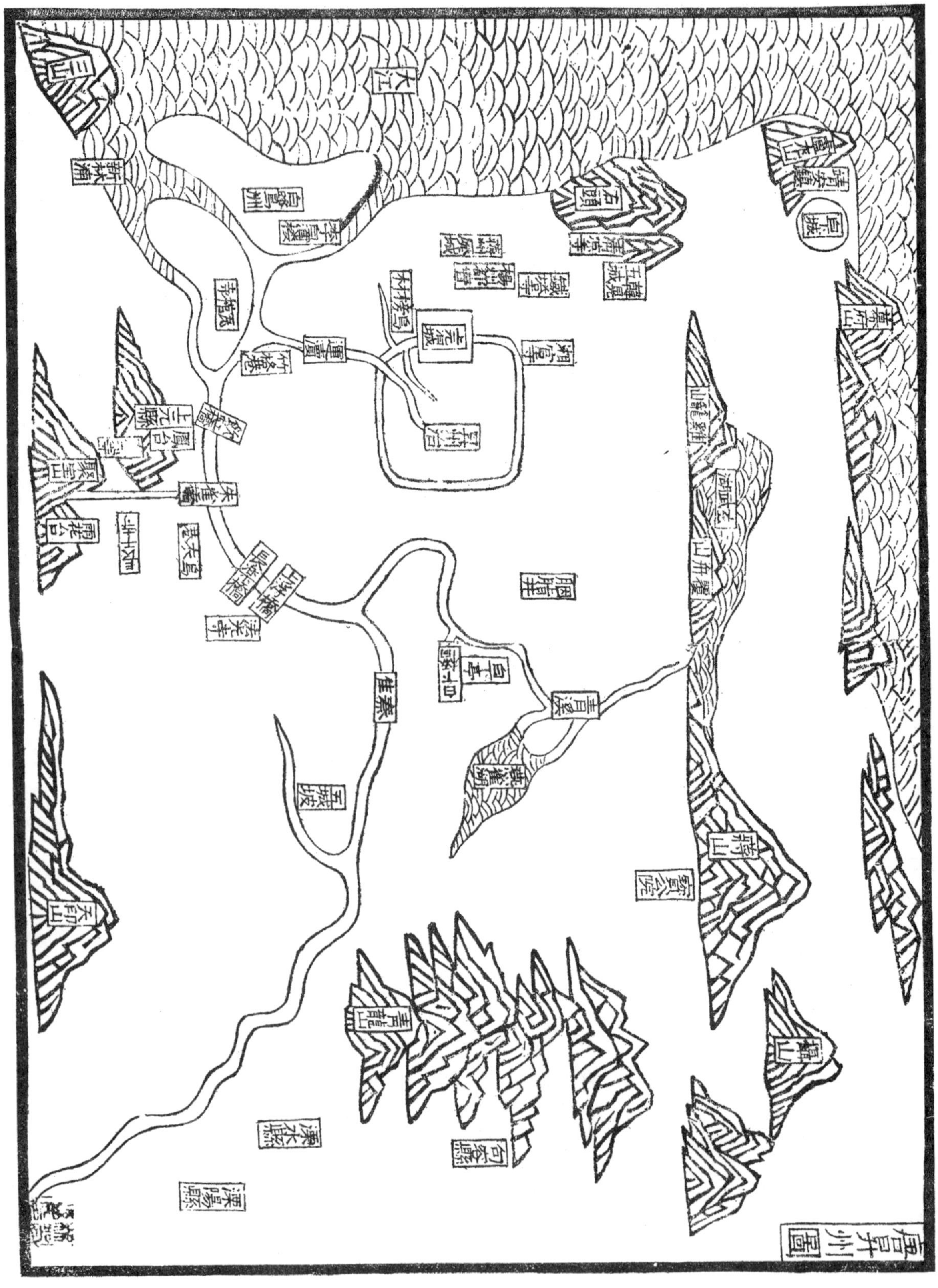
三山
大江
新林浦
白鷺洲
石頭
上元縣
鳳台
聚寶山
雨花台
雞籠山
玄武湖
覆舟山
青溪
燕雀湖
蔣山
天印山
青龍山
溧水縣
句容縣
溧陽縣

唐昇州圖

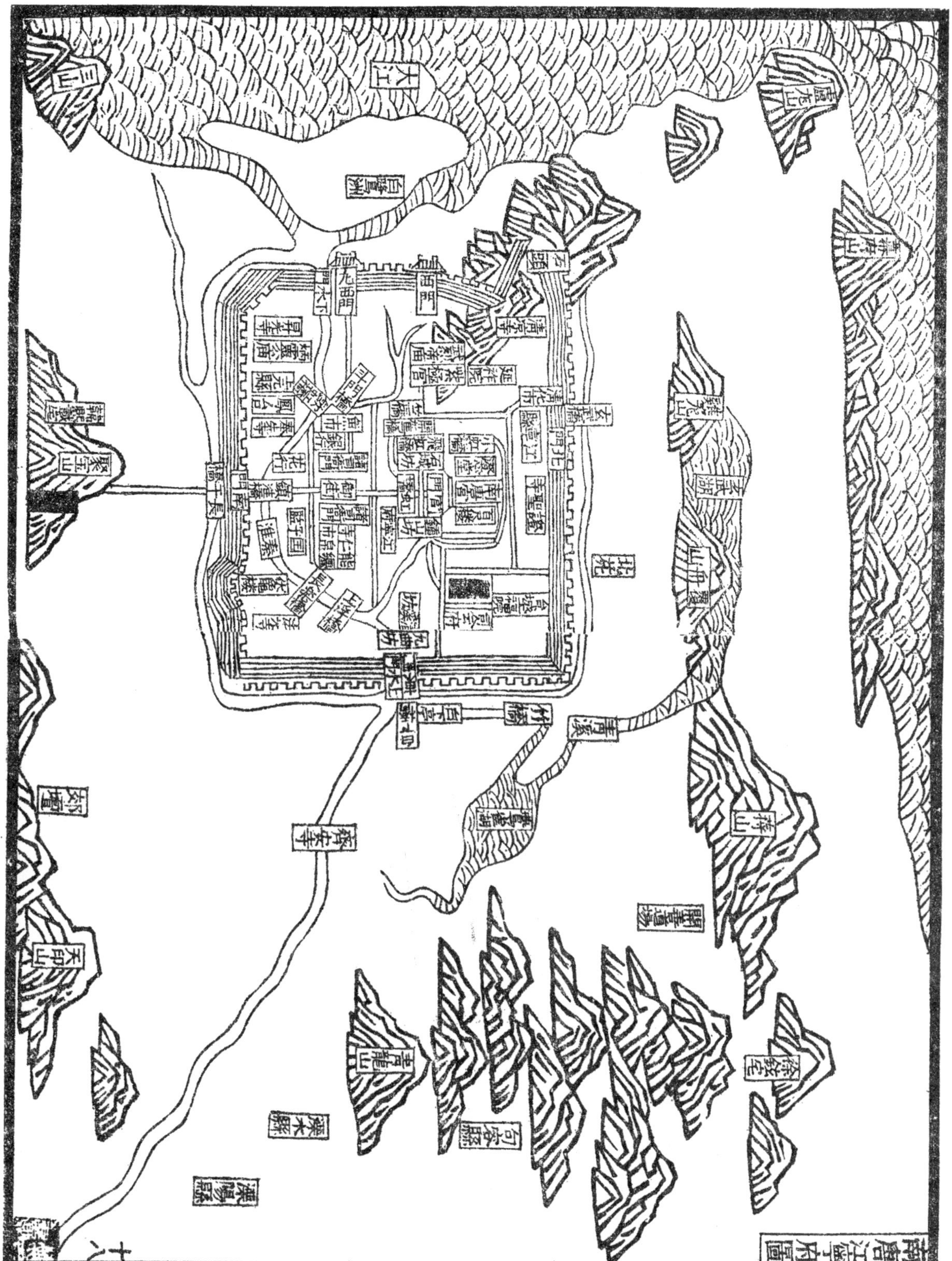
南唐江寧府圖
大江
三山
白鷺洲
聚寶山
長干橋
鎮淮橋
秦淮
玄武湖
蔣山
竹橋
青溪
天印山
青龍山
句容縣
溧水縣
溧陽縣

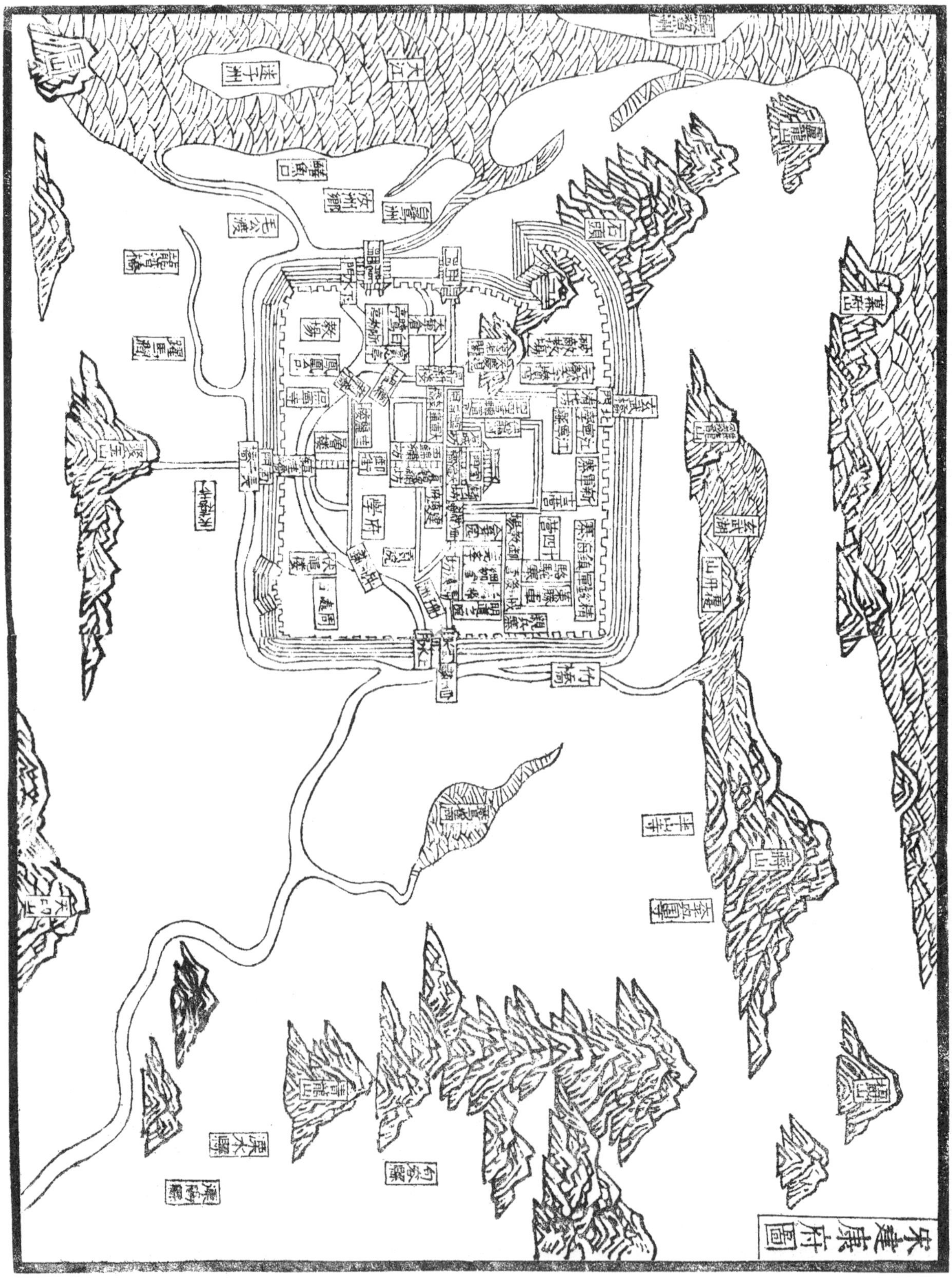

宋建康府圖

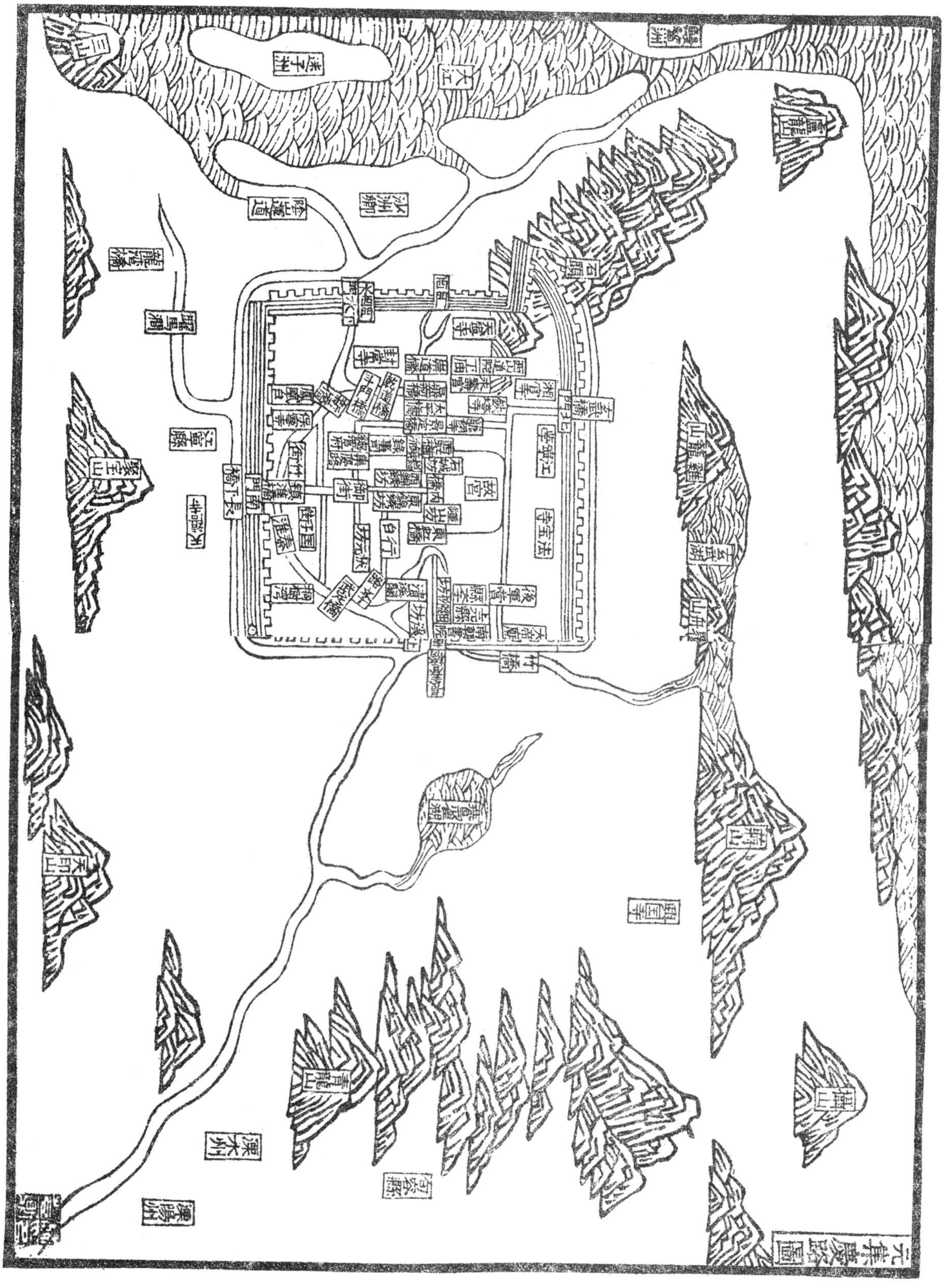
元集慶路圖

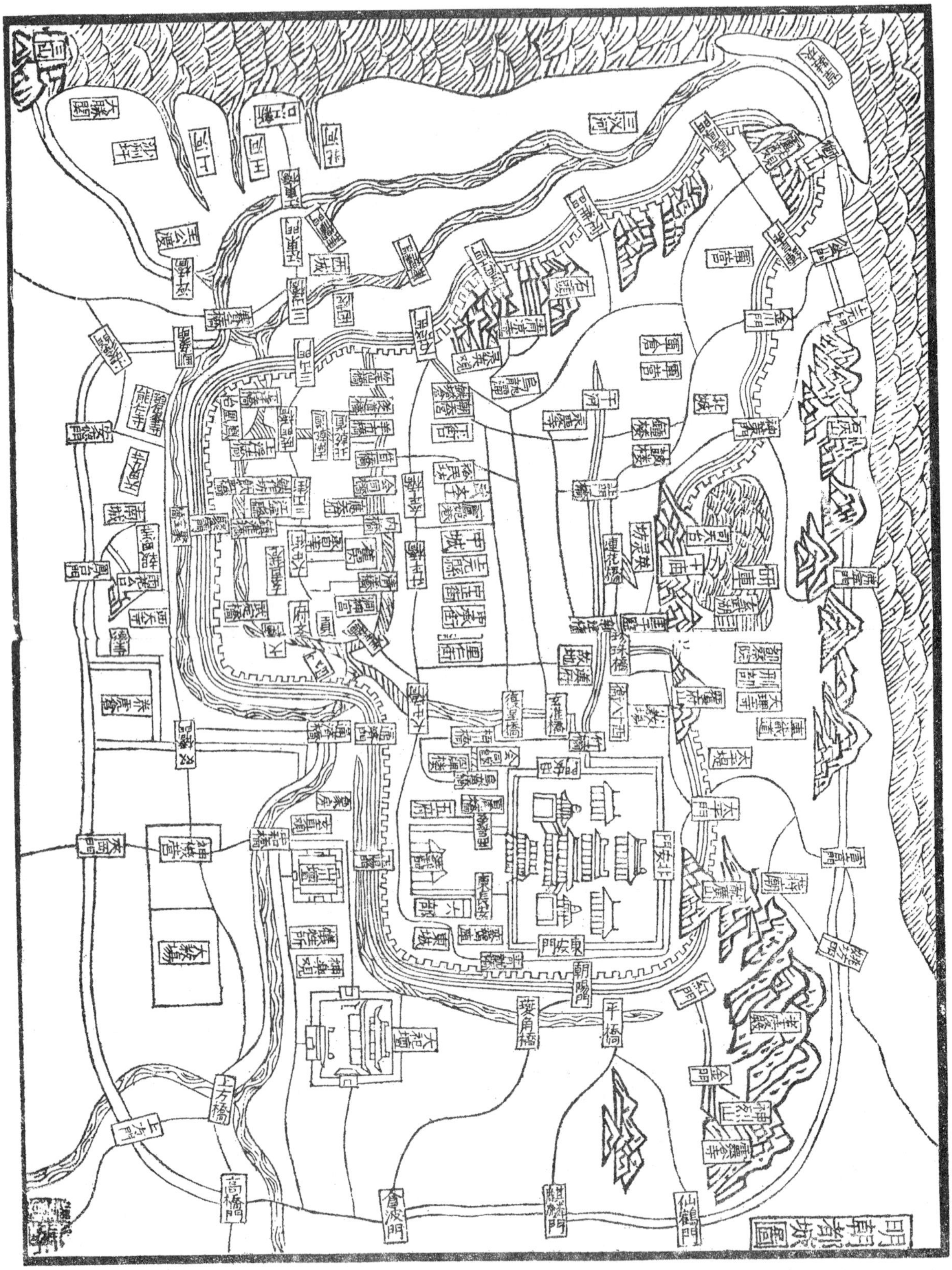
朝陽門
平橋
上方門
上方橋
高橋門
滄波門
麒麟門
仙鶴門
大祀壇
太平門
金川門
都察院
刑部
大理寺

明宮城圖

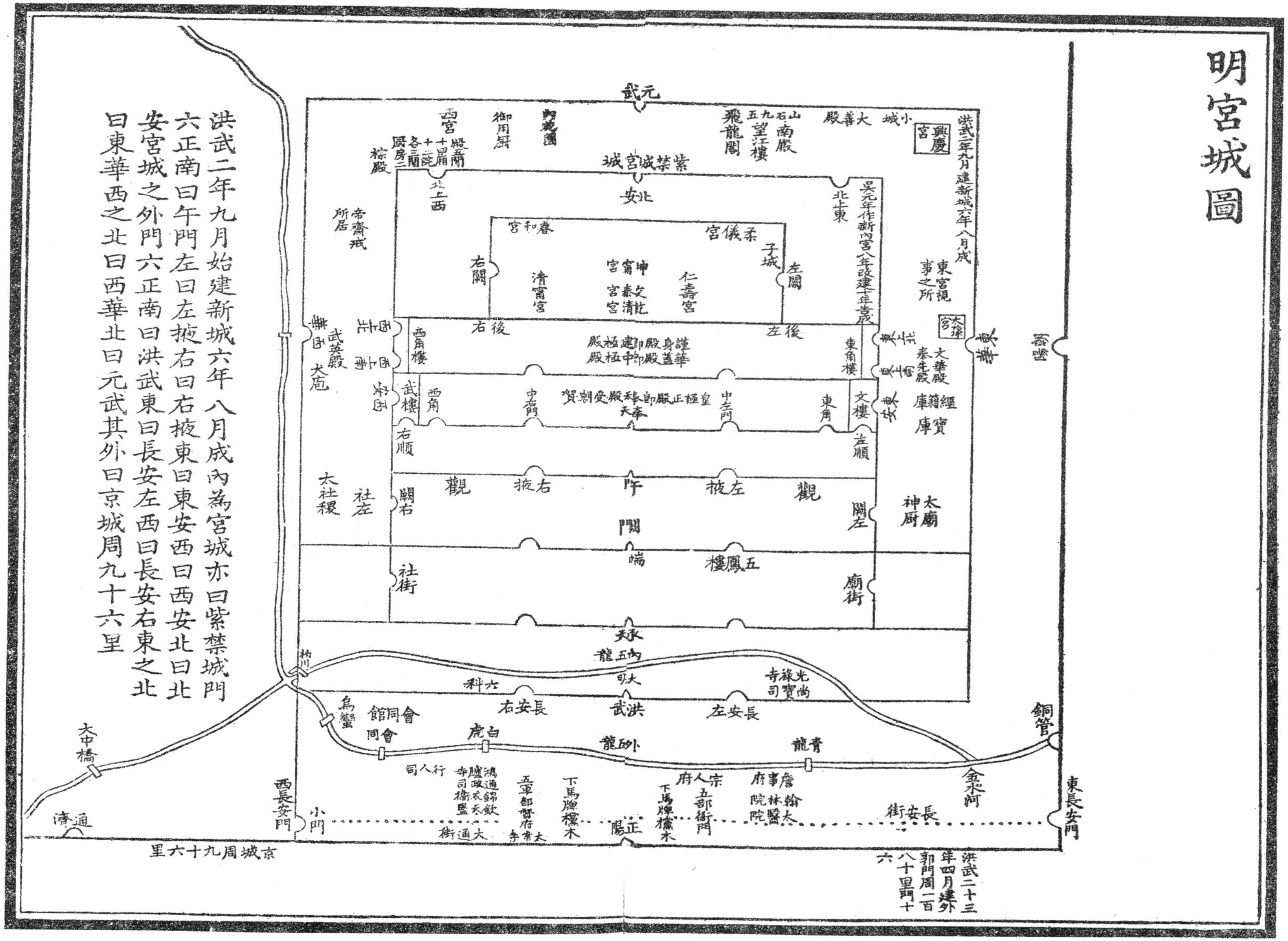
洪武二年九月始建新城六年八月成內為宮城亦曰紫禁城門
六正南曰午門左曰左掖右曰右掖東曰東安西曰西安北曰北
安宮城之外門六正南曰洪武東曰長安左西曰長安右東之北
曰東華西之北曰西華北曰元武其外曰京城周九十六里
元武
紫禁城宮城
北安
柔儀宮
春和宮
仁壽宮
清寧宮
左闕
右闕
後左
後右
東角樓
西角樓
五鳳樓
端門
午門
左掖
右掖
左觀
右觀
左順
右順
太廟
神厨
太社稷
社左
社街
廟街
東華
西華
東安
西安
長安左
長安右
洪武
承天
六科
會同館
烏蠻
白虎
青龍
朱雀
太中橋
通濟
銅管
金水河
長安街
正陽
西長安門
東長安門
小門
朝陽
京城周九十六里
洪武二十三年四月建外郭門周一百八十里門十六

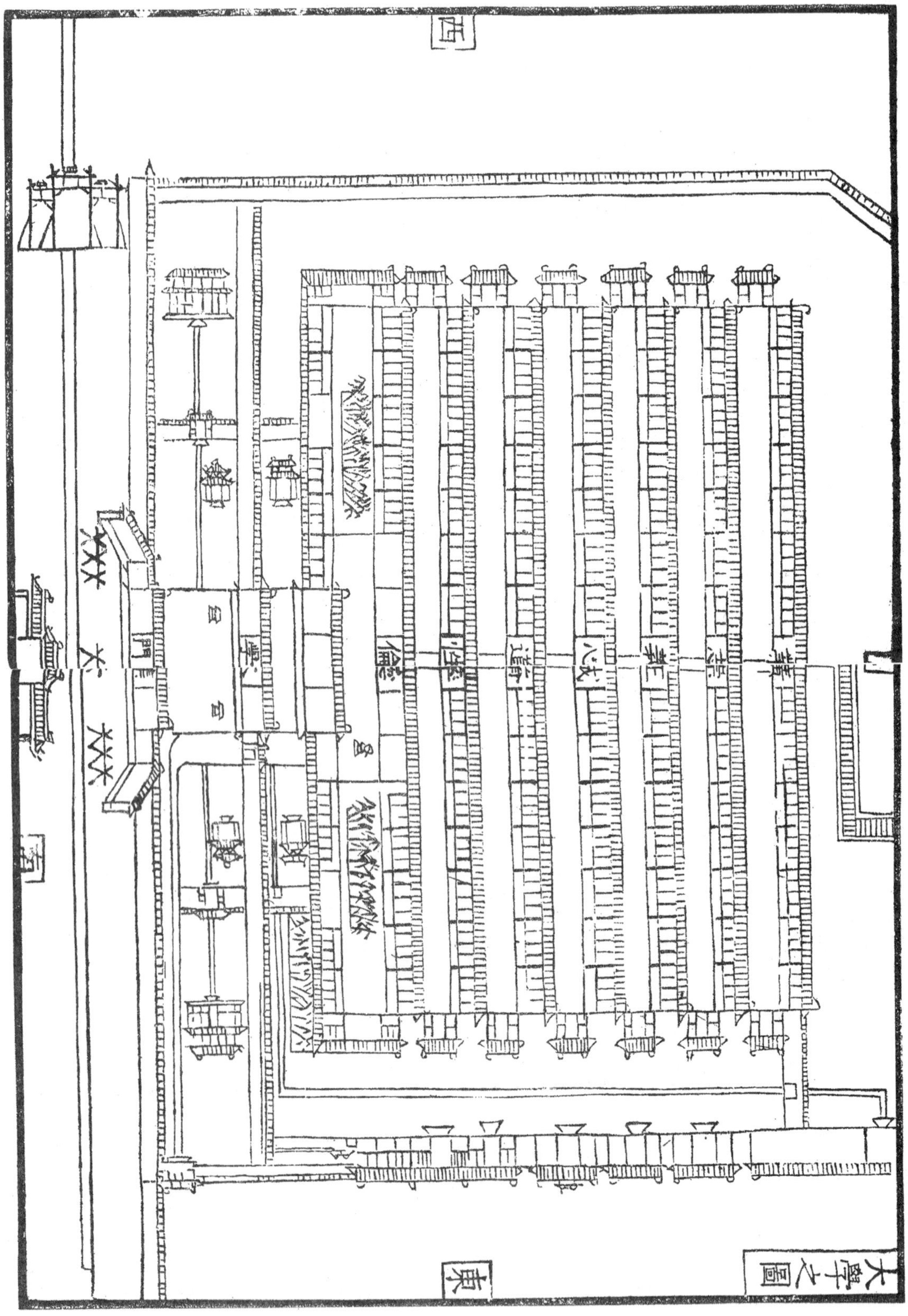

明太學圖（載南雍志）

江寧行宮（清乾隆十六年織造廳署改建圖載南巡盛典）

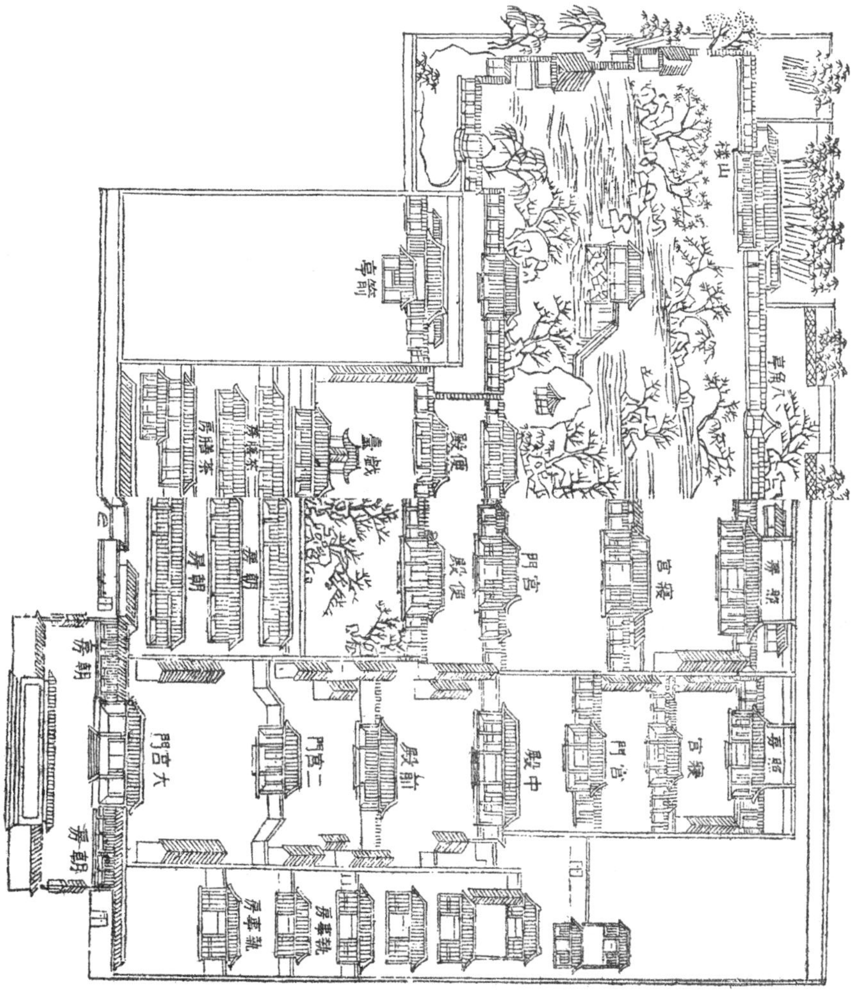

清乾隆時雨花臺（南巡盛典）

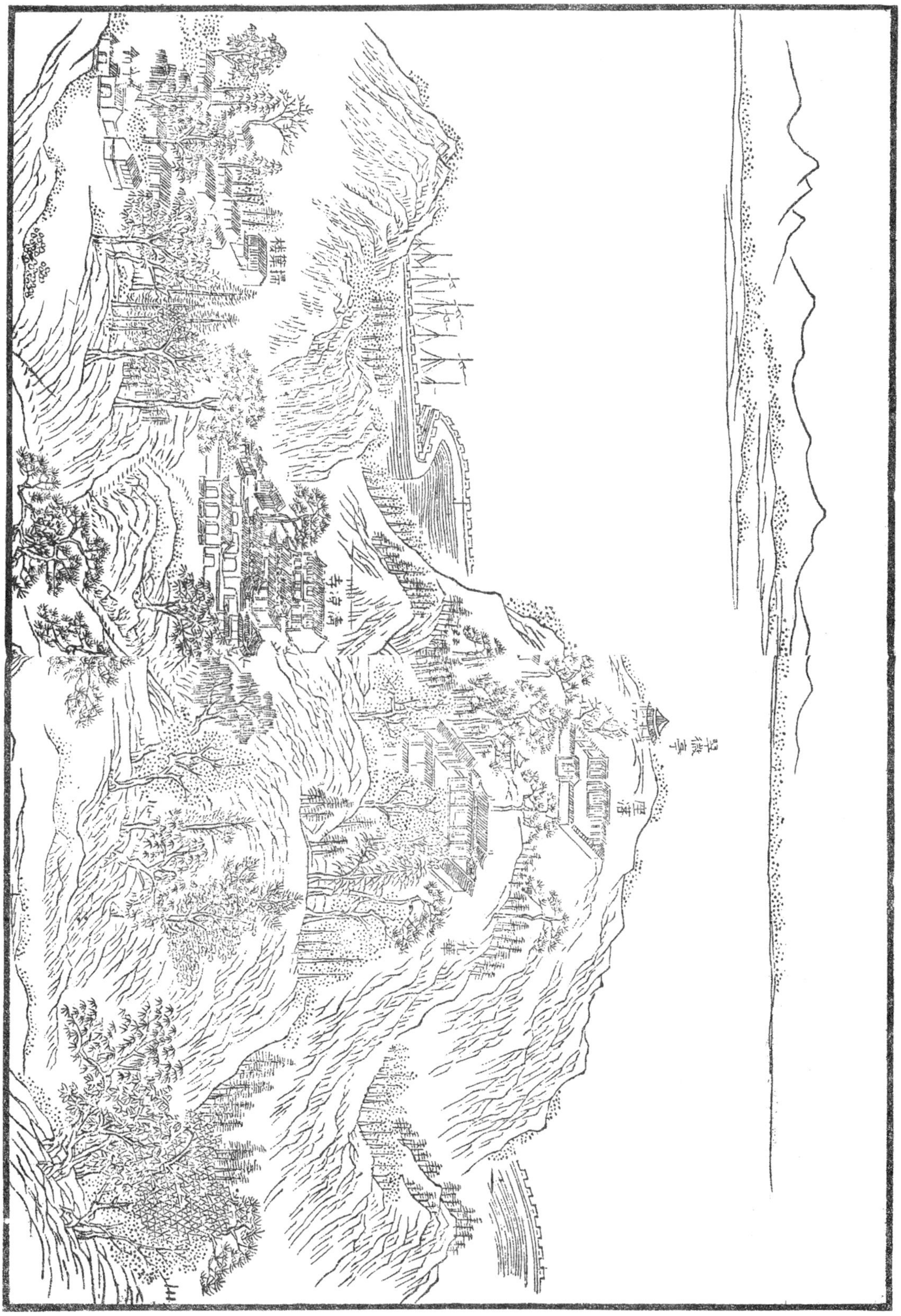

清凉山（南巡盛典載）

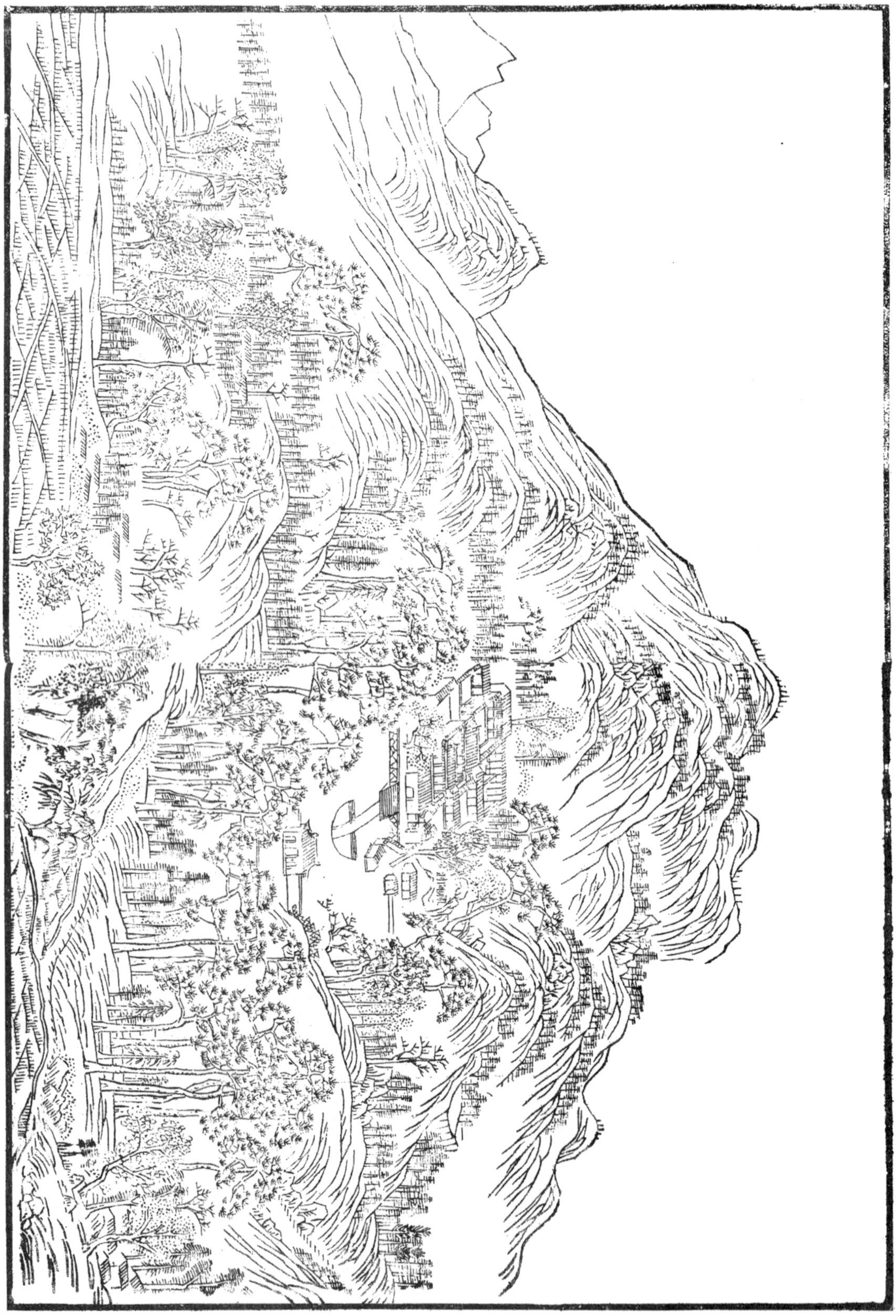

祗堂山（載南巡盛典）

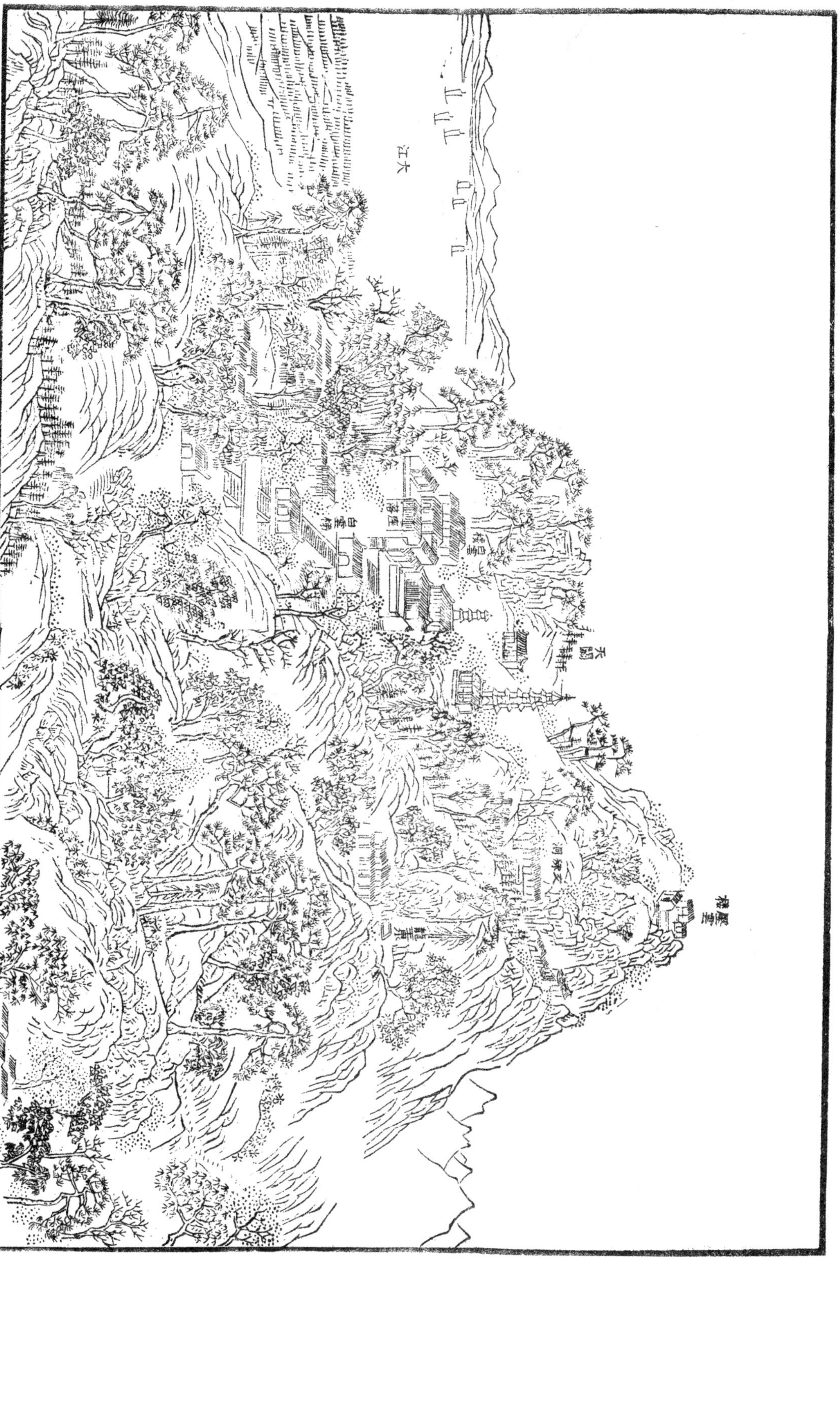

清乾隆時牛首山（南巡盛典）

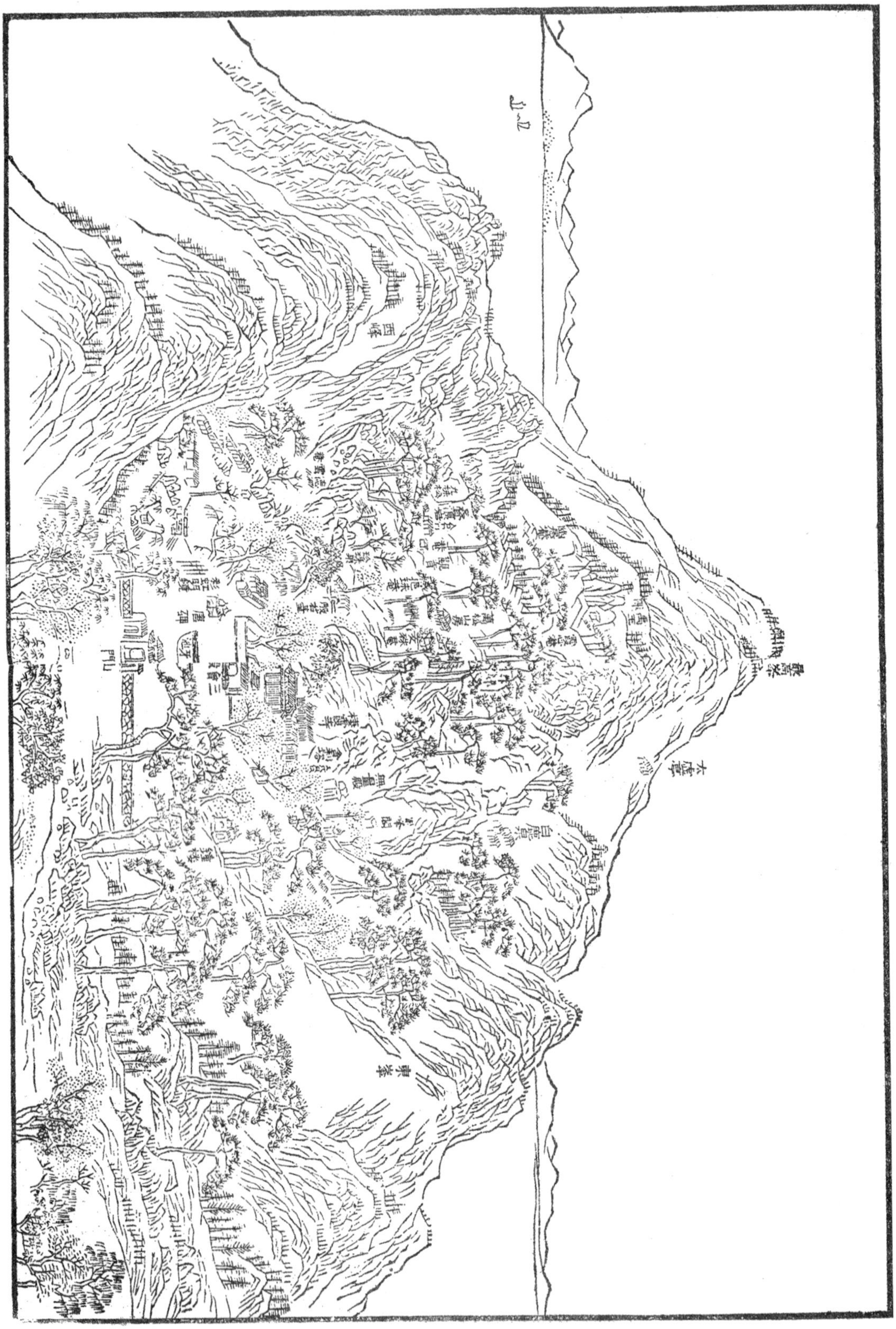

清乾隆時棲霞山（南巡盛典）

棲霞行宫（南巡盛典）

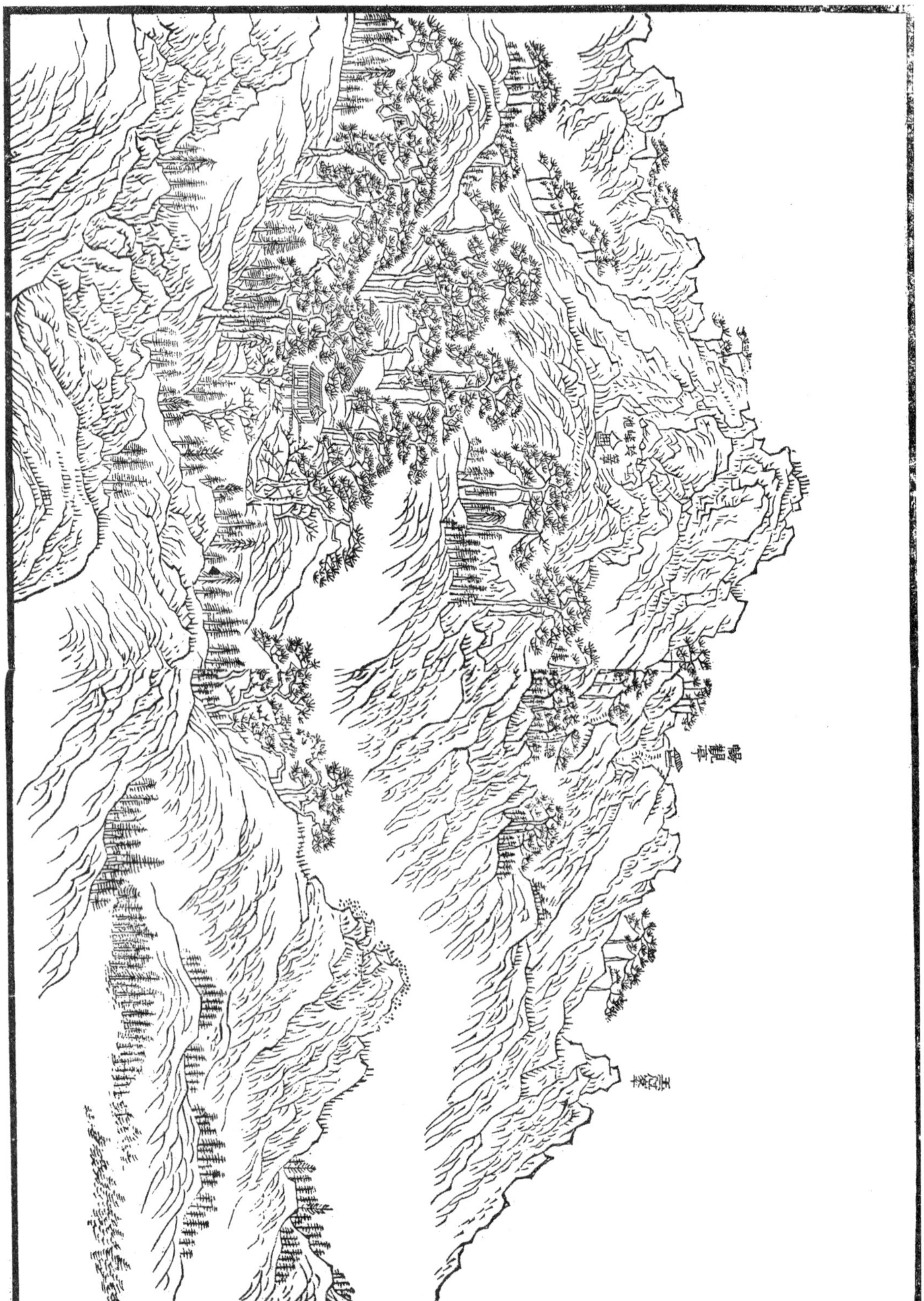

玲峯池（載南巡盛典）

紫峯閣（載南巡盛典）

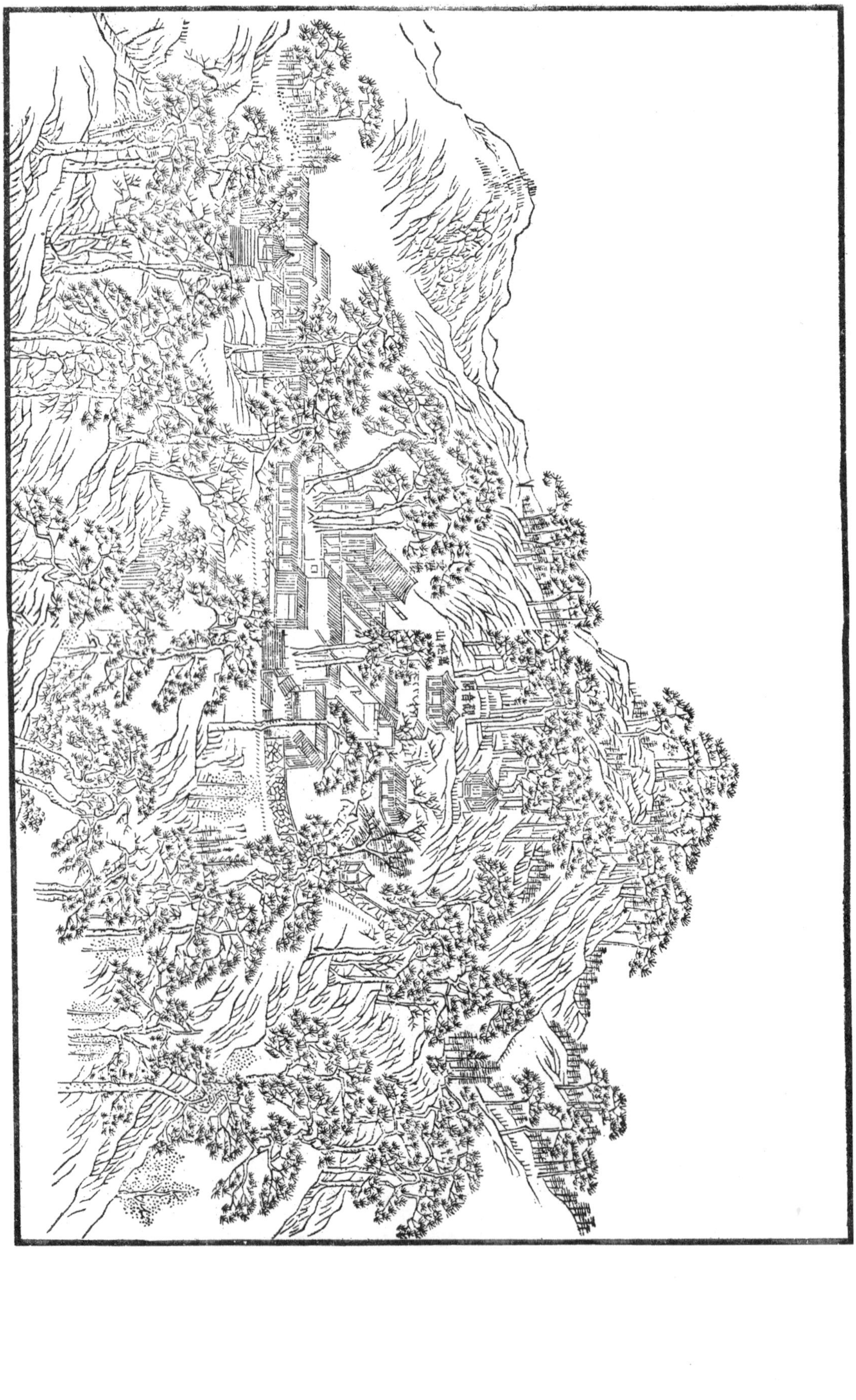

房山松藹（南巡盛典載）

天開巖（南巡盛典）

疊浪岩（載南巡盛典）

珍珠泉（載南巡盛典）

彩虹明鏡（載南巡盛典）

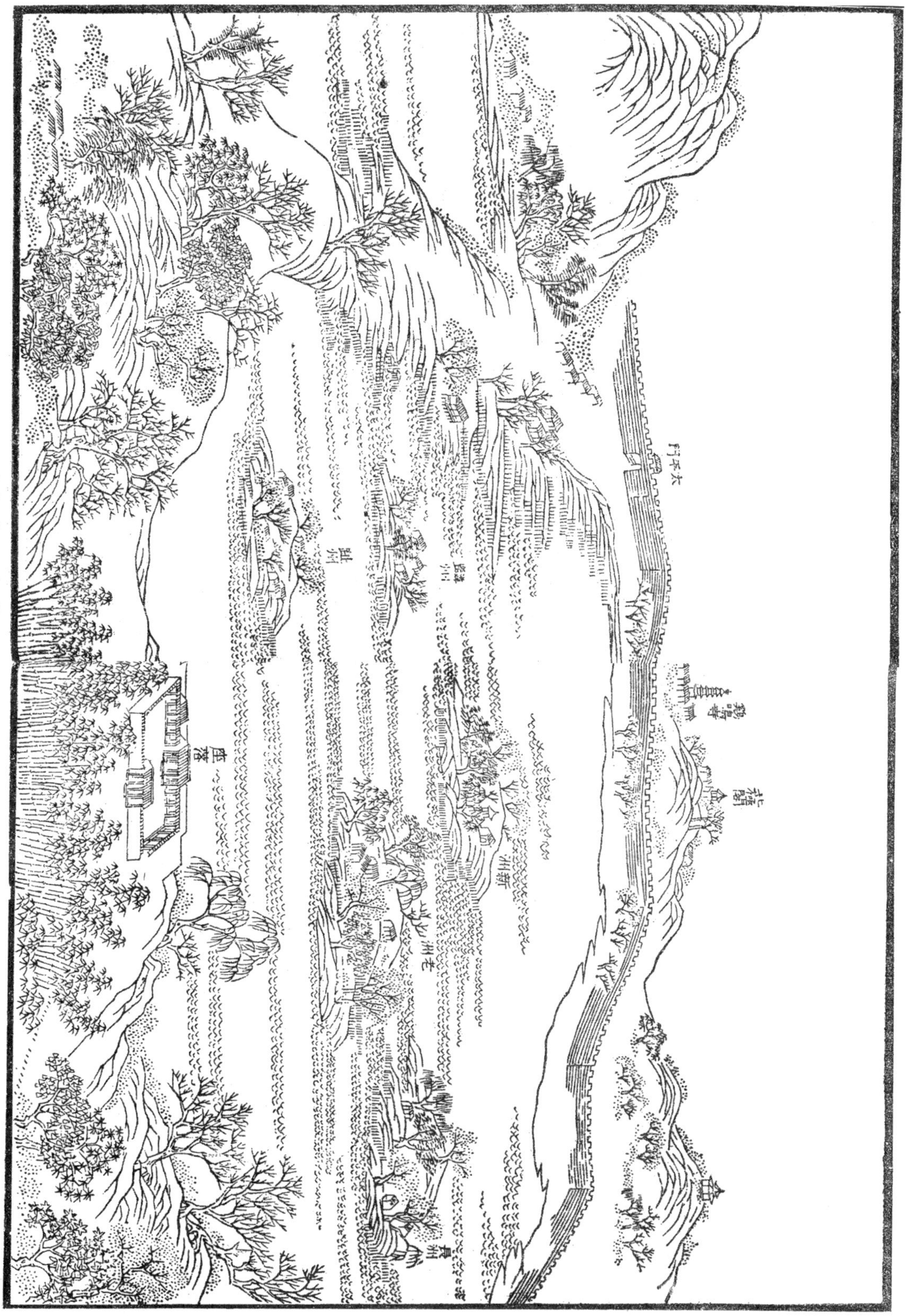

清乾隆時後湖（南巡盛典）

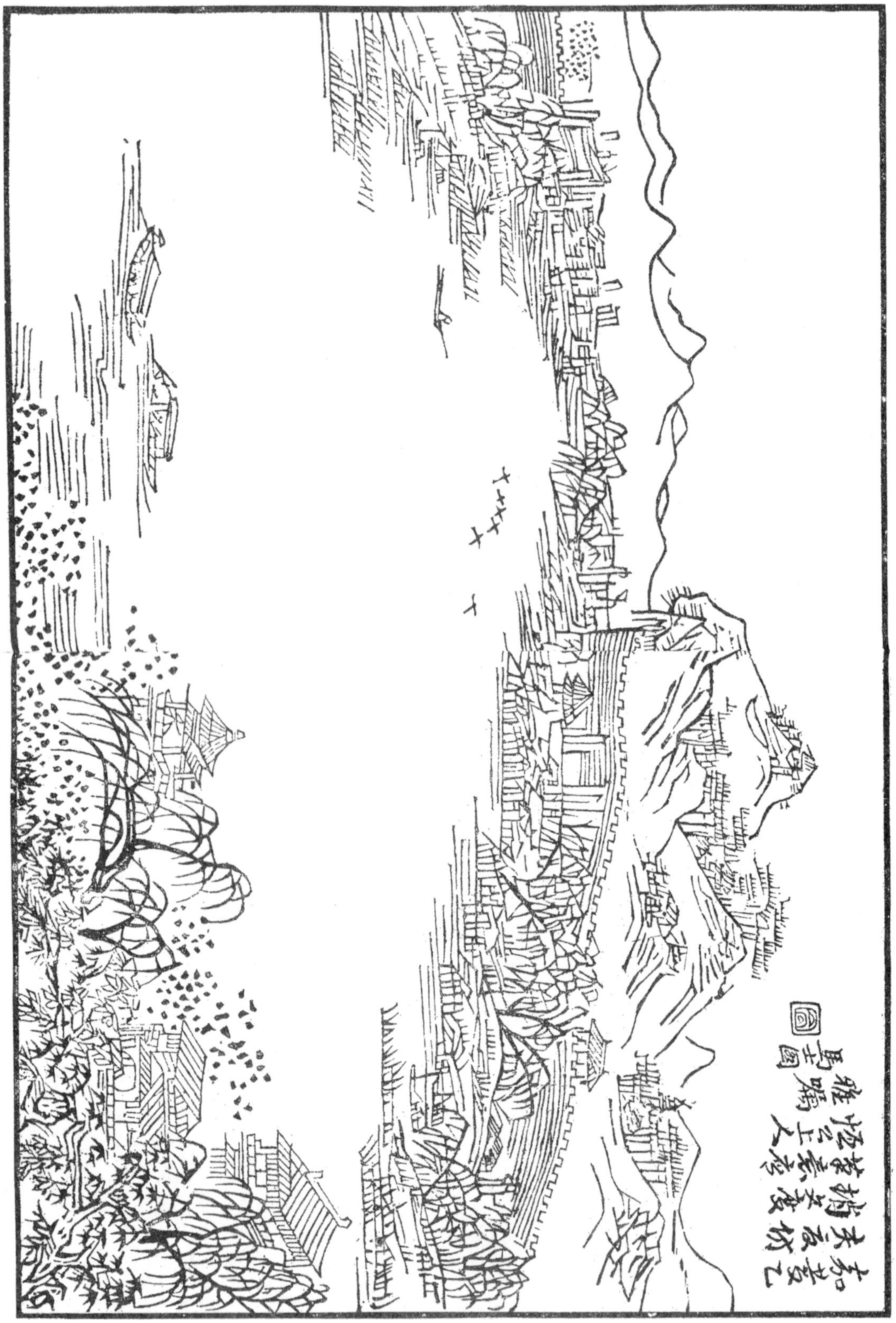

莫愁　（錄莫愁風雅集）

清乾隆时燕子矶（南巡盛典）

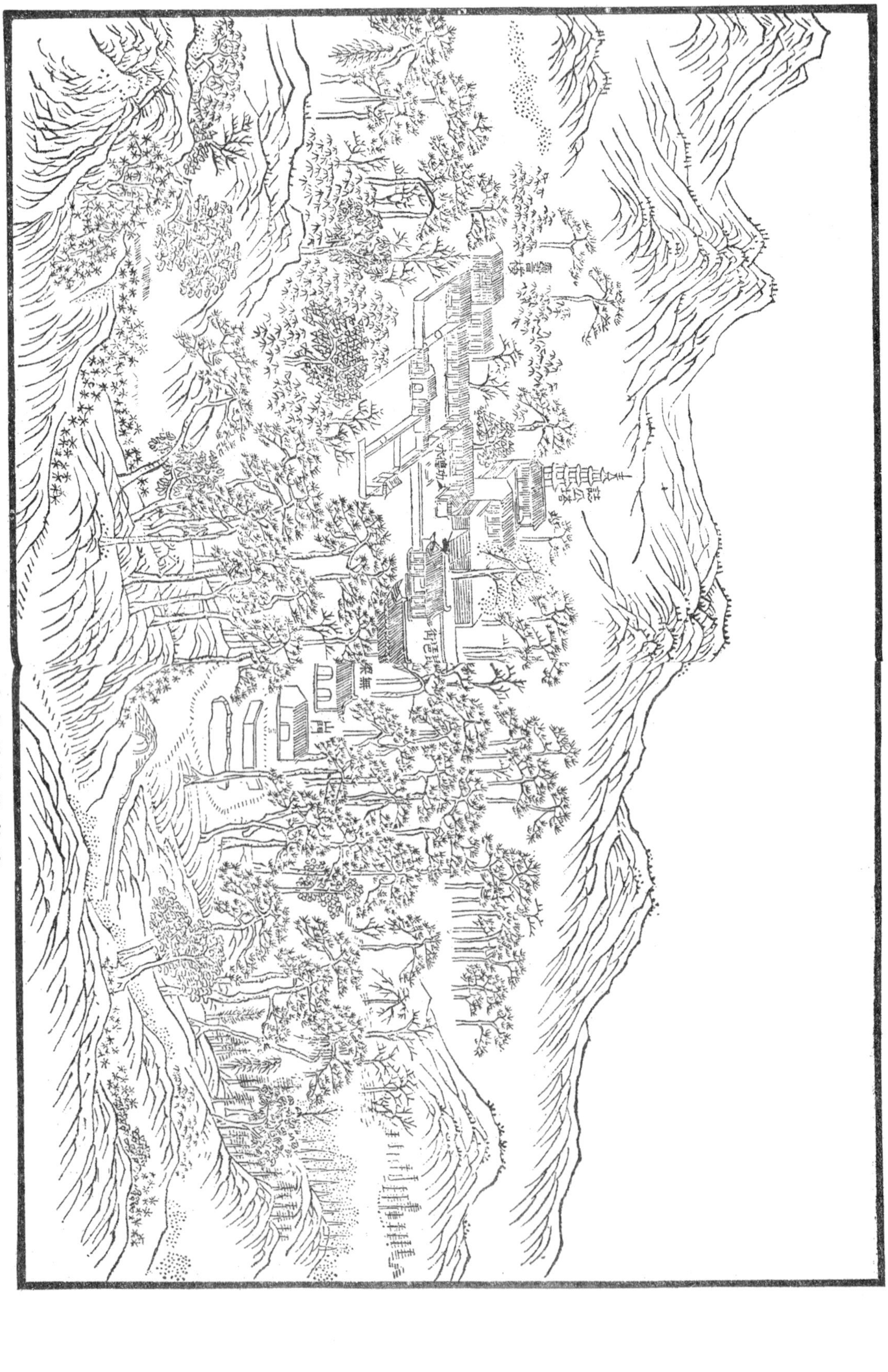

清乾隆時靈谷寺（南巡盛典）

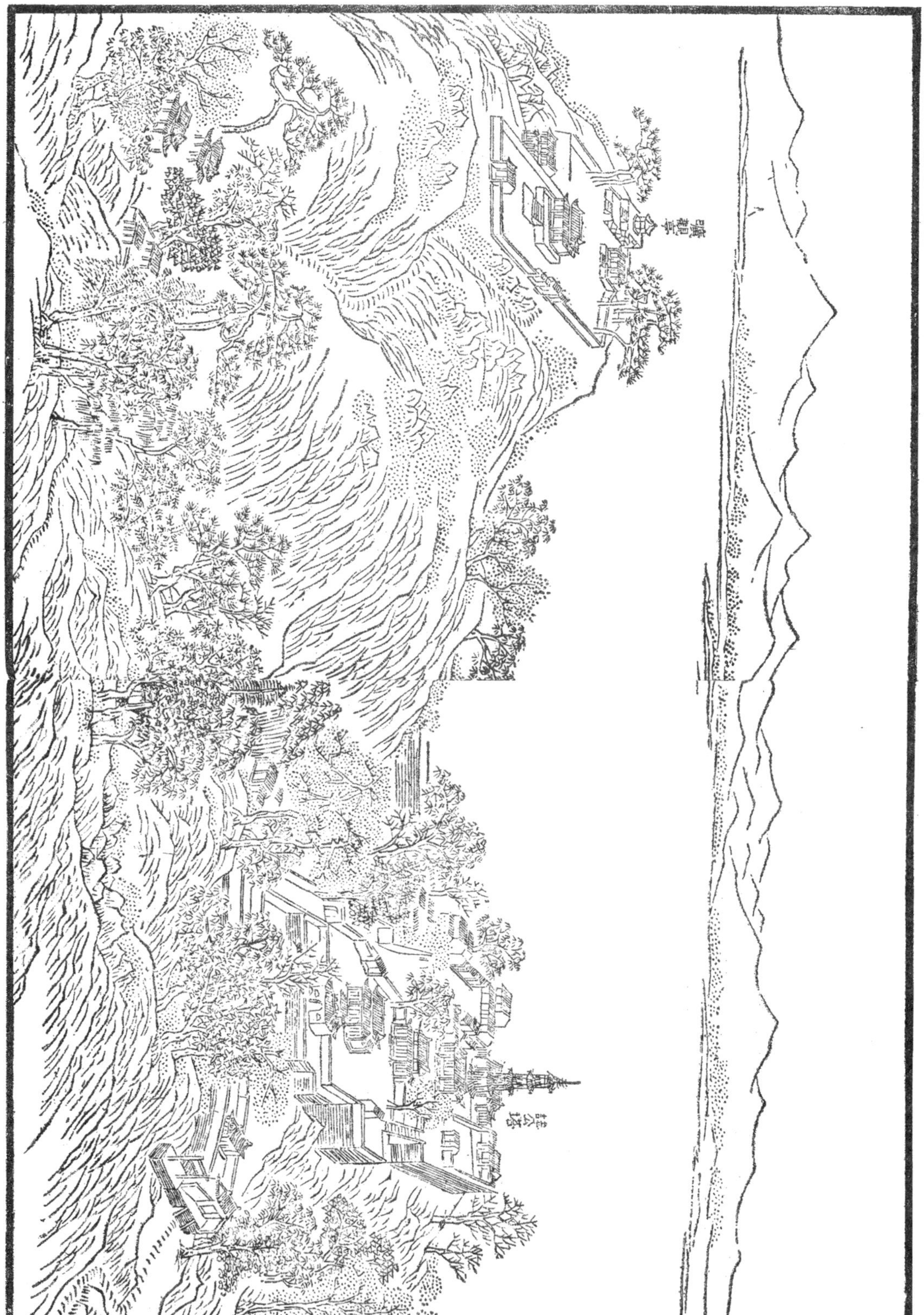

清乾隆時雞鳴寺（南巡盛典）

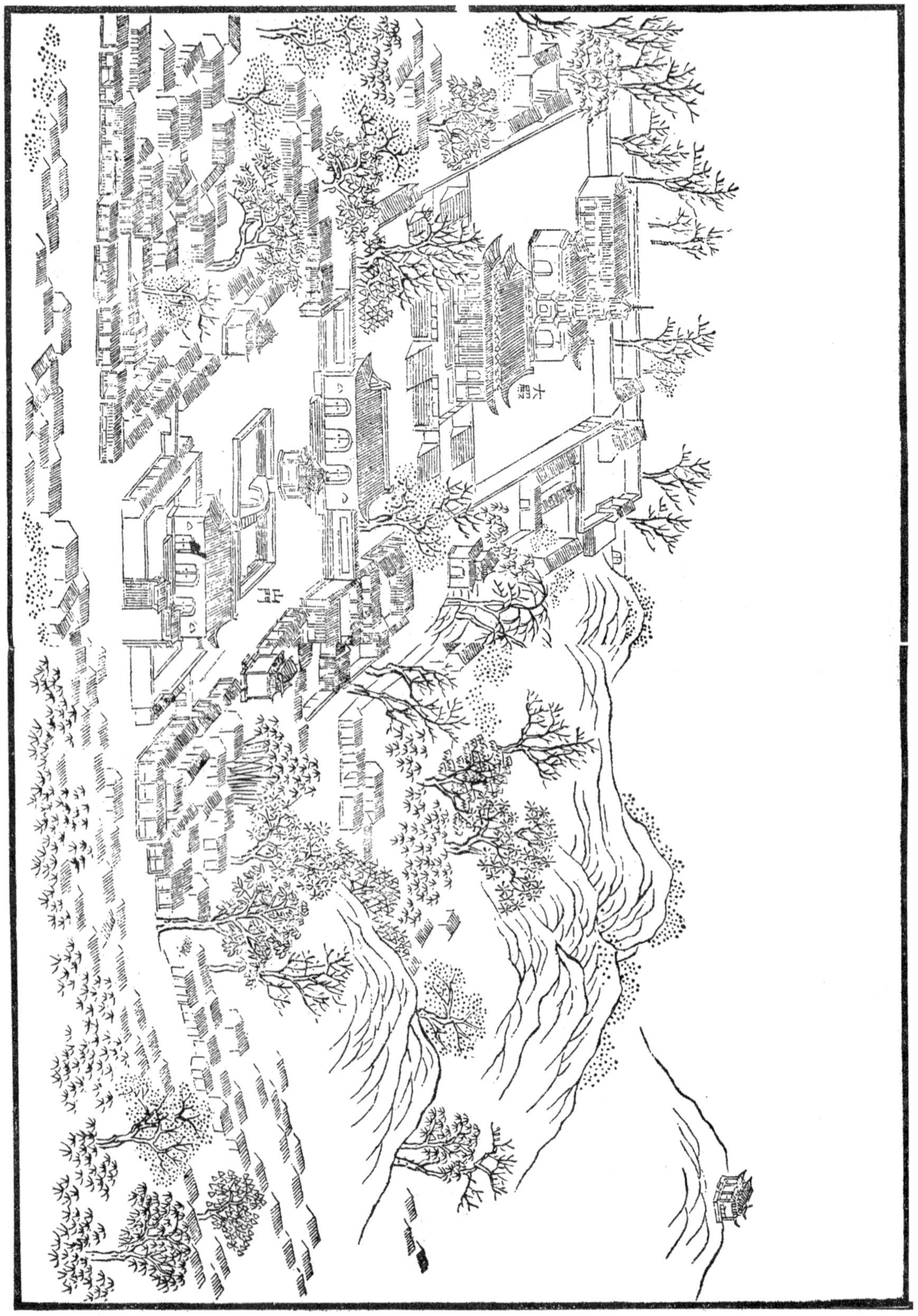

清乾隆時報恩寺（載南巡盛典）

德雲庵（載南巡盛典）

幽居菴（南巡盛典）

明棲霞寺（圖載金陵梵刹志）

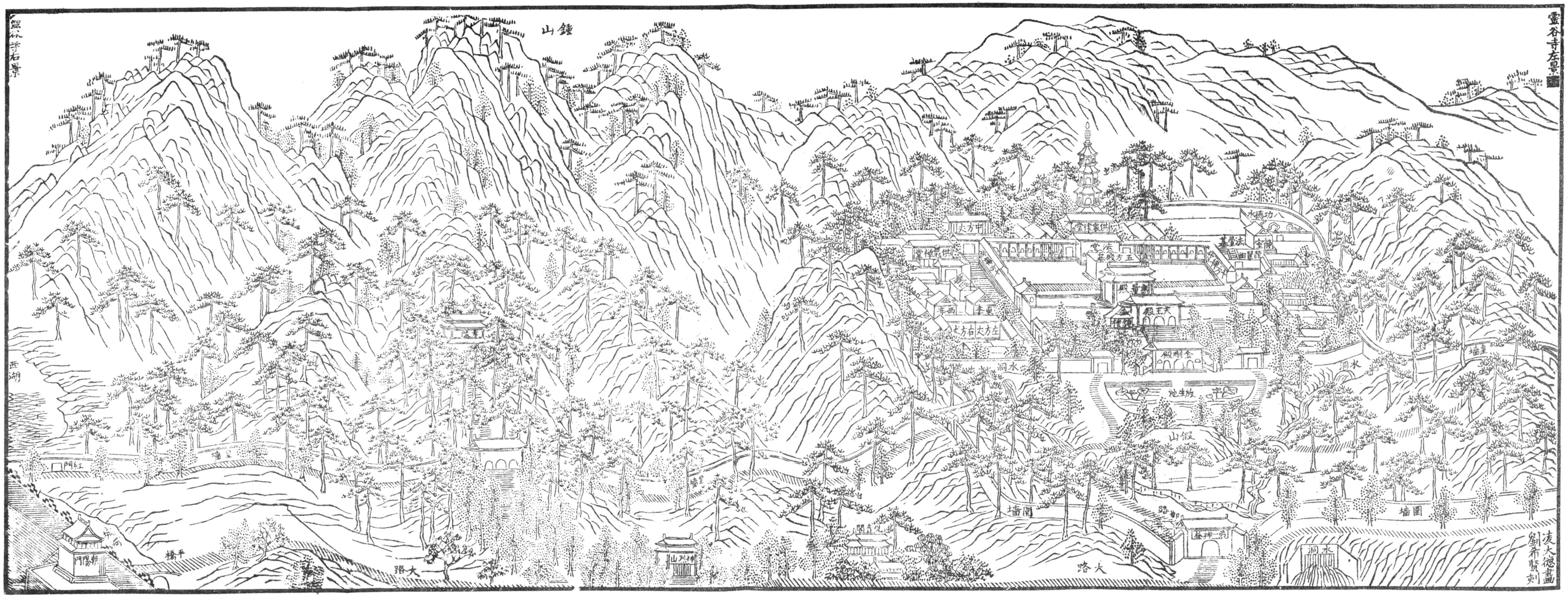
靈谷寺右景
鍾山
靈谷寺左景圖
西湖
紅門
平橋
朝陽門
大路
神烈山
水洞
放生池
金剛殿
天王殿
無量殿
八功德水
假山
圍墻
大路
凌大德畫
劉希賢刻

明靈谷寺（圖載金陵梵刹）

明報恩寺

（圖載金陵梵刹志）

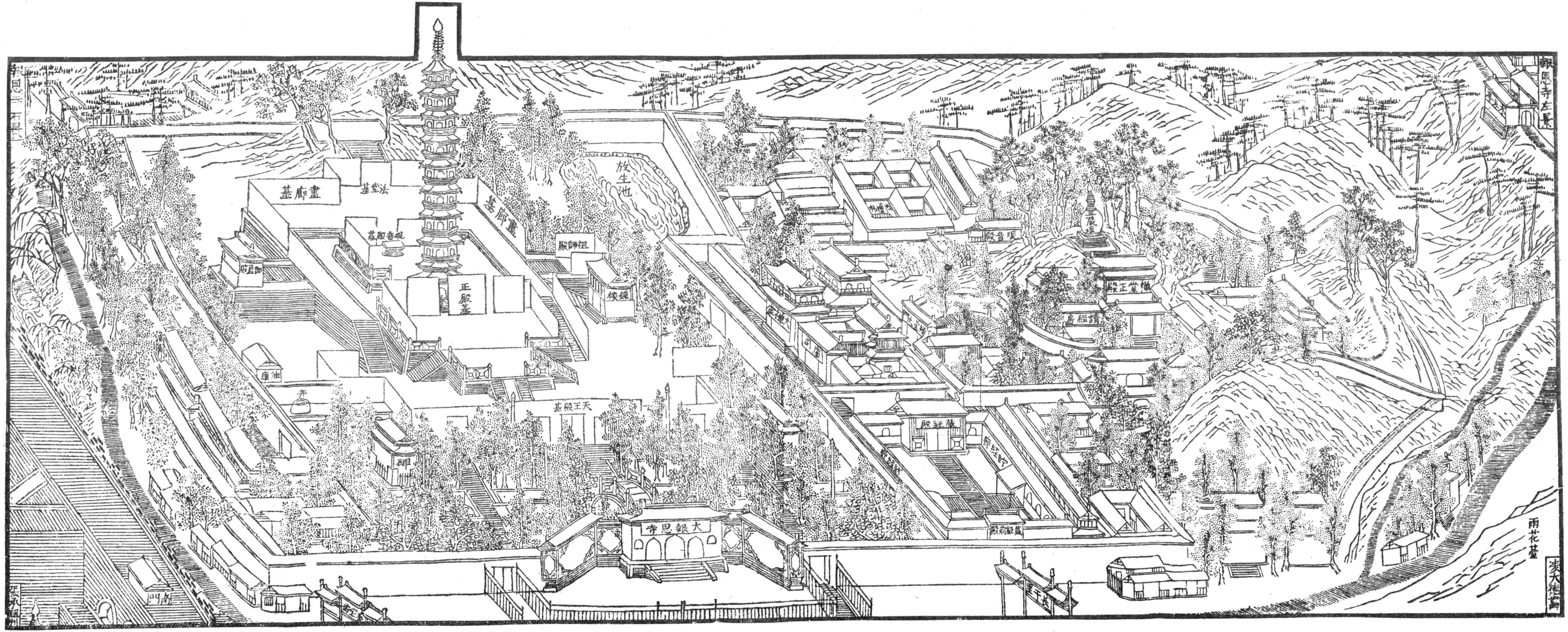

明天界寺（图藏金陵梵刹志）

明弘覺寺（圖載金陵梵刹志）

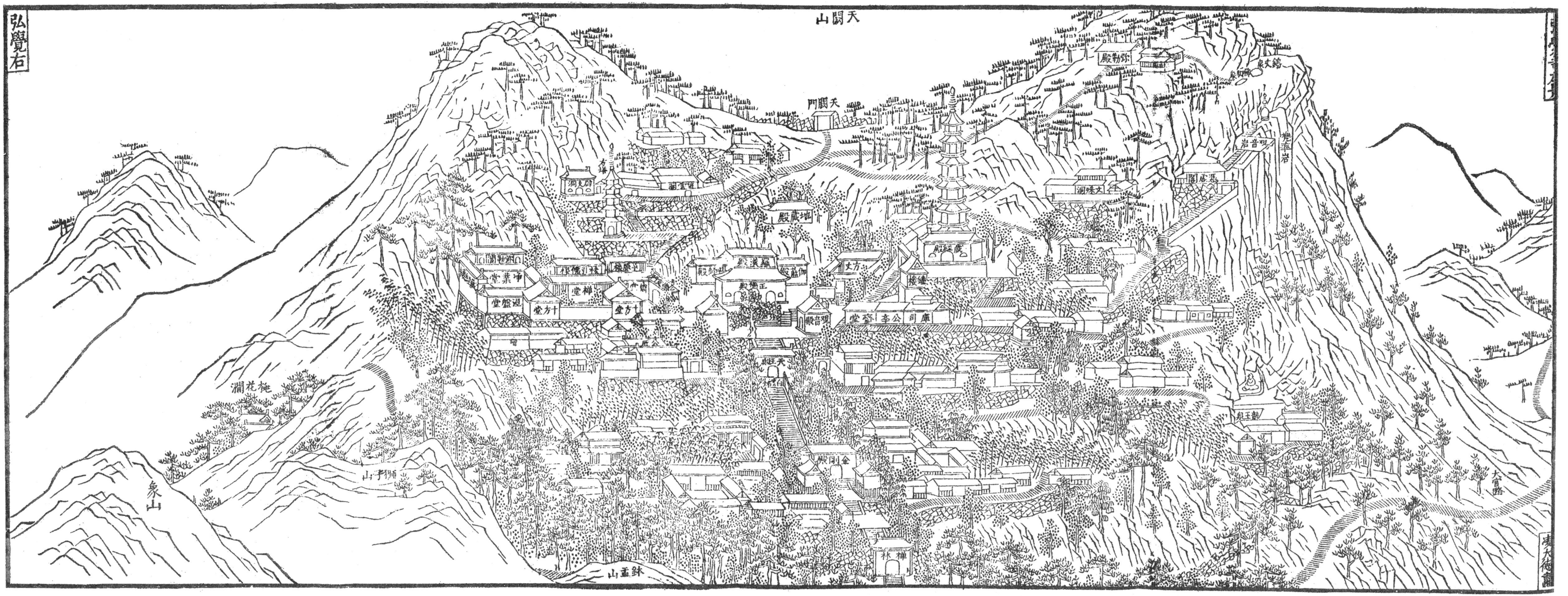

明神樂觀（圖載金陵玄觀志）

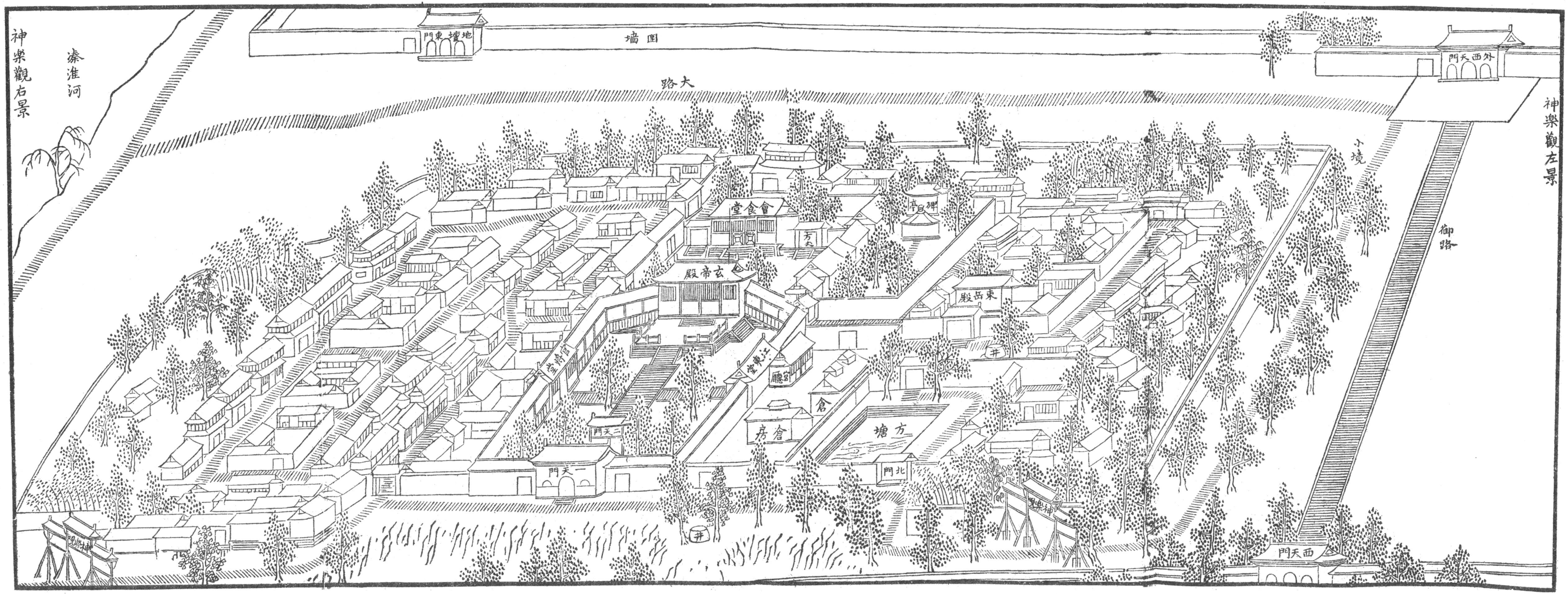

明朝天宫（圖載金陵玄觀志）